LE GUIDE
DES JARDINS
DE FRANCE

Michel Racine

LE GUIDE
DES JARDINS
DE FRANCE

Guides Hachette

AUTEURS DES TEXTES

A.A.C. Alix Audurier-Cros
I.A. Isabelle Auricoste
J.P.B. Jean-Pierre Beriac
A.B. Agnès Bochet
E.B.M. Ernest J.P. Boursier-Mougenot
P.C.L. Pascale Charles-Lavauzelle
J.C. Jeanine Christiany
M.C.C. Marie-Christiane de la Conte
C.C. Claude Cosneau
M.C. Maurice Croux
T.D. Thierry David
G.D. Gérard Desnoyers
J.D.D. Jean-Denys Devauges
F.D. Florence Dollfus
D.S.L. M. Dufresne de Saint-Léon
F.F. Françoise Faury
G.L.F. Gaëtane de la Forge
A.F.K. Anne Fortier-Kriegel
J.GD. Jacques Gérard
P.G. Philippe Gonzales
J.G. Jacqueline Guevenoux
D.H. Duc d'Harccourt
M.H. M. Helgouach
B.K. Bernard Kayser
V.L. Valérie Labarthe
E.L. Étienne Laporte
J.C.L. Jean-Claude et Michèle Lamontagne
A.L. Aline Lecœur
F.L.C. Françoise Lecuyer-Cauvard

H.L. Hervé Lefort
C.L. Catherine Legendre
N.L.N. Nicole Le Nevez
D.L. Dany Lentin
P.L. Pierre Lieutaghi
A.M. André Manche
D.M. Dominique Mons
M.F.M. Marie-France Morel
B.M. Blandine Morin
M.M. Monique Mosser
J.C.N. Jean-Claude Nouallet
M.N. Mireille Nys
B.P. Bertrand Paulet
R.P. René Pechere
J.P. Jean Perrin
P.P. Patrice Pierron
A.R. Anne Racine
M.R. Michel Racine
D.R. Denis Rouve
F.R. Françoise Rouzet
C.R. Catherine Royer
G.S. Princesse Sturdza
I.V. Isabelle Vaughan
I.W.B. Isabelle de Watteville-Berckheim
J.W. Joëlle Weill
C.W. Catherine Willis
K.W. Kenneth Woodbridge †
C.Z. Catherine Zwinghedau

Direction
Adélaïde Barbey

Édition
François Monmarché
Catherine Eyquem

Correction
Josette Péronnet

Maquette
Jean Castel, TRACT (maquette intérieure)
Karine Berthelin
CALLIGRAM (maquette de couverture)
Yannick Guégan (bandeau de couverture)

Fabrication
Gérard Piassale
Nathalie Maurille

LE GUIDE DES JARDINS DE FRANCE

par Michel Racine

qui a assuré la direction du projet, la rédaction de divers articles et notices, les photographies non mentionnées dans le crédit photographique. Chacune des notices est signée des initiales de son auteur principal qui peut être identifié en se reportant au tableau récapitulatif.

Nous remercions particulièrement pour leur collaboration :

— pour les articles introductifs :

Pierre Lieutaghi *Petit aide-mémoire du jardinier post-moderne*
André Manche *L'Homme-jardinier*
Jean Guéroult *Être propriétaire d'un jardin visitable*

— pour les contributions régionales, par ordre d'importance :

Dany Lentin *Région Alsace, Paris et Ile-de-France*
Joëlle Weill *Région Centre*
Alix Audurier-Cros *Région Languedoc-Roussillon*
Ernest J.P. Boursier-Mougenot *Côte d'Azur*
Jean-Pierre Beriac *Région Aquitaine*
Marie-Christiane de la Conte *Région Haute-Normandie*
Gérard Desnoyers *Région Franche-Comté*
Nicole Le Nevez *Région Pays de la Loire*
Valérie Labarthe et Bernard Kayser *Région Midi-Pyrénées*
Blandine Morin et Philippe Gonzales *Région Champagne-Ardennes*
Patrice Pierron *Région Rhône-Alpes*
Pascale Charles-Lavauzelle *Région Limousin*
Aline Lecœur, Hervé Lefort et Dominique Mons *Région Nord-Pas-de-Calais*
Agnès Bochet et Patrice Pierron *Région Bretagne*

— pour les contributions particulières :

Isabelle Auricoste, Florence Dollfus, Jean-Claude et Michèle Lamontagne, Monique Mosser, Mireille Nys, Anne Racine, Catherine Royer,

ainsi que :

Thierry David *Coordination*
Jean-Pierre Olive *Cartographie et plans de jardins*

Nous remercions pour leur soutien :

le Ministère de l'Équipement, du Logement, des Transports et de la Mer — Direction de l'Architecture et de l'Urbanisme, qui a permis la rédaction des premières notices publiées en 1988 dans le dépliant de la campagne « Visitez un jardin français », le Secrétariat d'État auprès du Premier ministre chargé de l'Environnement — Direction de la Protection de la Nature —, la Mission du Paysage,

Delbard S.A.
KB Jardin Rhodic Groupe Rhône-Poulenc

l'Association des Parcs Botaniques de France (A.P.B.F.)
la Demeure Historique (D.H.)
les Vieilles Maisons Françaises (V.M.F.)

ainsi que

les nombreux propriétaires de jardins qui nous ont aidés à collecter les informations nécessaires, les Délégations Régionales à l'Architecture et à l'Environnement nous ayant permis de mieux documenter certains jardins en région Basse-Normandie, en Bretagne, en région Centre, Languedoc-Roussillon, Picardie et plus particulièrement en Provence-Alpes-Côte d'Azur, les conservations des Monuments historiques de Lorraine et de Bourgogne, l'École Nationale Supérieure du Paysage de Versailles, l'École du Breuil, Alain Bizet, Cécile Briolle, Édith Chemin, Françoise Faury, François Delbard, Henri Delbard, Patrick Guyon, Isabelle Jacquelin, R. Jancel, Martine Mattio, Philippe Michaud, Muriel Palomo, Dominique Pain, Philippe Ronsseray, Denis Rouve, Odile Vincent (I.F.A.).

Sommaire

Au seuil du jardin
L'amateur, le créateur, le propriétaire et le jardinier

LE SEUIL

Avant d'entrer dans l'un ou l'autre des jardins qui sont proposés ici à la visite, rappelons-nous que chacun d'entre eux commence par un seuil. Tout seuil mérite attention, tout particulièrement à la porte du jardin, cette porte-fenêtre pour voir le monde autrement. Le seuil du jardin change à la fois l'espace et le temps. Une inscription y était jadis gravée dans le marbre : *Festina lente,* « hâte-toi lentement ». Injonction tempérée. Au jardin, le temps ne s'arrête pas : il n'est plus le même. Le visiteur pressé perd son temps. Il entre au labyrinthe et doit se soumettre à ses règles. Avant même d'entrer, il doit accepter de se perdre un peu. S'il ne veut pas se perdre totalement, il changera d'allure, il écoutera pousser les plantes et découvrira une autre façon de voir le temps. Ici, le végétal impose son rythme, se hâte lentement.

On n'entre pas dans un jardin par hasard, sans initiation. On entre en suivant les fils conducteurs les plus variés, végétaux, dessin, odeurs, paysages, sons et couleurs, par curiosité, par intuition, pour découvrir une oasis, pour trouver du plaisir, voir du beau, *belvedere.* La visite au jardin est l'occasion de rencontres, avec le créateur, avec le jardinier, parfois avec le propriétaire et d'autres amoureux des jardins ou « amateurs ».

L'AMATEUR

Mais qu'est-ce qu'un amateur ? Une personne qui aime, cultive, recherche (certaines choses), une personne qui cultive un art pour son seul plaisir...

Le jardin est, par excellence, le domaine des amateurs, des amis, comme l'indiquent les inscriptions gravées sur le portail d'entrée : *Salvete amici* à Hanbury, *Amicis quaelibet hora* — les amis sont les bienvenus à toute heure — à Manneville, ou même *Amicis pateant fores, coeteri maneant foris* — Aux amis, que les portes soient ouvertes, que les autres restent à l'extérieur — à Caradeuc.

Comme le propriétaire veut savoir qui il reçoit, le visiteur veut savoir où il va, chez qui il va, quel jardin il va trouver. Nous avons donc classé les jardins afin de tenir compte des attentes des différents visiteurs. De l'amateur qui découvre les jardins les plus facilement accessibles, aux amateurs passionnés qui accepteront de préparer, longtemps à l'avance, le plaisir de découvrir un jardin ou une collection de plantes, chacun doit trouver son chemin. Même s'ils existent, rares sont les jardins qui permettent de réunir ceux qui cherchent le spectaculaire ou le moyen d'occuper une après-midi et les botanistes éclairés à la recherche d'une plante exceptionnelle.

LE CRÉATEUR

Même s'il n'est plus, le créateur est le premier que l'on rencontre. En entrant dans un jardin, vous pénétrez, par effraction, dans le rêve d'un autre. Comprendre les jardins, c'est comprendre les rêves, des accumulations de rêves, pelotes de fils bariolés où s'entremêlent, sur un même lieu, les projets des créateurs, des jardiniers, des fontainiers, des sculpteurs...

Le jardin réunit tous les arts. Bien des savoirs, et bien des savoir-faire ont rendez-vous au jardin. Le trait d'union que l'on trouve aujourd'hui dans les signatures de « l'architecte-paysagiste », de « l'ingénieur horticole-paysagiste », de « l'ingénieur-urbaniste », du « plasticien-paysagiste » ou dans les tentatives de qualification de nombreux créateurs de jardins des siècles précédents — « ingénieur-hydraulicien et architecte, architecte de jardin-décorateur, auteur dramatique-illustrateur, naturaliste-historien de la peinture, jardinier-dessinateur, agronome-jardinier » —, est caractéristique de l'ambiguïté, de la complexité et de la grande richesse de cette activité qui consiste à créer un jardin.

Au jardin, le professionnel a rendez-vous avec l'amateur. Ici, plus qu'ailleurs, le mot de Federico Fellini (dans *La Dolce Vita*) semble juste : « Je suis un amateur chez les professionnels et un professionnel chez les amateurs. » Le rôle des « princes » — Marie de Médicis, Louis XIV, Joséphine de Beauharnais, Napoléon III, comte d'Artois —, ou de certains amateurs éclairés tels que Joachim Carvallo, Charles de Noailles ou Gilles de Brissac, pour n'en citer que quelques-uns, ne se sont pas limité à ceux de simples maîtres d'ouvrages passant leurs commandes à des artistes. A des degrés divers, les jardins qu'ils ont commandés sont aussi leur œuvre. Il nous paraît bien légitime de les citer parmi les créateurs de jardins « savants ». De même, nous semble-t-il important de souligner quelques « inspirés », tels que le facteur Cheval ou Raymond Isidore qui ont puisé dans la culture populaire pour concrétiser les rêves puissants qui les animaient.

Les puristes auront du mal à voir côte à côte de grands professionnels, des amateurs inspirés et des artistes venus d'autres domaines et s'essayant avec succès à l'art des jardins.

Mais la création d'un jardin fait appel à tant de compétences que les frontières entre elles sont nécessairement mouvantes. Le rôle des professions concourant à la réalisation d'un jardin a varié suivant les époques.

On sait que l'ingénieur-hydraulicien et le rocailleur jouaient un rôle de premier plan dans les jardins de la Renaissance où l'on accordait beaucoup d'importance aux grottes, aux jeux d'eau et aux automates.

La place centrale, occupée au XVIIe siècle par l'architecte de jardin ou le jardinier-dessinateur de jardin, ne nous fera pas oublier qu'à la fin du XVIIIe siècle c'est plutôt le peintre, voire le poète, qui joue le rôle d'inventeur. Au XIXe siècle, il faut également laisser aux ingénieurs, aux botanistes et aux horticulteurs la place qu'ils méritent. Depuis 1945, les créateurs se trouvaient surtout chez les amateurs concevant et réalisant leur propre jardin. Mais les temps changent et les professionnels se font plus nombreux à retrouver leur vocation. De nombreux jardins nouveaux voient le jour. Nous avons la chance de les voir naître sous nos yeux. A côté des créations *ex nihilo*, beaucoup de jardins anciens sont actuellement restaurés ou réhabilités. Dans les années 60, une première génération d'architectes s'est essayé à ce difficile exercice de la recréation de jardins historiques. Aujourd'hui, de nouveaux chantiers s'ouvrent dans ce domaine. Attendons qu'ils se terminent avec la patience du jardinier.

LE PROPRIÉTAIRE

Secrets par essence, les jardins ne sont pas toujours facilement visitables. Déjà au siècle dernier, visitant les jardins de la Côte d'Azur, Stephen Liégeard notait que divers jardins étaient ouverts sans permission à demander, tandis que certains propriétaires, comme sir Thomas Hanbury dans ses jardins de La Mortola, ne délivraient de carte d'admission qu'en échange d'une demande écrite.

Si les rapports des visiteurs avec les jardins de propriété publique sont clairement définis par des règlements, il n'en est pas de même dans les jardins privés. Certains propriétaires ont absolument besoin de votre visite pour continuer à entretenir leur jardin. D'autres vous font une fleur en vous laissant entrer.

Chaque propriétaire se trouve confronté à l'art de savoir montrer les jardins. Pour manier cet art difficile, le propriétaire se rappellera avec profit les remarques du prince de Ligne — un grand visiteur de jardins du XVIIIe siècle qui avait parcouru toute l'Europe : « Je déteste les jardins où il faut toujours un maître de maison, de même que ceux où l'on a besoin d'un fontainier. Je n'aime pas non plus les beautés ou les grâces sous le cadenas. Il faut que l'on se promène seul, sans être effrayé d'un fracas horrible de clefs d'un jardinier qui tantôt vient montrer le jardin de Madame, les nids de Mademoiselle, les pigeons du petit Monsieur de la maison, l'âne de son cadet le Chevalier, et les oies d'une vieille tante. »[1]

Rappelons-nous aussi que certains propriétaires n'ont pas, à tout moment, les moyens en personnel pour assurer accueil, surveillance et entretien de vastes domaines. Les visites ne sont pas compatibles, en permanence, avec d'autres activités (chasse) ou avec certaines manifestations... Il est des jardins très fragiles qui ne peuvent être qu'entrouverts. Transformer leur mode de visite serait les condamner. Chaque jardin a ses exigences. En matière de tolérance, également, chacun a son seuil.

LE JARDINIER

Le jardin mélange en quantités égales l'esprit, la sève et la sueur. Pas de jardin sans jardinier. Mais, comme dans toute œuvre d'art, plus il y a de travail et moins il doit apparaître. Ce sont donc, paradoxalement, les jardins abandonnés qui nous parlent le plus des jardiniers — des jardiniers disparus — et de leurs combats amoureux avec le vent, la terre et les plantes qui reprennent leurs droits.

Mais une fois n'est pas coutume, nous avons décidé de faire parler un peu les jardiniers de leur métier, de les mettre en lumière, afin de mieux faire comprendre au visiteur que les perspectives et les scènes apparemment « naturelles » qu'il va découvrir, il les doit souvent à des générations de jardiniers.

Depuis l'époque où Le Nôtre commandait pour Louis XIV à des armées de jardiniers en passant par Alice de Rothschild qui, vers 1890, employait jusqu'à une centaine de jardiniers dans sa villa Victoria à Grasse, le nombre de jardiniers n'a cessé de décroître. Si aujourd'hui certains outils peuvent l'aider considérablement, la gamme de matériaux, de plantes et de connaissances nécessaires à un bon jardinier est de plus en plus étendue. Plus que jamais ce métier a besoin d'être revalorisé, reconnu, mais d'abord, tout simplement, connu.

« Vous faites un bien beau métier » dira naïvement, mais avec justesse, le visiteur qui rencontre par hasard un jardinier... Sait-on à quel point ce terme recouvre de réalités diverses ? A l'exception d'un oiseau qui se fait rare — le jardinier quatre branches —, nous les avons tous rencontrés : le jardinier-botaniste, le jardinier-élagueur, le jardinier-pépiniériste, le jardinier d'ornement, le jardinier-créateur, le jardinier-manœuvre, le jardinier désabusé comme le jardinier passionné[1].

« Être jardinier, c'est un vrai métier. On n'est pas des tire-binettes. Il faut *savoir, savoir-faire* et avoir *du goût.* Les études sont importantes, il faut apprendre, encore apprendre et toujours apprendre » (M.M.). « Les *techniques* existent, mais c'est à chacun de les rendre plus efficaces. Savoir utiliser un désherbant, ou choisir de s'en passer et de déposer du mulch sur les plates-bandes, ça vient nécessairement d'une *expérience* personnelle et d'un sens développé de l'observation. » (F.F.) « La plante n'est pas un décor, c'est un être vivant. Le jardinier suit chacune individuellement. Chaque plante réagit à sa manière et le jardinier doit suivre son développement, deviner ses besoins, ruser pour arriver à ses fins, et surtout laisser chaque arbre s'exprimer. » (V.F.) « Les végétaux ne sont pas des bouts de bois, il faut les suivre, il faut de la curiosité, un esprit d'ouverture, du respect pour les plantes. » « Il faut à la fois innover, réfléchir à long terme, avoir de l'imagination et connaître et pratiquer les techniques anciennes, savoir travailler à la main, attacher un rosier sur un arceau avec de l'osier... ça nous apprend la patience et l'observation, le sens de la tradition et de la continuité. » (A.W.) Pour ceux qui taillent des kilomètres de haies, « le taille-haie électrique est une nécessité moderne », pour d'autres, comme le jardinier du marquis d'Albertas à Bouc-Bel-Air, ou Bernard Desmaisons, jardinier à Hautefort, travaillant depuis l'âge de quatorze ans à la taille en topiaire, sans gabarit, « au coup d'œil, au jugé », la cisaille à main reste indispensable, « pour ne pas blesser le bois en le hachant ». « Il faut de l'expérience, et il faut prendre son temps, c'est un métier contemplatif. » (V.F.) La situation tellement enviée au jardinier n'est-elle pas d'abord cette relation privilégiée au temps ? Pour certains, il est vrai, le métier est « avant tout un plaisir » (M.M.), « le plaisir du jardinier, c'est le contact avec la nature, avec la terre, avec les saisons... » (F.F.), mais, pour d'autres, « le métier a changé. C'est moins intéressant qu'autrefois. Le public est désespérant : on vous offre un café, et l'instant d'après on piétine vos plates-bandes ! » (J.P.L.H.). Et puis ne l'oublions pas, « c'est un travail dur, physiquement éprouvant, pour faire du bon boulot, les jardiniers doivent être bien payés, il faut un minimum de sérénité mentale » (F.F.). Mais dès que le jardinier pose ses outils, il rêve à nouveau de création : « Dans ce métier, il y a un début, mais pas de fin, c'est sans limites ! »

Michel RACINE

---

1. In « Coup d'œil sur Belœil ».

1. Interviews réalisées par Dany Lentin auprès de M. Maintron, jardinier-botaniste au jardin des Plantes, Alain Woisson, Françoise Faury, jardinier enseignant à l'école du Breuil, Vincent Fardeau, jardinier-élagueur, Jean-Pierre Le Herquier, jardinier de floriculture aux pépinières de Rungis, François Fournier, jardinier de création en entretien.

CÉDRATIER. *Cité par Théophraste à la fin du IVᵉ siècle avant notre ère, le cédrat, citron peu acide, fut sans doute le premier Citrus cultivé en Europe. Les Grecs et les Latins l'ont d'abord planté pour l'ornement et le parfum. Nos jardins méridionaux l'ont oublié. (bois gravé de Tabernae montanus, Icones plantarum, 1588)*

Petit aide-mémoire
du jardinier postmoderne

Au jardin, les contradictions des cultures et des idéologies semblent s'effacer. Même si les peuples jardiniers ne sont pas pour autant pacifiques, ils édifient depuis des millénaires une sorte d'internationale de la plante où l'esprit des lumières aurait pu lever en douce, avant son siècle — s'il n'y avait toujours eu, au bout du parterre, la haie, l'épine —, l'autre possesseur du monde.

Avec le temps, l'étonnement s'est étiolé. On se plaît à imaginer le ravissement de ceux qui voyaient pour la première fois une orange ou un citron. Sait-on que les pommes d'or des Hespérides, celles que reçoit Héraclès des mains d'Atlas, aux métopes du temple de Zeus à Olympie, ne sont rien d'autre que des coings ? Avec les siècles, ce fruit qu'on offrait aux dieux pour son seul parfum est devenu simple chair à confiture. On a oublié le miracle de sa venue d'Orient quelques siècles avant notre ère.

Ainsi le jardin, le verger, finissent-ils par avoir raison des légendes. Devenus quotidiens, fleurs ou fruits perdent leur histoire, passent à l'histoire commune. Les temps et les contrées du végétal s'effacent quand on entre au jardin, qu'il soit princier ou potager de banlieue.

Cette abolition des origines contribue sans doute à la paix qu'on trouve au jardin, lieu de simple attention (ou plutôt d'inattention éblouie) aux choses premières, fussent-elles retravaillées par la patience, la ferveur et quelquefois le génie des hommes. De nos jours, cependant, l'accès implicite par le chemin d'oubli finit par troubler notre rapport avec ce territoire quelque peu en lisière du temps. Le « retour au jardin » — l'un des événements culturels de la société française contemporaine — est aussi une interrogation sur le passé du jardin, sur l'histoire des plantes et de ceux qu'elles ont émus. Car notre époque a besoin de clefs. Peut-être parce que rien ne va plus de soi, qu'il y a désormais des barrières à tous les chemins, à toutes les allées ; en même temps que la flore du monde est tout entière à notre portée. Est-ce que tous les jardins ne vont pas finir en labyrinthes ? Est-ce qu'on ne voit pas déjà le désordre envahir les massifs, les variétés se multiplier à l'infini, les styles se mêler ? Est-ce que le simple bonheur du jardin ne risque pas de se perdre dans la confusion des jardins de tous les désirs — dans le jardin trop facile —, pour finir ?

Alors, quelques repères. Et d'abord dans le temps. Les jardins ont poussé dans les siècles. A chaque saison de l'histoire, ils ont accueilli de nouvelles graines. On gagne en légèreté quand on reconnaît dans un parterre la fleur d'un enracinement très ancien, quand le passé tout à coup épanoui se fait proche, intelligible étrangement dans une brièveté de pétales qui nous ressemble.

Le lis blanc, on ne le voit plus beaucoup dans le jardin (peut-être à cause d'une excessive odeur de sainteté). Quand je le retrouve en juin, au pied d'un mur paysan, à côté du rosier (« cette fleur vient bien associée à la rose », dit Pline au Ier siècle), je n'y reconnais pas seulement une fleur d'ornement un peu désuète, encore estimée dans les campagnes pour ses vertus vulnéraires. Je me souviens parfois du vase de Cnossos où, voici plus de 3 500 ans, quelqu'un l'a fait fleurir pour une petite éternité, jusqu'à nous. Quelqu'un qui passait par des jardins où il y avait déjà cette fleur, et le parfum dans la nuit, capable d'émouvoir les dieux.

C'est l'une des premières fleurs dont la culture soit attestée *pour le plaisir* — qui n'était pas alors incompatible avec la dévotion. Et peut-être toute l'histoire du jardin débute-t-elle ainsi, comme une reconnaissance au mystère où s'enracine la beauté.

Et puis les jardins ne cessent de s'enrichir. On ne sait plus rien des butins rapportés d'Asie par les armées d'Alexandre ; mais les plus humbles trésors, qui étaient capables de se perpétuer d'eux-mêmes, ont prospéré dans les siècles où se perdaient l'or et l'ivoire. Les premiers *Citrus*, et d'abord le cédrat, arrivent en Mésopotamie dans les caravanes du conquérant, au retour de l'Inde. Un peu plus tard, ils gagneront les rivages de l'Est méditerranéen. Le cerisier griottier, lui, serait parvenu à Rome au Ier siècle avant notre ère dans les fontes de Lucullus, Romain plus connu pour ses prouesses gastronomiques que par ses faits d'armes.

La liste du capitulaire *de Villis*, ordonnance de Charlemagne, touchant aux plantes à cultiver en priorité dans les jardins de l'Empire, cite assez peu d'exotiques. Hormis la coloquinte africaine, ce sont surtout des végétaux d'Asie déjà connus pour la plupart des Romains : concombre (légume indien), balsamite, fruitiers du Proche-Orient. Mais un bon nombre de médicinales alors cultivées sont originaires du Bassin méditerranéen, comme la scille, l'aurone, la rue, l'ammi, le cumin ; les jardins carolingiens résument déjà une bonne part du monde connu.

Des Arabes, l'Europe héritera quelques plantes nouvelles, un vaste savoir sur les usages de la flore — savoir hérité des Grecs, commenté, amplifié —, et aussi le goût d'un jardin capable de miracle. A Grenade, à Cordoue, à Tolède, les érudits qui viennent de France et d'Italie

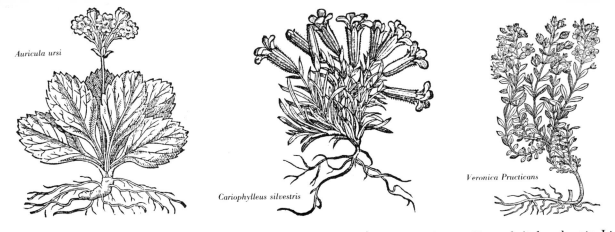

Auricula ursi

Cariophylleus silvestris

Veronica Practicans

étudier Hippocrate et Aristote, Dioscoride et Avicène, découvriront des jardins de plaisir dont le bas Moyen Age ne dédaignera pas les charmes païens.

Apports des envahisseurs de l'Espagne ou, par la voie des croisades, de l'islam d'Orient, de nouvelles plantes conquièrent ainsi l'Europe médiévale : les roses cultivées, le jasmin, l'oranger (longtemps seulement la race amère), l'aubergine indienne, l'épinard afghan. On ne doit pas surestimer le zèle acclimateur des champions du christianisme : le simple commerce véhicule graines et plants bien avant l'époque des sermons de saint Bernard aux croisés, et même au cœur des périodes les plus noires. Le melon, qui apparaît en 1397 au menu des papes à Avignon, est déjà connu dans certains couvents germaniques au Xᵉ siècle. Il est natif d'Afrique. La calebasse, elle aussi africaine, est consommée jeune en légume dans l'Italie du XIVᵉ siècle.

Plus pauvres en espèces que les nôtres, les jardins médiévaux n'en ont pas moins de nombreuses variétés de fleurs communes, dont plusieurs ont été perdues. Les amateurs d'alors raffolent des fleurs « doubles ». Les manuscrits enluminés attestent un engouement certain pour les œillets, les ancolies, les giroflées, les pâquerettes, et autres espèces de ce type. Mais qu'est-il advenu du populage à grosses fleurs qu'on cultivait alors près des fontaines ? Les formes blanches des fleurs colorées ont aussi la faveur des jardiniers du temps. Il manque pourtant à leurs parterres et à leurs massifs des plantes qui nous semblent appartenir depuis toujours à la suite verte de la maison des Hommes.

C'est bien sûr le XVIᵉ siècle qui va ouvrir grand les barrières des jardins. Pas tout de suite aux immigrées des Nouvelles Indes : les plantes américaines mettront un certain temps à se répandre communément en Europe, même si les riches amateurs et les collections botaniques des facultés se les disputent très tôt. C'est une semblable passion de la découverte qui mènera aussi bien à l'Amérique, au renversement de l'ordre éternel du cosmos et à l'inventaire patient et polémique de la diversité végétale. Un regard nouveau sur le monde comme *réalité* merveilleuse fait qu'on passe en quelques années d'un *Grand Herbier*, tout enraciné dans la répétition des images et des descriptions arbitraires, à la jeune botanique du *Livre des Herbes* d'un Jérôme Bock. Là réapparaît l'attention aux plantes pour elles-mêmes, regard oublié en

Occident depuis Théophraste, dix-neuf siècles plus tôt. Là s'inaugure aussi la modernité des jardins.

En Allemagne comme en Flandres, à Sienne ou à Montpellier, les médecins-botanistes entreprennent alors d'inventorier et de décrire le monde végétal, d'en extirper le chiendent médiéval. Dans ce grand sarclage du savoir sur la flore, ce sont d'abord les plantes du Bassin méditerranéen et du Proche-Orient qui seront privilégiées.

La rose trémière — corruption « d'outre-mer » — fleurit dans les marges du livre d'heures d'Anne de Bretagne dans la première décennie du siècle. Cette « passe-rose » suscite alors une vraie passion. Elle illustre à la même époque le magnifique *Livre des Simples Médecines* peint pour Charles d'Angoulême. Ou on en parle dans les chansons. C'est une malvacée hybride dont on ignore le lieu de naissance. Elle est venue de la Méditerranée orientale, sûrement par l'Italie : on en voit une superbe image parmi la délicate flore de bronze qui encadre les portes du baptistère de Florence commandées à Ghilberti en 1401.

Le lilas, dont on imagine mal qu'il pourrait manquer à nos printemps, ne gagne l'Europe occidentale que vers 1550. Il vient des Balkans. C'est un parent botanique (et un compatriote) du forsythia, arbrisseau albanais introduit seulement en 1902 (tout exprès pour faire rire jaune le square et la banlieue). Le marronnier d'Inde, natif exactement des mêmes régions (l'Inde commençait alors sur la rive gauche du Danube), fait sa première pousse à Paris en 1615, après une étape à Vienne en 1575. Il est alors exclusivement à fleurs blanches ; c'est après son coup de foudre pour le rouge *pavia* nord-américain, vers la fin du XVIIIᵉ siècle, qu'on verra l'hybride *Aesculus carnea* se répandre dans nos contrées.

Quant aux autres arbres qui font nos paysages urbains et l'ombre des routes, s'ils comptent beaucoup d'espèces indigènes, les plus répandus — c'est-à-dire ceux qui passent inaperçus — n'en sont pas moins des immigrés de la première heure : le platane d'Orient, venu lui aussi des Balkans (et de la Crète), fut sans doute propagé vers l'ouest par les Grecs. Il en existait des sujets centenaires dans l'Italie du Iᵉʳ siècle (mais l'espèce avait déjà visité nos contrées aux périodes chaudes du quaternaire). En Angleterre, vers 1700, le vent célébra ses noces avec le cousin-cousine américain(e) *Platanus occidentalis*. Il en résulta le platane commun, dit « à feuilles d'érable », de très loin le plus répandu de nos jours. Le cyprès a sans doute suivi le même chemin de migration que le platane d'Orient. Il n'est sauvage que dans les régions égéennes.

Alyssum minimum

Ces pionniers, on le sait, pourraient bien arriver au terme de leur longue villégiature : des maladies les menacent. Déjà on leur substitue de nouveaux venus : cédrèle (introduit vers 1860) et sophora chinois transforment peu à peu l'ambiance arborée des villes. Le sophora, dont le premier pied a été semé en 1747 au jardin des Plantes de Paris — où il vit encore —, plaisait aux propriétaires de bastides, en Provence ; mais c'est aujourd'hui seulement qu'il perd son statut d'arbre bourgeois. Thuya d'Orient, et même *Cupressocyparis* (hybride récent — 1888 — de deux genres nord-américains), se substituent dans le sud aux rideaux de cyprès.

Nous voici donc au temps où, dans les jardins comme dans les paysages « naturels », les siècles et les contrées s'imbriquent jusqu'au risque d'embroussaillement des pensées. Les milliers de plantes exotiques acclimatées depuis la Renaissance, d'où dérivent encore d'innombrables variétés, proposent au jardinier le plus téméraire une diversité que l'imaginaire médiéval le plus fou n'aurait pu évoquer. Nos jardins en sont-ils plus beaux ?

L'infini des floraisons possibles, c'est la postmodernité des jardins. On peut dresser une bambouseraie à La Villette, dérouler un ruban de 10 km de tulipes en Beauce, laisser carte blanche à la friche en plein parc urbain, hybrider béton et bégonia (comme d'autres Mussolini avec Jacob Delafon et ça fait un opéra). Mais allons-nous trouver *notre jardin* au bout du labyrinthe du temps et des floraisons ?

L'inflation végétale enrichit les uns et ruine les autres. Quand les « villes fleuries » exhibent du *canna* (star américaine) à tous les carrefours, du *pyracantha* sur tous les parkings, le petit jardin leur emboîte le pot. Peut-être pour cause de panique devant l'excès des propositions horticoles : mieux vaut suivre l'exemple du square que chercher son printemps dans les catalogues fluos des Hollandais — ou alors on commande en gros bulbes *variés*, *choix* de vivaces, *sélection* d'annuelles ; et ça répète au-dehors le papier à médaillon.

A l'autre extrême, tollé des puristes qui ne jureront que par le ligneux indigène, la rose ancienne, la tulipe ou l'iris *botaniques*. Le « goût » serait-il donc toujours prisonnier du « naturel » et de l'« authentique » ? Si les platanes du mail se dessèchent (en bonne partie à cause des siècles de mauvais traitements), est-ce que le pastis ne va pas tourner dans les verres ? Est-ce que le touriste ne

CALEBASSE. *La Calebasse, Lagenaria vulgaris des botanistes, a légué son nom médiéval de Cucurbita aux diverses variétés de potiron, Cucurbita pepo. Cette plante grimpante, cultivée depuis plus de dix mille ans pour ses fruits, récipients à tout faire, est originaire d'Afrique tropicale. On la mangeait encore en légume à l'état jeune, dans le sud de l'Europe, au XVᵉ siècle. Avant que les (vraies) Courges venues d'Amérique Centrale ne la relèguent, chez nous, au rang des fruits ornementaux. (bois gravé de L. Fuchs, De Historia stirpium, 1542)*

va pas aller chercher ailleurs l'ombre véritable ? Inutile pourtant de réunir des commissions de sociologues et d'ethnologues éplorés : pas plus que les jardins, les paysages ne sont inamovibles. Les ombrages connaissent aussi leurs automnes dans les siècles. Ce qui n'exclut pas de tout faire pour sauvegarder fleurs, fruits, feuilles et branches malades de notre oubli.

A l'entrée de tous les jardins qui, à un titre ou à un autre, valent de figurer dans ce guide, il était seulement question de rappeler cette évidence trop inaperçue : le présent de nos parterres résulte de tant d'anachronismes et d'interférences géographiques qu'on serait malvenu de plaider pour l'immobilisme. Mais tout autant de donner dans l'innovation à tout prix. Les jardins qui nous invitent ici, et nous tentent, enseignent le bon usage de la diversité des styles et des végétaux, des usages de l'espace et de la flore.

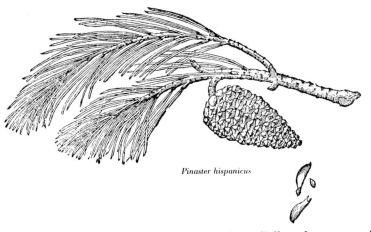

Pinaster hispanicus

Côté jardin, contrairement aux idées reçues, le classicisme ne va pas forcément de pair avec la sobriété, ni le romantisme avec l'exubérance, ni la modernité avec le mélange des genres. Au merveilleux peut suffire un jasmin. La fleur d'ombre peut en savoir davantage sur la clarté que la belle de plein soleil.

Au jardin, on peut sans le savoir faire un bon ou un mauvais emploi du temps. L'histoire n'est pas seulement au jardin historique ; elle peut nous accueillir au pied du perron avec des parfums de cour d'amour. On peut en remonter le cours dans l'allée du verger, jusqu'aux amandiers qui poussaient à Luz, où Jacob fit son rêve.

L'important, c'est de toujours trouver au jardin les signes des enracinements dans le temps, d'entretenir un certain savoir des origines, entre cosmos et daphné. Ainsi échappera-t-on au risque majeur qui est — à mon sens — de ne plus voir qu'un « objet jardin », qu'une idée de jardin où se seraient perdus les êtres et les histoires.

PIERRE LIEUTAGHI.

L'homme-jardinier

Depuis la plus haute Antiquité, les hommes ont tenté de retrouver dans leurs jardins une image du paradis.

Maîtrisant une nature toujours rebelle, ils ont créé ces lieux de rêves. Les jardins d'islam, les jardins-enclos du Moyen Age, entièrement tournés vers eux-mêmes, ignorent l'ouverture vers le monde extérieur. Les plantes y sont totalement asservies, la présence constante de l'eau s'exprime par le chuintement des cascatelles et des fontaines.

L'époque classique, avec la maîtrise des terrasses et des niveaux successifs, l'ouverture des grandes perspectives, le contrôle des végétaux de proximité, ouvrira un premier dialogue avec la nature voisine : on passe alors progressivement du monde minéral ou artificiel aux bosquets puis à la forêt. L'eau en grands miroirs, la pelouse en tapis verts, permettent d'organiser les lignes horizontales. Mais la création classique faite de verticales et d'horizontales vieillit vite, le contrôle des masses végétales est fondamental.

Les jardins de l'époque romantique nous apportent une « vraie fausse nature » ; chaque plante, chaque bosquet est mis en valeur par la prairie proche ou l'étang. L'eau y est à la fois courante dans les rivières et calme dans les étangs et bassins. Malgré leurs apparences naturelles, ces jardins répondent à de strictes compositions de teintes et de formes et demandent des soins permanents.

L'époque moderne s'accompagne du morcellement des espaces et permet la création de nouvelles formes de jardins : jardins domestiques tournés vers la maison, jardins de terrasses, véritables salons de nature miniaturisée, jardins publics, cités-jardins.

LES JARDINS ET LEUR RÔLE UTILITAIRE. Conçus à l'origine pour fournir les plantes nécessaires à la table (condiments et agrumes) ou à la pharmacopée (tisanes et onguents), les jardins sont vite devenus des espaces de rêve. Mais pour rêver, l'homme a besoin d'exotisme, de singularités. Les jardins furent ainsi le creuset de son expérience naturaliste : sélection, introduction, acclimatation, maîtrise de la plante et de l'arbre. Dès ces premières interventions, son action comportait une perspective génétique : la sélection favorisait les « bonnes espèces » contre les « mauvaises », sans pour autant avoir la certitude qu'une « mauvaise » ne devienne un jour une « bonne ».

D'abord lente, l'action de l'homme s'est brusquement accélérée : colonisation de la Méditerranée, mouvement des plantes entraînées par les conquérants grecs et romains, domestication de la nature... Quand on examine avec quelque attention un paysage de Provence ou de Languedoc, l'importance des apports de végétaux grecs et romains est frappante.

Depuis le XVIIIe siècle, la mobilité accrue, le goût pour les voyages a permis aux explorateurs et aux botanistes d'introduire d'innombrables espèces américaines, asiatiques, océaniennes. Le rapprochement de certaines d'entre elles a fait naître de nombreux hybrides qui continuent à marquer considérablement nos paysages.

Les parcs et jardins ont toujours été de hauts lieux d'expérimentations naturalistes. Citons comme exemple l'introduction massive de végétaux américains au parc de Rambouillet au XVIIIe siècle et celle d'espèces « méditerranéennes » et subtropicales dans les jardins de la Côte d'Azur au XIXe.

L'HOMME DANS LE JARDIN. Chaque jardin, avec ses qualités propres, naît, vit et peut disparaître si l'homme n'y apporte pas constamment soins et attentions ; un jardin qui vieillit « s'épaissit » : il prend du poids et du volume ; chaque végétal accumule de la matière ; l'art du jardinier est de rester maître de cette évolution.

Du concepteur au jardinier, les hommes qui entourent le jardin de leurs soins forment des compagnons indissolublement liés ; chacun y trouve sa place : biologiste, plasticien, ingénieur, jardinier... Pour le jardin toute action, si humble soit-elle, a des conséquences immédiates et lointaines : il vaut mieux agir de façon légère et répétitive plutôt qu'avec violence et par à-coups.

Mais l'homme dans le jardin, c'est également le propriétaire et les visiteurs qui viennent y chercher rêve, repos, détente, mais aussi connaissance de l'histoire et des plantes.

JARDINS : UNE NÉCESSAIRE GESTION. Afin de rester fidèle à l'esprit de sa création, un jardin doit être entretenu ; qu'il soit classique ou romantique, l'entretien doit conduire à la parfaite maîtrise des volumes végétaux, au maintien des qualités physiques et chimiques des sols et de l'eau. Alors que le minéral (fabriques, murs, statues ou grottes) se détériore par perte de matière, le domaine végétal, quant à lui, s'altère essentiellement par excès de matière : l'augmentation des volumes et la prolifération des sujets dépassent largement les pertes par mort naturelle pendant une grande période de la vie d'un peuplement ou d'un alignement.

Les règles d'entretien et de restauration concernant le domaine bâti ne peuvent être appliquées au domaine biologique, et il convient d'en définir la spécificité en tenant compte : du cycle des saisons, du renouvellement obligé des végétaux, de la précarité des formes végétales laissées à l'état de la nature, de la constante évolution des sols et des masses d'eau.

Ces périodicités, plus ou moins longues, aboutissent souvent à faire confondre entretien et restauration et, en matière financière, fonctionnement et investissement.

Un entretien soigné qui corrige progressivement un état vieilli est déjà une restauration. A l'inverse, on nomme abusivement « restauration » une opération coûteuse destinée à rattraper un long défaut d'entretien.

L'entretien d'un jardin nécessite un plan de gestion, véritable guide du propriétaire et du gestionnaire de jardin et document d'orientation à long terme (plusieurs dizaines d'années en général). Il se découpe également en tranches opérationnelles plus courtes (cinq ans par exemple) et doit s'accompagner d'un registre journalier, véritable sommier des opérations ponctuelles à effectuer.

Ainsi à la notion peu précise d'entretien pourrait faire progressivement place l'idée de maintenance, ce que les Anglo-Saxons appellent justement « conservation ».

ANDRÉ MANCHE,
Ingénieur en Chef du Génie Rural des Eaux et des Forêts,
Conservateur du patrimoine forestier
des parcs et jardins des monuments historiques et palais nationaux,
Ministère de la Culture et de la Communication.

Être propriétaire d'un jardin visitable

Être propriétaire d'un parc ou d'un jardin qui s'ouvre à la visite a pour premier effet de renforcer la sensation d'une charge, à la fois financière et physique.

En effet, ce ne sont pas les soucis qui manquent à un propriétaire conscient de la fragilité de son jardin et désireux de le restaurer et de l'entretenir — deux mots à peu près synonymes en matière de jardins. Dans l'avenir immédiat, le jardin est menacé par des maladies, des conditions atmosphériques défavorables... et certains retards peuvent devenir irréparables.

A moyen terme, le propriétaire doit faire face au vieillissement de certaines plantes à remplacer, il connaît les points noirs à supprimer dans son jardin, les restaurations à entreprendre.

Enfin, il pense à ce que deviendra le jardin après lui, avec le souci de ne pas transmettre une charge trop lourde.

L'ensemble de ces préoccupations deviendrait insupportable si le propriétaire n'avait pas à sa disposition une palette de moyens pour réduire considérablement les charges d'un jardin.

Tout d'abord la composition du jardin, de même que le choix des végétaux répondent au même objectif, celui de diminuer l'entretien en conservant la qualité du jardin. Ainsi le visiteur doit savoir que, si le propriétaire a choisi de « petites » plantes, c'est aussi pour qu'elles s'acclimatent ou qu'elles meurent sans regret ; que si les sujets d'un alignement paraissent espacés au détriment de l'effet immédiat, c'est en considération de leur croissance ; que les espèces botaniques qu'il voit sont celles qui se sont le mieux adapté aux conditions locales. La règle d'or du propriétaire est d'arriver à ce que les plantes deviennent ses alliées au lieu d'avoir à lutter sans fin contre elles.

Cependant, être propriétaire d'un jardin c'est avant tout prévenir et prévoir. La prévention, par exemple, est une nécessité dans la mesure où le diagnostic des maladies des plantes est difficile et souvent trop tardif. La régularité des traitements préventifs est une condition de leur efficacité. Régularité, périodicité sont des maîtres mots en matière de jardins. Tout retard se traduit non seulement par un déplacement du travail dans le temps, mais par une augmentation considérable de l'effort à faire.

La périodicité n'est pas seulement annuelle ou saisonnière. De nombreux travaux, comme l'élagage ou le curage de bassins, se font à des intervalles de plusieurs années. De même, la rapidité de croissance des plantes, leur durée de vie imposent des tailles ou des remplacements dans des phases propres à chaque jardin.

En somme, la maintenance d'un jardin n'est possible que si tous les travaux sont pris en compte dans un programme pluriannuel qui, une fois chiffré en temps et en coût, devient un plan de gestion. Être propriétaire d'un jardin remarquable, c'est établir et respecter un tel plan de gestion qui constitue l'arme absolue pour réduire au minimum les moyens humains et financiers à mettre en œuvre.

La contrepartie de toutes ces contraintes ne peut s'exprimer en une phrase. C'est à la fois une philosophie, en particulier une certaine modestie dans l'intervention, le privilège de participer à la renaissance annuelle de la végétation, la faculté de s'émerveiller, l'habitude de regarder sans se lasser... Un plaisir que le propriétaire souhaite faire partager au visiteur.

Le propriétaire d'un jardin ouvert à la visite ne peut plus aujourd'hui rester isolé.

Il est dans la nécessité de s'informer (que ce soit sur les plantes, les produits ou l'évolution des techniques) et doit faire un choix dans l'abondance des informations et résister aux modes. Le propriétaire est aussi amené à compléter sa formation et, à son tour, à former les personnes qui l'aident au jardin pour qu'elles puissent se passer de lui. Le jardin étant une œuvre collective, le propriétaire, qui est à la fois maître d'ouvrage et maître d'œuvre, coordonne les conseils de plusieurs experts : architectes, paysagistes, botanistes, forestiers, pépiniéristes... Se pose alors, souvent, le problème de découvrir les spécialistes compétents, si possible dans la région.

Enfin, une solidarité s'établit entre les propriétaires de jardins visités qui échangent de plus en plus leurs expériences et même leurs plantes. Ils participent nombreux à des associations régionales et nationales (A.P.B.F., ARPEJ, D.H., V.M.F.). Ces associations, qui ont chacune leurs objectifs, mènent aujourd'hui une action commune de défense et de promotion du patrimoine des parcs et jardins, ainsi que d'assistance aux propriétaires (protection, fiscalité, conseil...).

Être propriétaire d'un parc ou d'un jardin visitable ne signifie pas simplement qu'on autorise le public à y circuler à son gré, moyennant finance. Notons au passage qu'en matière financière, il n'y a pas à se faire d'illusions : à l'exception des jardins connus, intégrés dans des circuits touristiques fréquentés, il est difficile d'attendre un nombre de visiteurs suffisants pour alléger les charges de l'entretien d'un jardin. Le propriétaire tient d'abord à accueillir le visiteur avec la courtoisie de cour qui est aussi celle des jardins, en espérant qu'en retour il respectera les lieux. Il se sent aussi obligé — obligation fort agréable — de prolonger l'effort entrepris par ce guide en aidant le visiteur de son jardin à en découvrir la composition, les perspectives, les ambiances, les centres d'intérêt, les sujets botaniques remarquables... Cette aide à la visite peut aller du simple feuillet, distribué à l'entrée du jardin, jusqu'à l'organisation d'itinéraires plus élaborés en passant par l'étiquetage des plantes.

Le succès des visites de jardins est le résultat d'une bonne communication entre le visiteur et le propriétaire. Il est acquis lorsque le visiteur, à la sortie, résume ses impressions en trois mots : agréable - instructif - à revoir.

UN PROPRIÉTAIRE.

Le Guide des jardins de France : mode d'emploi

Ce guide présente plus de 500 jardins choisis pour leurs qualités paysagères, botaniques, ou pour leur intérêt historique. Nous attirons l'attention sur l'état général des jardins en France qui ne peut être comparé à celui de pays où les jardins n'ont jamais été oubliés. La France possède un patrimoine de jardins considérable dont la redécouverte ne se fait que depuis quelques années. Entre 1940 et 1980, la création de jardin s'est heureusement perpétuée, dans un cercle restreint, et des jardins existants ont été maintenus en état, grâce à la passion de quelques-uns. Mais beaucoup ont été abandonnés ou entretenus au minimum depuis des dizaines d'années. Les efforts récents de revalorisation ne sont pas toujours spectaculaires dans l'immédiat. Cependant, malgré leur aspect, certains jardins méritent d'être signalés en raison de leurs qualités intrinsèques. A l'inverse, il arrive aussi que d'autres jardins de qualité soient desservis par des soins inappropriés. Afin d'aider le lecteur lorsqu'il se fait visiteur, nous avons choisi de classer les jardins. Il ne s'agit donc ni d'un guide neutre, ni d'un guide d'adhérents, mais d'un guide réalisé par un réseau d'auteurs indépendants. Les notices sont donc signées. Spécialistes régionaux, historiens des jardins, paysagistes, botanistes, journalistes, photographes de jardins — les 60 auteurs associés ont été choisis en fonction de leur bonne connaissance des jardins. A partir d'un canevas commun, chacun d'entre eux conserve sa sensibilité pour s'adresser au lecteur, le préparer aux innombrables plaisirs de la visite, lui donner les clés de chaque jardin.

Plus de quatre-vingts plans ont été réunis et redessinés, pour faire mieux découvrir les plus importants témoins de l'art des jardins en France. Les informations pratiques ont fait l'objet de plusieurs vérifications, directement auprès des propriétaires. Cependant des changements peuvent intervenir, et l'ARPEJ remercie par avance ceux qui les signaleront.

Les jardins sont classés :
• en fonction de leur type :

jardins intéressants pour leur architecture, leur paysage, leur conception, leur histoire

jardins intéressants pour leurs qualités botanique ou horticole,

• en fonction de leur intérêt touristique, suivant qu'ils méritent

★ ★ ★ ★	le voyage	★	une visite lorsqu'on est sur place
★ ★ ★	la promenade	sans étoile	on peut voir également
★ ★	un petit détour		

Afin d'encourager les propriétaires dans leurs efforts de restauration et d'embellissement, afin de les inciter à améliorer l'accueil du public, un label a été attribué à certains d'entre eux, en toute indépendance, et sous la responsabilité de l'ARPEJ, le label « VISITEZ UN JARDIN FRANÇAIS » :

Fondée en 1983, l'ARPEJ — Association pour l'art des paysages et des jardins — est à l'origine, en 1988, de la campagne nationale « VISITEZ UN JARDIN FRANÇAIS ». Elle a aujourd'hui pour ambition d'être l'association des amateurs de jardins et de paysages.
Renseignements : ARPEJ, le Potager du Roi, 6, rue Hardy, 78009 Versailles Cedex.

ALSACE

Immenses forêts de sapins, d'épicéas, de pins Douglas, de hêtres et de chênes...
l'Alsace reste une région verte. Toute l'approche alsacienne du paysage est déterminée
par ces bois sans fin. Leur présence s'explique par la fertilité des sols, l'abondance
des cours d'eau et la forte présence du Rhin, cerné par trois massifs montagneux :
les Vosges, le Jura et la Forêt-Noire. Strasbourg, avant de devenir une ville de
pierre, fut une cité de bois jusqu'au XVIIIᵉ siècle. Son architecture gothique a-t-elle
puisé son inspiration dans les perspectives verticales des hautes futaies ? La tradition
germanique accorde à la forêt une signification mythologique et philosophique :
culte de la nature, résistance collective et ressourcement individuel.

Depuis le XVIIIᵉ siècle, l'aménagement des parcs et jardins a pris la forêt pour
modèle. La noblesse agença de vastes parcs. Le cardinal de Rohan, cardinal de
Strasbourg, installa des haras, des volières, des pièces d'eau, des canaux et des
kiosques au sein des domaines. Au XIXᵉ siècle, les grandes familles d'industriels
prenaient le relais, en pleine vogue des essences exotiques... On plantait, on
expérimentait, on innovait, pins d'Himalaya, cyprès chauves de Louisiane, copalme
d'Amérique, sophora du Japon, chicot du Canada... Toutes ces espèces ont trouvé en
Alsace une seconde terre nourricière. Les parcs et jardins d'Alsace expriment une
passion séculaire pour la botanique et la forêt, ils intègrent nature et paysage et
sont rarement clos. Ici les jardins de ville sont ouverts la nuit.   D.L.

Jardin du château de la Léonardsau.

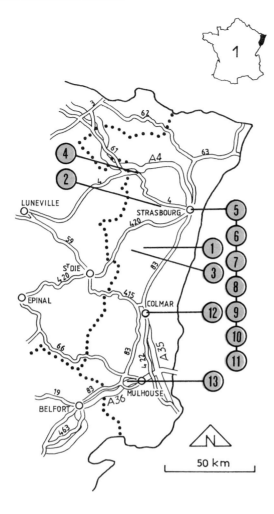

BAS-RHIN 67

Château de la Léonardsau

★ ★ ★

Obernai

Collectionneur passionné, artiste peintre et grand amateur d'art, le baron Albert de Dietrich fit construire le château de la Leonardsau entre 1900 et 1930. Il dessina lui-même une grande partie du jardin, riche et surprenant mélange de styles qui plonge le promeneur dans une atmosphère de gravure fantastique.

A côté du château, deux lions de pierre gardent l'entrée du « jardin italien », clos et protégé dans lequel se niche un figuier. Des bassins à fond bleu, des escaliers et des dénivellations donnent à ce lieu une poésie et un mystère subtils et prenants. Au sud du château s'étend un jardin à la française avec des buis taillés, une rotonde et une vaste pelouse. Un jardin japonais, puis, sur fond de forêt vosgienne, un parc de 9 ha traversé par des sentiers botaniques, complètent cette étrange mosaïque. 79 essences d'arbres et d'arbustes y sont répertoriées et étiquetées.

On remarque en particulier deux espèces de pins spectaculaires : le pin de l'Himalaya *(Pinus griffithii)* aux longues aiguilles souples et à la silhouette vaporeuse, qui fut introduit en Europe grâce à Nathaniel Wallich, directeur du jardin botanique de Calcutta. Et le grand pin blanc d'Amérique, ou pin de Weymouth *(Pinus strobus)*, pouvant atteindre des proportions gigantesques, nous vient de lord Weymouth qui l'introduisit en Angleterre au XVIIIᵉ siècle.

La variété surprenante des paysages et des multiples jardins disposés comme des miniatures évoque le « jardin des délices » médiéval...
D.L.

Adresse : château de la Léonardsau, 67210 Obernai
Propriétaire : Ville d'Obernai, tél. : (château) 88.95.42.77/89.66
Ouverture : juin : le week-end de 14 h à 18 h ; de juillet à octobre : t.l.j. sauf lun. de 14 h à 18 h. Musée du cheval
Accès : 25 km au sud-ouest de Strasbourg, à 4 km au sud du centre d'Obernai

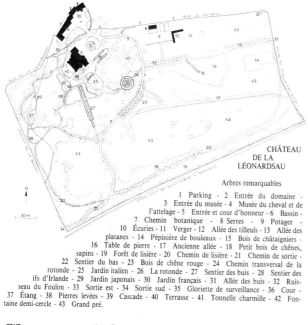

CHÂTEAU
DE LA
LÉONARDSAU

Arbres remarquables

1 Parking - 2 Entrée du domaine - 3 Entrée du musée - 4 Musée du cheval et de l'attelage - 5 Entrée et cour d'honneur - 6 Bassin - 7 Chemin botanique - 8 Serres - 9 Potager - 10 Écuries - 11 Verger - 12 Allée des tilleuls - 13 Allée des platanes - 14 Pépinière de bouleaux - 15 Bois de châtaigniers - 16 Table de pierre - 17 Ancienne allée - 18 Petit bois de chênes, sapins - 19 Forêt de lisière - 20 Chemin de lisière - 21 Chemin de sortie - 22 Sentier du bas - 23 Bois de chêne rouge - 24 Chemin transversal de la rotonde - 25 Jardin italien - 26 La rotonde - 27 Sentier des buis - 28 Sentier des ifs d'Irlande - 29 Jardin japonais - 30 Jardin français - 31 Allée des buis - 32 Ruisseau du Foulon - 33 Sortie est - 34 Sortie sud - 35 Gloriette de surveillance - 36 Cour - 37 Étang - 38 Pierres levées - 39 Cascade - 40 Terrasse - 41 Tonnelle charmille - 42 Fontaine demi-cercle - 43 Grand pré.

Château d'Osthoffen ★★

Osthoffen

Autour d'une forteresse médiévale dont subsistent les douves, le parc d'Osthoffen associe les styles de la Renaissance rhénane et ceux du XVIIIᵉ siècle français, les fontaines et les escaliers sculptés, et la vitalité rustique des grandes haies de charmilles. Dans l'allée, d'opulents tilleuls bicentenaires, couverts de fleurs mellifères, embaument l'air de juillet de leur parfum entêtant. Le charme du lieu tient également à la campagne environnante. Aucune limite ne vient arrêter le regard. Aujourd'hui, la propriétaire poursuit elle-même l'aménagement de ce parc.   D.L.

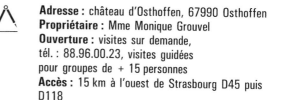

Adresse : château d'Osthoffen, 67990 Osthoffen
Propriétaire : Mme Monique Grouvel
Ouverture : visites sur demande, tél. : 88.96.00.23, visites guidées pour groupes de + 15 personnes
Accès : 15 km à l'ouest de Strasbourg D45 puis D118

Une évocation de la nature alsacienne. Ottrot.

Parc d'Ottrot ★★

Ottrot

Méditation et silence sont de rigueur dans ce parc réalisé par Théodore de Dartein au début du XIXᵉ siècle. Depuis 1956, la Communauté du foyer de charité d'Alsace accueille des visiteurs, laïcs ou religieux, pour des retraites, et le parc a été réaménagé en vue d'en faire un lieu de promenade propice au recueillement et à la prière. Une allée circulaire en gazon traverse ce jardin où chaque arbre, indigène ou exotique, peut devenir un sujet de contemplation. Ici, l'abondance des conifères évoque très nettement la nature alsacienne et ses forêts de résineux. Un groupe de volontaires passionnés de botanique entretient le parc et met à jour l'inventaire de ses arbres.   D.L.

Adresse : foyer de charité d'Alsace, 51, rue Principale, 67530 Ottrot
Propriétaire : Communauté du foyer de charité d'Alsace, tél. : 88.95.81.27
Ouverture : sur demande écrite
Accès : à 30 km au sud-ouest de Strasbourg et 4 km à l'ouest d'Obernai par D426

Les douves et le parc. Osthoffen.

Jardin botanique du col de Saverne

★ ★

Saverne

Dans ce jardin botanique (2,5 ha), se nichent au sein des rochers plus de 2 000 variétés de plantes découvertes par des grimpeurs intrépides partis avant vous à l'assaut des Alpes, des plantes ramenées par de lointaines expéditions. Dans ce lieu créé en 1930 par des naturalistes alsaciens dont le chef de file fut Émile Walter, flore et faune sont protégées. C'est à l'Angleterre que nous devons les premiers jardins de rocailles naturelles, à la fin du XVIIIᵉ siècle. Au siècle suivant, des passionnés de nature ont créé en Europe plusieurs jardins de montagne, afin de protéger les espèces contre l'arrachage intensif des promeneurs, des collectionneurs, et des ramasseurs de plantes médicinales. Les plantes sont groupées par affinités, sans ordre systématique. Le long d'un ruisseau se prélassent des iris de Sibérie, les iris fétides aux fruits rouge-orangé, les primevères du Japon, les berces du Caucase, ombellifères hautes de plus de 2 m. Dans les rocailles sèches, les labiées exhalent des odeurs enivrantes. Au fond des tourbières, on peut observer plusieurs plantes carnivores. Au milieu des orchidées sauvages ou indigènes, des azalées, des gentianes et des ancolies, un arboretum complète cette collection de plantes alpines.   D.L.

 Adresse : jardin botanique de Saverne, route du col de Saverne, 67700 Saverne
Propriétaire : Association des Amis du jardin botanique de Saverne
Ouverture : de mai à mi-septembre : t.l.j. sauf sam. de 9 h à 17 h. Dim. et jours fériés de 14 h à 18 h ; visites guidées pour groupes sur demande, tél. : 88.91.29.14 ; point de vente livres ; brochure ; plan
Accès : 3 km à l'ouest de Saverne par N4, à la hauteur d'un énorme peuplier, panneau indicateur, se garer et continuer à pied

Parc de la Citadelle

★

Strasbourg

Ce parc a été créé sur les vestiges des fortifications dessinées par Vauban. Les fossés sont devenus des canaux. Un chemin serpente tout au long de ce jardin en relief et en étages où se mêlent les murailles de grès, la végétation et les voies d'eau. Des platanes centenaires et surtout des peupliers d'Italie, aujourd'hui classés, forment une sorte d'amphithéâtre de verdure où se tiennent régulièrement des concerts et des spectacles.   D.L.

Adresse : rue de Boston, 67000 Strasbourg
Propriétaire : Ville de Strasbourg, tél. : 88.60.90.90 (S.E.V.)
Ouverture : libre, permanente, visites guidées pour groupes sur demande ; aire de jeux pour enfants
Accès : à l'est du centre ville

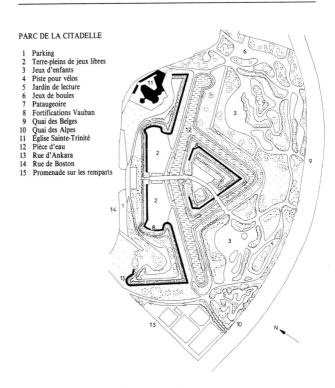

PARC DE LA CITADELLE
1 Parking
2 Terre-pleins de jeux libres
3 Jeux d'enfants
4 Piste pour vélos
5 Jardin de lecture
6 Jeux de boules
7 Pataugeoire
8 Fortifications Vauban
9 Quai des Belges
10 Quai des Alpes
11 Église Sainte-Trinité
12 Pièce d'eau
13 Rue d'Ankara
14 Rue de Boston
15 Promenade sur les remparts

Parc des Contades

★ ★

Strasbourg

C'est le plus vieux parc de Strasbourg. En 1480, on venait à la « promenade hors de la porte des Juifs » pour s'y entraîner au tir à l'arbalète. Proche du centre ville, ce jardin ombragé de tilleuls, de platanes et de marronniers plantés en 1799 offre aux Strasbourgeois un refuge de fraîcheur pour les grandes chaleurs de l'été.   D.L.

Adresse : rue des Arquebusiers / rue René-Hirscher, 67000 Strasbourg
Propriétaire : Ville de Strasbourg, tél. : 88.60.90.90 (S.E.V.)
Ouverture : permanente, visite libre, jeux pour enfants
Accès : au nord du centre ville

Parc de la Meinau

★

Strasbourg

Le Rhin Tortu longe, au sud de Strasbourg, le parc qui communique depuis peu avec les promenades des berges. Une immense pièce d'eau de 1 ha en

Jardin gothique du musée de l'Œuvre Notre-Dame. Strasbourg.

occupe le centre. Il fut créé en 1806 sur l'emplacement d'une ancienne canardière, juste après la bataille d'Austerlitz, par Schulmeister, espion de Napoléon. A la mesure de sa fortune, son parc s'étendait sur 200 ha. La Ville de Strasbourg a racheté une partie du terrain et créé en 1971 un parc « aquatique » autour du plan d'eau. Peu d'arbres, de grandes perspectives horizontales : on peut tout embrasser d'un seul coup d'œil. D.L.

Adresse : rue du Rhin-Tortu, 67100 Strasbourg-Meinau
Propriétaire : Ville de Strasbourg,
tél. : 88.60.90.90 (S.E.V.)
Ouverture : libre
Accès : au sud de la ville

Jardin gothique du musée de l'Œuvre de Notre-Dame ★★

Strasbourg

Un petit jardin pour une grande idée. Comment reconstituer un jardin médiéval, d'après des sources d'informations comme les écrits d'Albert le Grand (les *Naturalia* et les sept livres des végétaux) ou les miniatures franco-flamandes du XVe siècle ?

Pour réaliser ce dessein, les plantations ont été divisées en trois carrés, comme le préconisait Albert le Grand : plantes médicinales, plantes ménagères et plantes odoriférantes. Un ruisseau serpente à travers la pelouse, dont la source jaillit de deux auges sculptées datant du XVe siècle. La table centrale, présente dans tous les jardins médiévaux, est ici remplacée par une ancienne cuve baptismale.
L'Œuvre Notre-Dame, qui a donné son nom au musée, est une fondation très ancienne créée au Moyen Age pour gérer les donations destinées à la construction de la cathédrale. L'idée d'y implanter un jardin médiéval prit forme en 1931 sous l'impulsion de Hans Haug, qui souhaitait exposer en plein air les monuments lapidaires gothiques du musée et faire redécouvrir la tradition des jardins alsaciens représentés sur les tableaux et les gravures. Dans la littérature alsacienne et rhénane, la notion de jardin est très tôt associée à l'idée de délectation et de contemplation. Souvenons-nous aussi du titre du plus célèbre ouvrage encyclopédique du XIIe siècle, *Hortus Deliciarium*, le Jardin des Délices.
L'idée d'associer un jardin à un musée semble réaliser la suggestion d'Émile Mâle dans la préface d'un de ses livres : « Il faut que l'œuvre d'art soit associée aux horizons d'une province à ses bois, à ses eaux, à l'odeur de ses fougères et de ses prés. » D.L.

Adresse : musée de l'Œuvre de Notre-Dame, 3, place du Château, 67000 Strasbourg
Propriétaire : Ville de Strasbourg, tél. : 88.60.90.90 ; musée, tél. : 88.32.06.39
Ouverture : t.l.j., sauf le mar. et jours fériés, de 10 h à 12 h et de 14 h à 18 h
Accès : centre ville, à 150 m de la cathédrale

Parc de l'Orangerie ★ ★

Strasbourg

L'Orangerie est le jardin le plus populaire de Strasbourg. L'équivalent du Luxembourg à Paris, de Hyde Park à Londres ou de Central Park à New York. On s'y promène en famille, en couple ou en solitaire, on y croise des touristes bardés d'appareils photo. C'est une enclave de nature au milieu de la grande ville. A l'origine, en 1740, le parc suivait un tracé géométrique avec des allées rectilignes bordées d'ormes et de tilleuls qui se coupaient à angle droit ou en diagonale. Par la suite, plusieurs extensions ont transformé ce parc à la française en jardin à l'anglaise. L'aspect final résulte d'un compromis et d'une alliance entre le travail de l'architecte Ott et celui du jardinier Kuntz.

L'été, on sort à l'air libre les espèces méditerranéennes et les palmiers, abritées l'hiver sous le pavillon Joséphine, construit en 1807 pour recueillir une collection d'orangers venus du château de Bouxwiller. Le parc prend alors une allure un peu orientale, impression renforcée par le choix des arbres : l'allée

Le jardin le plus populaire de Strasbourg. Parc de l'Orangerie.

de platanes d'Orient, le cyprès chauve de Louisiane, l'acajou de Chine ou le chicot du Canada nous rappellent l'engouement du XIXᵉ siècle pour les espèces exotiques. Les espèces indigènes sont aussi largement représentées.

L'Orangerie est également devenue un lieu de culture et de rencontres artistiques. A l'automne, on y donne des concerts dans le cadre du festival Musica, et des expositions y sont régulièrement présentées. D.L.

Adresse : avenue de l'Europe et boulevard de l'Orangerie, 67000 Strasbourg
Propriétaire : Ville de Strasbourg, tél. : 88.60.90.90
Ouverture : permanente, visite libre, visites guidées pour groupes sur demande
Sculpture en bronze de A. Schultz à côté du pavillon Joséphine, jeux d'enfants, zoo, bowling. Restaurant gastronomique dans une maison alsacienne Bürehiesel
Accès : au nord-est du centre ville, face au parlement européen

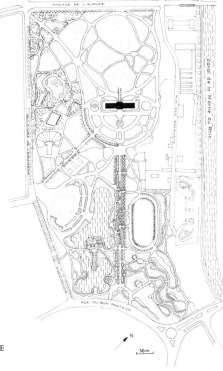

PARC DE L'ORANGERIE

Parc du château de Pourtalès ★ ★

Strasbourg

Menacés de destruction, le parc et le château de Pourtalès n'ont dû leur sauvegarde qu'à une jeune écolière qui, en écrivant « une lettre ouverte » sur ce sujet, alerta l'opinion publique et mobilisa toute son école en 1974. Finalement le lieu fut racheté par Walter Leibrecht pour y fonder la Schiller International University.

PARC DU CHÂTEAU
DE POURTALÈS

1 Parking
2 Salon de thé
3 Restaurant
4 Étang des Roselières
5 Place de repos
6 Statue
7 Prairie
8 Tennis
9 Canal des Français (désaffecté)

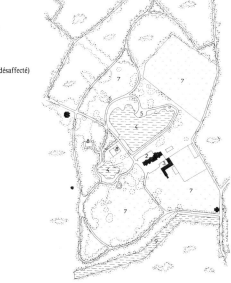

L'origine du domaine remonte à 1801 et se confond avec l'histoire d'une famille : le baron de Bussière qui acheta la propriété, son fils qui poursuivit le travail et surtout sa petite-fille, Mélanie, épouse du comte de Pourtalès, qui en fit un lieu de rencontres culturelles et politiques — elle y reçut Maurice Barrès, Anna de Noailles ou Paul Doumer —, et y aménagea un parc à l'anglaise.

Une allée de platanes nous introduit dans le parc. Au-delà du château, une vision saisissante s'offre à nous : dans un étang central asséché, des graminées sauvages ont poussé librement formant un mélange de naturel et de raffinement qui se prolonge, par-delà une vaste pelouse, par un cadre forestier, un bois touffu riche en arbres centenaires, où se cachent les « arborigènes » de E. Pignon. D.L.

Adresse : 161, rue de Mélanie, 67000 Strasbourg-Robertsau
Propriétaire : Ville de Strasbourg, tél. : 88.60.90.90
Ouverture : permanente, visite libre. Salon de thé, restaurant gastronomique, tennis, parking
Accès : nord-est du centre ville

Jardin botanique de l'Université Louis Pasteur

Strasbourg

La notion de « jardin botanique » est apparue à la fin de la Renaissance et le jardin botanique de Strasbourg, créé entre 1619 et 1670, est l'un des plus anciens de France, avec ceux de Paris et de Montpellier. A cette époque, le premier catalogue recensait pas moins de 1 600 plantes différentes.

Le jardin actuel a changé d'emplacement depuis 1880. Les serres d'époque étaient tombées en ruine et avaient été détruites dans l'indifférence générale. Aujourd'hui, le jardin botanique, qui s'étend sur 3,5 ha, comprend une serre froide, une serre tropicale, un arboretum, une école botanique où les plantes herbacées sont classées par famille, et un Institut de Recherche, ce qui nous ramène aux origines des techniques modernes de l'horticulture, de la pharmacopée, de la génétique et de la biologie et à la vocation première des jardins botaniques où l'on rassemblait les végétaux rapportés des voyages d'exploration et des expéditions militaires.

Actuellement, les végétaux répertoriés, les graines et les boutures proviennent de cinquante-trois pays différents et le jardin possède une des plus grandes collections mondiales de cotoneasters. Des raretés à ne pas manquer : côté ouest, un noyer du Caucase (*Pterocarya fraxinifolia*). Côté est, le plus grand arbre du parc, un pacanier (*Carya illinoense*). Côté sud, un autre géant de chez nous, le chêne pédonculé (*Quercus pedonculata*). Au centre, un sequoiadendron, géant des montagnes de Californie, un couple de gingko biloba, et au bord de l'étang des cyprès chauves (*Taxodium distichum*). Enfin, une rocaille avec une belle collection de véroniques (*Hebe*) et des plantes de Nouvelle-Zélande. D.L.

Jardin botanique de l'Université Louis Pasteur à Strasbourg.

Adresse : Université Louis Pasteur, 28, rue Goethe, 67000 Strasbourg
Propriétaire : Université Louis Pasteur, tél. : 88.35.82.78
Ouverture : du 1er mars au 31 octobre, t.l.j. sauf sam. de 8 h à 11 h 45 et de 14 h à 17 h 30 (dim. de 8 h à 11 h 30) ; du 1er novembre au 28 février de 8 h à 11 h 45 et de 14 h à 16 h ; serres et visites guidées le sam. et le dim. à 15 h ou sur demande pour groupes
Accès : à l'est du centre ville, près de la place Arnold

HAUT-RHIN 68

Parc de Schoppenwhir ★ ★ ★

Colmar

Au cœur de la plaine d'Alsace, entre Vosges et Rhin, s'étend le vaste domaine de 40 ha de Shoppenwhir. Dès 1424, il est fait mention dans le chartrier de ce « francalleu ». Le parc reste un lieu, entretenu, animé et accueillant grâce à la belle énergie d'Isabelle de Watteville. Ouvert sur les Vosges, il est couvert de forêt sur sa plus grande partie et les champs et les prairies nous rappellent la campagne environnante. Au milieu du XIXe siècle, Paul de Bussière a remanié le parc dans le style romantique à l'anglaise, avec le concours d'un architecte écossais. Il y a planté de nombreuses espèces d'arbres américains et asiatiques, se servant de l'eau abondante pour créer étangs et rivières. Longeant les champs, une allée de platanes dont les branches forment une voûte imposante conduit de l'entrée à la cour d'honneur et à l'emplacement des ruines de l'ancien château qui fut détruit lors de la dernière guerre. Après les bâtiments, une allée de buis couverte de grands arbres mène à un jardin intimiste où un groupe de colonnes invite à la rêverie. Au début du siècle, Achille Duchêne a également travaillé sur ce parc en maintenant ses deux faces : espace et lieux secrets. D.L.

Adresse : parc de Shoppenwhir, 68000 Colmar
Propriétaires : Christian et Isabelle de Watteville-Berckheim. Animation : Association des Amis du parc de Shoppenwhir, tél. : 89.41.22.37
Ouverture : t.l.j., de 10 h à 12 h et de 14 h à 19 h du 1er avril au 1er novembre, et de 14 h à 17 h du 2 novembre au 31 mars ; visites guidées pour groupes sur demande
Accès : 6 km au nord de Colmar par N83 ; passé l'aéroport, prendre 1re à droite et encore à droite sous N83 ; puis encore à droite avant le pont

Groupe de colonnes. Parc de Schoppenwhir.

Parc zoologique et botanique ★★

Mulhouse

Dès l'entrée vous serez saisi par le panorama qu'offre ce site vallonné derrière lequel s'étendent, en toile de fond, les Vosges. Couvert par une hêtraie fraîche et dense sur un tiers de sa surface, le parc (24 ha) fut aménagé au XIXe siècle par un groupe de passionnés de jardins, de botanique et de sciences. Vous serez accompagné dans votre promenade par le chant d'oiseaux innombrables, par le cri des singes, en particulier par les vocalises du maki vari, ce lémurien malgache portant deux plumeaux blancs sur la tête. Ici les rapaces diurnes campent devant les bambous, là ce sont des juniperus (conifères) qui montent la garde devant les volières des pigeons.

Vous serez séduit par le jardin d'iris au printemps, par la collection de graminées et de dahlias en été, et pourrez terminer votre promenade par la traversée de vastes pelouses où se dressent de nombreux conifères aux formes variées et fantasques. En sortant du parc, des chemins de randonnées vous attendent.

D.L.

 Adresse : parc zoologique et botanique de Mulhouse, 111, avenue de la 1re-D.B., 68100 Mulhouse
Propriétaire : Ville de Mulhouse, tél. : 89.44.17.44 (parc), 89.32.58.58 (mairie)
Ouverture : du 1er mai au 31 août, de 8 h à 19 h ; en mars, oct.-nov., de 9 h à 17 h ; du 1er décembre au 28 février, de 10 h à 16 h ; visites guidées pour groupes sur demande
Accès : au sud-est de la ville

AQUITAINE

L'Aquitaine, pays des eaux, s'organise en deux bassins fluviaux : la Dordogne et la Garonne au nord, l'Adour au sud, séparés par la vaste plaine landaise. Toute une gamme de paysages s'y déploie, des alpages de la montagne pyrénéenne, à la polyculture des vallées fluviales en passant par le grand vignoble aux règes ordonnées et l'immense massif forestier landais, aujourd'hui entamé de clairières à maïs. De nombreux jardins s'épanouissent dans cette province, mais ils restent interdits au public, réservés aux seuls plaisirs de leurs propriétaires.

Les jardins apparaissent avec la formation des grands domaines aux XVIIᵉ et XVIIIᵉ siècles. Beaucoup subsistent, ils ont parfois changé d'esthétique, mais occupent toujours le même territoire. Ils vivent au rythme de celui qui les a enfanté, le domaine. Ils en connaissent les crises et les périodes de prospérité. On les voit à Margaux, Malle, Beycheville, Mouton-Rothschild...

Au XIXᵉ siècle, avec la mode du thermalisme et des bains de mer, naissent ou se développent des villes comme Arcachon, et sa ville d'hiver, Dax et sa promenade, Biarritz et sa ceinture de parcs, Pau et sa promenade du Roi...

L'Aquitaine est douée pour les jardins, mais elle reste peut-être un peu trop secrète.

J.P.B.

Château Margaux.

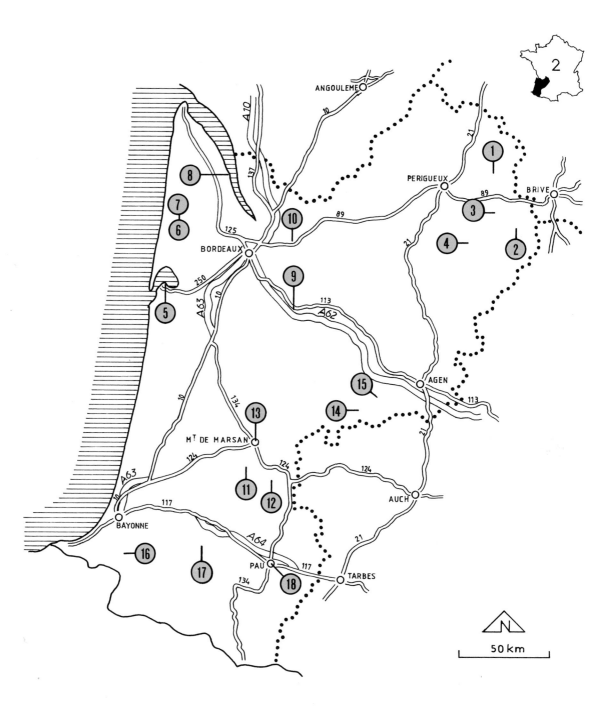

AQUITAINE

1 Château de Hautefort ★ ★ ★
2 Manoir d'Eyrignac ★ ★ ★
3 Château de Losse
4 Château de Marqueyssac ★ ★
5 Parc mauresque et Ville d'Hiver
6 Parc bordelais
7 Jardin public ★ ★
8 Château Mouton-Rothschild ★
9 Château de Malle ★ ★
10 Château de Vayres ★ ★
11 Château d'Estignols ★ ★
12 Hôtel des Prés et des Sources ★ ★
13 Parc Jean-Rameau ★
14 Promenade de la Garenne
15 Château de Poudenas ★
16 Villa Arnaga ★ ★
17 Château de Laàs ★ ★ ★
18 Parc Beaumont et promenade du Roi ★ ★

Château de Hautefort ★ ★ ★ ★

Hautefort

En arrivant du sud vous apercevez, de loin, le château de Hautefort dominant les toits de tuile ou d'ardoise du bourg. « Comme un lion couché regardant l'occident », sur l'éperon d'une plate-forme. De tous les autres points de vue, sa masse jaillit du sombre dôme du parc, le tout sur 30 ha.

Le baron de Bastard et son épouse achètent le monument en 1929 et entreprennent sa restauration. Le baron s'éteint en 1958. Un incendie ruine une grande partie de l'édifice en 1968. La baronne de Bastard, assistée de l'architecte Froidevaux, le relève. Mais, à travers heurts et malheurs, les jardins restèrent toujours fleuris.

Sur une trame de 1837 héritée du comte Choulot, les époux de Bastard recréent des jardins, installent des parterres sur les terrasses sud et est ; sur l'esplanade ils construisent, longeant le mur nord, un immense tunnel de verdure aux formes trapues inspirées des bastions qu'il domine. Au-devant, s'étale un large parterre de buis à compartiments. A l'est, d'énormes ifs taillés en boule réalisent un équivalent végétal aux dômes du château et à celui de l'église, plus bas, au cœur du bourg. D'année en année, Mme de Bastard et son jardinier affinent le dessin des parterres, renouvellent les colorations florales et multiplient les topiaires.

A l'ouest, couvrant le dos de la colline, s'étend le parc forestier. Des haies taillées à hauteur d'appui, à la manière italienne, bordent de longues allées sinueuses. Des dizaines de milliers de visiteurs qui, chaque année, franchissent la grille d'entrée, bien peu profitent de cette promenade, réponse paisible et ombreuse à l'éclat des parterres sous le soleil estival.

Le soir, en quittant ce lieu, retournez-vous encore une fois, alors que le soleil couchant teinte de rose les pierres dorées du village et des hauts murs de la demeure.

J.P.B.

Adresse : château de Hautefort, 24390 Hautefort
Propriétaire : Mme Durosoy. Directeur : Jean Des Cars, tél. : 53.50.51.23
Ouverture : t.l.j. de 9 h à 12 h et de 14 h à 19 h, des Rameaux à la Toussaint (dim. après-midi hors saison de 14 h à 18 h, fermé du 25 décembre au 25 janvier) ; prix unique pour visite du château et du jardin (visite en anglais) ; groupes hors saison sur demande. Point de vente livres, brochures
Accès : à 50 km au nord-ouest de Brive par la N89 puis la D704 ; 45 km est de Périgueux par D5

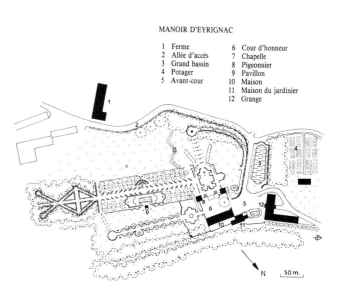

MANOIR D'EYRIGNAC

1 Ferme
2 Allée d'accès
3 Grand bassin
4 Potager
5 Avant-cour
6 Cour d'honneur
7 Chapelle
8 Pigeonnier
9 Pavillon
10 Maison
11 Maison du jardinier
12 Grange

N   50 m.

Du parterre au paysage. Hautefort.

Manoir d'Eyrignac ★ ★ ★

Salignac-Eyvigues

Un jardin de verdure. La terre est riche et l'eau abonde sur la colline. A mi-pente, la forêt dissimule une belle demeure de gentilhomme campagnard du XVIIe siècle. Il y a 30 ans, elle étouffait sous les arbres d'un parc de 3 ha, du XIXe siècle. Son propriétaire la dégagea et, sur les structures anciennes ainsi découvertes, créa des jardins réguliers.

Dans une clairière, après avoir traversé une forêt, on remarque la masse des grands feuillus et des conifères ; sous les arbres on perçoit un foisonnement de formes. On approche, des haies taillées vous accompagnent jusqu'au grand bassin bordé d'architectures de charmilles. Enfin, la maison vous accueille dans sa cour encaissée, ombragée d'un énorme platane.

De l'étage, on profite pleinement de la longue perspective formée d'une broderie aux amples motifs entourée de bordures de fleurs blanches, jaunes et bleues et suivie d'un long « escalier » aux marches incurvées, bordé d'ifs taillés, qui mène à une vasque. De hauts cyprès, plantés de part et d'autre, font vibrer ce jardin pour les yeux. Perpendiculairement à ce premier jardin, s'étirent deux longues allées surperposées, longées de topiaires, d'ifs et de charmilles, où s'inscrivent de grosses poteries italiennes. L'une conduit à une salle verte, dont les ouvertures dans la palissade vous offrent le paysage alentour, l'autre à une « garenne ». Au centre de l'allée haute, s'ouvre l'enclos de la piscine, avec son pavillon du XVIIIᵉ siècle, auquel répond, de l'autre côté de l'allée, un massif de millepertuis. Des pommiers ombragent ce passage. Les rapports de formes, d'ombre et de lumière, importent davantage que le dessin de chaque élément. Les modulations répétitives ne servent qu'à révéler les espaces de liberté. J.P.B.

Jardin régulier. Eyrignac.

Adresse : manoir d'Eyrignac, 24590 Salignac-Eyvigues
Propriétaire : P. Sermadiras de Pouzols de Lile
Ouverture : du 1ᵉʳ juillet au 30 septembre ; t.l.j. de 14 h à 18 h 30 ; toute l'année, visites guidées sur demande, tél. : 53.28.80.10 ; visites hors saison sur rendez-vous, tél. : (1) 47.66 51.21.
Accès : à 16 km au nord-est de Sarlat par la D704 puis la D60

Château de Losse

Thonac

C'est au-delà des douves que la restitution d'une charmille a été entreprise il y a quelques années ; celle-ci est constituée de « chambres » s'ouvrant sur des bordures vivaces. Une allée de charmes plus que centenaires est maintenant entretenue après des décennies d'abandon ainsi que le parc romantique en bordure de la Vézère. La cour, en contrebas de la cour d'honneur et en contraste avec son austérité architecturale du XVIᵉ siècle, fait l'objet d'une étude pour la réalisation d'un jardin dans l'esprit du XVIᵉ siècle, qui s'offrira à la vue des visiteurs depuis les étages.

Adresse : château de Losse, 24290 Thonac
Propriétaire : Mme Guy Van der Schueren, tél. : 53.50.70.38
Ouverture : du 1ᵉʳ juillet au 3ᵉ dim. de septembre, t.l.j. de 10 h à 12 h 30 et de 14 h à 18 h 30 ; groupes hors saison sur demande
Accès : à 5 km de Montignac-Lascaux, sur la D706 vers Les Eyzies

Château de Marqueyssac ★★

Vezac

Bosquets italiens en Périgord. Une débauche de haies de buis taillés, sous un couvert de chênes verts. Une immense allée plonge au cœur de la forêt, tandis que des sentiers escaladent la colline. Une union de contrastes ombre et lumière, une position imprenable qui domine la vallée de la Dordogne et à cela s'ajoute l'énigme de sa création, peut-être au XVIIIᵉ siècle. J.P.B.

Adresse : château de Marqueyssac, 24220 Vezac
Propriétaire : Mme de Jonghe d'Ardoye
Ouverture : sur demande, tél. : 53.29.51.04
Accès : à 10 km au sud-ouest de Sarlat par la D57

GIRONDE 33

Parc mauresque et Ville d'Hiver

Arcachon

La ville d'hiver et son parc, sa place du village, furent conçus pour recevoir des tuberculeux chic, mais bien vite colonisés par la bourgeoisie bordelaise qui y déploya les fastes de sa villégiature. Une cité-jardin des années 1860 dont le point fort est le parc mauresque, aujourd'hui en cours de réhabilitation.

 Adresse : Ville d'Hiver, avenue Regnault, 33120 Arcachon
Propriétaire : Ville d'Arcachon, tél. : 56.83.17.20
Ouverture : permanente ; visites libres ; jeux pour enfants dans le style « mauresque »
Accès : centre ville

Parc bordelais

Bordeaux

Parc anglais de ville avec rivière et allées sinueuses pour la promenade, dessiné par Eugène Bühler en 1884.   T.D.

Adresse : Parc bordelais, rue du Bocage, 33000 Bordeaux
Propriétaire : Ville de Bordeaux, tél. : 56.90.91.60
Ouverture : de 7 h au coucher du soleil
Accès : Bordeaux-Caudéran, ouest Bordeaux, avenue Carnot

Jardin public ★★

Bordeaux

La création du jardin public de Bordeaux, décidée par l'Intendant en 1746, s'inscrit dans la logique des nouveaux « embellissements » urbains caractéristiques du Siècle des Lumières. Achevé en 1756, il fut le premier jardin royal, non lié à un palais, ouvert en France. Il se compose, sur 10 ha, d'une terrasse avec portiques dominant des parterres de broderies, dessinés par Jacques-Ange Gabriel, et organisés autour d'un vaste bassin circulaire. Des alignements et des quinconces de tilleuls et d'ormeaux ceinturent les parterres.

Sous la Révolution, le jardin devint le théâtre des fêtes civiques, puis le champ de manœuvre des cavaliers du Château-Trompette voisin, avant d'être rendu, exsangue, à l'usage civil de la promenade.

En 1856, la municipalité vote le réaménagement en jardin de ce vaste espace et en confie les dessins au paysagiste bordelais Fischer. Il s'agit de réaliser dans ce lieu tout à la fois un jardin de plaisir public, mais aussi un instrument scientifique et didactique, regroupant un arboretum et un jardin botanique (0,5 ha) avec ses serres et sa bibliothèque.

Fischer organise le jardin avec une grande économie. Il dispose de grandes pelouses, animées de bouquets d'arbres, au pied de la terrasse, puis, plus loin, la grande pièce d'eau avec ses îles sous des ombrages plus denses. Le jardin botanique, aux plates-bandes incurvées, s'étale à l'arrière des serres-bibliothèques. L'amateur y découvrira quelques espèces rares mais, hélas, serres et collections de plantes tropicales furent volontairement détruites dans les années 1930. L'or et le flamboiement des marronniers s'y disputent dans la douce nébulosité des matins d'automne... sa plus belle saison.   J.P.B.

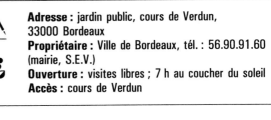 **Adresse :** jardin public, cours de Verdun, 33000 Bordeaux
Propriétaire : Ville de Bordeaux, tél. : 56.90.91.60 (mairie, S.E.V.)
Ouverture : visites libres ; 7 h au coucher du soleil
Accès : cours de Verdun

JARDIN PUBLIC DE BORDEAUX

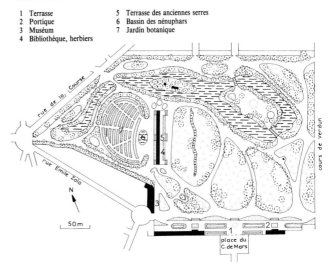

1 Terrasse
2 Portique
3 Muséum
4 Bibliothèque, herbiers
5 Terrasse des anciennes serres
6 Bassin des nénuphars
7 Jardin botanique

Château Mouton-Rothschild ★

Pauillac

De Mouton-Rothschild à Mouton-d'Armailhac s'étire une allée régulière de 800 m de long, bordée de bosquets aménagés et de sculptures contemporaines, l'une des plus remarquables créations paysagères de ces quarante dernières années en Médoc.   J.P.B.

Le parterre descendant vers la Dordogne. Vayres.

Adresse : château Mouton-Rothschild,
33250 Pauillac
Propriétaire : baronne Philippine de Rothschild
Ouverture : libre, permanente ; visite des chais et
caves uniquement sur rendez-vous,
tél. : 56.59.22.22
Accès : 50 km nord-est de Bordeaux, 3 km nord
de Pauillac par D204, parc à 500 m du château

Château de Malle ★★

Preignac

Au cœur du Sauternais. Le château, construit
au début du XVIIᵉ siècle, a été réaménagé un siècle
plus tard avec une forte empreinte italienne, en
particulier pour les jardins. L'avant-cour, fermée sur
le devant par une grille, est bordée sur les côtés par
des chais. Les jardins, ordonnés en terrasse, abritent
de nombreux groupes en pierre sculptée, figures de
la mythologie, personnages symbolisant les travaux
de la vigne, les joies de la chasse et de la pêche ou
de l'amour courtois — œuvres d'artistes italiens
appelés en Guyenne au XVIIᵉ siècle. Un nymphée en
rocailles forme le fond d'un décor de théâtre ; dans
les niches figurent des personnages de la commedia
dell'arte.   M.R.

Adresse : château de Malle, 33210 Preignac
Propriétaire : Mme de Bournazel, tél. : 56.63.28.67
Ouverture : t.l.j. du 1ᵉʳ avril à la Toussaint,
de 15 h à 19 h ; en juillet, août, septembre,
de 10 h à 19 h
Vente des produits du vignoble du château
de Malle
Accès : à 40 km au sud-est de Bordeaux par la
N113, 7 km au nord-ouest de Langon

Château de Vayres ★★

Vayres

Une grande coulée minérale, du XVIIᵉ siècle, avec un
pavillon, portique, jeux d'escaliers, relie la fière
demeure assise sur un éperon rocheux, au parterre
flanqué de charmilles, dessinés par F. Duprat, en
1939. De part et d'autre, jaillissent de grands feuillus
et conifères. Au pied de l'ensemble glisse la Dordogne,
somptueux plan d'eau naturel.   J.P.B.

Adresse : château de Vayres, 33870 Vayres
Propriétaires : M. et Mme Barde,
tél. : 57.74.85.15
Ouverture : toute l'année, dim. et j. fériés ; groupes
t.l.j. sur rendez-vous ; visites guidées seulement à
15 h, 16 h, 17 h en été ; tous les après-midi en
juillet et août
Restaurant au château pour séminaires et colloques
Accès : à 25 km est Bordeaux, 8 km à l'ouest de
Libourne par N89 puis D242

LANDES 40

Château d'Estignols ★★

Aurice

Une allée de chênes centenaires mène à la cour d'honneur. Autour du château du XVIIIe siècle, un parc de style anglais est composé de près de 200 variétés d'arbres et d'arbustes, dont les alisiers de 150 ans, des tilleuls et des acacias bicentenaires, mais aussi des charmes, hêtres et érables pourpres, ormeaux, châtaigniers de plus de 300 ans, collection de cyprès (cyprès steewarti, lanei, pisifera nains, filiformis nain...) et de pins (pins sylvestres et maritimes de 250 ans, pins mughus...), un métaséquoia, une grande variété d'essences de Gascogne et d'Europe.

M.N.

Adresse : château d'Estignols, 40500 Aurice
Propriétaire : M. Michel de Spens d'Estignols, tél. : 58.76.01.60
Ouverture : du 1er juillet au 31 août, sauf le mer., de 15 h à 18 h. Le château ne se visite pas. Musée rural
Accès : à 10 km au sud-ouest de Mont-de-Marsan par la D933, à 5 km au nord-ouest de Saint-Sever puis D404

Hôtel des Prés et des Sources ★★

Eugénie-les-Bains

Elle était impératrice, et venait du Sud, on aimait l'exotisme. Elle donne son nom à la station. Au cœur de la Lande perdure un parc du second Empire, avec ses palmiers, ses kiosques et ponts peints en blanc, le luxe tranquille. A côté, le tout jeune jardin d'herbes aromatiques complète les satisfactions.

J.P.B.

Adresse : les Prés d'Eugénie, 40320 Eugénie-les-Bains
Propriétaires : M. et Mme Michel Guérard, tél. : 58.51.19.01
Ouverture : libre, fermé fin décembre à fin janvier. Restaurant gastronomique
Accès : à 26 km au sud de Mont-de-Marsan, à 8 km au nord de Geaune

Parc Jean-Rameau ★

Mont-de-Marsan

S'étendant sur 5 ha au bord de la Douze, cette ancienne pépinière départementale, créée sous le premier Empire et transformée en promenade publique municipale en 1879, associe parterres floraux, statues, kiosque à musique, une belle allée de tilleuls ainsi qu'un théâtre de verdure récent.

M.R.

Adresse : parc Jean-Rameau, place Francis-Planté / rue de l'Auberge-Landaise, 40000 Mont-de-Marsan
Propriétaire : Ville de Mont-de-Marsan, tél. : 58.75.65.41 (S.E.V.)
Ouverture : libre, permanente
Accès : au nord du centre ville

Pavillon Landais. Parc Jean Rameau.

Promenade de la Garenne

Nérac

C'est sur les bords de la Baïse, où les rois de Navarre aimaient séjourner, que s'étend la promenade de la Garenne. Agrémentée d'un chalet, d'un théâtre de verdure, d'un kiosque et de fontaines, elle est parcourue de voûtes de verdures et de longues allées de chênes et d'ormeaux séculaires.   T.D.

Adresse : la Garenne, 47600 Nérac
Propriétaire : Ville de Nérac, tél. : 53.65.03.89
Ouverture : permanente, visites libres
Accès : à 30 km à l'ouest d'Agen

Château de Poudenas   ★

Poudenas

Autour du château transformé en villa italienne au XVIIe siècle (sur 8 ha), des terrasses dominent le vallon et un arboretum a été planté au début du XIXe siècle.
                                    J.P.B.

Adresse : château de Poudenas, 47170 Poudenas
Propriétaire : M. de Nadaillac, tél. : 53.65.78.86 ou 53.65.70.53
Ouverture : t.l.j., sans contrainte horaire ; visites guidées pour groupes sur rendez-vous de mai à la Toussaint
Accès : à 17 km au sud-ouest de Nérac par D656, direction Mezin

Villa Arnaga   ★ ★

Cambo-les-Bains

Lorsque Edmond Rostand vint la première fois en Pays basque pour soigner sa tuberculose, il vécut ce séjour comme un exil. Mais, séduit par le charme de la région et les hivers aux journées d'été, il ne désira alors plus retourner à Paris. Il décida d'y installer sa maison, dont il confia la conception à Albert Tournaire, en 1903.

Le site choisi constitue un petit promontoire qui domine la vallée de la Nive et regarde la montagne pyrénéenne. La demeure, aux façades blanchies à la chaux, animées de colombage, de balcons de bois et de fenêtres aux volets pleins, repose sur un soubassement de pierres ouvert de larges baies.

Les longs toits descendent plus bas d'un côté. Une aile vient en saillie et détermine, avec le corps principal, une petite terrasse.

De part et d'autre de la maison, les jardins occupent le plateau : au-devant, le jardin régulier, à l'arrière, une pelouse. Un bois couvre les pentes, enveloppe les jardins, les protège des vents. Le jardin régulier est conçu selon les règles classiques de la symétrie axiale et de l'allégement du décor au fur et à mesure

Arnaga. Le jardin d'Edmond Rostand.

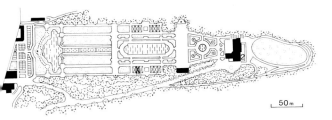

VILLA ARNAGA

de l'éloignement : foisonnement de fleurs auprès de la maison, puis un parterre anglais centré sur un bassin rond. Une large allée transversale relie l'orangerie au belvédère, puis le grand canal flanqué de tapis de verdure animés de buis taillés, et enfin la vaste pelouse parcourue d'un lent escalier d'eau, et vient buter contre le bassin en hémicycle, où se reflète la pergola du fond de scène. De part et d'autre, des tunnels, des murs de charmilles se blottissent sous les hautes frondaisons. De multiples jets d'eau apportent le sourire indispensable à cette composition rigoureuse. A l'arrière de la maison, une pergola en hémicycle surplombe légèrement une ample pelouse ovale, ombreuse même en été.

J.P.B.

 Adresse : villa Arnaga, maison Edmond Rostand, 64250 Cambo-les-Bains
Propriétaire : Ville de Cambo-les-Bains
Ouverture : des Rameaux au 30 avril et du 1er au 30 octobre, t.l.j. de 14 h 30 à 18 h ; du 1er mai au 30 septembre, t.l.j. de 10 h à 12 h et de 14 h 30 à 18 h 30 ; sur demande pendant fermeture pour groupes, tél. : 59.29.70.57
Accès : à 18 km au sud-est de Bayonne, par la D932

Château de Laàs ★★★

Laàs

Assis sur un plateau qui domine le gave d'Oloron, le château regarde le paysage luxuriant. En contraste, les jardins, restaurés en 1946 par M. Serbat, offrent une image d'ordre et de calme. Des parterres de gazon, flanqués d'un long vivier, sont au-devant de la demeure. En contrebas, une petite roseraie, au dessin précieux, nous mène au bord de la pente brutale.

J.P.B.

Adresse : château de Laàs, 64390 Laàs
Propriétaire : Conseil général des Pyrénées-Atlantiques, tél. : 59.38.91.53
Ouverture : du 1er mars au 30 juin, de 10 h à 12 h et de 15 h à 18 h, les sam.-dim. ; en semaine pour

les groupes sur rendez-vous ; du 1er juillet au 30 septembre, t.l.j. de 10 h à 12 h et de 15 h à 18 h
Accès : à 20 km au sud d'Orthez, 8 km de Sauveterre-de-Béarn (à l'est) par la rive droite du gave d'Oloron

Parc Beaumont et promenade du Roi ★★

Pau

Pau, la « sublime terrasse » qui regarde la montagne pyrénéenne, fut inventée, au XIXe siècle, par les Anglais. Ils y imposèrent un goût pour les jardins et végétaux exotiques encore perceptible aujourd'hui. Le parc Beaumont, la promenade du Roi et la Villa Laurence, sur 12 ha, en constituent les plus sensibles témoignages.

J.P.B.

Adresse : parc Beaumont, 64000 Pau
Propriétaire : Ville de Pau, tél. : 59.32.48.44 (S.E.V.)
Ouverture : permanente, visites libres
Accès : au sud-est du centre ville, près du casino

Jardin du château de Laàs.

43

AUVERGNE

Non seulement le désir de faire un jardin ne diminue pas quand les conditions climatiques sont difficiles mais encore il augmente. On pourra vérifier cette affirmation en découvrant toute l'ingéniosité et la patience qu'ont montré les Auvergnats pour lutter contre un climat très rude et parvenir, malgré tout, à s'adapter pour suivre les grands courants de création de jardins.

Loin du pouvoir central, les notables locaux se doivent de participer aux grands rêves paysagers qui agitent les grands du royaume, de l'empire ou de la république. Ainsi les grandes poussées de fièvre des jardins ont été assez contagieuses pour vaincre la rigueur et la longueur de l'hiver, remonter les vallées froides, s'emparer de certains sites et réchauffer jusqu'au sommet de certains donjons. Aux XVIIe et XVIIIe siècles, la noblesse aménage les abords des châteaux, afin de jouir de la vie à l'extérieur. Pour disposer de parterres autour de châteaux forts souvent perchés et difficilement accessibles, il faut des travaux considérables, créer des terrasses, aménager les douves et souvent beaucoup d'imagination. Les vues sur les volcans ou sur le vert sombre des massifs forestiers enveloppé d'écharpes de bruyères violacées ne sont pas les moindres récompenses des visiteurs qui parviennent à ces jardins de nids d'aigles, jardins suspendus, jardins-belvédères, voire jardins de donjons. Le rouge et le noir du basalte dominent aussi bien dans les paysages de volcans que dans l'architecture de jardin. Le jardin lui-même est toujours une surprise, « son ordonnance classique étonne le regard dans ce paysage cerné par une ligne de roches de basalte à larges et sombres cassures », écrit Paul Bourget dans *le Démon de midi* à propos du jardin de Cordès. Au XIXe siècle, le renouveau des stations thermales et le développement industriel donnent l'occasion aux sociétés des eaux et aux municipalités de réaliser des opérations d'urbanisme de qualité où le jardin pour la promenade joue un rôle central. C'est ici dans la France profonde qu'il faut venir découvrir le charme des jardins publics « Napoléon III » qui ont échappé à l'abandon ou, pire, à la banalisation en espaces verts. Quant aux châtelains, ils profitent de l'eau et des conditions favorables à l'implantation d'essences venues des forêts américaines pour créer des parcs d'agrément. La passion botanique ne les épargne pas et pour garder en vie et multiplier les plantes exotiques ils doivent ici chauffer les serres jusqu'au mois de juin. Aujourd'hui encore, quelques-uns s'adonnent à cette passion secrète.

M.R.

Nyssa sylvatica. Parc de Balaine.

AUVERGNE

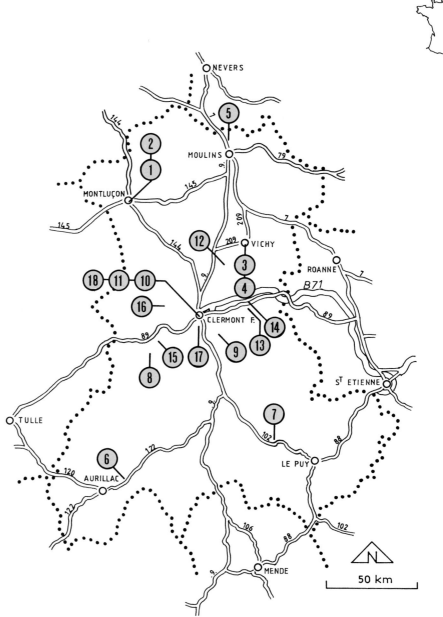

ALLIER 03

Parc de la Louvière ★

Montluçon

Réaménagé au début du XXᵉ siècle par un collectionneur de tableaux, le jardin comprend un parterre
central avec tapis vert encadré d'escaliers devant la
villa et sa terrasse ainsi qu'un bois aux arbres
remarquables, tilleuls, séquoias, chamaecyparis, elea-
gnus.   M.R.

Adresse : parc de la Louvière,
avenue du Cimetière-de-l'Est,
03100 Montluçon
Propriétaire : Ville de Montluçon,
tél. : 70.05.13.56 (S.E.V.)

Ouverture : lun., jeu., ven., sam. de 14 h à 17 h ;
mer. et dim. de 10 h à 17 h, fermé le mar.
Accès : entrée est de la ville

Jardin Wilson ★

Montluçon

Fortement dessiné, ce jardin créé en 1938 a été
composé en intégrant les remparts. Avec sa roseraie,
son préau, son parterre de carrés fleuris encadrés de
buis centré sur une stèle couverte de lierre, il témoigne
de la qualité de la création paysagère des années
30.   M.R.

Adresse : jardin Wilson, place Petit,
03100 Montluçon
Propriétaire : Ville de Montluçon,
tél. : 70.05.13.56 (S.E.V.)
Ouverture : t.l.j. de 9 h à 18 h
Accès : au centre ville

Parc de l'Allier ★

Vichy

Gagné sur le lit de l'Allier, ce parc a été conçu par Charles-Édouard Isabelle pour Napoléon III venu ici à partir de 1861 pour une série de cures thermales. Bordant la rivière sur 1 500 m et faisant face à la série de « chalets » second Empire, ces jardins paysagers, encore bien entretenus, permettent de se faire une idée du style de vie lancé par l'empereur et sa suite. Précédant et prolongeant les moments passés aux buvettes, aux jeux du casino et à table, les longues promenades romantiques dans les allées sinueuses faisaient partie intégrante du rituel du curiste. Comme hier on descendra aujourd'hui au parc pour marcher un peu et tenter d'imaginer le regard émerveillé des bourgeois de la fin du XIXᵉ siècle devant la composition pittoresque des bosquets et les oiseaux exotiques de la volière. M.R.

Adresse : parc de l'Allier, boulevard J.-F.-Kennedy, 03200 Vichy
Propriétaire : État, gestion : Ville,
tél. : 70.97.75.75 (mairie, S.E.V.)
Ouverture : visites libres, permanente
Accès : au sud-ouest de la ville, rive droite de l'Allier, face au parc omnisport (rive gauche)

Parc des Sources ★

Vichy

Encadré de galeries métalliques récupérées après l'exposition universelle de 1889, ce petit parc triangulaire est le cœur de la ville thermale. Il fut commandé en 1812 par Napoléon Iᵉʳ. La fraîcheur de ses allées et son kiosque à musique offrent une transition animée entre le hall des sources et les salles de jeux du casino. M.R.

Adresse : parc des Sources, rue du Parc/rue Wilson, 03200 Vichy
Propriétaire : État, gestion. : Ville,
tél. : 70.97.75.75 (mairie, S.E.V.)
Ouverture : visites libres ; permanente
Accès : au centre ville

Parc de Balaine ★★★

Villeneuve-sur-Allier

L'empreinte d'une femme. Balaine est un jardin habité. Cela confère à ses paysages romantiques une sorte d'intimité, de spontanéité certainement liées au type d'entretien qu'il reçoit de ses propriétaires.

Aglaée Adanson, fille d'un savant botaniste, commença l'aménagement de Balaine en 1804. C'est l'époque des amateurs de plantes passionnés. Malgré le blocus continental, on importe des végétaux. L'impératrice Joséphine donne le (mauvais) exemple à la Malmaison, Chateaubriand parle de ses jeunes arbres en père attendri. L'exceptionnelle collection végétale que A. Adanson va créer, organisée en espaces poétiques autour de l'étang, des canaux, des fabriques, sera l'œuvre de sa vie. Entretenu, replanté et transmis de génération en génération, ce lieu témoin nous invite toujours à découvrir plus de 1 200 arbres, arbustes et vivaces répertoriés et fréquemment étiquetés. Le tracé du jardin avec ses allées sinueuses est caractéristique du début du XIXᵉ siècle. Il permet la création des microclimats nécessaires à l'acclimatation des plantes comme les scènes charmantes et pittoresques dans le goût de l'époque autour du château de briques polychromes, de l'étang du lavoir à colonnes ou des fabriques de rondins.

Époques fastes : le printemps pour ses floraisons (magnolias, azalées, rhododendrons, cornus, kalmia...) et l'automne pour la coloration des feuillages (acers, taxodium, *Nyssa sylvatica, Carya ovata...*). F.D.

Les allées de Balaine : un paysage pensé pour le mouvement.

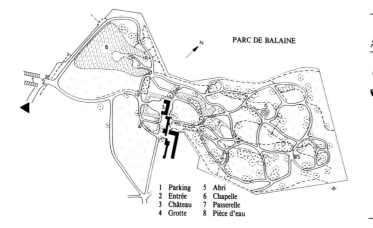

PARC DE BALAINE

N

1 Parking   5 Abri
2 Entrée   6 Chapelle
3 Château   7 Passerelle
4 Grotte   8 Pièce d'eau

Adresse : arboretum de Balaine,
03460 Villeneuve-sur-Allier
Propriétaire : Mme Courteix-Adanson
Ouverture : t.l.j. de 10 h à 12 h et de 14 h à
19 h et du 1er avril au 30 novembre (du 1er décembre
au 31 mars sur demande). Sur demande pour
groupes et visites guidées, tél. : 70.43.30.07. Point
de vente. Vente de plantes. Rafraîchissements sur
place, 3 hôtels-restaurants à 3 km
Expositions de peinture dans le château, visites du
château du Riau, Apremont, et vieux moulins
Accès : à 18 km au nord-ouest de Moulins par N7
puis D433 après Villeneuve

CANTAL 15

Château de Pesteils ★

Polminhac

Trois terrasses traitées en compartiments simplement
remplis de brique pilée servent d'écrin au château et
au puissant donjon dressés sur un promontoire
rocheux au-dessus de la vallée de la Cère. Le parc
situé à l'extérieur des remparts reste privé.   M.R.

Adresse : château de Pesteils, 15800 Polminhac
Propriétaire : M. Jean de Miramon Pesteils,
tél. : 71.47.44.36
Ouverture : t.l.j. du 1er juillet au 31 août de 10 h
à 12 h et de 14 h à 18 h ; de 14 h 30 à 17 h 30
en mai, juin, septembre
Accès : à 14 km à l'est d'Aurillac par N122

HAUTE-LOIRE 43

Château de Lafayette ★

Chavaniac-Lafayette

Devant le château où La Fayette passa ses premières
années et revint souvent, s'étagent une succession de
terrasses fleuries d'annuelles et une roseraie de plus
de 1 600 pieds. Plus haut, sur les pentes, le parc
aux essences variées offre une promenade agréable
au bord des cascades et des étangs.   M.R.

Adresse : château de Lafayette, 43230 Chavaniac-
Lafayette
Propriétaire : Association mémorial La Fayette,
tél. : 71.77.50.32
Ouverture : de Pâques à décembre, t.l.j. de 9 h à
12 h et de 14 h à 18 h ; sur demande l'hiver
Accès : à 35 km au nord-ouest du Puy-en-Velay
par N102 et D513

Parc Fenestre ★

La Bourboule

Vaste et varié, ce très beau parc de station thermale créé à partir de 1875 par la Société des Eaux a été agrandi par la municipalité qui en est aujourd'hui propriétaire. Particulièrement aménagé pour les enfants qui sont ici nombreux, il recèle encore de belles surprises végétales parmi lesquelles de beaux séquoias.   M.R.

Adresse : parc Fenestre, avenue Agis-Ledru, 63150 La Bourboule
Propriétaire : Ville de La Bourboule, tél. : 73.81.04.16
Ouverture : permanente, visites libres
Accès : au sud de la ville

Château de Busséol ★★

Busséol

Un jardin « au ciel ». Insoupçonnable au sommet de la forteresse romane dressée sur son piton, ce jardin très haut perché exige un petit effort. Le chemin pentu et saupoudré de débris basaltiques noirs, l'escalier extérieur du château, enfin l'escalier intérieur vous feront mériter l'accès à ce petit paradis. On ne s'étonnera donc pas de trouver dans le jardin de Mme Houlier la plante qui symbolise le chemin qui mène à la perfection : le plantin. Sur le thème du jardin des Croisades, la propriétaire a voulu recréer ce que l'on appelait au XIIe siècle un « pré-haut ». Elle a réuni des plantes médicinales, aromatiques et décoratives connues au Moyen Age et des plantes méditerranéennes. Une allée de saxifrages et de lavandes mène à de petites terrasses sur lesquelles pâquerettes (innocence), lys (pureté), pissenlits (amertume), fraisiers (droiture) voisinent harmonieusement avec lauriers-roses, mimosas, palmiers, orangers, arbres de Judée mais aussi cyclamens, roses, pivoines ou roses trémières.

On imagine les soins qu'il faut pour maintenir une telle végétation à 700 m d'altitude, dans un site ouvert à tous les vents. Vous pourrez en apprécier le panorama exceptionnel sur les volcans, et, rassuré d'avoir déjà un pied au ciel, vous pourrez rêver à la vision d'enfer qu'était ce même paysage lorsque chacun des cratères crachait feu, soufre et fumerolles.   M.R.

Adresse : château de Busséol, 63270 Busséol
Propriétaire : Mme Houlier, tél. : 73.69.00.84
Ouverture : du 15 juin au 15 septembre, t.l.j. de 10 h à 12 h et de 14 h à 18 h ; hors saison, les dim. et jours fériés de 14 h 30 à 17 h 30
Accès : 20 km au sud-est de Clermont-Ferrand par RN9 et D225, à 3 km au nord de Vic-le-Comte

Au-dessus des volcans. Busséol.

Château de la Bâtisse ★★

Chanonat

Plus de surprises qu'il n'y paraît. Au creux du vallon de l'Auzon, le château et ses jardins restent cachés du visiteur qui approche jusqu'au dernier moment. Plantée au milieu d'un grand miroir d'eau, la fontaine sur pilier d'où jaillit une eau brillante et abondante s'impose comme un signal au pied de la route, au milieu d'une longue terrasse surplombant la rivière. Un escalier de pierre à deux volées encadrant une petite fontaine en niche permet de découvrir une deuxième terrasse, à nouveau ornée d'un grand rond d'eau. Après ces jardins en terrasses dessinés au début du XVIIIe siècle, une nouvelle surprise attend le visiteur : un pont métallique du XIXe siècle enjambe gracieusement les cascades et mène à de nouveaux jardins, de l'autre côté de la rivière. Plantées à même la pente, les charmilles formant un labyrinthe de verdure et conduisant à une gloriette de buis s'intègrent si bien au bocage rural, au potager et aux prairies bordés de haies qu'on ne les perçoit pas immédiatement. Le visiteur

qui s'aventure derrière le labyrinthe découvrira encore une grotte de fraîcheur. Plongé dans l'obscurité, il en ressortira avec un regard tout neuf pour apprécier la promenade le long des cascades et la remontée vers le château où il pourra admirer le remarquable plan et les vues aquarellées des jardins datant de leur création.　　　　　　　　　　　　　　M.R.

 Adresse : château de la Bâtisse, 63450 Chanonat
Propriétaire : M. Arnoux de Maison Rouge, tél. : 73.79.41.04
Ouverture : avril, mai, juin, septembre, octobre de 14 h 30 à 18 h (sauf mar.) ; juillet, août, t.l.j. de 10 h à 12 h et de 14 h à 19 h
Informations disponibles sur le jardin, cartes postales, brochures... Restaurant à proximité
Accès : 12 km au sud de Clermont-Ferrand par RN 9 puis D 3 à partir du Crest, ou par autoroute sortie n° 4, La Roche Blanche-Veyre

Jardin Lecoq

Clermont-Ferrand

★★

Dessiné par Lecoq dans la tradition française des jardins pittoresques à vocation publique, ce jardin remarquablement entretenu mérite plus d'attention. La grande variété d'ambiances qui caractérisaient ce type de jardin a été très intelligemment maintenue. Après la grille d'entrée qui donne accès au parc, la porte fortifiée du XVIᵉ siècle posée comme un décor vous fait entrer dans les rêves de ceux qui venaient se promener ici à la fin du siècle dernier. On remarquera la roseraie, le théâtre de plein air et plus particulièrement un pont de rocaille parfaitement « dans son jus » avec ses nappes d'eau et de lierre retombant dans un bassin en contrebas. Ce jardin est une bonne démonstration de ce que pourraient être de nombreux jardins de ville si leurs gestionnaires en comprenaient mieux l'esprit.　　　　M.R.

Adresse : jardin Lecoq, boulevard La Fayette / boulevard Gergovia, 63000 Clermont-Ferrand
Propriétaire : Ville de Clermont-Ferrand, tél. : 73.24.19.03 (S.E.V.)
Ouverture : t.l.j. de 7 h au coucher du soleil (et 22 h en été)
Restaurant, buvette
Accès : centre ville

Deux rives jardinées : la Bâtisse.

Une porte toujours ouverte. Jardin Lecoq.

Château d'Effiat ★

Effiat

La rigueur géométrique du dessin et les tons sombres donnés par le basalte donnent beaucoup d'allure à ce jardin réalisé au XVIIe siècle et attribué à André Mollet.

Après le portail monumental, une longue avenue de tilleuls conduit au château. Flanqués de deux canaux, les parterres sont composés de pièces d'eau et de pelouses. Au fond, une terrasse plantée d'un très bel alignement de chênes et sous laquelle a été ménagée une grotte de rocaille termine la perspective.   M.R.

 Adresse : château d'Effiat, 63260 Effiat
Propriétaire : M. de Moroges, tél. : 73.63.64.01
Ouverture : visites guidées, du 15 juin au 1er juillet et du 1er au 15 septembre : t.l.j. de 14 h 30 à 19 h ; du 1er juillet au 1er septembre de 9 h à 12 h et de 14 h à 19 h ; du 15 septembre au 30 novembre et du 1er mars au 15 juin le week-end de 14 h 30 à 19 h ; groupes sur demandes ; fermé à la Toussaint et de décembre à mars ; dernière visite à 18 h 15
Accès : 18 km au sud-ouest de Vichy ou 4 km au nord-est d'Aigueperse par D984

Château de Fontenille ★ ★

Lezoux

Créé à partir de 1970 sur l'emplacement de l'ancien jardin du château de Fontenille, ce parc est l'œuvre remarquable de M. Beunas. Pour encadrer le parterre sur lequel ont été reconstruits la porte de la chapelle et celle du château de Fontenille, M. Beunas a réalisé des arceaux en charme inspirés du jardin des Prés Fichaux à Bourges. Feuillus robustes et résineux bordent le canal sur lequel un pont a été construit. Les arbres anciens, vestiges du parc du château, se mêlent aux plantations nouvelles pour former un véritable petit arboretum où évoluent en liberté de nombreux animaux, daims, paons, cygnes... Le domaine possède aussi un beau potager, des volières et des serres où est soigneusement poursuivie une collection d'orchidées d'autant plus merveilleuse que la pleine floraison a lieu au moment des plus grands froids, de décembre à juin.   M.R.

Adresse : château de Fontenille, 63190 Lezoux
Propriétaire : Mme A. Beunas, tél. : 73.73.11.21
Ouverture : sur demande, aux connaisseurs
Vente de plantes aux spécialistes
Accès : à 30 km à l'ouest de Clermont-Ferrand, 800 m au nord-ouest de Lezoux par D20 en direction de Culhat

Château de Ravel

Lezoux

Malgré un état général médiocre, la structure de ces jardins à la française a été maintenue. Ils sont caractéristiques des créations qui ont fleuri au début du XVIIe siècle pour égayer les châteaux d'Auvergne. Des bancs ont été installés et permettent, par beau temps, de jouir d'une très belle vue.   M.R.

Adresse : château de Ravel, 63190 Lezoux
Propriétaires : M. et Mme Brochot et M. et Mme Ramos, tél. : 73.68.44.63
Ouverture : de Pâques au 1er juillet, t.l.j. de 14 h à 18 h ; du 1er juillet au 30 septembre, t.l.j. de 10 h à 12 h et de 14 h à 19 h ; en octobre, t.l.j. de 14 h à 18 h
Accès : à 30 km à l'ouest de Clermont-Ferrand, 6 km au sud de Lezoux par D20

Château de Cordès ★ ★ ★

Orcival

Un monument d'architecture végétale. Très ingénieux, l'auteur de ce jardin créé au début du XVIIIe siècle a su tirer parti d'un site difficile. L'implantation du château en bout de plateau perché et incliné ne permettait la réalisation de jardins que sur la façade arrière, du côté de l'accès. Tranchée profonde entre deux terrasses dont l'ampleur est insoupçonnable pour l'arrivant en raison de la hauteur des murs de hêtres qui la bordent, l'avenue d'accès conduit à l'avant-cour d'honneur, terrasse lumineuse et semi-circulaire au bout de laquelle se dresse le château. La construction reste austère malgré les ouvertures pratiquées au XVIIe siècle.

Pour découvrir les deux vastes parterres sur plan carré et la salle de verdure ovale, il faut se retourner et gravir l'escalier pour s'élever au-dessus du mur de soubassement. On monte au jardin, à un jardin suspendu. On traverse alors la double muraille de hêtres palissés jusqu'à 8 m de haut. Ce type de palissade qu'on appelle « charmille », traitée ici avec des hêtres et non des charmes, est une superbe démonstration d'architecture végétale comme il en existait à Versailles du temps de Le Nôtre et de Louis XIV. La rigueur et la dimension monumentale des murs de verdure, la simplicité des pièces de gazon ponctuées d'ifs transforment le jardin en un vaste théâtre. Surgissant des coulisses que sont les allées ombragées, vous serez à la fois acteur et spectateur et vous évoluerez au milieu des parterres, sous le choc du décor.   M.R.

Un jardin perché vu du ciel. Cordès.

Adresse : château de Cordès, 63210 Orcival
Propriétaire : M. Pierre Péchaud, tél. : 73.65.81.34
Ouverture : toute l'année, t.l.j. de 10 h à 12 h et de 14 h à 18 h
Accès : 19 km à l'ouest de Clermont-Ferrand par RN89 ou D941 puis D216, 2 km nord de Rochefort-Montagne

Château de Dauphin ★ ★

Pontgibaud

Un potager tel que jadis. Montaigne a décrit ce jardin de 0,96 ha lors d'un de ses voyages en Auvergne : « Je passais à Pontgibaud saluer en passant Mme de La Fayette et fus une demi-heure dans la salle... Cette maison n'a pas tant de beauté que de nom. L'assiette en est laide plutôt qu'autrement. Le jardin est petit, carré, où les allées sont relevées de 4 à 5 pieds, les carreaux sont dans le fond où il y a force fruitiers et peu d'herbe. Il faisait tant de neige et le temps est si âpre qu'on ne voyait rien du pays... » Ce jardin potager, bien exposé au sud du château qui le protège des courants froids, est composé de carreaux en terrasses situés sur quatre niveaux principaux, séparés par des chemins orthogonaux. Ces terrasses sont appuyées sur des murs de basalte couronnés de dalles de même nature parfaitement jointoyées. Outre leur fonction

de soutènement, ces murs jouent un rôle de régulateur thermique. Au XIXᵉ siècle, afin de bénéficier de ces conditions favorables, une serre de forçage fut appuyée contre l'un d'entre eux. Deux bassins ronds, avec jets alimentés par gravité par une source captée à plusieurs kilomètres, agrémentaient ce potager. Des plantations d'arbres fruitiers de plein vent, en espalier et cordon, complétaient cet ensemble.

CHÂTEAU DE DAUPHIN

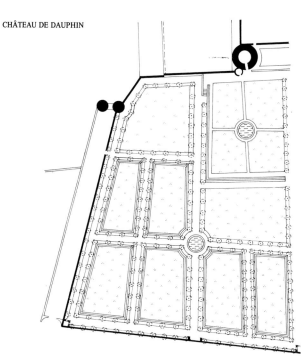

Rares sont les potagers de cette époque qui nous ont été transmis en si bel état de conservation. Descendons les plans inclinés des allées pour admirer le travail des jardiniers amateurs du village qui ont chacun la charge d'un carreau et qui rivalisent de zèle pour faire croître les plus beaux légumes. A.M.

Adresse : château de Dauphin, 63230 Pontgibaud
Propriétaire : M. Gabriel de Germiny, tél. : 73.88.73.39
Ouverture : du 14 juillet au 31 août, t.l.j. sauf lun. de 14 h à 19 h
Visite des appartements, collections de meubles, peintures, miniatures
Accès : à 22 km à l'ouest de Clermont-Ferrand par D941

Château d'Opme ★★

Romagnat

On aurait tort de manquer le coup d'œil sur la vallée de l'Allier et les volcans du haut de ce jardin-belvédère. Juché sur les monts qui dominent Clermont-Ferrand, le jardin fut réalisé dans le cadre de la transformation du château fort en lieu

Terrasse et fontaine (attribuée à Du Cerceau). Opme.

d'habitation par Antoine de Ribeyre, à partir de 1612. La sévérité des murs de basalte et la sécheresse de la première terrasse n'en rend que plus charmante la découverte du potager que l'on a installé sur le niveau inférieur, avec son joyeux fouillis autour de la fontaine Renaissance. M.R.

Adresse : château d'Opme, 63540 Romagnat
Propriétaire : M. Durin
Ouverture : du 1er juillet au 30 septembre de 9 h à 12 h et de 14 h à 18 h, ou sur demande écrite
Accès : 9 km au sud de Clermont-Ferrand par RN89, à 2 km au nord du jardin de la Bâtisse

Parc Bargouin

Royat

Parc et jardin botanique aménagé au XIXe siècle par un pharmacien, il offre une belle vue sur Clermont du haut d'une tour.

Adresse : parc Bargouin, place Meterlink, 63130 Royat
Propriétaire : Conseil général du Puy-de-Dôme, tél. : 73.35.81.77 (parc)
Ouverture : 8 h au coucher du soleil
Accès : limite entre Royat et Chamalières

BOURGOGNE

La ligne de partage des eaux qui traverse la Bourgogne trace la limite entre zones climatiques océanique et méditerranéenne. Coulant en abondance, noyant parfois les terres plus qu'il ne le faut, les eaux de Bourgogne devaient être maîtrisées afin de pouvoir habiter, cultiver, communiquer, créer des jardins. Que ce soit au moyen de douves autour des châteaux, de canaux-promenades autour des jardins de la Renaissance, de ceux du XVIIᵉ siècle (Tanlay), de détournements de rivières et de vastes drainages (abbaye de Vauluisant), ou encore de rivières serpentines et d'étangs dessinés au XIXᵉ siècle, il a fallu beaucoup de travaux et d'ingéniosité pour se protéger et tirer parti de cet élément dominant du paysage. Les canaux de Bourgogne en sont aussi une belle démonstration.

Côté pierre, on découvrira avec étonnement les murs des clos du paysage de vignoble, les appareillages décoratifs du XVIIᵉ siècle, les constructions rustiques et les bordures des parcs paysagers. Tous utilisent abondamment des roches calcaires aux formes étranges, les « pierres trouées », caractéristiques de Bourgogne. Si les carrés réguliers des jardins de la Renaissance d'Ancy-le-Franc, de Sully, Jours, Saint-Fargeau se sont effacés au profit de nouvelles formes, le XVIIᵉ siècle nous a laissé des traces significatives aux jardins du Président Cœur de Roy, à Tanlay, à Bussy-Rabutin, au parc de la Combière, à Dijon.

La passion botanique s'exprime dès le XVIIIᵉ siècle avec Buffon, à Montbard, et au célèbre jardin de l'Arquebuse, de Dijon, qui reste aujourd'hui encore un haut lieu des amateurs de plantes.

On découvrira aussi en Bourgogne un grand nombre d'abbayes cisterciennes agrémentées de jardins, à la fin du XIXᵉ siècle à Vauluisant (1860), au début du XXᵉ siècle à Fontenay (1907), à Bussière-sur-Ouche (1920) et, plus récemment, au Clos des Lombrays.

Depuis l'étonnant square Darcy, à Dijon (1838), jusqu'aux créations récentes de la Ville de Sens ou de Chalon-sur-Saône, les jardins publics de Bourgogne ne cessent de chercher des formes originales.

M.R.

Paysage précieux et jardiné d'un clos.

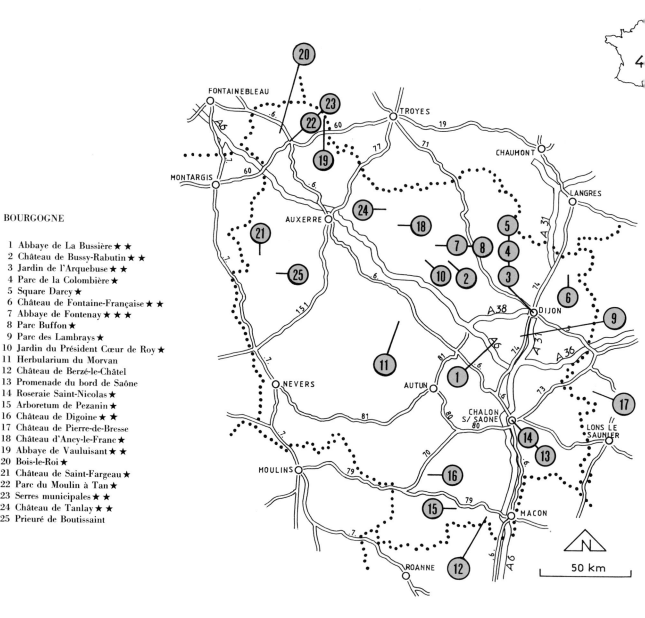

BOURGOGNE

1 Abbaye de La Bussière ★ ★
2 Château de Bussy-Rabutin ★ ★
3 Jardin de l'Arquebuse ★ ★
4 Parc de la Colombière ★
5 Square Darcy ★
6 Château de Fontaine-Française ★ ★
7 Abbaye de Fontenay ★ ★ ★
8 Parc Buffon ★
9 Parc des Lambrays ★
10 Jardin du Président Cœur de Roy ★
11 Herbularium du Morvan
12 Château de Berzé-le-Châtel
13 Promenade du bord de Saône
14 Roseraie Saint-Nicolas ★
15 Arboretum de Pezanin ★
16 Château de Digoine ★ ★
17 Château de Pierre-de-Bresse ★
18 Château d'Ancy-le-Franc ★
19 Abbaye de Vauluisant ★ ★
20 Bois-le-Roi ★
21 Château de Saint-Fargeau ★
22 Parc du Moulin à Tan ★
23 Serres municipales ★ ★
24 Château de Tanlay ★ ★
25 Prieuré de Boutissaint

COTE-D'OR 21

Abbaye de La Bussière

★ ★

La Bussière-sur-Ouche

Bordé par le village et la forêt, le parc s'étend de la route qui longe le canal de Bourgogne à l'abbaye cistercienne. De l'autre côté de l'abbaye que son père avait restaurée, la marquise de Ségur créa, à partir de 1920, un jardin à la française et fit creuser une pièce d'eau. Aujourd'hui, le chanoine Augustin Gagey continue d'aménager ces jardins, avec toute son âme. Le parc a été retracé et de nouveaux arbres sont venus s'ajouter aux sujets parfois bicentenaires (tuli-

pier, chêne, platanes...) qui font de ce parc l'un des plus beaux de la Bourgogne.

M.N.

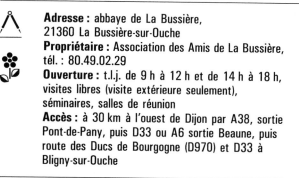

Adresse : abbaye de La Bussière, 21360 La Bussière-sur-Ouche
Propriétaire : Association des Amis de La Bussière, tél. : 80.49.02.29
Ouverture : t.l.j. de 9 h à 12 h et de 14 h à 18 h, visites libres (visite extérieure seulement), séminaires, salles de réunion
Accès : à 30 km à l'ouest de Dijon par A38, sortie Pont-de-Pany, puis D33 ou A6 sortie Beaune, puis route des Ducs de Bourgogne (D970) et D33 à Bligny-sur-Ouche

La grande terrasse. Bussy-Rabutin.

Château de Bussy-Rabutin ★ ★

Bussy-le-Grand

Exilé par Louis XIV pour cause de scandale, Bussy-Rabutin eut tout loisir de poursuivre les embellissements de son petit château dans le Morvan et de ses abords. Du vaste parc de 34 ha qui s'étendait derrière le château entouré de douves, il reste quelques vestiges : la réplique, par Jean Dubois, de « l'Enlèvement de Proserpine » de Girardon, des escaliers et des allées s'enfonçant dans les bois. Devant le château, dominant le paysage du vallon, un jardin régulier composé de quatre carrés autour d'un bassin central occupe une grande terrasse. Provenant d'une jolie fontaine située sur le côté nord du parterre, l'eau se déverse dans une rigole, un petit escalier d'eau, le miroir central, puis tombe en cascade jusqu'à une pièce d'eau située sur la terrasse en contrebas. Vers 1835, la famille de Sarcus fit placer dans le parterre un ciborium du XVᵉ siècle, un campanile du XVIᵉ siècle provenant d'une maison de Dijon, des statues de Cybèle par Attiret et de Junon par Dubois. M.R.

Adresse : château de Bussy-Rabutin, 21150 Bussy-le-Grand
Propriétaire : l'État, tél. : 80.96.00.03

Ouverture : du 1ᵉʳ octobre au 30 mars t.l.j., sauf mar. et merc., de 10 h à 12 h et de 14 h à 16 h ; et du 1ᵉʳ avril au 30 septembre t.l.j., de 9 h à 12 h et de 14 h à 19 h
Accès : à 15 km au sud-est de Montbard par D905 et D954 à Venarey, direction Baigneux

Jardin de l'Arquebuse ★ ★
Dijon

Le jardin botanique, l'arboretum et le Muséum d'histoire naturelle forment un ensemble pédagogique et paysager de grand intérêt, au cœur de la ville. Après sa fondation en 1771 par B. Legouz de Gerlaud, le jardin botanique fut transféré en 1833 sur son emplacement actuel : l'ancien terrain d'entraînement de la Compagnie de l'Arquebuse. Autour d'un bassin central, l'école de botanique comprend quatre carrés de 66 planches bordées de buis. Près de 3 500 espèces végétales, pour la plupart bourguignonnes, y sont cultivées et étiquetées. Un petit arboretum réunit en outre des séquoias, un gingko biloba, des chênes et des platanes, un *Cedrela chinensis* de 150 ans. Le musée d'Histoire naturelle offre notamment de remarquables reconstitutions des paysages bourguignons. M.R.

Adresse : jardin de l'Arquebuse, 1, avenue Albert-Iᵉʳ, 21000 Dijon
Propriétaire : Ville de Dijon, tél. : 80.43.46.39 (jardin)

Ouverture : t.l.j. de 7 h à 20 h 15
(17 h 45 hors saison)
Muséum d'histoire naturelle : ouvert l'après-midi
seulement (fermé le mar., le 1er mai et le
25 décembre), tél. : 80.41.26.25. Bibliothèque et
herbier consultables sur demande
Accès : à côté de la gare SNCF

Parc de la Colombière ★

Dijon

Créé au milieu du XVIIe siècle pour le prince de
Condé, le grand carré de 34 ha dessiné par Antoine
de Maerle était divisé en huit allées rayonnantes
recoupées par un octogone de huit allées et huit
ronds-points. Accompagné de quatre parterres de
broderies, sur le bord de l'Ouche, le parc fut relié à
la ville par un cours, « la plus belle allée de mon
Royaume » disait Louis XIV. Ce tracé remarquable
a subi maintes transformations au XIXe siècle mais il
en reste l'espace clos de murs, une belle grille
d'entrée, les allées. La régénération des bosquets a
commencé. Elle devrait se poursuivre et l'on pourrait
souhaiter que le fleurissement soit aussi repensé.

M.R.

Adresse : parc de la Colombière, allées du Parc,
21000 Dijon
Propriétaire : Ville de Dijon,
tél. : 80.74.51.51
Ouverture : t.l.j. de 7 h 30 à 19 h (20 h en été)
Accès : au sud-est du centre ville en direction
de Seurre

La cascade, détail. Square Darcy.

Square Darcy ★

Dijon

Ce petit jardin en plein centre ville est une grande
réussite de l'art des jardins et des arts décoratifs du
XIXe siècle. Sur le site d'une promenade plantée sous
l'Empire, l'ingénieur Henry Darcy avait construit,
entre 1838 et 1840, un réservoir d'eau alimentant
Dijon. Pour couronner cet ouvrage, la municipalité
confia à l'architecte Émile Sagot la réalisation d'un
petit monument Renaissance. En 1870, la commune
demanda à l'architecte du département, Félix Vion-
nois, de faire de ce lieu un jardin public. Avec ses
massifs de fleurs adaptés à ce cadre, avec ses
terrasses, sa grotte, ses eaux cascadantes et un décor
sculpté très représentatif de la période allant de 1841
à 1937, ce jardin mérite plus d'attention que la
plupart des jardins de ville de cette période. M.R.

Adresse : square Darcy, place Darcy, 21000 Dijon
Propriétaire : Ville de Dijon, tél. : 80.74.51.51
Ouverture : t.l.j. de 7 h 30 à 19 h (20 h en été)
Accès : entre la gare SNCF et la rue de la Liberté

Château de Fontaine-Française ★★

Fontaine-Française

Jardins et château furent transformés vers 1750 par
Bollioud de Saint-Julien, receveur général du clergé.
Un peu à l'étroit entre l'étang et la route, il fallut
aménager au mieux les abords du château et traverser
la route pour réaliser une immense étoile d'où
rayonnaient douze avenues. Si cette partie caractéristique des jardins du milieu du XVIIIe siècle n'a pu
être maintenue, il reste à voir le jardin autour du
château, l'arrivée latérale, et comment fut aménagé
un parterre en hémicycle afin d'agrandir l'espace
tout en s'isolant du village. Des tilleuls admirable-
ment taillés en arcades et d'autres en quinconce
entourent toujours le parterre orné d'ifs et d'une
statue de Pomone, la déesse des jardins. En second
plan, la statue d'Henri IV rappelle sa victoire sur
les Espagnols à Fontaine-Française. Les tilleuls datent
pour la plupart de 1760, et sont taillés à la main.
Au sud, encadrés de bosquets, un parterre orné de
statues s'étend en largeur devant l'étang : le dieu
Pan et Apollon vous invitent à des rêves bucoliques.

M.R.

Adresse : château de Fontaine-Française,
21610 Fontaine-Française
Propriétaire : Mme de Caumont la Force,
tél. : 80.75.87.13
Ouverture : visite du 1er juillet au 30 septembre
de 14 h à 18 h (sauf le mar. et le jeu.) ou sur

demande écrite hors saison ; visite comprise avec celle du château. Ouvert lors de chaque manifestation du ministère de la Culture et des Monuments historiques

Accès : à 42 km au nord-est de Dijon par D70, D960 et D14, à 14 km au sud-ouest de Champlitte par D960

Le jardin des Simples. Abbaye de Fontenay.

Abbaye de Fontenay ★★★

Marmagne

Pour implanter leurs abbayes, les moines cisterciens choisissaient toujours de beaux sites avec une eau abondante. Fontenay illustre bien cette règle. Établie en 1118 par saint Bernard, l'abbaye a été préservée jusqu'à nos jours grâce à une restauration entreprise en 1907 par Édouard Aynard. Diverses fontaines furent construites, animant les jardins et évoquant l'étymologie de Fontenay — Fontenatum —, qui nage dans les fontaines. Jaillissant d'une petite vasque, cascadant sur un rocher évoquant le torrent tout proche, glissant silencieusement sur des marches ou immobiles dans le vivier à truites, l'eau redonne vie à cette remarquable architecture monastique. Entouré de terrasses couronnées de vergers, et orné d'un remarquable escalier d'eau, l'ancien jardin des simples, sobrement dessiné de quelques traits de buis, est encadré de plates-bandes agréablement fleuries de pivoines, lys, véroniques et lupins. M.R.

Adresse : abbaye de Fontenay, 21500 Marmagne
Propriétaire : M. Hubert Aynard, tél. : 80.92.15.00
Ouverture : t.l.j. de 9 h à 12 h et de 14 h 30 à 18 h 30 (visites guidées), animations, boutique, librairie
Accès : par A6 sortie Bierre-lès-Semur, puis N905 vers Montbard, à 5 km au nord-est de Montbard par D980, direction Châtillon

Parc Buffon ★

Montbard

Dominant la ville et la vallée de la Brenne, le parc, conçu par Buffon, et le pavillon où il écrivit son Histoire naturelle viennent d'être réhabilités. Le célèbre naturaliste et intendant du Jardin du roi avait acquis en 1744 l'ancien château de sa commune natale. Conservant les remparts et deux tours, Buffon avait créé une terrasse sur laquelle était planté « tout ce que la Nature végétante a de plus beau », des jardins « mêlés de plantations, de quinconces, de pins, de platanes, de sycomores, de charmilles, et toujours de fleurs parmi les arbres » dit un visiteur en 1785. M.R.

Adresse : parc Buffon, allée Clemenceau, 21500 Montbard
Propriétaire : Ville de Montbard, tél. : 80.92.01.34
Ouverture : libre, permanente ; à voir dans le parc : le cabinet de Buffon et la tour de l'Aubépin, de mars à octobre, t.l.j. (sauf mar.), de novembre à février : lun., merc., jeu., ven.
Accès : au nord-ouest de la ville

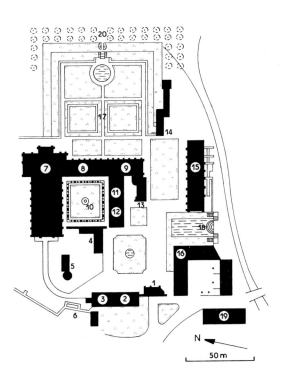

ABBAYE DE FONTENAY

1 Porterie
2 Chapelle des Étrangers
3 Boulangerie
4 Logement des abbés commendataires
5 Colombier
6 Chenil des ducs
7 Église
8 Rez-de-chaussée, salle capitulaire
  1er étage, dortoir
9 Rez-de-chaussée, scriptorium
  1er étage, dortoir
10 Cloître
11 Chauffoir
12 Cuisines
13 Prison
14 Infirmerie
15 Forge
16 Hôtellerie
17 Jardins des simples (ancien)
18 Cascade
19 Logement
20 Verger

50 m

Jardin de rocaille. Clos des Lambrays.

 Ouverture : t.l.j., sauf dim., de 8 h à 12 h et de
14 h à 18 h (17 h 30 en hiver)
Dégustation et vente de vins
Accès : 15 km sud de Dijon par N74

Parc des Lambrays ★

Morey-Saint-Denis

Jardins étonnants, jardins de poètes, jardin du
souvenir... Abandonné de 1940 à 1979, l'ancien parc
des moines de Cîteaux, à l'origine du grand vignoble
de la Côte de Nuits, vient de faire l'objet d'une
véritable mise au jour archéologique. Aux XVIIIe et
XIXe siècles, ses serres chaudes renfermaient « les
plantes et les fleurs les plus recherchées des deux
hémisphères ». Aujourd'hui, les travaux de plusieurs
paysagistes ont redonné forme à ce très vieux parc.
Le promeneur découvre de magnifiques arbres, dont
le plus vieux cèdre de Bourgogne, tricentenaire, un
hêtre pourpre ainsi qu'un orme de 150 ans. Témoin
d'une riche histoire, le parc a conservé de rares
essences, comme ce vénérable vinaigrier. L'aménagement floral réunit une belle gamme blanche d'impatiens et de lilas, avec de légères touches mauves.
Tout comme le grand cru qui porte son nom, le parc
du Clos des Lambrays est histoire et émotion...

E.L.

Adresse : le Clos des Lambrays,
21220 Morey-Saint-Denis
Propriétaires : S.C.I. du Domaine des Lambrays,
MM. Louis et Fabien Saïer, tél. : 80.51.84.33

Jardin du Président ★
Cœur de Roy

Moutiers-Saint-Jean

De ce jardin original, aménagé à la fin du
XVIIe siècle par Jean Cœur de Roy, maître des requêtes
au Parlement de Dijon, il reste les terrassements
repris par les herbes et quelques très beaux morceaux
d'architecture rustique : d'une part, un espace refermé
sur des murs décorés de cinq portes aveugles avec
appareillage de rocaille en pierre trouées, alternant
et contrastant avec une modénature de pierre finement
taillée ; d'autre part, un nymphée et une superbe
porte, placés sur l'axe longitudinal. La petite terrasse
précédant le jardin est jalonnée d'obélisques. M.R.

Adresse : jardin du Président Cœur de Roy,
21500 Moutiers-Saint-Jean
Propriétaire : propriété privée
Ouverture : permanente, visites libres
Accès : à 12 km au sud-ouest de Montbard par
D980 et D4E

NIÈVRE 58

Herbularium du Morvan

Saint-Brisson

Le terme herbularium désignait au Moyen Age un ensemble géométrique de petites parcelles affectées à la culture des herbes et des plantes utilitaires. Tracé à l'image de ces jardins médiévaux, l'herbularium de Saint-Brisson présente au total 160 variétés représentatives de la flore du Morvan. La répartition des parcelles tient compte des milieux biologiques d'origine, des influences climatiques et des usages, recensés lors d'enquêtes auprès de la population locale.   J.-C.N.

Adresse : maison du parc du Morvan, 58230 Saint-Brisson
Propriétaire : parc naturel régional du Morvan.
Contact : J.-C. Nouallet, tél. : 86.78.70.16
Ouverture : permanente, visites libres
Expositions sur la flore et les végétaux
Accès : à 12 km à l'ouest de Saulieu par D977*bis*, direction Montsauche, puis D6

SAONE-ET-LOIRE 71

Château de Berzé-le-Châtel

Berzé-le-Châtel

Créé en 1911, ce petit jardin à la française orné d'ifs, de buis taillés et de statues du XVIIIᵉ siècle est entouré de charmilles. Les terrasses offrent une vue sur le jardin potager du château.

Adresse : château de Berzé-le-Châtel, 71960 Berzé-le-Châtel
Propriétaire : M. de Milly
Ouverture : du 15 juillet au 30 août, t.l.j., de 14 h 30 à 18 h 30 ; tél. : 85.36.60.83
Accès : à 15 km à l'ouest de Mâcon par N79 et D183

Promenade du bord de Saône à Chalon.

tél. : 85.43.10.43 (S.E.V.)
Ouverture : permanente, visites libres
Accès : en remontant le quai du centre ville vers le nord

Promenade du bord de Saône

Chalon-sur-Saône

L'orme planté en 1625 à l'emplacement du gué n'a pas résisté à la graphiose, son tronc a été sculpté par Yves Gaillard, offrant ainsi un peu d'humour et de couleur entre la circulation automobile et les promenades aménagées en bord de Saône.   M.R.

Adresse : quai Sainte-Marie, 71100 Chalon-sur-Saône
Propriétaire : Ville de Chalon-sur-Saône,

Roseraie Saint-Nicolas   ★

Chalon-sur-Saône

Au milieu de vastes pelouses, les longues plates-bandes de roses offrent au public quelque 28 000 sujets, présentés par masses monochromes. Sur une longueur de 1 km, le chemin des iris est bordé de 210 variétés. Une tourbière est plantée de nombreux rhododendrons et azalées, éricas, daphnées, hostas, astilbes.   J.E.B.

Adresse : roseraie Saint-Nicolas, 71100 Chalon-sur-Saône

Roseraie Saint-Nicolas à Chalon.

Propriétaire : Ville de Chalon-sur-Saône, tél. : 85.43.10.43
Ouverture : permanente, visites libres
Accès : en bord de Saône, vers le quartier Saint-Lauret, puis remonter le long de la rivière

Arboretum de Pezanin ★

Dompierre-les-Ormes

Planté au début du siècle par Philippe de Vilmorin autour d'un étang, cet arboretum de 18 ha présente 400 espèces botaniques et quelques essences rares. Le site est aménagé pour les loisirs.

Adresse : arboretum de Pezanin, 71970 Dompierres-les-Ormes
Propriétaires : l'État, Office national des Forêts, tél. : 85.50.23.86
Ouverture : libre, permanente, visites guidées pour groupes sur demande
Accès : à 40 km à l'ouest de Mâcon et à 22 km à l'est de Charolles par N79 puis D41

Château de Digoine ★★

Palinges

Une avenue de 500 m de long sur 54 de large bordée d'une double rangée de chênes d'Amérique conduit à la terrasse sur laquelle est construite la demeure. Sur cette terrasse bordée par un fossé sec, franchi par un pont dormant, sont établis deux parterres de gazon ponctué de buis taillés en cône. Sur la façade postérieure du beau château du XVIIe siècle, un jardin paysager en pente douce comporte, autour d'un vaste étang, un lacis d'allées, pelouses et bosquets aux essences rares. Enfin, sur le côté ouest, en contrebas de la terrasse, est établi un remarquable jardin potager et fleuriste fermé au nord par une serre du XIXe siècle. M.N.

Adresse : château de Digoine, 71430 Palinges
Propriétaires : M. et Mme de Croix
Ouverture : sur demande écrite uniquement
Accès : à 23 km de Montceau-les-Mines

Château de Pierre-de-Bresse

Pierre-de-Bresse

Conçu au XVIIe siècle sur un plan en U, le château s'ouvre sur deux terrasses ordonnées à la française et sur un parc composé de longues allées de feuillus et de résineux.

Adresse : château de Pierre-de-Bresse, 71270 Pierre-de-Bresse
Propriétaire : Conseil général de Saône-et-Loire
Ouverture : de Pâques à la Toussaint, t.l.j. de 14 h à 18 h et en sem. hors saison
Écomusée de la Bresse bourguignonne, parc animalier, tél. : 85.76.27.16
Accès : à 25 km au sud-est de Dôle, 35 km à l'est de Châlon-sur-Saône par N73 et D73

YONNE 89

Château d'Ancy-le-Franc ★

Ancy-le-Franc

Construit en 1546 sur les plans du célèbre architecte italien Serlio pour Antoine de Clermont Tonnerre, le château fut d'abord entouré d'un jardin clos, imposant la stricte géométrie de la Renaissance à la vallée de l'Armançon. Le château sur plan carré était encadré sur tous ses côtés par une terrasse de 4 m de large. Sur le devant, s'étendait un grand rectangle divisé en parterres réguliers, encadré d'une haie et d'un canal drainant le marais. Un bosquet avec promenade intérieure fermait la perspective. Depuis, les jardins ont souvent été transformés. Au XVIIe siècle, on combla le canal de ceinture, les parterres furent redessinés et encadrés de deux avenues latérales. Pour la noblesse du pays, les jardins étaient alors un lieu de promenade d'autant plus prisé qu'en 1674 Louis XIV y avait été reçu. En 1761, les Louvois firent construire à l'extrémité des parterres un très gracieux pavillon à salon octogonal. Aujourd'hui intégrée à un paysage romantique, cette « folie » bordée d'un bouquet d'arbres et d'une rivière serpentine, s'étendant sur 50 ha, offre une très jolie perspective des fenêtres du château dont il faut voir aussi les merveilleux décors de la Renaissance et les panneaux peints du début du XVIIe siècle représentant une grande variété de fleurs. M.R.

A l'ombre du parc. Abbaye de Vauluisant.

Abbaye de Vauluisant ★★

Courgenay

Parmi les vestiges de l'abbaye cistercienne, deux paysagistes de Sens, Lesueur et Frevault, ont dessiné, vers 1867, un parc de 9 ha commandé par la famille Javal qui avait fait de ce domaine une ferme modèle. Le terrain était, au départ, le fruit d'un vaste projet entrepris par les moines qui avaient détourné une petite rivière, l'Alain, afin de drainer le sol et actionner un moulin. Le bassin et les ruisseaux alimentés par la rivière ont été maintenus, poursuivant la tradition cistercienne et faisant de ce parc romantique un lieu de grande fraîcheur. M.N.

La rivière serpentine, l'étang et la « folie ». Ancy-le-Franc.

Adresse : château d'Ancy-le-Franc, 89160 Ancy-le-Franc
Propriétaire : M. de Menton
Ouverture : du 31 mars au 1er novembre, de 10 h à 12 h et de 14 h à 18 h, tél. : 86.75.14.63
Musée de l'automobile et de l'attelage, expositions
Accès : à 54 km d'Auxerre, à 22 km au nord-ouest de Montbard par D905

Adresse : abbaye de Vauluisant, 89190 Courgenay
Propriétaire : M. Bernard Gamby, tél. : 86.86.76.27/78.40
Ouverture : le 3e dim. de chaque mois d'avril à septembre inclus, de 14 h à 18 h, visites guidées pour groupes sur demande (au moins 25 personnes) ; en juin : festival, expositions
Accès : 30 km à l'est de Sens par N60 entre Villeneuve et Courgenay

Bois-le-Roi ★

Nailly

Cet ensemble architectural bourguignon du XVIIe siècle, ancienne propriété des archevêques de Sens, est complété d'un parc avec pièces d'eau et arbres centenaires, et comprend un jardin ordonnancé à la française. T.D.

Adresse : Bois-le-Roi, 89100 Nailly
Propriétaire : M. Henri Lemerle, tél. : 86.97.04.33 ou (1) 43.54.45.91
Ouverture : visite du parc libre ; jardin sur demande
Accès : à 7 km au nord-ouest de Sens par D26

Château de Saint-Fargeau ★

Saint-Fargeau

Autour du château transformé vers 1650 par Le Vau, pour Mlle de Montpensier, les jardins réguliers de cette période cédèrent la place à un parc anglais en 1810. Le très vaste parc (110 ha) occupe une partie de la vallée du Bourdon. Par les allées on descend vers le lac de 12 ha. Au cours d'une promenade jalonnée de nombreux conifères, on peut ensuite longer ce plan d'eau qui sert de merveilleux décor à un spectacle évoquant l'histoire du château. M.N.

Adresse : château de Saint-Fargeau, 89170 Saint-Fargeau
Propriétaires : M. et Mme Guyot, tél. : 86.74.05.67
Ouverture : des Rameaux au 11 novembre t.l.j. de 10 h à 12 h et de 14 h à 19 h
Spectacles historiques (en été) ; musée du Cheval
Accès : à 50 km à l'ouest d'Auxerre, à 25 km à l'ouest de Toucy par D905

Parc du Moulin à Tan ★

Sens

En cours d'aménagement, c'est un parc paysager, de 7 ha, rustique et de loisirs, qui s'ouvre au public. Traversé par les eaux de la Vanne et de la Lingue, il accueille un pavillon Baltard et sera divisé en plusieurs « zones ». Un enclos animalier, qui a déjà reçu ses pensionnaires (ânes, chèvres, poneys...), mais aussi une roseraie, une collection de plantes à parfum, un arboretum, sous-bois, prairies, aires de jeux... M.N.

Adresse : parc du Moulin à Tan, chemin de Babie/ rue du Général-Dubois, 89100 Sens
Propriétaire : Ville de Sens, tél. : 86.64.01.27 (parc). Responsable : M. J.-L. Boulard
Ouverture : t.l.j. de 8 h à 20 h 30 (en été), de 8 h à 17 h 30 (en hiver)
Accès : au sud-est du centre ville

Victoria regia. Serres municipales de Sens.

Serres municipales ★★

Sens

C'est un voyage autour du monde que vous proposent, à travers leurs collections de plantes, les serres municipales de Sens. En effet, près de 1 144 espèces et variétés de plantes y sont actuellement présentées. Ces superbes collections sont le résultat d'un long travail entrepris en 1970 par M. Boissier, responsable du service des jardins de la ville, dans le but de rassembler ici une collection de plantes exotiques. Son successeur, Jean-Luc Boulard, poursuit aujourd'hui cette tâche. Ces plantes, originaires du Brésil, du Mexique, de Malaisie, d'Australie, de Chine, du Japon, de Nouvelle-Zélande, de Madagascar, de Nouvelle-Calédonie... regroupent les espèces à grande inflorescence telles les 179 variétés d'orchidées dont la floraison de novembre à mai attire une foule toujours plus nombreuse, mais aussi des cactées, dont 182 espèces sont regroupées à Sens, des broméliacées, des euphorbiacées dont 44 variétés de crotons, des amaryllidacées, des moracées (ficus), des nepenthes, plantes dites « carnivores », des fuchsias, fittonia, etc., et enfin le *Victoria regia*, nymphéacée originaire d'Amazonie qui nous étonnera toujours avec des feuilles qui peuvent atteindre 1,50 m de diamètre et une fleur qui ne dure qu'une journée. M.N.

Adresse : serres municipales,
22, quai A.-Schweitzer, 89100 Sens
Propriétaire : Ville de Sens,
tél. : 86.95.38.72/67.57 (serres)
Ouverture : dim. après-midi de 14 h à 17 h et t.l.j.
sur rendez-vous pour groupes
Accès : rive de l'Yonne, près du centre ville

Château de Tanlay

Tanlay

★ ★

Comme Wideville, Brécy ou Balleroy, Tanlay fait partie des jardins de la nouvelle élite financière du XVIIe siècle encore visibles en France aujourd'hui. Sur la fin de sa vie, Michel Particelli, surintendant aussi riche que dénué de scrupules, s'installa à Tanlay. L'architecte Pierre le Muet restructura pour lui le château et dessina les jardins entre 1643 et 1648. Le Muet parvint à donner de la régularité au château selon son principe : « la belle ordonnance consiste en la symétrie » — une règle explicitée dès l'entrée par les deux obélisques rustiques destinés à être des guérites. Pourtant, le grand canal — pièce centrale du jardin — n'est pas dans l'axe du château et se développe en biais, de façon autonome. Due aux contraintes du site, cette disposition n'est pas la moindre originalité du lieu. Encadré par deux talus plantés de longues bandes de parterres bordées d'arbres d'alignement, ce véritable jardin-promenade se terminait par un très exceptionnel nymphée, la

Le canal et son nymphée. Tanlay.

Adresse : château de Tanlay, 89430 Tanlay
Propriétaire : M. de la Chauvinière
Ouverture : de Pâques à la Toussaint, t.l.j. sauf mar. ; hors saison pour groupes sur demande, tél. : 86.75.70.61
Centre d'art contemporain du château de Tanlay (de juin à octobre)
Accès : 10 km à l'est de Tonnerre par D905 puis à droite par D965

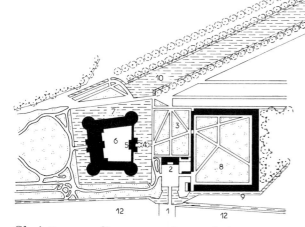

CHÂTEAU DE TANLAY

1 Grille d'entrée
2 Petit château
3 Cour verte
4 Pont
5 Pavillon d'entrée
6 Cour d'honneur
7 Douves
8 Cour de la ferme (anciennes écuries)
9 Ruisseau contournant la ferme
10 Canal du parc
11 Fontaine
12 Village

Prieuré de Boutissaint

Treigny

Très vaste parc boisé de 400 ha où l'on peut observer 400 animaux en liberté. A découvrir à cheval, ou à pied.

Adresse : parc naturel Saint-Hubert de Boutissaint, 89520 Treigny
Propriétaire : M. Pierre Borione. Responsable : M. J.-C. Laigle, tél. : 86.74.71.28
Ouverture : t.l.j. du lever au coucher du soleil
Accès : à 60 km au sud-ouest d'Auxerre par N185 ; à 25 km au nord-est de Cosne-sur-Loire par D955 (à 7 km de Saint-Fargeau)

« Gloriette », que l'on peut toujours admirer. Alimenté par plusieurs sources, il crachait ses eaux dans le canal par cinq masques de lion. Fermant la perspective en bout de canal et masquant l'étang situé au-delà, cette belle composition d'architecture rustique est un proche parent de la fontaine Médicis du Luxembourg ou de la grotte de Wideville. On notera aussi l'effet de « perspective ralentie » dû à un terrain remontant très légèrement en direction du nymphée et à un élargissement de 6 m de l'avenue couronnant le talus. Ainsi la grotte située à 526 m du début du canal se trouve-t-elle visuellement rapprochée. M.R.

BRETAGNE

Voyage en terre acide. Tout le monde connaît le fameux passage des *Mémoires d'outre-tombe* dans lequel Chateaubriand chante la douceur du climat natal : « le printemps en Bretagne est plus doux qu'aux environs de Paris et fleurit trois semaines plus tôt ». Ainsi, dans certains coins de Bretagne, il est possible de faire pousser une végétation très riche allant des plantes d'Amérique du Nord en passant par le Népal et la Chine jusqu'à celle de l'hémisphère Sud comme la Nouvelle-Zélande, l'Australie ou le Chili grâce à sa terre acide. Où peut-on trouver ailleurs en France des camélias, rhododendrons, magnolias, azalées, hydrangeas, jouxtant des *Dicksonias antartica, Hobenas sexstylosa* de Nouvelle-Zélande, *Lapagerias, Eucryphias*, du Chili, poussant à ciel découvert. Le Conservatoire de Brest en illustre bien ce phénomène.

Mais les conditions climatiques sont cependant quelquefois très difficiles sur cette terre que Pline appelle aussi « spectatrice de l'Océan ». La Bretagne est constamment balayée par des tempêtes dont la plus terrible reste encore gravée dans les mémoires : l'ouragan d'octobre 1987. En quelques heures, la moitié de la forêt bretonne a été dévastée. Aucun jardin ou parc à la française de cette région n'a été épargné. Des vieux parcs de la vallée de l'Odet à ceux de la région malouine. De plus, certains hivers rigoureux comme ceux de 1962-1963, 1985-1986 ou 1986-1987 ont largement endommagé la végétation bretonne.

La toute récente réalisation très réussie de Roc'h Hievec, à Roscoff, est là pour nous faire oublier ces désastres et nous rappeler aussi qu'il peut très souvent faire aussi sec sur la côte bretonne que sur les bords de la Côte d'Azur.   I.V.

Jardin exotique de la Maison Rouge. Roc'h Hiévec. Roscoff.

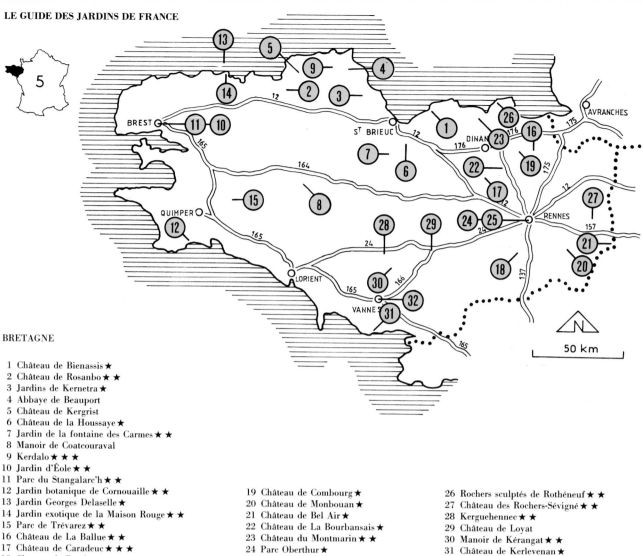

BRETAGNE

1 Château de Bienassis ★
2 Château de Rosanbo ★ ★
3 Jardins de Kernetra ★
4 Abbaye de Beauport
5 Château de Kergrist
6 Château de la Houssaye ★
7 Jardin de la fontaine des Carmes ★ ★
8 Manoir de Coatcouraval
9 Kerdalo ★ ★ ★
10 Jardin d'Éole ★ ★
11 Parc du Stangalarc'h ★ ★
12 Jardin botanique de Cornouaille ★ ★
13 Jardin Georges Delaselle ★
14 Jardin exotique de la Maison Rouge ★ ★
15 Parc de Trévarez ★ ★
16 Château de La Ballue ★ ★
17 Château de Caradeuc ★ ★ ★
18 Château de Boschet ★

19 Château de Combourg ★
20 Château de Monbouan ★
21 Château de Bel Air ★
22 Château de La Bourbansais ★
23 Château du Montmarin ★ ★
24 Parc Oberthur ★
25 Le Thabor ★ ★ ★

26 Rochers sculptés de Rothéneuf ★ ★
27 Château des Rochers-Sévigné ★ ★
28 Kerguehennec ★ ★
29 Château de Loyat
30 Manoir de Kérangat ★ ★
31 Château de Kerlevenan ★
32 Jardin des Remparts et parc de la Garenne

COTES-DU-NORD 22

Château de Bienassis ★

Erquy

Belle avenue endommagée par la tempête et parterres à la française bordés uniformément de rosiers polyanthas « Joseph Guy » choisis pour s'harmoniser avec le grès rose du château. M.R.

 Adresse : château de Bienassis, 22430 Erquy
Propriétaire : Mme de Kerjegu, tél. : 96.72.22.03
Ouverture : visites guidées seulement ; t.l.j. (sauf dim. matin) mi-juin à mi-septembre de 10 h 30 à 12 h 30 et de 14 h à 18 h 30 ; de mars à fin septembre, dim. de 14 h à 18 h 30 ; toute l'année pour les groupes sur rendez-vous
Accès : à 30 km au nord-est de Saint-Brieuc, 3 km après Pléneuf sur la D786

Château de Rosanbo ★ ★

Lanvellec

La structure de ce beau jardin du XVIIᵉ siècle est encore bien lisible avec ses allées bordées de palissades de charmilles, de tilleuls taillés, enfermant des salles de verdures ornées de sculptures : salle des marmousets, salle du lion du sculpteur animalier Barye. Devant la façade nord-est du château, le parterre central formé de trois carrés de gazon en terrasses est encadré par deux bosquets de hêtres, par une très remarquable charmille en berceau de 3 m de hauteur et par un mur de clôture. Sur la terrasse surplombant le ruisseau du Dour Elego, un parterre de gazon ponctué d'ifs taillés entoure un joli bassin en demi-lune. Deux pavillons marquent les angles de ce jardin clos, et un pavillon central indique la descente à l'ancien potager. A.B.

Adresse : château de Rosanbo, 22420 Lanvellec
Propriétaire : M. Alain de Rosanbo,
tél. : 96.35.18.77
Ouverture : vacances de Pâques, t.l.j. de 14 h à
18 h ; avril et mai : les week-ends de 14 h à 18 h ;
juin à septembre : t.l.j. de 14 h à 18 h ; juillet et
août, t.l.j. de 10 h 30 à 18 h 30 ; groupes de
Pâques à septembre : t.l.j. sur rendez-vous ; en été,
le parc et le château sont éclairés de 1 000 bougies
Accès : à 30 km à l'est de Morlaix par voie rapide,
sortie Plouegat-Moysan, puis D42 vers Trémel, et
D32 par Plufur vers Plouaret

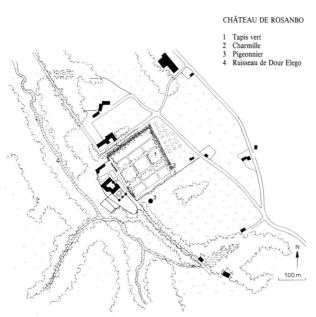

CHÂTEAU DE ROSANBO

1 Tapis vert
2 Charmille
3 Pigeonnier
4 Ruisseau de Dour Elego

N
100 m

Jardins de Kernetra ★

Lanvollon

Avec son tracé paysager caractéristique des jardins
de maisons de plaisance du XIXᵉ siècle, ce parc dont
il restait des lambeaux et une belle serre de 1880
est aujourd'hui réhabilité par une association de
botanistes et de jardiniers passionnés. Roselyne
Descamps et ses amis ont ainsi replanté, restauré la
serre, créé une importante collection de vivaces et
un jeune arboretum constitué d'essences rares. Une
roseraie est en cours de création ainsi qu'une
collection de plantes d'eau dans le bassin.   M.R.

Adresse : jardins de Kernetra, 10, rue des Fontaines,
22290 Lanvollon
Propriétaire : Mme Roselyne Descamps
Ouverture : sur demande, tél. : 96.70.12.52 ;
stages théoriques et pratiques de botanique
Accès : à 25 km au nord-ouest de Saint-Brieuc
par D6

Abbaye de Beauport

Paimpol

Ce n'est pas vraiment un jardin mais le mariage de
la pierre avec hortensias, camélias, un arbre de la
liberté (un frêne), des ginkgos, un beau magnolia et
d'abondantes fougères font de cet ancien cloître
proche d'une grève sauvage un coin charmant. M.R.

Adresse : abbaye de Beauport, 22500 Paimpol
Propriétaire : M. Gaumond. Responsable : M. Le
Calvez, tél. : 96.20.81.59
Ouverture : du 1ᵉʳ juillet au 15 septembre, t.l.j., de
9 h à 12 h et de 14 h à 19 h ; hors saison, accueil
par le responsable. Festival de l'abbaye en été
Accès : 45 km au nord-ouest de Saint-Brieuc
par D786

Château de Kergrist

Ploubezre

Une grande terrasse et un parterre à la française
environne le château. La partie méridionale du parc
est en cours de rénovation, avec un nouveau profil
et des jardins à thèmes.

Adresse : château de Kergrist, 22300 Ploubezre
Propriétaire : M. Huon de Penanster,
tél. : 96.38.91.44
Ouverture : du 1ᵉʳ juillet à fin septembre, t.l.j.
sauf le mar. de 14 h à 18 h ; en juin, les week-
ends et lors de vacances de Pâques
Pépinières
Accès : à 8 km au sud de Lannion par D11
et 4 km de Ploubezre

Château
de la Houssaye ★

Quessoy

Annoncés par une belle avenue, le vaste parc, l'allée
de tilleuls conduisant au château et les plates-bandes
situées derrière ont souffert de la récente tempête.
M.R.

Adresse : château de la Houssaye, 22120 Quessoy
Propriétaire : Mme de l'Argenté, tél. : 96.42.30.04
Ouverture : du 20 juillet au 31 août (sauf le 15),
t.l.j. de 10 h à 12 h et de 15 h à 19 h
Accès : à 12 km au sud de Saint-Brieuc par D1
en direction de Moncontour

Jardin de la fontaine des Carmes ★★

Quintin

Une énigme. Vestige de l'ancien couvent, l'ensemble composé de la petite fontaine d'alimentation surmontée d'un fronton, l'élégant bassin central, l'étrange construction en exèdre à ciel ouvert dans laquelle on peut descendre par deux petits escaliers à deux bassins en forme de baignoires avec rigoles d'alimentation et surverses, enfin le canal en contrebas entouré d'un quai (pour la promenade ?), reste une énigme. Jardins de plaisance pour moines, viviers ou bains froids ? Le tout dégage une atmosphère épicurienne assez éloignée de la vie de couvent. On ne sait s'il est plus agréable de connaître le véritable usage du lieu ou de laisser planer le mystère. M.R.

Un jardin étrange : le jardin de la fontaine des Carmes.

Adresse : jardin de la fontaine des Carmes, rue des Carmes, 22800 Quintin
Propriétaire : Ville de Quintin, tél. : 96.74.02.65
Ouverture : libre, permanente
Accès : à 18 km au sud-ouest de Saint-Brieuc par D700 puis 790

Manoir de Coatcouraval

Saint-Michel-en-Glomel

Le jardin à la française, restauré d'après les plans de l'architecte Albert Laprade, est composé de 12 carrés bordés de buis et plantés de 4 000 bégonias. Trois terrasses fleuries de rosiers complètent, avec la cour pavée, le logis de Coatcouraval, prototype du manoir de l'ouest de la Bretagne. A.R.

Adresse : manoir de Coatcouraval, 22110 Saint-Michel-en-Glomel
Propriétaire : M. Antoine Rouillé d'Orfeuil, tél. : 96.29.09.61
Ouverture : juillet-août, t.l.j. de 9 h à 18 h ; visite guidée du manoir par les propriétaires
Accès : à 20 km au sud-est de Carhaix-Plouguer par la N164 et à 5 km au sud-ouest de Rostren par la D790

Kerdalo ★★★

Trédarzec

Petite vallée côtière parcourue par un ruisseau entre plateau et Océan, Kerdalo est avant tout un site. Le choisir, vers 1965, fut la première étape du prince Peter Wolkonsky pour réussir son jardin. La création de retenues d'eau sur le ruisseau et de terrasses autour de la maison a apporté une stabilité visuelle à ce paysage de lignes obliques. Distinguer des espaces, spécifier leurs particularités, se fit dans le temps par l'installation d'une foule de plantes sélectionnées pour leur port, leur texture, leur coloration. De petites architectures renforcent le caractère de chaque partie du jardin où elles sont édifiées.
Devant la maison, deux larges terrasses gazonnées sont à présent reliées par des escaliers encadrant une fontaine. La première est bordée de pavages à grands motifs de pierre limitant l'expansion de fleurs vivaces aux tons rose œillet : nérines, watsonias, amaryllis poussant au pied des clématites, des céanothes et des rosiers qui tapissent façade et murs latéraux. Sur la seconde, où les pavages jouent en damier avec le gazon, des massifs de fortes plantes de rocaille et d'arbustes à feuillages argentés se répandent autour d'une gloriette de treillage couverte de rosiers blancs. Deux gazebos, pavillons ouverts, destinés à présenter une vue comme un tableau, s'élèvent aux angles avancés au-dessus du ruisseau ; décorés à l'intérieur de délicats motifs de coquillages, ils accentuent l'esprit renaissant de la composition.
D'autres terrasses moins larges s'étagent dans une position abritée à l'arrière de la maison. Ici c'est un foisonnement de végétaux réclamant de la chaleur ; de grands échiums, des phormiums, des viburnums exotiques et, parmi les espèces subtropicales, *Schefflera impresa*, l'un des arbustes préférés de P. Wolkonsky, pour son feuillage.

De la maison au paysage, beaucoup de savoir-faire. Kerdalo.

Du côté de la source du ruisseau, un kiosque de bambous semble flotter sur un miroir d'eau. La référence à l'Orient se prolonge dans l'étroit vallon situé en amont où des rhododendrons de l'Himalaya, à feuilles rousses ou argentées, sont taillés sans géométrie, en suivant le volume de la végétation. Leurs floraisons dans les mauves et les bleus précèdent celles, plus azurées, des hortensias et des agapanthes qui poussent en contrebas.

Les hauts de la propriété sont occupés par une collection de résineux comprenant entre autres une vingtaine de variétés d'araucarias où éclatent les tons lumineux des ifs d'Irlande. La plantation de ces derniers fut dirigée depuis la maison à l'aide d'un porte-voix par P. Wolkonsky qui obtint exactement ce qu'il désirait voir de chez lui.

Des thalictrums, des cimicifugas, des rodgersias, des astilbes forment au début de l'été de grandes masses de fleurs plumeuses le long du ruisseau. Des rosiers et des hydrangéas grimpants, d'autres rhododendrons, des camélias et des arbustes à feuillages colorés en automne comme les stranvaesias ou les forthergillas se répartissent selon leurs exigences dans les zones d'ombre et de lumière autour de l'étang creusé en aval de la maison. La surverse de celui-ci donne naissance à une cascade jaillissant à l'intérieur d'un pavillon établi au-dessous du plan d'eau, composition qui rappelle celles de certains paysagistes du XVIIIe siècle.

Sans que l'on ne s'en doute, près de 2 000 espèces et variétés végétales croissent avec vigueur dans la terre acide de Kerdalo et se fondent dans ce merveilleux jardin-paysage dû au savoir-faire d'un perpétuel chercheur.

E.B.M.

Adresse : Kerdalo, 22220 Trédarzec
Propriétaire : Isabelle Vaughan
Ouverture : aux spécialistes, sur demande à P. Wolkonsky, créateur du jardin, tél. : 96.92.35.94
Accès : à 35 km à l'est de Lannion, 2 km au nord de Tréguier

FINISTERE 29

Jardin d'Eole ★★

Brest

Taillant magistralement un ancien stand de tir de la marine, le sculpteur Nils Udo et le paysagiste Louis Maunoury ont composé un paysage très pur et géométrique autour de l'axe d'une cascade. Un bassin triangulaire fend la butte comme une flèche. La course des nuages et le tremblement des peupliers s'y reflètent pour visualiser le vent. Une œuvre moderne, un jardin neuf (1989) très réussi, ce n'est pas si courant. M.R.

Adresse : jardin d'Eole, avenue de Talinn, 29200 Brest
Propriétaire : Ville de Brest, tél. : 98.00.83.61
Ouverture : libre, permanente
Accès : au nord-ouest de Brest, direction Le Conquet

Une création récente (1989) : le jardin d'Éole à Brest.

Paysage et botanique. Parc du Stangalarc'h.

Parc du Stangalarc'h ★★

Brest

La dernière chance de certains végétaux. De part et d'autre d'un ruisseau au cours interrompu de cascades, enjambé de ponts, le paysage que nous découvrons est une création très récente. Ce site n'était qu'une carrière abandonnée. Il a été soigneusement modelé et d'énormes quantités de terre végétale ont été apportées de façon à offrir la plus grande variété de microclimats et de pouvoir y cultiver, multiplier et rediffuser les plantes menacées dans le monde. Des kilomètres de sentiers le long des plans d'eau, dans les sous-bois de hêtres et de châtaigniers, une serre et des bâtiments d'information permettent au public de comprendre ce qu'ils voient et ce qu'ils ne voient pas. Un millier d'espèces menacées de disparition sont déjà conservées à Stangalarc'h. Le laboratoire situé à l'entrée a déjà établi un fichier de 12 000 espèces menacées dans le monde et réalise l'inventaire et la mise en culture de celles de France, en particulier du Massif armoricain et des îles océaniques. Ainsi le *Ruiza cordata*, petit arbre de la Réunion dont il ne restait que trois exemplaires au monde va pouvoir refleurir. Dix ans après avoir acquis un plant femelle, le conservatoire a trouvé un plant mâle. Après mariage dans les serres brestoises, de jeunes plants sont nés, dont une centaine ont été envoyés à la Réunion. M.R.

Adresse : parc du Stangalarc'h, 52, allée du Bot, 29200 Brest
Propriétaire : Syndicat mixte, gestion : Conservatoire botanique de Brest, tél. : 98.41.88.95
Ouverture : t.l.j. de 9 h à 18 h et 20 h en été, visite guidée sur demande pour groupes et le dimanche
Accès : en périphérie nord-est de la ville, en direction de Quimper

Jardin botanique de Cornouaille ★★

Combrit

Passionné d'horticulture, M. Guéguen a défriché, taillé et planté une telle diversité de plantes qu'il a constitué une collection de 3 500 espèces et variétés, l'une des plus belles collections de plantes de terre de bruyère de France, réparties sur 3,5 ha : camélias (540), rhododendrons (420), bruyères (110), magnolias (85). On trouve également une collection de viburnum (55), de fuchsias, une grande variété d'érables (chinois, japonais, canadiens), d'eucalyptus, et une roseraie à voir en pleine floraison. Bientôt s'y ajouteront une rocaille et un jardin aquatique. A.B.

Adresse : jardin botanique de Cornouaille, 29120 Combrit
Propriétaire : M. Guéguen, tél. : 98.56.44.93 ou 98.55.10.08
Ouverture : de mai à fin septembre, t.l.j. de 10 h à 12 h et de 14 h à 19 h ; hors saison, dim. et j. fériés de 14 h à 19 h ; visite commentée pour les groupes sur rendez-vous
Accès : à 15 km au sud de Quimper par D44 entre Bénodet et Pont-l'Abbé

Jardin Georges Delaselle ★

Ile de Batz-Roscoff

Exploitant le climat très doux de l'île de Batz, Georges Delaselle avait créé en 1900 son jardin « colonial » où foisonnaient palmiers, agaves et cycas, autour d'allées sinueuses. Ce jardin, abandonné pendant de longues années, est, depuis 1986, réhabilité par l'Association des amis du jardin. M.R.

Trévarez en été.

Adresse : jardin Georges Delaselle, 29253 île de Batz-Roscoff
Propriétaire : Comité d'établissement Aérospatiale.
Gestion : Association des amis du jardin Georges Delaselle, tél. : (1) 46.57.46.13
Ouverture : le week-end en mai, juin, septembre ; en juillet-août, t.l.j. de 14 h à 18 h
Accès : à 20 mn de Roscoff en vedette

Jardin exotique de la Maison Rouge ★★

Roscoff

Après la disparition du grand figuier, il fallait faire quelque chose. Planté en 1615, ce monument végétal donnait chaque année ses 400 kg de figues et ne couvrait pas moins de 600 m². La mairie de Roscoff a créé, autour du rocher de Roc'h Hievec, un jardin exotique, d'un peu plus de 1 ha, de type subtropical. Les nombreuses plantes acclimatées poussent et fleurissent ici grâce à un microclimat dû à l'ensoleillement exceptionnel, la présence de la mer et d'une rocaille naturelle. En haut du rocher, le panorama sur la baie de Morlaix est magnifique. La promenade s'effectue à travers les taches de couleurs très vives des fleurs aux origines diverses : Mexique, Nouvelle-Zélande, cordillère des Andes, Australie, Canaries... Au mois de juin se déroulent chaque année les Florocéanes, floralies des plantes de bord de mer. A.B.

Adresse : Roc'h Hievec, 29211 Roscoff
Propriétaire : Ville de Roscoff, tél. : 98.69.70.53.
Contact : M. Daniel Person, tél. : 98.69.70.45
Ouverture : permanente ; visites libres
Florocéanes le 2e week-end de juin
Accès : 20 km nord-est de Morlaix, près des car-ferries, port en eaux profondes

Parc de Trévarez ★★

Saint-Goazec

Festival en terre de bruyère. James de Kerjégu était président du Conseil général. Il ambitionnait d'être président de la République et recevait beaucoup dans son « château rose » de Trévarez, sur son admirable terrasse dominant la vallée de l'Aulne. Construit entre 1894 et 1906 par l'architecte Destailleurs, celui-ci fut bombardé en 1944 puis, en 1968, racheté avec le domaine par le Département. Autour de très beaux vestiges du jardin, le parterre et son cadran solaire, la fontaine monumentale, les serres, les bâtiments d'entrée et des arbres remarquables disséminés, un parc floral a été intégré. De nombreu-

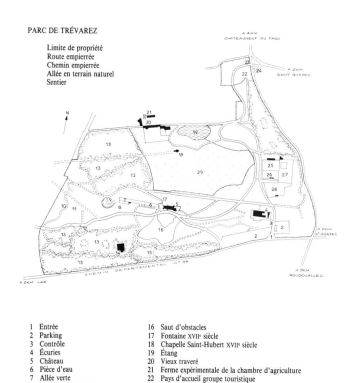

PARC DE TRÉVAREZ

Limite de propriété
Route empierrée
Chemin empierrée
Allée en terrain naturel
Sentier

1 Entrée
2 Parking
3 Contrôle
4 Écuries
5 Château
6 Pièce d'eau
7 Allée verte
8 Carrière de dressage
9 Carrière à séquoias
10 Allée aux andromèdes
11 Bassin aux nénuphars
12 Jardins japonais
13 Bois
14 Citernes (ruines)
15 Sapinière

16 Saut d'obstacles
17 Fontaine XVIIᵉ siècle
18 Chapelle Saint-Hubert XVIIᵉ siècle
19 Étang
20 Vieux traveré
21 Ferme expérimentale de la chambre d'agriculture
22 Pays d'accueil groupe touristique
23 Grille
24 Calvaire
25 Parc des animaux
26 Jardin privé
27 Jardin d'azalées et rhododendrons
28 Sanitaires
29 Grande prairie

ses variétés de rhododendrons (530), d'azalées (300) et de camélias ont été introduites. Un jardin d'iris, un jardin de vivaces, une rocaille, une roseraie et un jardin d'eau viendront les compléter pour obtenir un fleurissement plus étalé. Malgré les vocations multiples du parc et de la forêt, l'originalité paysagère mériterait d'être maintenue (en évitant le mobilier « urbain »). Il faut prendre son temps pour goûter à la promenade dans ce très grand parc — à voir au printemps ou en été, en avril pour le festival du Camélia, en mai pour le festival du Rhododendron ou en août pour le festival de l'Hortensia et du Fuchsia. M.R.

Adresse : domaine de Trévarez, 29520 Saint-Goazec
Propriétaire : Conseil général du Finistère
Responsable : Annick Barré, tél. : 98.26.82.79
Ouverture : du 1ᵉʳ avril au 30 septembre, t.l.j. sauf mar., de 13 h à 19 h ; juillet et août, t.l.j. de 11 h à 19 h ; du 1ᵉʳ octobre au 31 mars, sam., dim. et jours fériés de 14 h à 18 h ; groupes sur rendez-vous
Nombreuses animations, train navette jusqu'au château, boutique, salon de thé
Festivals de fleurs, expositions temporaires
Accès : 30 km au nord-ouest de Quimper, voie rapide sortie Briec, direction Châteauneuf-du-Faou par D72 puis prendre D76

ILLE-ET-VILAINE 35

Château de La Ballue ★★

Bazouges-la-Pérouse

Zigzags dans le bocage. Cinq bosquets à surprises, chacun lié à l'un des cinq sens. Voilà ce que projetait Mme Claude Artaud sur sa prairie en 1973. Deux architectes ont établi les plans. Devant le château, face à une vue qui inspira aussi bien Victor Hugo que Balzac, François Hebert-Stevens a dessiné un très intéressant parterre à la française dont les diagonales semblent ordonner la trame du bocage. Sur le côté, Paul Maymont, célèbre pour ses projets futuristes, reprit le thème des diagonales sur un mode baroque, avec des allées pour se perdre dans différentes salles vertes, le bosquet des senteurs, le labyrinthe à surprise, le bosquet de roses et de camélias, le bosquet de musique, le théâtre de verdure. Le problème posé par cette création originale est celui de son entretien. Vous serez indulgent quand vous saurez qu'ici une ortie peut pousser de 30 cm en 24 heures. M.R.

Le jardin à la française. Château de La Ballue.

Adresse : château de La Ballue,
35560 Bazouges-la-Pérouse
Propriétaire : Mme Claude Artaud,
100, rue de Grenelle, 75007 Paris
Ouverture : du 1er mars au 15 avril et du 5 août
au 1er octobre, t.l.j. de 10 h à 12 h et de 14 h à
18 h, groupes sur demande écrite, location pour
réceptions
Accès : à 41 km nord de Rennes par N75 et D796
à Tremblay, 16 km à l'est de Combourg par D796

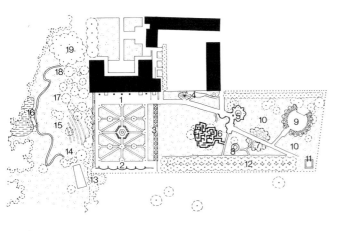

CHÂTEAU DE LA BALLUE

1 Jardin à la française	11 Temple de Diane
2 Allée d'orangers	12 Allée des tilleuls
3 Voûte de glycine	13 Jardin exotique
4 Bosquet attrape	14 Terrasses des pins
5 Bosquet des senteurs	15 Terrasses des cèdres bleus
6 Labyrinthes à surprises	16 Étang du tombeau d'Hölderlin
7 Bosquets des roses et camélias	17 Jardins des arbres pleureurs
8 Bosquet de musique	18 Terrasses magnolias
9 Théâtre de verdure	19 Quinconce des pommiers
10 Arboretum	

Château de Caradeuc ★ ★ ★

Bécherel

Le Versailles breton. L'un des plus beaux panoramas de la haute Bretagne s'étend depuis la terrasse nord du château de Caradeuc, construit en 1723 par Anne-Nicolas de Caradeuc. D'ici, la vue s'étend sur toute la vallée de la Haute Rance et l'on perçoit même le faisceau lumineux du phare du cap Fréhel situé à plus de 50 km au nord-ouest. Le vaste jardin de 40 ha fut dessiné lors de la construction du château au sein des futaies de hêtres qui couronnaient la « montagne de Bécherel ». Transformé en parc à l'anglaise après la Révolution, le paysagiste Édouard André recomposa le tout vers 1900 pour le comte de Kernier, en mariant l'art paysager à un renouveau classique. Il fallut une armée de terrassiers pour créer le jardin à la française devant le château. A l'ouest, l'encadrement du beau tapis vert en forme de lyre dominé par une statue de Diane chasseresse, réplique de celle de Versailles, a souffert de la tempête. L'ensemble se découvre au fil de la promenade, à travers des allées ponctuées de surprises, une monumentale statue de Louis XVI

Kiosque abritant la statue de Zéphyr. Caradeuc.

ouvrant les états généraux, une statue du comte de Falloux, des statues d'empereurs romains, d'amours et de personnages de l'Antiquité, comme cette Baucis jetant un regard attendri en direction d'un Philémon, avant d'être métamorphosés en tilleuls. De nombreuses lucarnes Renaissance, provenant d'un château voisin ruiné, abritent depuis 1930 faunes et amours.

M.R.

Adresse : château de Caradeuc, 35190 Bécherel
Propriétaire : M. de Kernier Tanguy. Responsable :
Mme Choquet, tél. : 99.66.77.76
Ouverture : t.l.j. de 9 h à 12 h 30 et de 13 h 30
au coucher du soleil
Accès : à 35 km au nord-ouest de Rennes par
N137 puis D27 et D220 en sortant de Bécherel
vers Médréac ; 16 km au sud de Dinan par D2

Château du Boschet ★

Bourg-des-Comptes

Grâce à de très agréables proportions, le château du Boschet en tuffeau de la Loire, et son parc à la française forment un des sites du XVIIe siècle les plus beaux et les mieux conservés de la région. Autour de l'axe central, parterres, pelouses et potager s'étagent en terrasses suivant la douce déclivité du terrain. Les grandes allées délimitent des bosquets abritant les restes d'un labyrinthe, d'un théâtre de verdure.

A.B.

Adresse : château du Boschet,
35580 Bourg-des-Comptes
Propriétaire : M. de la Diriays
Ouverture : sur demande écrite
Accès : à 20 km au sud de Rennes

Château de Combourg ★

Combourg

Autour du célèbre château médiéval, le parc aux allées perdues sous les frondaisons a été dessiné par les frères Bühler en 1876. Beaucoup plus petit que le parc que connut Chateaubriand, il offre quand même un cadre à peu près digne d'évoquer l'écrivain romantique qui y vécut et y découvrit sa vocation d'écrivain au cours d'une promenade avec sa sœur dans le grand Mail : « Lucile m'entendant parler avec ravissement de la solitude, me dit : "Tu devrais peindre tout cela." Ce mot me révéla la Muse ; un souffle divin passa sur moi, jour et nuit je chantais mes plaisirs, c'est-à-dire mes bois et mes vallons... C'est dans les bois de Combourg que je suis devenu ce que je suis. »   M.R.

 Adresse : château de Combourg, 35270 Combourg
Propriétaire : M. de La Tour du Pin Verclause, tél. : 99.73.22.95
Ouverture : de Pâques à fin octobre de 9 h à 12 h et de 14 h à 18 h ; diaporamas, expositions temporaires, librairie
Accès : 37 km au nord de Rennes par N137 et D795

Château de Monbouan ★

Moulins

Le canal et la pièce d'eau, le château et le verger clos, construits d'une belle pierre dorée, forment un ensemble du XVIIIe siècle très harmonieux que l'on découvre au centre d'un boisement. L'ancien parc à la française, dont les grandes lignes se devinent à travers de nouvelles plantations forestières, a été endommagé par la tempête d'octobre 1987.   A.B.

 Adresse : château de Monbouan, 35680 Moulins
Propriétaires : Mme de Drouas et Mlle Ay des Nétumières
Ouverture : du 15 juillet au 31 août, t.l.j. de 9 h à 12 h et de 14 h à 18 h, tél. : 99.49.01.51
Accès : à 28 km à l'est de Rennes par D463, 3 km au sud de Louvigné-de-Bais

Château de Bel Air ★

Le Pertre

Créé dans les années 20, ce parc à la française est une réalisation de prestige au centre d'un grand domaine rural. Les parterres dessinés par le paysagiste parisien Rodonte occupent devant le château une large terrasse en belvédère qui nous laisse découvrir la campagne environnante.   B.P.

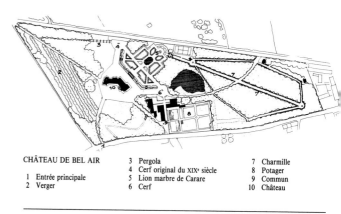

CHÂTEAU DE BEL AIR
1 Entrée principale
2 Verger
3 Pergola
4 Cerf original du XIXe siècle
5 Lion marbre de Carare
6 Cerf
7 Charmille
8 Potager
9 Commun
10 Château

 **Adresse :** château de Bel Air, 35370 Le Pertre
Propriétaire : M. Geoffroy de Legge de Kerléan
Ouverture : du 1er juillet au 15 septembre, sam., dim., lun. de 9 h à 19 h ; tél. : 99.96.93.05
Accès : à 36 km de Rennes par autoroute vers Paris, sortie direction Argentré-du-Plessis puis 20 km par D33 jusqu'au Pertre

Château de La Bourbansais ★

Pleugueneuc

Une longue avenue trace une superbe perspective depuis la route jusqu'à l'élégant château. Un jardin botanique et, en 1965, un jardin zoologique ont été créés à côté des jardins à la française aux quatre carrés de gazon sur la terrasse à l'ouest.   M.R.

Adresse : château de La Bourbansais, 35720 Pleugueneuc
Propriétaire : M. Ch. de Lorgeril, tél. : 99.69.40.07
Ouverture : du 1er juin au 31 août t.l.j. de 10 h à 19 h ; les mois d'avril, mai, septembre de 10 h à 12 h et de 14 h à 18 h ; du 1er octobre au 31 mars de 13 h 30 à 17 h 30. Buvette. Brochure ; en été, expositions dans l'orangerie, expos d'auto de collection
Accès : à 38 km au nord-ouest de Rennes par N137 ; 8 km à l'ouest de Combourg

Château du Montmarin ★★

Pleurtuit

Un jardin de malouinière. Situé sur l'estuaire de la Rance sillonné de voiliers, le Montmarin avait jadis son accès direct à l'aventure. Le maître du lieu s'était fait construire son propre bassin de radoub et son embarcadère. Devant une élégante façade Louis XV, flanquée de deux pavillons aux toitures en forme de carène de navire renversée, le jardin descend en terrasses jusqu'à l'eau. Il comporte un jardin à la française au dessin inchangé depuis le XVIIIe siècle, un parc à l'anglaise avec pelouses,

En descendant vers la Rance. Montmarin.

bosquets, beaux arbres isolés et des créations récentes avec de nombreux massifs floraux, une allée de fleurs, un jardin de vivaces, des bruyères, des arbustes à fleurs et une rocaille en bord de Rance. Sur le côté opposé, et dans l'axe du bâtiment, encadrée d'alignements à trois rangées de chênes, une majestueuse rabine indique l'entrée de la malouinière et son antichambre : une cour-jardin entourée de portiques aux arcades ornées de bustes avec, en son centre, un bassin en forme de trèfle à quatre feuilles. En ce lieu où les plantes extraordinaires arrivaient autrefois par la mer, les propriétaires organisent deux fois par an une fête des plantes rares.　　M.R.

Adresse : château du Montmarin, 35730 Pleurtuit
Propriétaire : M. Bazin de Jessey, tél. : 99.88.58.79
Ouverture : aux groupes, sur demande écrite et accord préalable, du 1er mai au 30 août. Journée des plantes rares les samedi et dimanche de Pentecôte et journée des Agapanthes au mois d'août
Accès : à 6 km au sud de Dinard par D766 et 10 km au sud de Saint-Malo

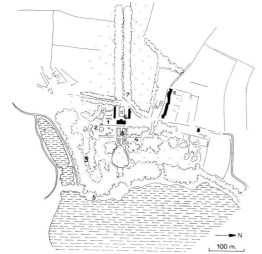

CHÂTEAU DU MONTMARIN

1　Allée de fleurs	5　Rocaille au bord de la Rance
2　Jardins de vivaces	6　Cour d'honneur
3　Plantes de terre de bruyère	7　La rabine
4　Arbustes à fleurs	8　Jardin à la française

Parc Oberthur ★

Rennes

Créé par Denis Bühler pour François-Charles Oberthur, imprimeur et entomologiste, ce petit parc privé de 2,79 ha, devenu public, offre autour de son petit lac un bel ensemble d'arbres ayant atteint leur développement complet, cèdres, cyprès chauves, séquoias, chênes des marais.　　M.R.

Adresse : parc Oberthur, 86, rue de Paris, 35000 Rennes
Propriétaire : Ville de Rennes, tél. : 99.28.55.55
Ouverture : de 8 h au coucher du soleil (20 h 30 en été)
Accès : à l'est du Vieux Rennes

Le Thabor ★ ★ ★

Rennes

Un parc bien-aimé. Sur la colline la plus élevée de Rennes était au XVIIᵉ siècle un jardin de bénédictins qu'ils avaient nommé Thabor, en souvenir de la montagne de Palestine. Dès le XVIIIᵉ siècle, les moines ouvraient ce verger uniquement aux hommes. Devenu municipal en 1802, le jardin des plantes et un vaste espace attenant fut confié en 1865 à Denis Bühler, paysagiste venu réaliser le jardin de l'imprimeur Oberthur. Déjà célèbre pour ses réalisations (en particulier le parc de la Tête d'Or à Lyon), Bühler a réussi ici à multiplier les ambiances, à exploiter les qualités de chaque terrain tout en évitant le morcellement excessif. Il a procédé par grandes surfaces de pelouses, par grandes masses d'arbres (aujourd'hui à régénérer). La multiplicité des espaces se conjugue avec une grande variété des plantations. On voulait alors montrer au public le plus grand nombre de variétés indigènes ou exotiques. Le talent de Denis Bühler s'est mêlé à celui de l'architecte Jean-Baptiste Martenot qui a réalisé les serres, la volière, le kiosque à musique et la belle grille d'entrée. Aujourd'hui, l'intérêt du Thabor (10,5 ha) réside aussi dans le calendrier très étalé de son fleurissement, en juin les 2 000 rosiers et ses nombreuses variétés anciennes. Bien que les plantes à feuillages fins et les echeveria aient disparu, le Thabor tente de maintenir une tradition de mosaïculture et réalise ses parterres d'été avec coleus, bégonias, ageratum et santolines. En regardant de plus près certains massifs arbustifs, on découvrira vers la grotte une collection de viburnum, une collection dispersée d'ilex. Les initiés aiment aussi le Thabor pour ses arbres, en particulier une allée de chênes que même les spécialistes ont du mal à identifier. M.R.

Le maintien d'une tradition : le Thabor.

Adresse : parc du Thabor, place Saint-Melaine, 35000 Rennes
Propriétaire : Ville de Rennes, tél. : 99.28.55.55
Ouverture : de 7 h au coucher du soleil (21 h 30 en été)
Accès : au nord-est du Vieux Rennes

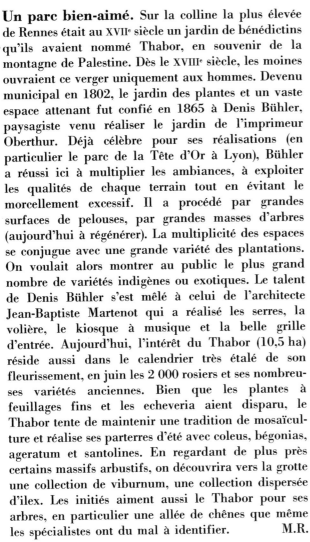

LE THABOR

A Entrée
1 Plantes de terre de bruyère (azalées, rhododendrons, camélias)
2 Magnolias
3 Roseraie
4 Collections dahlias
5 Collections plantes vivaces
6 Massifs floraux, une plantation printemps, été, hiver
7 Orangerie
8 Volière
9 Kiosque

Rochers sculptés de Rothéneuf ★ ★

Rothéneuf

Ce n'est pas un jardin, mais un site hors catégorie, un lieu inclassable, 500 m² de granit travaillés au burin pendant vingt-cinq ans, à quelques pas des vagues. Ici chaque mouvement de rocher se révèle une créature avec des yeux et une bouche. Pour rendre visible l'esprit du lieu, l'abbé Fouré (1839-1910) en a sculpté l'histoire, une épopée fantastique, peuplée de flibustiers, de femmes, de gnomes et de monstres. M.R.

Adresse : Rothéneuf, 35400 Saint-Malo
Propriétaire : M. Janvier
Ouverture : de Pâques au 1er octobre, t.l.j. de 9 h à 19 h et vacances scolaires de 9 h à 17 h ; tél. : 99.56.97.64
Accès : 6 km au nord-est de Saint-Malo par D201

Château des Rochers-Sévigné ★ ★

Vitré

« Il y a une place qui est fort belle, elle redresse le travers de l'entrée du parc : on entre dans le parterre qui est présentement un dessin de Le Nôtre, tout planté, tout venu, tout sablé (...). Je vous apprends que nous sommes toutes entourées d'oranges et de jasmins, et que nous sommes tellement parfumées le soir que je crois être en Provence » écrivait Mme de Sévigné à propos de son jardin qui vient d'être reconstitué selon les plans du XVIIe siècle. M.R.

Adresse : château des Rochers-Sévigné, 35500 Vitré
Propriétaire : M. de Ternay. Responsable : Association des Amis des Rochers-Sévigné, tél. : (château) 99.96.61.96. Contact : M. Forget, tél. : 99.75.04.54
Ouverture : du 15 février au 15 novembre, t.l.j. de 10 h à 12 h et de 13 h 30 à 18 h, sauf sam. et dim. matin
Accès : 35 km à l'est de Rennes par voie rapide, à 6 km au sud de Vitré par D88 direction Argentré-du-Plessis

MORBIHAN 56

Kerguehennec ★ ★

Bignan

Contrepoints dans le parc. Le parc paysager dessiné par Denis Bühler en 1872 a retrouvé de l'esprit sur ses 170 ha. De même que le paysagiste avait fait converser la forêt de chênes, de châtaigniers et de hêtres avec quelques beaux végétaux nouveaux et colorés (hêtres pourpres, chênes américains, cèdres, magnolias, rhododendrons, camélias et azalées), les responsables du Centre d'art ont voulu faire dialoguer le parc avec les œuvres de sculpteurs d'aujourd'hui. La seule contrainte pour les artistes reste une prise en compte du lieu. Sous les arbres, dans une clairière, au bout d'un tapis vert ou sur l'étang, chaque œuvre laisse parler son lieu et chacun des quinze sites choisis laisse respirer l'autre. Et loin des musées ou des circuits préétablis vous aurez le temps de savourer votre promenade selon un tracé qui tiendra un peu du hasard, un peu de vous, un peu des lieux et des œuvres. M.R.

Adresse : domaine de Kerguehennec, 56500 Bignan
Propriétaire : Département du Morbihan. Contact : Thierry Bloch, renseignements : 97.60.57.78
Ouverture : du 1er avril à fin octobre, t.l.j. de 10 h à 19 h
Accès : 30 km au nord de Vannes par D767 ; à 5 km à l'ouest de Locminé prendre la D123 à Bignan

KERGUEHENNEC

A Parking
B Entrée
C Château
D Centre d'art
E Moulin du Roc

1 Ian Hamilton Finlay « Names on plaques, names on trees », 1985-1986
2 Jean-Pierre Raynaud, 1 000 pots bétonnés peints pour une serre ancienne, 1986
3 Ulrich Rückriem, « Bild stock », 1985
4 Giuseppe Penone, « Sentier de charme », 1986
5 Markus Raetz, « Mimi », 1979-1986
6 Richard Long, 1985
7 Gilberto Zorio, « Ganoë », 1985
8 Marta Pan, sculptures flottantes, 1986
9 Max Neuhaus, « Installation sonore », 1986
10 Étienne Hajdu, « Sept Colonnes à Stéphane Mallarmé », 1971
11 Holger Trulzsch, « Parcours des images sculptures », 1986
12 Richard Long, « Un cercle en Bretagne », 1986
13 François Bouillon, « Cène d'extérieur », 1986-1987
14 Keith Sonnier, « Porte vue », 1987

Château de Loyat

Ploërmel

Une longue allée bordée de pièces d'eau conduit au château entouré de ses dépendances et de trois grandes terrasses étagées sur le coteau. Sur la terrasse supérieure, de larges allées cavalières en étoile séparent les bosquets de hêtres qui ont souffert de la dernière tempête. Les abords ont été réaménagés à la fin du XIXᵉ siècle par Killian, dans le goût paysager de l'époque. B.P.

Adresse : château de Loyat, 56800 Ploërmel
Propriétaire : M. Gilles Dargnies. Responsable : M. Henri Joubin, tél. : 97.93.02.59
Ouverture : t.l.j. de 9 h à 20 h, après cotisation
Accès : 8 km au nord de Ploërmel par D766

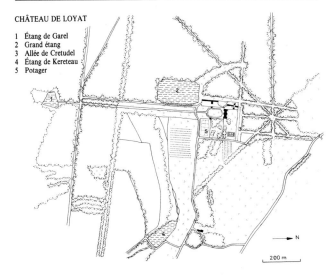

CHÂTEAU DE LOYAT

1 Étang de Garel
2 Grand étang
3 Allée de Cretudel
4 Étang de Kereteau
5 Potager

200 m

N

Manoir de Kérangat ★ ★

Plumelec

Si le mystère du manoir hanté de Kérangat vous attire, vous découvrirez, à travers les bois sombres et les thuyas géants qui en bordent l'accès, les nombreuses essences rares et magnifiques plantées par un passionné de plantes à partir de 1866. Esprit original, le vicomte de Bellevue a collectionné des arbres provenant d'un peu partout dans le monde et qui se reproduisent grâce au climat atlantique. A.B.

Adresse : arboretum de Kérangat, 56420 Plumelec
Propriétaire : Mme Hunt
Ouverture : en semaine pour spécialistes sur demande écrite à M. Joyeux, chambre d'agriculture, boulevard du Colonel-Remy, 56009 Vannes Cedex, tél. : 97.40.71.11
Accès : à 28 km de Vannes et 15 km de Locminé par D1 vers Plumelec

Dans l'ancienne serre, « 1 000 pots bétonnés », de Jean-Pierre Raynaud. Kerguehennec.

Château de Kerlevenan ★

Sarzeau

Du jardin pittoresque de la fin du XVIIIᵉ siècle subsistent un pavillon chinois entouré d'eau et un temple à l'amour transformé le siècle suivant en chapelle. Un vaste parc à l'anglaise clos de murs et de ha-ha s'ouvre aujourd'hui sur le golfe du Morbihan. B.P.

Adresse : château de Kerlevenan, 56370 Sarzeau
Propriétaire : M. de Gouvello, tél. : 97.26.41.10
Ouverture : du 1ᵉʳ juillet au 15 septembre, le merc. après-midi ou sur demande
Accès : à 18 km au sud de Vannes par D780 en direction de Sarzeau, sortir à Saint-Colombier avant la voie rapide

Jardin des Remparts et parc de la Garenne

Vannes

Parc mixte, sauvage et peigné. Une promenade pittoresque naïvement fleurie sur les bords du Rohan. M.R.

Adresse : jardin des Remparts, rue Francis-Decker, 56000 Vannes
Propriétaire : Ville de Vannes, tél. : 97.54.18.22. Contact : M. Rosiau
Ouverture : de 6 h à 19 h (été), de 8 h à 18 h (hiver)
Accès : au sud-ouest du centre ville

Jardin des Remparts à Vannes : une promenade appréciée.

CENTRE

Des pays au relief plat, tout juste ondulé aux abords du Perche et aux confins du Berry, marqué en creux par les vallées ; des pays qui jouissent d'un climat sans excès, pourvus largement de terres fertiles, composent cette région hospitalière baignée d'une lumière claire. De tout temps elle attira les hommes. Rois et seigneurs, écrivains célèbres et gentilshommes campagnards égrenèrent le long des vallées leurs châteaux et demeures accompagnés de jardins.

Le Val de Loire, à partir duquel s'articule cette région, constitue l'un des berceaux de l'art français du jardin. Les Valois avaient choisi la douce lumière du fleuve aux rives blondes pour s'établir. Et lorsque la Cour quitta la « vallée de douceur et de mansuétude », elle laissait derrière elle des témoins prestigieux de cette Renaissance féconde, des jardins inspirés de l'Italie. Aujourd'hui encore, jardins royaux et jardins de nobles jouent avec les brillances des eaux. Bénéficiant du microclimat des vallées et s'abritant des crues capricieuses du fleuve et de ses affluents, les jardins en terrasses s'inscrivent à flanc de coteau, le plus souvent orientés au sud.

En Sologne, pays de landes et de bois, pays de chasse, peu de jardins ; seulement de vastes parcs s'alliant aux massifs contigus. Dans les pays de campagne aux légères collines, comme le Perche ou le Boischaut, s'installèrent aux XVIIIe et XIXe siècles des propriétés rurales qui s'entourent de parcs paysagers. En Berry, le comte de Choulot en dessina un certain nombre selon les principes de la « ferme ornée », liant intimement le parc à son environnement immédiat.

La flore des jardins varie d'une frange à l'autre de la région en réponse à ses nuances. Le sol fertile et le bon climat des vallées proches de l'Ile-de-France laissent s'épanouir des jardins éclectiques, parfois riches en fleurs, où l'eau et la végétation dialoguent en équilibre. En Touraine, la douceur océanique permet à des espèces exotiques de se mêler à la flore locale : des palmiers peuvent alors émerger de jardins souvent opulents. En revanche, le vaste plateau de Beauce, sec et rigoureux, se pare de parcs et jardins réguliers dans lesquels la végétation se réduit à l'essentiel, reprise des bois avoisinants et composée d'essences peu exigeantes en eau. Enfin, dans cette région de production horticole, riche en pépinières, les villes regorgent de fleurs. La palette végétale des nombreux parcs et jardins publics se diversifie de plus en plus depuis quelques années. Et l'art de la mosaïculture est partout présent.

L'histoire impose ses styles au gré des modes, et les terroirs y répondent à leur façon. Si les jardins fourmillent en région Centre, jamais ils ne forcent cet équilibre des paysages, cette douceur des lignes, cette mesure qui est la caractéristique première de ces pays de tradition empreints de charme et d'élégance. Vous entrez dans le « Jardin de la France »...

J.W.

CENTRE

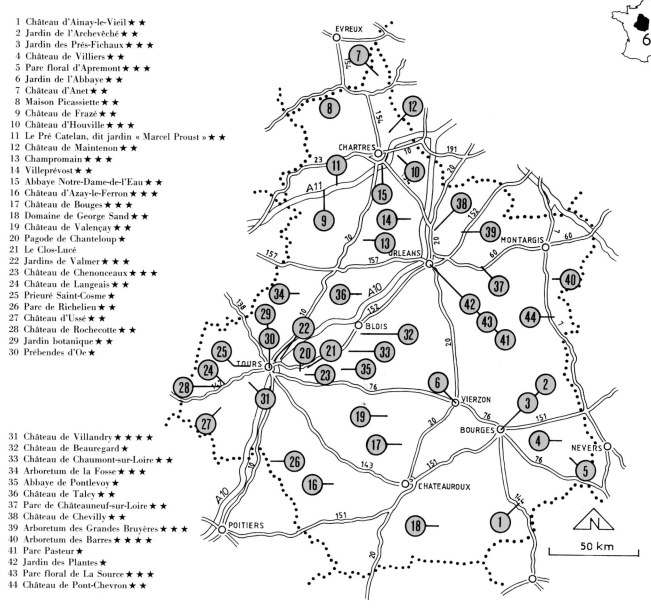

p. 82 : Chambord.

CHER 18

Château d'Ainay-le-Vieil ★ ★

Ainay-le-Vieil

Un jardin à thèmes. Quoi de plus passionnant que d'assister à une création en cours ? Les abords du beau château médiéval sont devenus un champ d'expérience que les amateurs apprécieront. L'ensemble du parc, qui comprenait déjà une partie paysagère, un potager, un verger et des chartreuses, est réhabilité avec dynamisme par les propriétaires, particulièrement par Marie-Solange de la Tour d'Auvergne qui déborde de projets. Un tracé sobre et régulier a été choisi pour la toute nouvelle roseraie encadrée par deux pavillons symétriques et deux canaux d'eaux vives. La collection de roses anciennes du XVe siècle à nos jours réparties en plusieurs thèmes parmi lesquels les plus anciennes, telle la rose gallique, ou les plus parfumées comme la rose Jacques Cartier 1868 est déjà riche de 200 variétés. Dans la roseraie paysagère on trouvera la rose Colbert qui vient d'être créée par Delbard, spécialement pour Ainay et leurs propriétaires. D'autres projets verront bientôt le jour, un jardin de simples, un sous-bois pour plantes à bulbes.

M.R.

Adresse : château d'Ainay-le-Vieil,
18200 Saint-Amand-Montrond
Propriétaire : Mme Colbert d'Aligny,
tél. : 48.63.50.67
Ouverture : t.l.j. du 1ᵉʳ juin au 30 septembre
de 10 h à 12 h et de 14 h à 19 h et hors saison
sur demande
Chaque année, démonstration de taille et de greffe.
Spectacles en été
Accès : à 50 km au sud de Bourges par N144

Jardin de l'Archevêché ★ ★

Bourges

Au début du XVIIIᵉ siècle, Mgr de la Vrillère, archevêque de Bourges, se fit composer un jardin sur l'emplacement des anciennes fortifications de la ville. Devenu promenade publique à la Révolution, le jardin subit de nombreuses transformations jusqu'au début du siècle où il retrouve un air classique épuré, avec carrés en creux et rideaux de tilleuls palissés. La partie boisée, aux tracés souples, a été réalisée sous le second Empire. L'ensemble constitue un havre serein avec, pour toile de fond, le chevet de la cathédrale.   J.W.

Adresse : jardin de l'Archevêché,
place Étienne-Dolet, 18000 Bourges
Propriétaire : Ville de Bourges, tél. : 48.57.80.00
Ouverture : t.l.j. de 7 h 30 au coucher du soleil
Accès : au centre de Bourges, à côté de
la cathédrale Saint-Étienne

Jardin des Prés-Fichaux ★ ★ ★

Bourges

Promenade « arts-déco ». Durant les années 20, l'art des jardins se tourne vers son passé glorieux, balayant le romantisme du XIXᵉ siècle, et reprend, en le réinterprétant, tout le vocabulaire classique. Les Prés-Fichaux témoignent exactement de ce renouveau du jardin régulier ; ils rassemblent tous les éléments qui constituèrent le jardin « art-déco ». Maîtrisé, construit en tout point, ce jardin public de 6 ha envoûte par son atmosphère « rétro », mais aussi par le jeu subtil des couleurs, des contrastes de textures, des formes végétales soigneusement taillées. Il est à la fois ample et intime, offrant le choix entre la contemplation sereine du grand boulingrin lumineux, axial, encadré de sombres arcades d'ifs, et la halte rêveuse dans des cabinets de verdure à thème.
Orné de toute une statuaire évocatrice, semé de plantes variées, parfois peu communes, le jardin des

Une architecture de jardin accomplie. Les Prés-Fichaux.

Prés-Fichaux laisse en outre une grande part à l'eau : des bassins aux formes géométriques, buffet d'eau, chemin d'eau, évoquent son état d'origine, pas si lointain. Car avant 1922, date à laquelle Paul Marguerita, architecte-paysagiste, entreprit sa conception, il y avait là un grand marais en bord de rivière.   J.W.

Adresse : les Prés-Fichaux, place Parmentier,
18000 Bourges
Propriétaire : Ville de Bourges, tél. : 48.57.80.00
Ouverture : toute l'année, t.l.j. de 7 h 30 au
coucher du soleil
Accès : au bord de l'Yèvre, au nord
de la vieille ville

Château de Villiers ★ ★

Chassy

C'est un jardin créé ex nihilo avec un tracé à la française adouci par un traitement impressionniste du végétal. Après une large allée pavée qui traverse la cour des communs du XVIIᵉ siècle, puis celle du château, ce jardin dessiné et encadré de deux allées couvertes de vignes a été planté de vivaces, de roses anciennes, de clématites et d'arbustes variés dans le but de créer une ambiance intime et romantique en avant du vaste étang situé au-delà. Au nord, le château est bordé d'un intéressant quinconce de néfliers.   M.R.

Adresse : château de Villiers, Chassy, 18800 Baugy
Propriétaire : M. et Mme de Dreuzy,
tél. : 48.80.21.42
Ouverture : sur demande du 14 juillet au 31 août
sauf le mar.
Accès : à 40 km à l'est de Bourges, 25 km
d'Apremont-sur-Allier

Ouverture : de Pâques à fin septembre, t.l.j. sauf mar. de 10 h à 12 h et de 14 h à 19 h ; ouvert le mar. après-midi en juin, juillet, août
Restaurant, boutique, musée des Calèches
Accès : à 50 km à l'est de Bourges, à 10 km de La Guerche

Château de Villiers.

Parc floral d'Apremont

★ ★ ★

La Guerche-sur-l'Aubois

Au pays des fleurs. Voici un jardin ivre de couleurs presque toute l'année. Non loin du confluent de la Loire avec l'Allier, le parc floral d'Apremont s'inscrit comme un trait d'union harmonieux entre le village aux maisons de style médiéval et le château qui le domine.

Créé sur un ancien pré, à partir de 1971 par Gilles de Brissac, ce parc vous offre son extraordinaire collection de plantes annuelles, vivaces, bulbeuses, mises en scène selon des séquences variées que vous parcourez librement sur des cheminements de pelouses. Apremont possède un jardin blanc, admirable en juillet-août, une cascade d'où descend un jardin de rocaille, une pergola envahie de grimpantes.

Des « mixed-borders » foisonnantes soulignent les contours du parc et exaltent la beauté des habitations aux tonalités dorées. Car ce qui est peut-être le plus extraordinaire à Apremont, outre la valeur intrinsèque du jardin et sa richesse végétale, ce sont les liens qui l'unissent au village et qui en font un lieu unique où non seulement on peut glaner des idées pour son propre jardin en glissant d'une scène florale à une autre mais où l'on peut aussi rêver. J.W.

Adresse : parc floral d'Apremont-sur-Allier, 18150 La Guerche-sur-l'Aubois
Propriétaire : Société hôtelière d'Apremont, tél. : 48.80.41.41

Mixed-borders. Parc floral d'Apremont.

Jardin de l'Abbaye

★ ★

Vierzon

Un jardin pour la paix. Si vous êtes en Berry, vous avez la chance de pouvoir découvrir deux jardins témoignant de la période « art-déco » : celui des Prés-Fichaux à Bourges, et, distant à peine de 30 km, celui de l'Abbaye à Vierzon.

Après la Première Guerre mondiale, la Ville de Vierzon lança un concours pour la création d'un monument aux morts. L'architecte Karcher proposa un projet, comprenant également l'aménagement des abords du monument, sur l'emplacement d'anciens lavoirs municipaux. Un petit jardin public très particulier naissait donc entre 1929 et 1934. Il est aujourd'hui tel que Karcher l'avait conçu, hérissé de colonnes d'ifs et de pilastres, dominé par l'imposant

Jardin de l'Abbaye. Vierzon.

monument aux morts au symbolisme puissant. Tout le jardin, lumineux et totalement architecturé, est une allégorie à la paix et à la commémoration. A l'entrée, un kiosque-lavoir insolite vous accueille, témoin du passé récent du lieu.   J.W.

Adresse : jardin de l'Abbaye, place de l'Intendance, 18100 Vierzon
Propriétaire : Ville de Vierzon, tél. : 48.71.18.61
Ouverture : permanente, visites libres
Accès : 33 km au nord-ouest de Bourges par N76, derrière la mairie

JARDIN DE L'ABBAYE

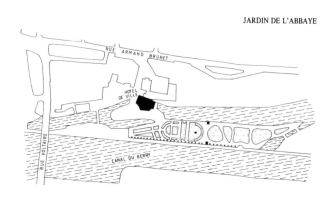

E U R E - E T - L O I R   28

Château d'Anet ★ ★

Anet

Du « paradis d'Anet » à d'autre temps. Les bouleversements apportés au XVIIe siècle, les démolitions de la Révolution et la transformation des parterres en parc à l'anglaise n'ont pas entièrement effacé les traces d'un jardin et d'un château réalisés de 1546 à 1552 pour Diane de Poitiers. Philibert de l'Orme trouva l'occasion de s'affirmer à Anet en tant qu'artiste français en concurrence avec les artistes italiens et en tant qu'architecte-concepteur du château et de son jardin considérés comme un tout, un tout consacré ici à la beauté d'une femme. Les multiples courbes de la composition, les aménagements ou les décors répétaient en miroirs l'image de Diane.

C'est ici, un peu plus tard, qu'est née la dynastie de jardiniers des Mollet et qu'ont été conçus, à partir de 1582, les premiers parterres de broderies en France. Étienne Dupeyrac employé par le duc d'Aumale, le petit-fils de Diane de Poitiers, remplaça les parterres à motifs différents qui caractérisaient les jardins du début de la Renaissance et imposa un dessin d'ensemble. Ce sont les difficultés d'entretien des plantes composant ces broderies qui donnèrent l'idée au jeune Claude Mollet de réaliser les broderies de buis qui le rendront célèbre...

De chaque côté de l'entrée monumentale ornée de la nymphe de Benvenuto Cellini et d'un cerf, on peut encore voir deux petits jardins symétriques conduisant

Le parc à l'anglaise. Anet.

à des toits-terrasses par de merveilleux petits escaliers ovales (à degré convexe contreparti). Derrière le château, au pied d'une terrasse qui était une innovation, le cryptoportique, une galerie flanquée de niches en cul de four, est encore visible. Il constituait le premier côté d'un jardin fermé comme un cloître sur des parterres à compartiments rectangulaires. Une promenade couverte de style rustique faisait le tour de ce jardin et conduisait, dans l'axe central, à un pavillon pour les fêtes et les bains ouvert sur un bassin semi-ovale. Deux pavillons d'angle l'encadraient pour « abriter les joueurs de cornet, de trompette et d'autres instruments pour le plaisir du Roi et de la Princesse ». En fermant les yeux peut-être parviendrez-vous à retrouver Diane dans son pavillon, descendant en musique et plongeant dans l'eau froide de l'Eure pour garder sa beauté ? Sinon voyez le petit tapis rouge de briques, de pierres décoratives et de pavés de grès au milieu de l'actuelle pelouse. Ce beau vestige du dallage du portique vous servira de tremplin à l'imagination.   M.R.

Adresse : château d'Anet, 28260 Anet
Propriétaire : M. de Yturbe, tél. : 37.41.90.07
Ouverture : le jardin est visible pendant la visite du château : de la Toussaint au 1er avril inclus, sam. de 14 h à 17 h, dim. et fêtes de 10 h à 11 h 30 et de 14 h à 17 h ; du 1er avril au 1er novembre inclus, t.l.j. de 14 h 30 à 18 h 30, dim. et fêtes de 10 h à 11 h 30 et de 14 h 30 à 18 h 30 ; fermé le mar., ouvert sur demande pour spécialistes (visites le matin)
Accès : 22 km de Mantes, 16 km au nord de Dreux, direction Houdan

Maison Picassiette ★ ★

Chartres

Le paradis étincelant de Raymond Isidore. A l'orée de la ville de Chartres, tout près des champs beaucerons, se niche ce qui fut l'habitacle d'un homme inspiré et ce qui demeure la transcription de toute son âme. Celui qui pénètre dans l'univers insolite de la rue du Repos, tout d'abord étonné puis ébloui, n'en ressortira pas indemne d'émotion.

On ne peut, ici, distinguer la maison du jardin : les espaces chamarrés de mosaïques et de fresques, bâtis à hauteur d'homme, s'emboîtent les uns dans les autres pour ne former qu'un tout, une maison-jardin où les chambres et les cours s'entremêlent, où le dehors et le dedans fusionnent, et qui s'enroule sur elle-même en un parcours symbolique voire mystique. A mi-chemin, place est laissée à la terre et aux plantes : la profusion végétale s'allie à celle de l'imagerie scintillante de l'ensemble pour dessiner parterres et allées, un royaume en miniature où règne la statue de la Grande Déesse, symbole de la Nature. C'est à partir de 1928 que Raymond Isidore, homme de modeste condition, commença son œuvre. « Mon jardin, c'est le rêve réalisé, le rêve de la vie où l'on vit en esprit dans l'éternité ». Amassant les débris de verre, les éclats de miroir et de porcelaine — ce qui lui valut le surnom de « Picassiette » —, il s'en servit pour bâtir, trente ans durant, son paradis. Déployant ses rêves, ses obsessions, sa foi au gré des sols et des murs, il créa un univers merveilleux, bariolé et foisonnant, peuplé de personnages aux yeux grands ouverts, incrusté d'objets et pailleté de reflets. Jardin de pierres et de couleurs, trace émouvante d'un homme au cœur d'enfant.   J.W.

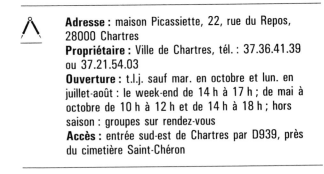

Adresse : maison Picassiette, 22, rue du Repos, 28000 Chartres
Propriétaire : Ville de Chartres, tél. : 37.36.41.39 ou 37.21.54.03
Ouverture : t.l.j. sauf mar. en octobre et lun. en juillet-août : le week-end de 14 h à 17 h ; de mai à octobre de 10 h à 12 h et de 14 h à 18 h ; hors saison : groupes sur rendez-vous
Accès : entrée sud-est de Chartres par D939, près du cimetière Saint-Chéron

Château de Frazé ★ ★

Frazé

Créé au début de ce siècle en remplacement d'un parc médiocre, ce jardin témoigne du renouveau qu'il y eut alors pour le jardin dit « à la française ». Il a été conçu pour s'adapter aux formes des bâtiments, des terrasses et des bois qui l'entourent. Massifs réguliers entourant des pelouses, massifs fleuris bordés de buis et ponctués d'ifs, de houx taillés, de statues, vases, pots à feu et broderie en forme de fleur de lys se succèdent jusqu'aux prairies et à la vue sur la vallée.   M.N.

Adresse : château de Frazé, 28160 Frazé
Propriétaire : propriété privée
Ouverture : de Pâques au 30 septembre, dim. et fêtes de 15 h à 18 h, tél. : 37.29.56.76
Accès : 40 km au sud-ouest de Chartres par D921 et à 13 km d'Illiers-Combray par D124

Château d'Houville ★ ★ ★

Houville-la-Branche

Un jardin de marais. Créé en 1956 par Mme de Nervo avec une inspiration étonnante, ce jardin de 7 ha s'était endormi et M. et Mme Viel-Castel ont dû se battre contre ronces et orties pour le reprendre en main.

Devant le château du XVIIe siècle, s'étend un tapis vert pour la promenade des yeux, à perte de vue. On peut bien y faire quelques pas, mais les frondaisons encadrant la pelouse sont si imposantes que vous aurez l'impression de rapetisser en vous aventurant dans cette direction. Comment deviner que sous la pelouse impeccablement taillée passe le secret du jardin, son fil conducteur ? Insoupçonnable, un passage voûté a été construit pour laisser couler la Branche, une petite rivière qu'il faut longer, traverser par de petits ponts de bois, quitter et retrouver. Toutes les promenades vont dans la même direction, le long de la rivière, parmi les végétaux rares et raffinés mais chacune offre des séquences originales, des jeux d'ombres et de lumière : une

Houville.

allée de peupliers, bien droite, un sentier au bord du ruisseau le long duquel se mélangent les formes, les couleurs et les odeurs, un petit groupe d'ifs sculptés et une coulée ensoleillée de gazon bordée d'arbustes. Autour de ce contrepoint végétal de la rivière, se déploie un enchevêtrement de fleurs printanières — *Viburnum carlesi* odorant, *Viburnum mariesi* aux larges ombelles blanches, cytises jaunes, arbres de Judée mauves, cerisiers japonais, rosiers anciens, tout donne une impression de liberté et de spontanéité. Les feuilles géantes et les crosses troublantes de *Gunnera manicata*, dont le port évoque une sorte de rhubarbe préhistorique, introduisent à de nouveaux espaces. Entre l'humidité du sol et le couvert des arbres l'atmosphère s'épaissit, devient moite, pour le plus grand bonheur des plantes de marais, aux éclats surprenants en été : *Iris kaempferi*, lysimaque, *Hosta, Rodgersia*...   D.L.-M.R.

Adresse : château d'Houville,
28700 Houville-la-Branche
Propriétaire : Mme J. de Viel-Castel
Ouverture : aux spécialistes, sur demande écrite
Accès : 20 km de Chartres

Le Pré Catelan, dit jardin « Marcel Proust »   ★ ★

Illiers-Combray

« Le parc de Swann ». Au siècle dernier, l'oncle de Proust, M. Amiot, décidait de créer un jardin pour lui-même et pour les habitants d'Illiers (le Combray de « A la recherche du temps perdu »). C'est tout un univers en miniature qu'il établit à la jonction du plateau céréalier et de la vallée du Loir (la Vivonne de « A la recherche... »). Il parsema son jardin de petites fabriques, accrochées au coteau, comme la curieuse maison des Archers, mi-pavillon mi-grotte, ou ponctuant la serpentine aquatique dérivée du Loir. L'une d'elles, petite tour aujourd'hui dangereusement penchée, témoigne par son style de l'admiration que portait l'oncle Amiot à l'Algérie. Elle voisinait autrefois avec des palmiers nains. Ce jardin inspira Proust qui en fit le « parc de Swann ».

Aujourd'hui, il est classé « site protégé ». Mais, peu à peu banalisé, notamment par l'introduction d'espèces incongrues, il perd progressivement de sa personnalité encore si attachante. Courez-y vite avant que le souvenir de Proust ne s'en échappe à jamais.

J.W.

Adresse : le Pré-Catelan, rue des Vierges, 28120 Illiers-Combray
Propriétaire : Commune d'Illiers-Combray, tél. : 37.24.00.05
Ouverture : permanente, visites libres
Musée M. Proust (tous les après-midi sauf mar.)
Accès : 25 km au sud-ouest de Chartres par D921, à l'ouest du centre ville

La rivière serpentine dérivée du Loir. Le Pré-Catelan.

Château de Maintenon ★ ★

Maintenon

Derrière ses murs étanches qui l'isolent de l'agitation du bourg, le château de Maintenon contemple à tout jamais l'aqueduc inachevé de Vauban, image d'un rêve impossible. Dès 1676, Le Nôtre travailla à Maintenon, canalisa l'Eure pour permettre l'acheminement des matériaux nécessaires à la construction de l'aqueduc qui devait alimenter le parc de Versailles. Il composa alors la pièce d'eau puis les parterres, pour la marquise de Maintenon. Réinterprétés fin XIXᵉ par Achille Duchêne, les parterres aujourd'hui se déploient, sobres et majestueux, devant le château. Au-delà, le regard glisse sur le miroir d'eau vers les arches qui s'échappent du cadre boisé. C'est sans doute cela le charme insolite de Maintenon : cette juxtaposition du romantisme qui se dégage des ruines de l'aqueduc et du classicisme de la composition d'ensemble, plane et lumineuse.

Car, ici, nulle autre surprise ne vous attend ; l'espace s'offre d'emblée, dans de justes proportions. Mais le jeu de l'eau et de la lumière anime sans cesse ce jardin à la fois paisible et tourmenté.

J.W.

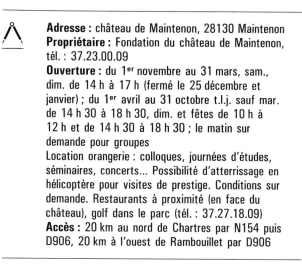

Adresse : château de Maintenon, 28130 Maintenon
Propriétaire : Fondation du château de Maintenon, tél. : 37.23.00.09
Ouverture : du 1ᵉʳ novembre au 31 mars, sam., dim. de 14 h à 17 h (fermé le 25 décembre et janvier) ; du 1ᵉʳ avril au 31 octobre t.l.j. sauf mar. de 14 h 30 à 18 h 30, dim. et fêtes de 10 h à 12 h et de 14 h 30 à 18 h 30 ; le matin sur demande pour groupes
Location orangerie : colloques, journées d'études, séminaires, concerts... Possibilité d'atterrissage en hélicoptère pour visites de prestige. Conditions sur demande. Restaurants à proximité (en face du château), golf dans le parc (tél. : 37.27.18.09)
Accès : 20 km au nord de Chartres par N154 puis D906, 20 km à l'ouest de Rambouillet par D906

Champromain ★ ★ ★

Thiville

Un joyau en Beauce. Au cœur du Dunois, Champromain étend son domaine, oasis boisée conçue à la fois pour l'exercice de la chasse et pour le plaisir des yeux.

De l'histoire des jardins de Champromain, nous savons peu de choses ; sans doute furent-ils créés entre 1751, année de l'acquisition des terres par Claude le Sénéchal, conseiller au parlement, qui fit alors construire la gentilhommière, et 1761, date figurant sur un plan dressé par P. Guillois. Plus de deux siècles se sont écoulés, mais le tracé des jardins est resté étonnamment identique à ceux figurant sur ce plan. Et Champromain, défiant le temps, vous propose aujourd'hui une promenade à la fois champêtre et raffinée, vous offrant tous les délices d'une composition classique d'un jardin du XVIIIᵉ siècle.

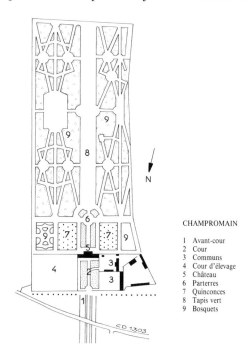

CHAMPROMAIN

1 Avant-cour
2 Cour
3 Communs
4 Cour d'élevage
5 Château
6 Parterres
7 Quinconces
8 Tapis vert
9 Bosquets

Le charme de Champromain s'opère dès la solennelle allée d'accès qui lie le château aux champs beaucerons, puis s'impose définitivement dès que vous débouchez sous les quinconces de tilleuls où la foule ordonnée des troncs, la taille régulière des ramures évoquent l'atmosphère d'une crypte. D'un côté, la ligne lumineuse des parterres soulignés d'un trait sombre de buis vous attire ; mais de l'autre, des percées en patte d'oie vous annoncent une promenade dans un réseau complexe d'allées et de salles de verdure. Allez où bon vous semble : Champromain se parcourt en tous sens, multiplie les contrastes. Vous croiserez plus d'une fois l'allée verte centrale qui mène au château, rassurante après le dédale ombreux des allées des bosquets.

Et ne quittez pas Champromain sans avoir jeté un coup d'œil aux « promenades », ensemble surprenant de canaux plantés de tilleuls, autrefois lieux de pâtures. J.W.

Adresse : Champromain, 28200 Thiville
Propriétaire : Mme de Beaumont
Ouverture : sur demande, tél. : 37.45.38.13
Accès : à 6 km de Châteaudun

Château de Villeprévost ★★

Tillay-le-Peneux

Un jardin-axe. Si vous avez le regard épris de liberté et de lumière, embarquez-vous tel un marin sur l'océan beauceron. Votre voyage sera scandé par l'alternance d'un paysage plat, abstrait, presque sans limites, et de petits villages silencieux où de longs murs de pierres ramènent presque obstinément votre regard droit devant vous. Vous arrivez à Villeprévost, aux confins de cette Beauce où le ciel et la terre dialoguent continuellement. Le parc qui vous attend est à l'image de son terroir, de ce jeu permanent entre l'infini et les limites. Le temps s'écoule interminablement en Beauce. A Villeprévost, il s'est arrêté. Le parc, en dépit d'un abandon au XIX siècle, se présente aujourd'hui tel qu'il était après sa conception vers 1760. Sobre et rigoureux, il s'accorde avec le plateau beauceron, il en exprime la quintessence.

Comme il y a des villages rues, il y a des jardins axes : Villeprévost est de ceux-là. C'est une ligne toute droite qui vous conduit de l'entrée à la cour d'honneur, puis traverse la demeure, incise la masse boisée du parc entièrement clos de murs, pour finir par se perdre dans le ciel. On dit à Villeprévost que Charles le Juge fit concevoir ce parc, vers 1756, de telle manière que le soleil se couchât toujours dans l'axe le soir du 15 août, jour de la fête de sa femme Marie.

Vers 1790, Armand François Fougeron devint propriétaire ; huit ans après, il procédait dans les caves de sa demeure à l'interrogatoire de la bande des

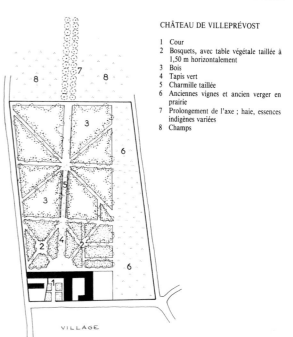

CHÂTEAU DE VILLEPRÉVOST

1 Cour
2 Bosquets, avec table végétale taillée à 1,50 m horizontalement
3 Bois
4 Tapis vert
5 Charmille taillée
6 Anciennes vignes et ancien verger en prairie
7 Prolongement de l'axe ; haie, essences indigènes variées
8 Champs

VILLAGE

Chauffeurs d'Orgères. Depuis, ses descendants n'ont pas quitté Villeprévost. Et chaque 15 août, il est de tradition chez les Fougeron de regarder le soleil se coucher au bout de l'axe, cadré au premier plan par l'horizontale des étonnants bosquets taillés à 1,20 m d'où s'échappent les fûts des arbres du parc. J.W.

Adresse : château de Villeprévost, 28140 Tillay-le-Peneux
Propriétaire : M. Fougeron, tél. : 37.99.45.17
Ouverture : de mai à octobre, sam. et jours fériés de 10 h à 12 h et de 14 h à 18 h 30 ; dim. de 14 h à 18 h 30 ; en semaine et hors saison sur rendez-vous ; visites-conférences par les propriétaires
Accès : à 30 km au nord d'Orléans par N20, à Artenay puis prendre direction Orgères-Loigny-la-Bataille

Abbaye Notre-Dame-de-l'Eau ★★

Ver-lès-Chartres

Quelques vestiges de l'abbaye du XIII siècle parsèment ce jardin romantique créé en 1970 par Anita Péreire dans la tradition anglaise avec bordures florales, pergolas, rocailles, jardin d'ombre, plantes couvre-sol et jardin de plantes argentées. M.R.

Adresse : abbaye Notre-Dame-de-l'Eau, 28630 Ver-lès-Chartres
Propriétaires : M. et Mme Péreire
Ouverture : un dim. par mois, de mai à septembre, ou sur demande écrite, se renseigner à l'office du tourisme de Chartres, tél. 37.21.54.03

INDRE 36

Château d'Azay-le-Ferron ★ ★ ★

Azay-le-Ferron

Accord parfait. Situés à la charnière entre Berry et Touraine, jouxtant une des régions naturelles les plus attachantes, la Brenne et ses innombrables étangs, les jardins du château d'Azay-le-Ferron sont à l'image de ses bâtiments : une juxtaposition de styles qui s'enchaînent avec bonheur les uns aux autres. A l'ordonnance régulière des parterres de broderies évoquant la période Renaissance du château, répondent les lignes souples et les masses libres de l'ample parc du XIXᵉ siècle. Là, quelques arbres remarquables subsistent encore de l'ancien jardin régulier des XVIIᵉ et XVIIIᵉ siècles, dont le « chêne d'Humières », une des personnalités ligneuses de ce jardin. Entre les parterres et le verger, une étrange population de topiaires d'ifs, aux formes géométriques extravagantes inspirées de celles très en vogue dans les jardins anglais, monte la garde.   J.W.

Adresse : château d'Azay-le-Ferron,
36290 Azay-le-Ferron
Propriétaire : Ville de Tours
Ouverture : d'avril à septembre, de 10 h à 12 h et de 14 h à 18 h t.l.j. sauf mar. ; octobre et mars, de 10 h à 12 h et de 14 h à 17 h les mer., sam., dim. et jours fériés ; de novembre à février, de 10 h à 12 h et de 14 h à 16 h 30 les mer., sam., dim. et jours fériés ; fermé les 1er et 11 novembre, le 25 décembre et le mois de janvier ;
tél. : 54.39.20.06. Ou musée des Beaux-Arts, 18, place F.-Sicard, 37000 Tours,
tél. : 47.05.68.73
Accès : à 59 km à l'ouest de Châteauroux, à 17 km au sud de Châtillon-sur-Indre par D975

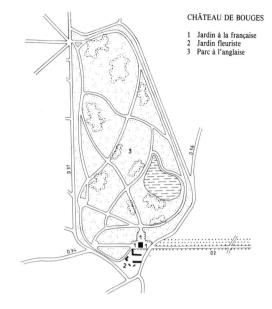

CHÂTEAU DE BOUGES

1   Jardin à la française
2   Jardin fleuriste
3   Parc à l'anglaise

Château de Bouges ★ ★ ★

Bouges-le-Château

Trois jardins en un. Prévoyez une bonne demi-journée si vous voulez savourer les plaisirs qui vous attendent à Bouges ! Bâti en 1760 à l'emplacement de l'ancien château fort, le bâtiment sobre et élégant autour duquel s'articulent les jardins appartint à divers propriétaires privés — dont Talleyrand — avant de revenir en 1967 à la Caisse nationale des Monuments historiques et des Sites. Mais il reste empreint de l'atmosphère raffinée du XVIIIᵉ siècle qui le vit naître et avec lui ses jardins redessinés au XIXᵉ.

Une longue allée doublement plantée de platanes et de marronniers, sombre et majestueuse, s'allonge devant la façade principale de la demeure construite sur une terrasse ornée de balustres. Là s'organise un jardin régulier minutieusement entretenu, comportant allées de tilleuls taillés, parterres de broderies de buis, long tapis vert et topiaires. A cet univers organisé de végétaux tous taillés répond, en contrepoint, celui du parc splendide qui l'enveloppe. Des arbres plus que centenaires s'y déploient librement, dans une composition ample et parfaitement équilibrée. Un étang joue avec les reflets colorés des diverses essences qui le bordent ; au loin, la silhouette du château redonne sa mesure à ce vaste paysage, où tous les bouquets d'arbres composent un arboretum savamment organisé pour l'automne.

Mais avant de quitter Bouges, traversez la cour des communs, une surprise vous attend : dans l'intimité et le secret de ses murs, un petit jardin bouquetier régulier d'inspiration médiévale, gorgé de fleurs servant à décorer les pièces du château, vous propose une dernière halte.   J.W.

Azay-le-Ferron.

Le parterre de broderies. Bouges.

elle devait, tout le long de sa vie, agrandir son domaine. Elle créa un « rosarium », replanta le verger et modifia certains endroits dans le style paysager (petit lac, bosquets des tombeaux mérovingiens). Mais ce qui fut essentiel, quoique peu perceptible aujourd'hui, c'est l'enrichissement en espèces végétales indigènes et exotiques que cette botaniste passionnée apporta à son jardin. Elle acclimata ainsi aussi bien des plantes sauvages glanées aux environs que des fleurs plus précieuses ramenées de ses voyages. Les grands cèdres devant la maison furent plantés à l'occasion de la naissance des deux enfants de George Sand. Il serait souhaitable que le projet de restauration envisagé redonne au parc sa richesse botanique, tout en conservant ce charme très particulier des « jardins d'écrivains ».

M.M.

Adresse : château de Bouges,
36560 Bouges-le-Château
Propriétaire : C.N.M.H.S., tél. : 54.35.88.26
Ouverture : du 1er avril au 30 juin et du 1er au 31 octobre t.l.j. sauf le mar. de 10 h à 12 h et de 14 h à 18 h ; du 1er juillet au 30 septembre t.l.j. sauf mar. de 9 h à 12 h et de 14 h à 18 h ; du 1er novembre au 30 mars, sam. et dim. de 14 h à 17 h ; fermé du 1er décembre au 15 février.
Accès : à 25 km au nord de Châteauroux par D956, à 9 km au nord-est de Levroux

---

Adresse : domaine national de George Sand,
36400 Nohant-Vic
Propriétaire : l'État, tél. : 54.31.06.04
Ouverture : du 1er octobre au 31 mars, de 10 h à 12 h 15 et de 14 h à 16 h 30 ; du 1er avril au 30 juin, de 9 h à 12h 15 et de 14 h à 18 h 30 ; du 1er juillet au 30 septembre, de 9 h à 12 h 30 et de 13 h 30 à 19 h ; fermé les 1er janvier, 1er mai, 1er et 11 novembre, 25 décembre
Accès : à 30 km au sud-est de Châteauroux par la N143, à 6 km nord de La Châtre

---

Domaine de George Sand ★★

Nohant-Vic

Le jardin de George Sand. Nohant forme un tout : l'accès par la petite place et sa vieille église, la gentilhommière bourgeoise et ses communs ne peuvent être dissociés de leur environnement végétal et paysager. Des fenêtres de la cuisine rustique, de la fameuse « chambre bleue » du premier étage ou encore de l'atelier de Maurice, le fils de George Sand, on découvre d'abord les traces d'un jardin, presque à l'abandon, et en même temps les horizons et les vallonnements de ce territoire si spécifique : la Vallée Noire. Sommes-nous d'ailleurs si loin aujourd'hui de ce qu'écrivait Théophile Gautier : « Je suis arrivé à Nohant... L'endroit est très solitaire quoique sur le bord de la route. La maison, demi-château, a bonne figure avec ses lierres et ses vieilles murailles grises au milieu d'un vaste enclos moitié parc, moitié jardin. » Ce jardin « intime » (au sens du journal intime), où flotte encore la présence poétique de la « bonne dame » et de ses hôtes, juxtapose sur une modeste étendue plusieurs « scènes » agrestes : le jardin fleuriste, le verger, la prairie, le bois et le cimetière. L'écrivain, quand elle hérita de sa grand-mère Dupin de Francueil, conserva le « bois » qui correspondait au jardin régulier planté à la fin du XVIIIe siècle par Péarron de Serennes ;

Château de Valençay ★★

Valençay

Du haut de sa butte, le château Renaissance a fière allure. Mais les abords ont aussi leur importance et mériteraient plus d'égards, tant au sud, au pied des terrasses, qu'au nord le long de l'avenue majestueuse. L'arrivée au château et sa mise en scène avec l'avenue et la succession de trois cours, la cour d'entrée, la cour-jardin puis la cour-terrasse, est en effet l'une des curiosités de Valençay. Le charme du parc dessiné par les frères Bühler tient à la présence de nombreux animaux en liberté. Au sud, on appréciera la beauté du verger dont on peut acheter les fruits.

M.R.

Adresse : château de Valençay, 36600 Valençay
Propriétaire : Association départementale de gestion du château de Valençay, tél. : 54.00.10.66
Ouverture : du 1er mars au 31 novembre, t.l.j. de 9 h à 12 h et de 14 h à 18 h ; de mi-juin à mi-septembre, t.l.j. de 9 h à 19 h ; fermé en décembre, janvier, février
Boutique, musée de l'automobile ; parc animalier ; spectacles en été
Accès : à 50 km au sud de Blois par D956, à 30 km au sud-ouest de Romorantin

Pagode de Chanteloup ★

Amboise

Un bijou dans le marais. Plantée aujourd'hui au milieu d'un paysage pour pêcheurs à la ligne, la pagode de Chanteloup reste un précieux témoignage de l'un de ces jardins anglo-chinois qui ont fleuri en France dans le dernier quart du XVIIIe siècle.

Après la démolition du château en 1823 et malgré quelques tentatives récentes pour dégager les fossés entourant le grand canal, le jardin et l'ancienne pièce d'eau se sont peu à peu ensauvagés au point d'en devenir illisibles. Restaurés par Édouard André en 1910, la pagode et ses abords immédiats ont été à nouveau oubliés. Édifiée en 1775 par l'architecte Camus pour le duc de Choiseul, cette surprenante construction inspirée de celle de Kew à Londres (1757) occupait le point central d'un jardin placé devant le château. Composé, d'un côté de l'axe central, d'un jardin anglo-chinois avec rivière serpentine et labyrinthe d'allées, de l'autre d'un potager, ce jardin se poursuivait par une pièce d'eau en demi-lune et un grand canal destinés à refléter la pagode. Des allées rayonnantes convergeaient vers cette merveille destinée à être vue de toute part. Qu'attend-on pour lui refaire son écrin ?   M.R.

La pagode de Chanteloup (1775).

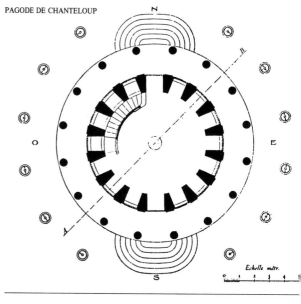

PAGODE DE CHANTELOUP

Echelle métr.

Adresse : pagode de Chanteloup, 37400 Amboise
Propriétaire : Société civile de la pagode de Chanteloup. Responsable : Mme Legoupil, tél. : 47.57.20.97
Ouverture : du 1er dim. du printemps au 30 septembre, t.l.j. de 10 h à 19 h ; du 1er octobre au 11 novembre, week-end et jours fériés de 14 h à 18 h
Accès : à 3 km au sud-ouest d'Amboise par D31, dans la forêt d'Amboise

Le Clos-Lucé

Amboise

Inspiré de gravures de la Renaissance, le jardin du Clos-Lucé se compose d'un parterre au dessin géométrique très simple. La terrasse, plantée, comme au temps de Léonard de Vinci, de cyprès et de pins, offre une belle vue sur Amboise. C'est ici, sous la lumière de Touraine qu'il comparait à celle de sa Toscane natale, que Léonard vécut les dernières années de sa vie. A.R.

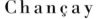

Adresse : le Clos-Lucé, 37400 Amboise
Propriétaire : Famille Saint-Bris. Contact :
M. Césari, tél. : 47.57.62.88
Ouverture : t.l.j., de 9 h à 12 h 30 et de 14 h
à 19 h (en continu du 1ᵉʳ juin au 30 septembre) ;
fermé le 25 décembre et en janvier
Collection de maquettes et projections audiovisuelles
sur Léonard de Vinci
Accès : à 2 km à l'est de la ville

Jardins de Valmer ★ ★ ★

Chançay

Terrasses en campagne. Lorsque vous arriverez à Valmer, vous chercherez peut-être le point d'aboutissement de l'axe qui monte de la longue allée plantée de marronniers aux jardins. En vain : le château qui commandait toute la composition a brûlé en 1948. Il n'en subsiste que le socle. En revanche, le parc et les jardins se présentent à vous aujourd'hui avec leur plan et leur structure d'origine. Créés de 1645 à 1690 sous l'impulsion de leur propriétaire, Thomas Bonneau, conseiller du Roi, ils défièrent les modes et le temps. Calés sur un éperon dominant la vallée de la Brenne, quatre niveaux s'étagent en terrasses selon deux directions, balcons successifs sur les champs et les collines griffées de vignoble de Vouvray. Tout en bas, un potager clos de murs

Valmer.

s'ordonne de manière classique autour d'un bassin central ; puis se superposent les terrasses de « Léda », du « Vase de Lorraine », des « Fontaines Florentines », et enfin la terrasse supérieure. Centrée sur une colonne provenant de Chanteloup (trois autres, similaires, sont disséminées dans le parc), elle supporte un très curieux ensemble de charmilles taillées, délimitant des salles vertes, et s'adosse au parc percé d'allées droites, peuplé de beaux chênes.
Enveloppé dans ses murs mais regardant par-dessus, Valmer a su depuis toujours accorder l'élégance discrète de ses jardins à la douceur du paysage. J.W.

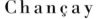

Adresse : jardins de Valmer, 37210 Chançay
Propriétaire : Mme de Saint-Venant
Ouverture : 3ᵉ dim. de mai à octobre de 10 h à
12 h et de 14 h à 19 h ; groupes toute l'année sur
rendez-vous, tél. : 47.52.93.20 et 47.52.93.12
Accès : à 15 km au nord-est de Tours et à 5 km
de Vouvray

Chenonceaux.

Château de Chenonceaux ★ ★ ★

Chenonceaux

Miroirs de deux rivales. La découverte du château et des jardins au bord du Cher après la longue allée soigneusement nivelée sur un talus était déjà célèbre au XVIᵉ siècle. Cet axe permettait de découvrir à la fois la grande terrasse de Diane de Poitiers, le château, la galerie-pont sur le Cher et les jardins de Catherine de Médicis situés, l'un à l'ouest de la cour d'honneur, l'autre sur la rive sud (ce dernier a presque disparu).
Autour du château qu'elle avait reçu en cadeau du roi Henri II, Diane de Poitiers commença un jardin en 1551. Bâtie sur la rive nord du Cher, cette « levée », une terrasse suspendue protégée des inondations par une trame de bois, un mur de pierre et un fossé, fut plantée de nombreux arbres fruitiers

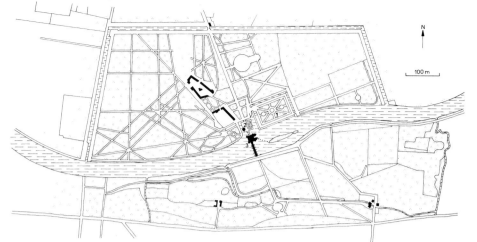

1   Jardin de Diane de Poitiers
2   Jardin de Catherine de Médicis
3   Château

(poiriers, pruniers, cerisiers, mûriers blancs), de légumes et de quelques rares fleurs (roses, lys et violettes). Au centre, le jet d'eau de 6 m de haut qui jaillissait d'un « petit caillou d'un demi-pied environ, avec un trou d'un pouce et demi de diamètre et fermé d'une cheville de bois » était alors une nouveauté, « une belle et plaisante invention ». Aujourd'hui planté d'un simple gazon orné d'élégantes broderies de santoline et ponctué d'ifs taillés, ce jardin, de même que le petit jardin de Catherine de Médicis, offre une admirable promenade.   M.R.

 Adresse : château de Chenonceaux, 37150 Chenonceaux
Propriétaire : famille Menier, tél. : 47.23.90.07
Ouverture : la visite des jardins fait partie intégrante de la visite du château
Ouvert t.l.j., du 16 mars au 15 septembre, de 9 h à 19 h ; du 16 au 30 septembre, de 9 h à 18 h 30 ; du 1er au 31 octobre, de 9 h à 18 h ; du 1er au 15 novembre, de 9 h à 17 h ; du 16 novembre au 15 février, de 9 h à 16 h 30 ; du 16 au 29 février, de 9 h à 17 h 30 ; du 1er au 15 mars, de 9 h à 18 h
Expositions de peinture en saison ; promenade en barque sur le Cher ; son et lumière (été)
Accès : à 25 km à l'est de Tours par N76, à 7 km à l'est de Bléré par D40

Château de Langeais ★ ★

Langeais

Un jardin belvédère. Un petit jardin charman se cache derrière l'austère façade que présente le château de Langeais côté village. Succédant à Achille Duchêne, Louis Hautecœur a restitué sur la terrasse qui amorce le promontoire, sur lequel se développen jardin puis parc, une composition sobre et judicieuse inspirée du livre d'heures d'Anne de Bretagne. Cale entre le château (XVe siècle) et le donjon de Foulque Nerra (XIe), le jardin s'est emparé de la vue sur la Loire et le village, profitant de sa position surélevée. C'est ainsi qu'en dépit de ses dimensions réduites i vous offre tout à la fois intimité et ouverture. L'ensemble donne avec une grande élégance la réplique à la façade du château.   J.W

 Adresse : château de Langeais, 37130 Langeais
Propriétaire : Institut de France, tél. : 47.96.72.60/63.96
Ouverture : t.l.j. sauf lun. du 15 mars au 2 novembre, de 9 h à 18 h 30 ; du 3 novembre au 14 mars, de 9 h à 12 h et de 14 h à 17 h. Point de vente. Expositions au château
Accès : centre bourg, 23 km à l'ouest de Tours par N152

Langeais.

Prieuré Saint-Cosme ★

La Riche

La mémoire du poète. C'est ici, tout au bord de la Loire, que Ronsard demeura et écrivit à partir de 1565. Le site est empreint de son souvenir, et l'i témoin des trente années de son séjour veille encore sur le jardin et garde ses secrets. Un fleurissemen peut-être trop zélé émaille le petit jardin dont le pouvoir évocateur et le sobre dessin s'accordent pe aux chocs colorés des plates-bandes.   J.W

Adresse : prieuré de Saint-Cosme, avenue Proudhon, 37000 La Riche
Propriétaire : Conseil général d'Indre-et-Loire, tél. : 47.37.32.70
Ouverture : du 15 mars au 30 septembre, t.l.j. de 9 h à 12 h et de 14 h à 18 h ; du 1er juillet au 31 août, t.l.j. de 9 h à 18 h ; du 1er octobre au 14 mars, de 9 h à 12 h et de 14 h à 17 h sauf le mer. Dernière visite 15 mn avant fermeture du monument ; fermé décembre et janvier
Accès : 3 km à l'ouest de Tours sur le bord de la Loire

Parc de Richelieu ★★

Richelieu

Une évocation. Dans cette petite vallée du Mable, à l'écart de tout, le cardinal de Richelieu fit bâtir sa ville et son château, expressions d'un pouvoir qui s'était solidement établi. Strictement géométrique, inscrite dans un rectangle, la ville donnait la main au château et à son parc. On ne peut dissocier les deux, construits ensemble au milieu du XVIIe siècle par Lemercier, architecte de Richelieu, selon des schémas d'ordre et de symétrie semblables. Aujourd'hui le petit bourg clos a conservé une atmosphère un peu figée et surannée, mais tenace. Et le château a disparu avec ses jardins. Cependant, les traces de ce qui fut un des jardins les plus grandioses avant Versailles ont gardé un pouvoir évocateur puissant. Structures indélébiles, les grandes allées bordées de platanes centenaires donnent la mesure de ce qu'était la composition, tout comme les douves qui cernaient le château, les fossés, les deux pavillons-grottes qui encadraient la demi-lune de parterres de broderies.
A Richelieu, jardin truffé de farces hydrauliques, l'eau bruissait et jaillissait de toutes parts ; la richesse des parterres s'alliait à l'ombre épaisse du parc. Aujourd'hui, seuls les jeux d'ombre et de lumière des arbres et des pelouses, les grands traits des allées et l'ampleur des espaces nous racontent le passé magnifique du lieu. Et il est sans doute dommage que le cœur de ce domaine, l'emplacement du château qui commandait toute la composition ne soit qu'une modeste roseraie...
Au XIXe siècle, les Bülher redessinèrent la partie sud du parc qui offre un riche contraste avec les tracés rectilignes de l'ancien jardin classique. On se prend à rêver à un nouvel avenir pour Richelieu. J.W.

Adresse : place du Cardinal-de-Richelieu, 37120 Richelieu
Propriétaire : Chancellerie des Universités de Paris, tél. : 47.58.10.09

Ouverture : t.l.j. sauf mar., de 10 h à 12 h et de 14 h à 18 h 30
Courses hippiques le 1er dim. de juillet
Accès : à 27 km au nord-ouest de Châtellerault par D749, à 19 km à l'ouest de Loudun par D61

Rigny-Ussé. La terrasse supérieure.

Château d'Ussé ★★

Rigny-Ussé

En balcon. Les terrasses d'Ussé se succèdent sur trois niveaux jusqu'à l'Indre, accrochées au château qui se détache sur le fond sombre du parc romantique. De la terrasse supérieure, la composition du parterre fleuri au dessin classique se déploie tout en longueur. Ornée d'orangers en bacs (dont quelques vénérables du XVIIIe siècle), vivement colorée, cette terrasse d'ornement rappelle en écho le ruban de lumière de l'Indre qui s'étire plus bas. J.W.

Adresse : château d'Ussé, 37420 Rigny-Ussé
Propriétaire : M. de Blacas
Ouverture : du 15 mars au 1er novembre, t.l.j. de 9 h à 12 h et de 14 h à 19 h (18 h en octobre) ; hors saison de 10 h à 12 h et de 14 h à 17 h ; tél. : 47.95.54.05
Artisanat dans l'orangerie, exposition de costumes d'époque en saison
Accès : à 40 km à l'ouest de Tours par D7, rive gauche de la Loire

Château de Rochecotte ★★

Saint-Patrice

Sur un air italien, le charme tourangeau. Talleyrand et sa nièce, la duchesse de Dino, s'éprirent du château XVIIIe qui regardait le Val de Loire du haut de l'éperon boisé auquel il s'adossait. En ce début du XIXe siècle, ils remodelèrent à leur goût le parc et les terrasses. Et depuis, à Rochecotte, flotte un parfum d'Italie harmonieusement mêlé à l'élégance discrète de ce coin de Touraine. Ne vous étonnez donc pas de trouver des cyprès dont les flammes sombres se détachent sur le tuffeau blanc des murs. Plein sud, le jardin répond par ses lignes longues et ses terrasses superposées à la façade étirée du château. C'est une promenade raffinée que vous propose Rochecotte, avec ses parterres simples et verts, impeccablement taillés, sa pergola et son allée couverte bordée de tilleuls. Des surprises vous attendent çà et là, des niches dans le coteau, des bassins aux lignes pures, l'épaisseur de l'ombre du parc puis l'éclatante lumière des parterres. C'est certain : Rochecotte est la séduction même !　　　　　　　　　J.W.

Adresse : château de Rochecotte, 37130 Saint-Patrice
Propriétaire : Mme Pasquier
Ouverture : hôtel-restaurant, visite réservée aux clients de l'hôtel, tél. : 47.96.90.62/91.28
Accès : à 30 km à l'ouest de Tours par N152, à 7 km de Langeais

Jardin botanique ★★

Tours

Fondé en 1843 par M. Margueron, pharmacien, ce jardin comprend notamment quelques très vieux et beaux arbres tels que le Ginkgo biloba, haut de 25 m datant de 1754, ou le *Sophora japonica* planté en 1747 ou encore un *Gleditsia triacanthosa*, un *Magnolia acuminata*, un *Quercus macrocarpa*, un *Cryptomeria japonica*, un grand noisetier de Turquie.
　　　　　　　　　　　　　　　　　　　　M.N.

Adresse : jardin botanique, 33, boulevard Tonnelé, 37000 Tours
Propriétaire : Ville de Tours, tél. : (S.E.V.) 47.21.68.18
Ouverture : t.l.j. de 8 h au coucher du soleil ; serres : mer. et dim. de 14 h à 18 h
Accès : à l'ouest de la ville

Prébendes d'Oe ★

Tours

Pour s'évader. Ce petit jardin de ville, composé en 1857 par les frères Bülher, s'inscrit comme une oasis dans un charmant quartier, au cœur de Tours. Sans doute vous laisserez-vous séduire par la grâce de ses allées courbes, ses beaux arbres habilement disposés, le romantisme de sa pièce d'eau. Un remarquable témoin de l'art des jardins urbains du siècle dernier, planté d'espèces végétales intéressantes.
　　　　　　　　　　　　　　　　　　　　J.W.

Adresse : les Prébendes d'Oe, rue Roger-Salengro, 37000 Tours
Propriétaire : Ville de Tours, tél. : (S.E.V.) 47.21.68.18
Ouverture : t.l.j. de 8 h au coucher du soleil
Accès : au sud-ouest du centre ville

Château de Villandry ★★★★

Villandry

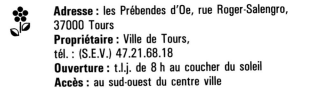

A revoir en toute saison. Connu pour son potager ornemental, Villandry mérite toute l'attention des lieux que l'on croit connaître et qui n'arrêtent pas de nous surprendre.

Tournant le dos à la vallée du Cher et aux vents du nord, enserré à l'est par un coteau boisé, au sud par un grand verger en plan incliné et à l'ouest par le village, les jardins restent largement cachés au visiteur qui arrive au pied du château. Pour avoir, dès le départ, une vue d'ensemble, il faut monter directement sur les hautes terrasses situées à l'est et commencer par une promenade visuelle.

Espagnol né en 1869, Joachim Carvallo fut d'abord un brillant chercheur, médecin et libre-penseur, avant d'acquérir de nouvelles convictions religieuses, sociales et esthétiques que nous retrouverons dans sa création. A partir de 1906, Joachim Carvallo s'engagea dans des travaux gigantesques pour restaurer le château et retrouver la structure du jardin, des douves, bassins et terrasses hérités de la Renaissance et du XVIIIe siècle qui avaient été enfouis sous un parc anglais. Sur chacun des trois niveaux de terrasses il créa un jardin : en bas, le potager inspiré des gravures de jardins du XVIe siècle par Androuet du Cerceau ; au niveau du château, le jardin d'ornement dessiné par Lozano, un artiste espagnol, et, au-dessus, le jardin d'eau dont le grand bassin en forme de miroir réchauffe les eaux nécessaires à l'irrigation de tous les parterres et à l'alimentation des fontaines. Après une vision globale, on pourra découvrir chacune des parties du jardin en déambulant dans les allées ombragées, alignements de tilleuls aux feuilles dorées, treilles rougeoyantes qui les séparent et les surplombent, tranchant en automne sur l'ensemble où domine le vert.

Devant le château, on remarquera l'élargissement vers le sud de la première partie du jardin d'ornement ou « premier salon » qui permet d'en corriger la perspective. Le dessin et les couleurs de chacun des quatre premiers carrés symbolisent une forme d'amour : l'amour tendre (cœurs et masques), l'amour passionné (cœurs brisés et dansant), l'amour volage (cornes et éventails) et l'amour tragique (lames de poignard). Au fond du premier salon, les circulations en diagonale du parterre à croix de Malte, du Languedoc et du Pays basque ont été subtilement conçues pour s'adapter aux lignes des rampes d'accès à la terrasse supérieure.

Planté sur un carré de 1 ha de légumes aux couleurs cernées de petits buis, le potager et ses neuf carrés aux motifs différents constitue le grand spectacle de Villandry, un tour de force permanent nécessitant deux plantations complètes dans l'année, l'une en mars, l'autre en juin. Six jardiniers amoureux de leur métier s'y emploient à plein temps.

Concevoir chaque année deux plans de culture harmonieux par leurs formes, leurs couleurs, éviter l'épuisement des sols, réaliser ces cultures sans la moindre irrégularité, satisfaire l'exigeance des visiteurs, demande une énergie considérable déployée sans relâche par Marguerite Carvallo et son mari, Robert Carvallo, petit-fils du créateur. Tous deux continuent à gérer et embellir l'un des plus remarquables jardins du monde.   M.R.

Adresse : château de Villandry, 37510 Villandry
Propriétaire : M. Robert Carvallo. Renseignements, tél. : 47.50.02.09
Ouverture : t.l.j. en été de 8 h 30 à 20 h ; en hiver de 9 h au coucher du soleil
Boutique, brochures
Accès : à 15 km à l'ouest de Tours par D7, à 10 km à l'ouest de Joué-lès-Tours

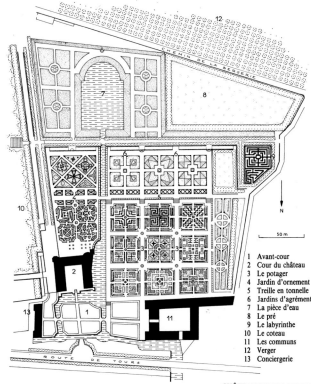

1 Avant-cour
2 Cour du château
3 Le potager
4 Jardin d'ornement
5 Treille en tonnelle
6 Jardins d'agrément
7 La pièce d'eau
8 Le pré
9 Le labyrinthe
10 Le coteau
11 Les communs
12 Verger
13 Conciergerie

CHÂTEAU DE VILLANDRY

Jardin d'amour, jardin d'ornement et jardin potager. Villandry.

Château de Beauregard ★

Cellettes

Au XVIᵉ siècle, le petit jardin de Beauregard se composait de compartiments de broderies centrés sur une fontaine et entourés d'allées couvertes. Aujourd'hui, au-delà de l'allée d'accès rectiligne scandée de buis taillés, c'est un grand parc à l'anglaise qui s'enroule autour du château. Un peu à l'écart, vous découvrirez des jardins encaissés, vestiges du XVIIIᵉ siècle, où poussaient légumes et fruitiers.   J.W.

Adresse : château de Beauregard, 41120 Cellettes
Propriétaire : M. du Pavillon, tél. : 54.70.40.05 ou (1) 47.47.05.41
Ouverture : t.l.j. sauf mer., du 1ᵉʳ octobre au 31 mars, de 9 h 30 à 12 h et de 14 h à 17 h ; t.l.j., du 1ᵉʳ avril au 30 septembre, de 9 h 30 à 12 h et de 14 h à 18 h 30 ; t.l.j., en juillet-août, de 9 h 30 à 18 h 30 ; fermé du 4 janvier au 5 février
Célèbre galerie des portraits et cabinet des grelots
Accès : 8 km au sud-est de Blois par D956 puis D765

Château de Chaumont-sur-Loire ★★

Chaumont-sur-Loire

La situation du parc de Chaumont, tracé à la fin du siècle dernier, est son plus grand atout : il domine la Loire dont la brillance joue avec les troncs et les silhouettes des arbres exotiques. Ses allées aux courbes amples épaulent le château d'allure médiévale, s'organisant sur le plateau en une promenade champêtre. Et vers les écuries, à l'endroit où le parc bien dessiné se laisse aller au naturel, une étrange « fabrique » du XIXᵉ siècle récompense les visiteurs curieux : un système de deux passerelles en ciment imitant des rondins de bois se relaient sur deux niveaux par l'intermédiaire d'un faux arbre creux dans lequel s'enroule un escalier. L'illusion est telle qu'il vous faut toucher le « bois » pour ne pas y croire ; et de l'autre côté du ravin, pourrez-vous démêler le vrai du faux ?...   J.W.

Adresse : château de Chaumont,
41150 Chaumont-sur-Loire
Propriétaire : l'État, domaine national,
tél. : 54.20.98.03
Ouverture : du 1ᵉʳ avril au 30 septembre, de 9 h 15

Pont en rocaille. Chaumont.

à 11 h 35 et de 13 h 30 à 17 h 35 ; du 1ᵉʳ octobre au 31 mars, de 9 h 15 à 11 h 35 et de 13 h 45 à 15 h 45 ; fermé les 1ᵉʳ janvier, 1ᵉʳ mai, 1ᵉʳ novembre, 11 novembre, 25 décembre
Accès : à 20 km au sud-ouest de Blois par N152

Arboretum de la Fosse ★★★

Fontaine-les-Coteaux

De l'amour des arbres. Depuis 1751, plusieurs générations de la même famille ont introduit à la Fosse des milliers de plantes au fur et à mesure de leur découverte en Asie et en Amérique. Alexandre-Sébastien Gérard conseilla l'impératrice Joséphine pour ses plantations à la Malmaison. La continuité de la passion botanique dans la famille Gérard permit à cet arboretum de durer, alors que tant d'autres ont disparu. Dans la vallée du Loir, à mi-chemin entre Vendôme, où Balzac fit ses études, et la Possonnière, maison natale de Ronsard, ce parc de 25 ha s'étend sur un vaste coteau orienté au sud.

De nombreuses allées et clairières soigneusement aménagées sont bordées d'arbres et d'arbustes dont l'intérêt scientifique se double d'un attrait esthétique. Certaines floraisons comme celle des magnolias, des cornus, des rhododendrons, sont spectaculaires au printemps, tandis qu'à l'automne les couleurs des *Parrotia persica*, des *Nyssa sylvatica*, des *Carya ovata*, accompagnent celles des cyclamens de Naples en sous-bois. Parmi les arbres les plus remarquables de la Fosse, citons : *Cedrus libani, Pinus laricio, Pinus strobus, Juniperus drupacea, Cephalotaxus fortunei, Davidia involucrata, Taxus baccata fastigiatia, Quercus dentata, Cedrus brevifolia...*

On admirera également les magnifiques écorces des *Acer griseum et nersii*, des *Prunus serrula et maackii*, des *Betula ermanii et albo-sinensis septentrionalis*, des *Arbutus andrachne et menziesii*.

Contre les bâtiments se plaisent les *Lagerstroemia indica*, les ceanothus, les *Actinidia sinensis et kolomikta*. Au pied des murs ensoleillés se succèdent *Crinum powelii, Amaryllis belladona, Romneyas coulteri et Nerine bowdenii*.

J.G.

Adresse : arboretum de la Fosse, 41800 Fontaine-les-Coteaux
Propriétaire : M. Jacques Gérard, tél. : 54.85.38.63
Ouverture : visites commentées par le propriétaire, du 1er mai au 30 septembre tous les sam., dim. et jours fériés à 14 h 30 et 16 h 30 précises et à 15 h en octobre ; groupes toute l'année sur demande préalable
Accès : à 50 km au nord de Tours, à 15 km à l'ouest de Vendôme par la D917

Abbaye de Pontlevoy ★

Pontlevoy

Un trait d'union au paysage. Simples et sereines, les terrasses du jardin de l'abbaye relient le bâtiment aux champs. Leurs justes proportions s'allient à la façade XVIIIe siècle de la collégiale, dont elles sont contemporaines. Clos au XVe siècle, les jardins se sont ouverts sur la campagne au XVIIIe. Un quinconce de tilleuls apporte sa note d'ombre et d'intimité.

J.W.

Adresse : abbaye de Pontlevoy, place du Collège, 41400 Pontlevoy
Propriétaire : S.C.I. de l'abbaye de Pontlevoy, tél. : 54.32.60.80 (en saison)/50.43 (hors saison)
Ouverture : la visite guidée de l'abbaye comprend la terrasse dominant les jardins ; du 1er avril au 30 juin et en septembre, t.l.j. sauf lun. de 10 h à 12 h et de 14 h 30 à 18 h ; du 1er juillet au 31 août, t.l.j. de 10 h à 18 h. Vente de documents sur l'abbaye
Restaurant dans le village
Accès : à 30 km au sud de Blois par D751 puis D764

Château de Talcy ★★

Talcy

Théâtre d'amours. Talcy, perdu en Beauce, est un lieu d'amours et d'inspiration où planent encore les ombres de Ronsard et d'Agrippa d'Aubigné. Le jardin prend naissance entre les bras de cette attachante demeure seigneuriale, puis se déroule suivant un axe partant de l'entrée en une succession de petites « chambres ». Il finit par s'épanouir en un grand jardin potager composé de carrés ceints de buis, tout clos de murs. Il a été restitué selon les plans du XVIIIe siècle, et doit être restauré pour retrouver tout son caractère.

J.W.

Adresse : château de Talcy, 41370 Talcy
Propriétaire : l'État
Ouverture : du 1er avril au 30 septembre, de 9 h 30 à 11 h 15 et de 14 h à 18 h (sans interruption les week-ends de juillet et août) ; du 1er octobre au 31 mars, t.l.j. sauf mar. de 10 h à 11 h 15 et de 14 h à 16 h 30, tél. : 54.81.03.01
Vente cartes postales, documentation sur le château
Restaurant dans le village
Accès : à 20 km au nord-est de Blois par N152 jusqu'à Mer et 8 km au nord-est de Mer

La Fosse.

LOIRET 45

Parc de Châteauneuf-sur-Loire ★ ★

Châteauneuf-sur-Loire

Un arboretum « ensauvagé ». Le parc de Châteauneuf porte encore toutes les traces de son histoire, les terrasses surplombant le Val de Loire agricole, restes du jardin conçu par Le Nôtre au XVIIᵉ siècle, et l'arboretum de Huillard d'Hérou, un botaniste amateur qui le remodela au XIXᵉ siècle. Mais, hélas, la nature s'est à nouveau emparée du lieu qui manquait d'entretien et les arbres rares de la collection d'Hérou sont peu à peu étouffés. Il y a cependant à Châteauneuf un charme qui se dégage de ce mélange de styles, de cette composition disloquée, du laisser-aller de l'arboretum. Si d'aventure vous longez la Loire, faites-y une halte : au printemps, le spectaculaire fleurissement des rhododendrons arbustifs vous émerveillera ; et c'est à l'automne que les spécimens de l'arboretum se distinguent le mieux. J.W.

Adresse : parc de Châteauneuf-sur-Loire, 45110 Châteauneuf-sur-Loire
Propriétaire : Ville de Châteauneuf-sur-Loire, tél. : 38.58.41.18
Ouverture : permanente, visites libres
Accès : à 28 km à l'ouest d'Orléans par N60, au cœur du bourg

Château de Chevilly ★ ★

Chevilly

De belles allées rectilignes plantées d'arbres vous conduisent solennellement à Chevilly, dont les jardins et le parc s'ordonnent selon un plan classique remodelé au début du siècle. Certains arbres et les statues représentant les cinq continents témoignent de l'âge d'or de Chevilly, le XVIIIᵉ siècle ; et la « salle de bal », sombre cabinet de verdure, a gardé le souvenir des fêtes passées. J.W.

Adresse : château de Chevilly, 45520 Chevilly
Propriétaire : Mme Bazin de Caix
Ouverture : du 1ᵉʳ avril au 1ᵉʳ juillet et du 5 août au 1ᵉʳ novembre, les lun., mar., ven., sam. de 14 h à 17 h, tél. : 38.80.10.10
Accès : à 13 km au nord d'Orléans par N20

Arboretum des Grandes Bruyères ★ ★ ★

Ingrannes

Le jardin arboretum des Grandes Bruyères porte bien son nom : c'est l'une des plus importantes collections de bruyères de France qui vous est présentée, en pleine forêt d'Orléans. Depuis 1970, les allées de

velours vert s'enroulent autour des massifs composés, mélangeant éricacées et autres vivaces, serpentent dans les sous-bois, s'insinuent entre les troncs des pins, bouleaux et chênes, dont elles révèlent la beauté. Au-delà de cette partie du jardin aux accents anglais, le jeune arboretum géographique fait la transition avec la forêt. Et, sur le côté de la maison, un « giardino segretto » en terrasses, avec parterres symétriques, vases, statues et pergola propose aux amoureux du régulier d'autres utilisations des bruyères, puis une collection de roses anciennes et de clématites. Un jardin soigné avec amour et science, enrichi de contrastes harmonieusement agencés.

J.W.

ARBORETUM DES BARRES

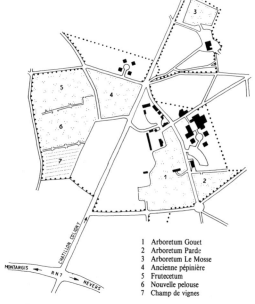

1 Arboretum Gouet
2 Arboretum Parde
3 Arboretum Le Mosse
4 Ancienne pépinière
5 Frutecetum
6 Nouvelle pelouse
7 Champ de vignes

Adresse : arboretum des Grandes Bruyères, 45450 Ingrannes
Propriétaire : M. Bernard de La Rochefoucauld
Ouverture : un dim. par mois d'avril à novembre et sur demande préalable, tél. : 38.57.12.61
Accès : à 25 km au nord-est d'Orléans

Arboretum des Barres

★ ★ ★ ★

Nogent-sur-Vernisson

Amoureux des arbres, amateur de curiosités naturelles, botaniste éminent, vous avez rendez-vous à l'Arboretum national des Barres. A mi-chemin entre Gien et Montargis, l'une des plus riches collections mondiales d'arbres et d'arbustes vous dévoilera d'étonnants spécimens. La célèbre famille de Vilmorin est à l'origine de l'arboretum : propriétaire du domaine des Barres depuis 1821, Ph. A. de Vilmorin commença à introduire certaines espèces exotiques. Puis, à partir de 1873, l'arboretum fut créé petit à petit par des forestiers et les descendants des Vilmorin. Il est aujourd'hui propriété de l'État et présente sur 36 ha 2 700 espèces regroupées géographiquement ou par familles botaniques.

A gauche : Erica australis. Les grandes bruyères.

Ci-dessous : Un « monument végétal » : les Barres.

Pages suivantes : Picea glauca « Albertiana ». Les Barres.

Quatre itinéraires vous sont proposés, que vous choisirez selon votre humeur : un circuit conduit de continent en continent, à travers les collections géographiques, un autre traverse des bouquets d'essences forestières, un troisième entraîne dans le fruticetum, merveilleuse collection d'arbustes et de lianes, et le dernier étonnera avec de grands arbres de parcs parfois monumentaux, et une collection de cultivars aux formes étranges.

Cette incursion au royaume des arbres vous laisse un souvenir tenace : la puissance de certains sujets force l'admiration ; l'insolite côtoie le majestueux ; le botaniste se régale et le profane s'adonne au plaisir des formes et des couleurs. Vous y viendrez en toute saison car, si l'automne y est splendide — plus que nulle part ailleurs —, l'hiver et ses floraisons discrètes et parfumées d'arbustes, le printemps éclatant et l'été sombre et opulent métamorphosent successivement l'ambiance de cette promenade à la fois savante et splendide.   J.W.

Adresse : arboretum des Barres, 45290 Nogent-sur-Vernisson
Propriétaire : l'État, ministère de l'Agriculture. Responsable : M. Durand, tél. : 38.97.60.20
Ouverture : hors saison, en semaine de 14 h à 18 h, et t.l.j. du 15 mars au 15 novembre, de 10 h à 12 h et de 14 h à 18 h
Bibliothèque botanique
Accès : à 15 km au sud de Montargis par N7 puis D41 vers Châtillon-Coligny

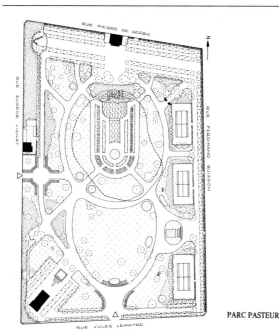

PARC PASTEUR

Parc Pasteur   ★

Orléans

Frôlant le centre ville, ce parc du début du siècle propose une halte-promenade agréable, parmi une collection intéressante d'arbres et d'arbustes divers.

Des statues accompagnent vos pas, qui vous mèneront irrésistiblement au cœur du jardin : le bassin de la « Source humaine », sculpture-fontaine de Félix Charpentier.   J.W.

Adresse : parc Pasteur, rue Pierre-Ier-de-Serbie, 45000 Orléans
Propriétaire : Ville d'Orléans, tél. : 38.42.22.22
Ouverture : t.l.j. de 7 h 30 ou 8 h au coucher du soleil (20 h en été) ; jeux pour enfants, petit train, guignol, buvette
Accès : près de la gare

Jardin des Plantes   ★

Orléans

Déjà au XVIIe siècle le « jardin des apothicaires » d'Orléans faisait parler de lui. Déplacé, devenu « jardin botanique » puis « jardin des plantes » au XXe siècle, il est de nos jours à la fois un lieu de collections (roses, plantes vivaces, plantes de serre) et un jardin public vivant. Il s'insinue dans la ville, en une composition tout en longueur qui aboutit à la roseraie (créée en 1956). Les serres et l'orangerie, construites au siècle dernier, accompagnent d'un bout à l'autre les parterres sobres.   J.W.

Adresse : Jardin des plantes, route de Saint-Mesmin, 45000 Orléans
Propriétaire : Ville d'Orléans, tél. : (jardin) 38.42.24.04
Ouverture : t.l.j. de 7 h 30 ou 8 h au coucher du soleil (20 h en été)
Accès : au sud de la ville

Parc floral de La Source   ★ ★ ★

Orléans

Au royaume des plantes. Depuis 1964, le parc floral vous offre une exposition horticole permanente sous forme de promenades colorées aux ambiances variées. L'éclat des parterres de fleurs, vivaces ou annuelles, s'allie au charme des jardins de graminées ou de plantes aromatiques et font ressortir çà et là les silhouettes étranges de certaines variétés d'arbres. Chaque saison est honorée : les collections d'iris et les bulbes du sous-bois accueillent le printemps, puis les roses et bégonias célèbrent l'été, cédant la place aux chrysanthèmes à l'automne. De mini-mises en scène sont organisées à votre intention ; venez piocher des idées pour votre jardin !

Au cœur du parc, « le bouillon », résurgence de la Loire et source du Loiret, vous rappellera l'origine du nom du lieu. Et lorsque, longeant le Loiret naissant, vous parviendrez au « Miroir » dominé par le château et son parterre de broderies, vous songerez peut-être au jardin très classique qui s'était épanoui là aux XVIIe et XVIIIe siècles, précisément autour de cette « source ».   J.W.

Pont-Chevron.

Adresse : parc floral d'Orléans-La Source, 45100 Orléans
Propriétaire : Ville d'Orléans, tél. : 38.42.22.22
Ouverture : t.l.j., du 1er avril au 1er novembre, de 9 h à 18 h ; hors saison, t.l.j. de 14 h à 17 h, tél. : 38.63.16.06
Information jardinage, petit train ; animaux, golf miniature, jeux pour enfants
Restaurant, pique-nique
Accès : à 8 km au sud-est de la ville, par N20 sortie Orléans-La Source

Adresse : château de Pont-Chevron, 45250 Ouzouer-sur-Trézée
Propriétaire : M. Robert de La Rochefoucauld, tél. : 38.31.92.02
Ouverture : du 15 juin au 15 septembre, t.l.j. sauf mar. de 14 h à 18 h ; groupes sur demande hors saison
Mosaïques gallo-romaines
Accès : à 16 km au nord de Briare par N7 puis D122 vers Ouzouer, à 10 km à l'est de Gien

Château de Pont-Chevron ★ ★

Ouzouer-sur-Trézée

Les lignes simples et classiques du jardin de PontChevron relient le château du XIXe siècle à l'étang piqueté de nénuphars qu'ourlent les bois.
Lumineuse ouverture dans l'écrin forestier, soigné, peigné et sobre, c'est un lieu empreint de sérénité.
Judicieux trait d'union entre le naturel et le composé.
                                                J.W.

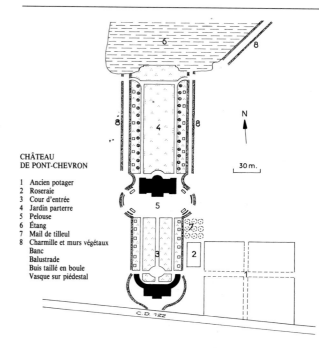

CHÂTEAU
DE PONT-CHEVRON

1 Ancien potager
2 Roseraie
3 Cour d'entrée
4 Jardin parterre
5 Pelouse
6 Étang
7 Mail de tilleul
8 Charmille et murs végétaux
   Banc
   Balustrade
   Buis taillé en boule
   Vasque sur piédestal

30 m.

N

CHAMPAGNE-ARDENNE

Avec un climat contrasté et un sol très calcaire, la Champagne-Ardenne n'est pas, par nature, une terre de prédilection pour l'épanouissement de l'art des jardins. On y a pourtant tracé, comme partout en France, de grands jardins pour accompagner les châteaux, depuis Bazeilles (Ardennes), dont il reste à peine une esquisse aujourd'hui, jusqu'aux jardins de Chapelle-Godefroy (Aube) démantelés et à l'abandon, encore connus par les planches du XIXe siècle, en passant par Réveillon... Pourquoi ces jardins ont-ils disparu dans cette région plus qu'ailleurs ? Sans doute, la priorité a-t-elle été donnée à la reconstruction des bâtiments dans un paysage marqué par les destructions liées aux guerres. Néanmoins, les soins apportés depuis des siècles au vignoble champenois ont modelé le paysage des grandes vallées (Marne et Aube) autour d'Épernay et de Reims en créant un paysage-jardin d'un très grand intérêt comme en témoigne à Hautvillers l'ensemble formé par le berceau de Champagne.

En milieu urbain, il y a eu des expériences de jardins « originales » : au XIXe siècle, avec la création de vergers-écoles dans l'Aube, au début du XXe siècle avec l'idée du parc « sportif » Pommery et l'avènement de « cités-jardins » dont Reims conserve encore plusieurs modèles du genre (cité du Chemin Vert...) datant de la période de la première reconstruction et qui, avec le projet de parcs publics, amorçait la création d'une ceinture verte autour de Reims.   B.M.

Jardin Pierre-Schneiter. Reims.

CHAMPAGNE-ARDENNE

1 Château de Bazeilles ★
2 Arboretum Saint-Antoine ★ ★
3 Château de la Motte-Tilly ★ ★ ★
4 Le Jard ★
5 Jardin de l'Hôtel-de-Ville
6 Jardin Moët-et-Chandon ★ ★
7 Jardin Roland-Billecart ★
8 Promenade et square Colbert
9 Jardin de la Patte-d'Oie ★
10 Jardin Pierre-Schneiter ★
11 Parc Pommery ★ ★
12 Faux de Verzy ★ ★ ★
13 Jardin Heidsieck ★
14 Parc aux Daims ★
15 Château de Donjeux ★
16 Château du Grand Jardin ★
17 Promenade de Blanchefontaine ★

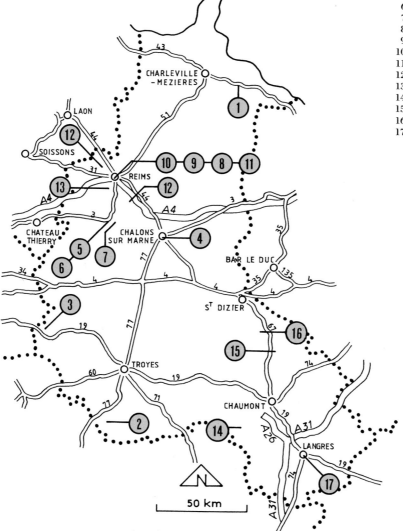

ARDENNES 08

Château de Bazeilles ★

Bazeilles

Château et jardin (sur 7 ha) sont en cours de restauration et les statues mises sous abris. Avec ses quatre pièces d'eau, ce jardin à la française est remarquable par les deux pavillons d'amour en bout des allées et par une orangerie au toit asymétrique en forme de chapeau, unique en son genre.

Adresse : château de Bazeilles, 08140 Bazeilles
Propriétaire : M. Guilhas, tél. : 24.27.09.68
Ouverture : toute l'année de 10 h à 12 h et de 14 h à 18 h sauf lun. ; visite guidée, location de vélos. Restaurant dans l'orangerie et hôtel
Accès : à 3 km au sud-est de Sedan

A U B E   10

Arboretum Saint-Antoine

★★

Ervy-le-Châtel

Créé récemment par Jean Beugnon, un passionné de plantes sur l'emplacement de pépinières qui datent de 1860, cet arboretum regroupe 700 variétés de conifères, d'*Acer japonicum* et *palmatum*, 300 d'érables et de magnolias. Le parc d'exposition agrémenté d'étangs permet de découvrir et d'acheter de nombreuses plantes rares. M.R.

 Adresse : arboretum Saint-Antoine, 10130 Ervy-le-Châtel
Propriétaire : M. Jean Beugnon, tél. : 25.73.52.14
Ouverture : pour groupes sur réservation (visites guidées) ; catalogue ; pépinières
Accès : à 37 km au sud-ouest de Troyes

Arboretum Saint-Antoine.

Château de la Motte-Tilly

★★★

Nogent-sur-Seine

Les plans du château ainsi que du jardin qui lui sert d'écrin sont dus à l'architecte François Nicolas Lancret qui en reçoit la commande en 1754 de la part des seigneurs du lieu, Pierre Terray de Rosières, procureur à la Cour des Aides, et son frère l'abbé Joseph Marie Terray, futur contrôleur des Finances sous Louis XV. Il compose un jardin classique avec, dans la cour d'honneur, quatre grandes plates-bandes ponctuées de buis et, côté parc, une terrasse accueillant des parterres à motifs, ainsi que des salles et cabinets de verdure aux extrémités. Comme bien d'autres châteaux, celui de la Motte-Tilly ne fut pas épargné par la Révolution et les guerres

successives : le tracé du parc disparut aussi progressivement. L'avant-dernier propriétaire descendant de la famille des Terray, le comte de Rohan-Chabot, décida de procéder à la restauration des jardins en 1910 et de retrouver l'esprit de Lancret. En utilisant un plan original heureusement conservé, il essaya d'exploiter la perspective créée par la topographie du terrain. Ainsi fut-il amené à réaliser des terrasses descendant en pente douce jusqu'au miroir d'eau relié à la Seine. L'ensemble de la composition, incluant la façade du château, est cadrée par la présence des charmilles en limite du jardin.
On remarque que la réhabilitation ne s'est pas faite au détriment de la partie à l'anglaise créée dès 1787 qui, donc, a été conservée.
Enfin, la volonté de restituer l'image de la Motte-Tilly au XVIIIe siècle s'est achevée par la reconstitution du décor intérieur et de l'ameublement du château grâce à la marquise de Maillé. Celle-ci légua cet ensemble remarquable à la Caisse nationale des Monuments historiques et des Sites en 1972. B.M.

Adresse : château de la Motte-Tilly, 10400 Nogent-sur-Seine
Propriétaire : C.N.M.H.S., tél. : 25.39.84.54
Ouverture : du 1er avril au 30 juin, t.l.j. sauf mar. de 10 h à 11 h 30 et de 14 h à 18 h 15 ; du 1er juillet au 31 août, t.l.j. sauf mar. de 10 h à 11 h 30 et de 14 h à 18 h 15, dim. et jours fériés jusqu'à 19 h ; du 1er au 30 septembre, t.l.j. sauf mar. de 10 h à 11 h 30 et de 14 h à 18 h 15 ; du 1er octobre au 30 novembre, sam. et dim. de 14 h à 17 h ; en semaine : uniquement sur rendez-vous pour groupes ; fermé du 1er décembre au 31 mars Fête du chien, réceptions dans l'orangerie
Accès : à 5 km à l'ouest de Nogent-sur-Seine par D951

La Motte-Tilly.

MARNE 51

Le Jard ★

Châlons-sur-Marne

Le Jard n'était au Moyen Age qu'une vaste prairie de 8 ha appartenant à l'évêque de Châlons. La tradition veut que saint Bernard y ait prêché la croisade en 1147. Il est actuellement constitué de trois parties : le Grand et le Petit Jard, séparés par l'avenue du Général-Leclerc, et le jardin anglais, de l'autre côté de la Marne. Le Grand Jard fut dessiné par Colluel au XVIIIᵉ siècle à la demande du dernier intendant de Champagne, Rouillé d'Orfeuil. Les

Adresse : Le Jard, avenue du Général-Leclerc, 51000 Châlons-sur-Marne
Propriétaire : Ville de Châlons-sur-Marne, tél. : 26.68.54.44
Ouverture : permanente, visites libres
Accès : centre ville

Kiosque à musique. Le Jard.

allées plantées d'arbres, tilleuls et marronniers, convergent vers un kiosque à musique caractéristique des architectures de jardins du XIXᵉ siècle. De la passerelle qui le relie au jardin anglais, la promenade offre de belles vues le long du canal de la Marne, sur la cathédrale et sur le cours d'Ormesson créé à la même époque. L'île du Jard s'est constituée dans un ancien méandre de la Marne canalisé à partir de 1840.

Le Petit Jard fut créé en 1861 lors du concours régional agricole dans un style Napoléon III. Son charme doit beaucoup à la présence de la rivière du Nau, affluent de la Marne enjambé par la porte d'eau du château du Marché. La tourelle en encorbellement avec alternance de craie et brique est datée de 1602. Le reste de l'édifice a été restauré dans le même style en 1880. On remarque çà et là de petites fabriques en bois, pastiches du chalet, dont une, miniaturisée, servant d'abri aux oiseaux aquatiques. Depuis 1931, le Petit Jard est aussi un arboretum dans lequel figurent des *Chamaeciparis lawsoniana*, des paulownia, des thuyas géants, un *Gleditsia triacanthos*, un catalpa, des liquidambar.   B.M.

Mosaïculture. Jardin de l'hôtel de ville à Épernay.

Jardin de l'Hôtel-de-Ville

Épernay

Avant son acquisition par la ville d'Épernay, le jardin et l'hôtel particulier des années 1857-1858 appartenaient à la maison de champagne Moët. Dessiné par les frères Bühler, ce jardin paysager avec plan d'eau et statues ménage des points de vue agréables à divers endroits. Un temple d'amour sous lequel se niche une grotte avec cascade, un îlot planté d'arbres laisse entrevoir les bâtiments de l'orangerie et des écuries. Des parterres sont ordonnancés autour d'une fontaine à l'intérieur de la rampe devant l'hôtel de ville. L'ensemble offre un aspect composite renforcé par le foisonnement du mobilier, candélabres et statues, bacs à palmiers... B.M.

Adresse : hôtel de ville, 9, avenue de Champagne, 51200 Épernay
Propriétaire : Ville d'Épernay, tél. : 26.51.96.96
Ouverture : t.l.j. de 7 h à 20 h (hiver), 7 h à 22 h (été)
Accès : au nord du centre ville

Jardin Moët-et-Chandon ★★

Épernay

Un jardin « pétillant ». Berceau du vin de Champagne avec dom Pérignon, l'abbaye possède un jardin clos d'inspiration médiévale composé d'un médicinal, où les plantes sont réparties en damier, sur le modèle d'Orval comme de Vauclair, et d'un potager de 18 rectangles peuplé selon la liste capitulaire. Ces espaces sont séparés par deux arcs en plein cintre. Il vient s'y ajouter, face à l'église abbatiale, un labyrinthe rectangulaire en ifs qui représente une crucifixion. Au centre, un pressoir symbolise le Christ ; on y pénètre par une « porte étroite » ; de part et d'autre, chacun des larrons est figuré par une croix. Pour exprimer que l'on ne peut accéder à la lumière sans détour et sans faute, il faut passer par ces croix pour atteindre le pressoir puis la sortie. C.L.

L'Orangerie. Jardin Moët-et-Chandon.

JARDIN MOËT-ET-CHANDON

Adresse : jardin Moët-et-Chandon, 51200 Épernay
Propriétaire : Société Moët et Chandon, tél. : 26.54.71.11
Ouverture : sur demande écrite au service visites Moët et Chandon, 20, avenue de Champagne, 51200 Épernay
Accès : à 27 km au sud de Reims par N51

Jardin Roland-Billecart ★

Mareuil-sur-Ay

C'est un jardin secret installé sur une terrasse enclose à l'arrière de la maison. L'entrée est signalée par quelques marches sur lesquelles on a disposé des vases Médicis fleuris. Créé par Charles Roland-Billecart en 1925, il reflète le goût d'un amateur de jardins à la française dont la passion s'est transmise à ses descendants puisque l'un d'entre eux est aujourd'hui paysagiste. Bien que s'inspirant du dessin à la française, le tracé s'est accommodé de la présence de marronniers et de sophoras qui ont atteint aujourd'hui de belles proportions. Les guirlandes de buis accentuent l'effet de dénivelée par endroits. Elles alternent avec des parterres fleuris et des plates-bandes engazonnées.
Deux plantations par année se succèdent, associant bégonias, sauges, et impatiens, et en hiver pensées et myosotis cultivés dans la serre de la maison, une originalité pour une maison de champagne. En palissade se développe une vigne de chasselas rose. B.M.

Adresse : jardin Roland-Billecart, 40, rue Carnot, 51160 Mareuil-sur-Ay
Propriétaire : Champagne Billecart-Salmon, tél. : 26.50.60.22
Ouverture : sur rendez-vous ; en juin, juillet, septembre en semaine uniquement
Accès : à 4 km à l'est d'Épernay par D201 direction Ay

Square Colbert : une invitation à la promenade.

Promenade et square Colbert

Reims

Dans le premier quart du XVIIIe siècle, l'architecte-entrepreneur rémois Jean Leroux eut l'idée de créer une promenade à Reims, une grande composition végétale sur 1 200 m.

Après aménagement et démantèlement des remparts en 1844, les principales modifications, en dehors des replantations successives, sont dues à l'installation de la gare sur l'emplacement d'un boulingrin et la percée du boulevard du chemin de fer.

Après la restauration des promenades au lendemain de la Première Guerre mondiale, les aménagements divers qui vont s'opérer autour du site vont contribuer au renforcement de la perspective monumentale. A l'extrémité nord-est, le monument aux morts ferme la composition avec sa forme en hémicycle tandis qu'au sortir des basses promenades on peut admirer une grille majestueuse dite porte de Paris, qui fut exécutée en 1775 pour le sacre de Louis XVI.

Signalons le square Colbert qui sépare les hautes des basses promenades à partir de 1898 et accueille les voyageurs face à la gare avec la statue de Colbert (natif de Reims) édifiée depuis 1860. Quelques arbres, peu communs, tels que tulipier de Virginie, araucaria... apportent une note exotique au milieu des promenades.

B.M.

Adresse : promenade et square Colbert, boulevard du Général-Leclerc / boulevard du Maréchal-Foch, 51100 Reims
Propriétaire : Ville de Reims, tél. : (S.E.V.) 26.40.40.23
Ouverture : promenade : accès libre, ouverture permanente ; square Colbert : t.l.j. de 9 h à 19 h du 1er avril au 10 novembre
Accès : au nord-ouest du centre ville, face à la gare SNCF

Jardin de la Patte-d'Oie ★

Reims

L'ensemble de la Patte-d'Oie formait, à l'origine, un seul espace avec un jardin d'horticulture au dessin caractéristique qui lui valut son nom. Sa morphologie a changé après une refonte totale en jardin à

l'anglaise en 1883. Des projets urbanistiques l'ont coupé en deux, et malheureusement séparé des basses promenades (rue Bir-Hakeim).

Après réaffectation prochaine du cirque et du manège édifiés en 1865, l'ensemble devrait conserver sa couverture végétale assez exceptionnelle à Reims et se trouver rattaché au site du canal. Ce jardin à l'anglaise présente encore une variété d'arbres de belle taille tels que des épicéas, séquoias, noyers noirs, virgilliers. A signaler un groupe de cerfs (statuaire en bronze doré), une rocaille à remettre en eau, témoin de l'intervention du paysagiste E. Redont.

B.M.

pavillon de style néoclassique du début du siècle, tandis que l'autre partie est aménagée « à l'anglaise », avec un parcours d'eau provenant d'une grotte avec cascade, dont l'auteur est le paysagiste rémois Édouard Redont, autour également du jardin de la Patte-d'Oie et de l'arboretum.

C'est de cette époque que remonte la transplantation d'un faux de Verzy ou hêtre tortillard situé près du plan d'eau et qui participe à la variation recherchée sur le port des arbres (étalé, fastigié, retombant...), avec les hêtres pleureurs, cyprès chauves, sophoras, érables platanes, chicot du Canada, gingko biloba.

B.M.

Adresse : jardin de la Patte-d'Oie,
rue de Bir-Hakeim, 51100 Reims
Propriétaire : Ville de Reims,
tél. : 26.40.40.23 (S.E.V.)
Ouverture : permanente ; visites libres
Accès : sud-ouest du centre ville

Jardin Pierre-Schneiter ★

Reims

Née en 1877, la société d'horticulture s'est vue dotée par la Ville de Reims d'un jardin expérimental. Une partie « à la française » est organisée autour d'un

---

Adresse : jardin Pierre-Schneiter, boulevard Louis-Rœderer, 51100 Reims
Propriétaire : Ville de Reims,
tél. : (S.E.V.) 26.40.40.23
Ouverture : du 1er avril au 10 novembre, t.l.j. de 14 h à 19 h et le week-end de 10 h à 12 h et de 14 h à 19 h
Evénements : expositions florales à thème (printemps-été)
Accès : ouest du centre ville

A gauche : jardin de la Patte-d'Oie. Reims.

Ci-dessous : jardin Pierre-Schneiter. Reims.

Page suivante : Les « Faux de Verzy » (hêtres tortillards), dans la forêt de Verzy.

Parc Pommery ★★

Reims

Grandeur et décadence. La création à Reims d'un parc de jeu et de sport, dénommé aujourd'hui parc Pommery, s'inscrit dans le contexte sportif national de la préparation des jeux Olympiques de 1913.

Initiateur de ce projet, le marquis Melchior de Polignac, directeur de la Société Pommery et Greno, voulut dès 1907, et avec les moyens de sa maison, répondre à la préoccupation du lieutenant Georges Hébert, auteur d'une nouvelle méthode d'éducation physique. Celui-ci cherchait à concrétiser son rêve d'un institut capable de former les éducateurs nécessaires au renouveau de l'athlétisme en France. Le marquis mit à la disposition du collège d'athlètes 22 ha de terrain à l'origine, un sol crayeux hostile à la végétation, situé au-dessus des caves Pommery. Le projet de l'architecte-paysagiste Édouard Redont, conçu pour la pratique des sports de plein air, ne manquait pas d'originalité. Le parc planté d'arbres était parsemé de statues « à l'antique ».

Cette réalisation nécessita l'apport de 278 000 m³ de terre végétale et la plantation de plus d'un millier d'arbres et d'arbustes. Autour d'une vaste cuvette constituée par des gradins de terre et de gazon on avait aménagé une piste ovale de 300 m et tous les accessoires nécessaires à l'entraînement. Un gymnase couvert prolongé par une piscine ainsi que des salles d'escrime et de boxe furent installés à partir de 1912.

A la pointe du modernisme, ce parc sportif parvint à se relever de la tourmente de 1914. Il en reste bien sûr le cadre de verdure, avec ses bosquets d'essences variées et, çà et là, quelques témoignages de la grandeur du collège d'athlètes, des édicules néonormands, le terrain de rugby, de belles allées de marronniers, les vestiges de la piscine et du bâtiment attenant avec son bow-window à l'aplomb d'une rocaille. On peut souhaiter la réhabilitation de cet ensemble.   B.M.

Adresse : parc Pommery, 10, avenue du Général-Giraud, 51100 Reims
Propriétaire : Champagne Pommery-BSN, tél. : (parc) 26.85.23.29
Ouverture : t.l.j. de 7 h au coucher du soleil
Accès : sud-est du centre ville

Faux de Verzy ★★★

Verzy

Un vrai mystère. Caché au cœur de la Champagne, le site des « Faux de Verzy » permet de contempler des arbres étranges et surprenants : les « hêtres tortillards » ou « faux de Verzy » qui n'existent qu'en

ce lieu, et sont probablement dus à une mutation naturelle (certains l'expliquent par la chute d'un météore radioactif au début de notre ère). D'ordinaire le hêtre, une essence indigène en France, pousse droit et haut, son tronc est lisse et peut grimper jusqu'à 40 m. Le hêtre tortillard, au contraire, est petit, râblé et tortueux. Le tronc est très court, les branches et les rameaux sont recourbés et enchevêtrés, le feuillage forme un dôme aplati. On penserait que la main de l'homme a façonné ces arbres bizarres, comme des bonsais géants, mais il n'en est rien, et le mystère demeure. On sait seulement que ces arbres sont identifiés dans le cartulaire de Saint-Gall. On rencontre des spécimens tout autour du site, dans le département de la Marne, mais leur concentration dans la forêt de Verzy, où ils sont signalés par des balises « chênes faux », constitue une des plus singulières curiosités botaniques de notre pays.

                                        D.L.

Adresse : forêt de Verzy, 51380 Verzy
Propriétaire : forêt domaniale
Ouverture : permanente, libre
Accès : à 15 km au sud-est de Reims par N44 vers Châlons puis à droite par D34, près de l'abbaye de Saint-Basle

---

Jardin Heidsieck ★

Villers-Allerand

Il s'agit en fait de deux jardins d'agrément créés l'un après l'autre dans des styles différents. Le premier, assez classique, se développe sur le côté de la maison en une vaste pelouse qui, en suivant la forme du terrain, se laisse gagner par des parterres de fleurs et plantes vivaces mélangées. Certains massifs sont composés autour d'une couleur dominante bleu ou blanc. A côté de clématites et rosiers de différentes variétés on a planté des céanothes, primevères de l'Himalaya, hortensias grimpants, viburnums, lupins, orangers du Mexique...

Le second jardin a été conçu pour servir de cadre à une maison 1900. L'idée retenue était d'essayer de reconstituer un « jardin de curé » : moins ordonné que le premier, on trouve à côté des fleurs un carré de fruits rouges, un carré de plantes aromatiques... Devant la maison, quelques bouleaux épars rappellent qu'elle était occupée autrefois par le peintre rémois Paul Bocquet qui aimait à les représenter sur ses toiles.   B.M.

Adresse : la Buissonnière, 51500 Villers-Allerand
Propriétaires : M. et Mme Heidsieck, tél. : 26.97.61.60
Ouverture : sur rendez-vous de mai à septembre
Accès : à 10 km de Reims et à 15 km d'Épernay

Parc aux Daims ★

Châteauvillain

Le parc de Châteauvillain, isolé par un mur de clôture depuis 1650, héberge une harde de daims sauvages, qui vivent des 275 ha de végétation, la transformant à leur image. On peut y découvrir de mystérieuses « perrières » boisées et une rivière, l'Aujon, extrêmement plaisante dans la partie dite des Abîmes. En 1784, les propriétaires avaient transformé le parc en « jardin de pays » avec vergers et salles de charmilles ; il en reste, outre quelques alignements, un splendide dessin retrouvé par le paysagiste Bernard Lassus. La municipalité de Châteauvillain poursuit le projet de cette époque et veut montrer là oiseaux et animaux ainsi que divers types de jeux pratiqués dans les jardins du XVIIIᵉ siècle.

B.L.

Adresse : parc aux Daims, 52120 Châteauvillain
Propriétaire : Commune de Châteauvillain, tél. : 25.32.93.03
Ouverture : sam. et dim. toute la journée ; en semaine, après-midi seulement
Accès : à 20 km au sud-ouest de Chaumont par la D65

Château de Donjeux ★

Donjeux

Le château est situé sur un promontoire dominant la vallée du Rognon ; on y accède à travers les bois par une route sinueuse. Avant de franchir la grille d'entrée principale, on aperçoit, sur la droite, l'enclos du jardin à la française à l'emplacement des fossés de l'ancien château. Cette implantation particulière permet d'embrasser d'un seul regard l'ensemble de la composition depuis le belvédère et lui permet d'être baigné de soleil à tout moment de la journée.
Le niveau inférieur est composé de parterres cernés par des buis, tandis que la terrasse est consacrée à des pelouses et arbres fruitiers.
Dominant le côté nord du jardin, de magnifiques allées de tilleuls taillés longent les bâtiments de la ferme et l'orangerie pour conduire aux charmilles.
Ces plantations procurent une fraîcheur qui contraste avec l'ensoleillement du jardin à la française. On notera des grilles ouvragées qui ferment, d'une part, le jardin et, d'autre part, les promenades de tilleuls autour du château. Les piliers accostant ces grilles sont amortis par de belles corbeilles de fruits en pierre sculptée.

B.M.

Jardin du château de Donjeux.

Adresse : château de Donjeux, 52300 Donjeux
Propriétaires : Mmes Levêque et Viney, tél. : 25.94.72.92
Ouverture : en août, du mar. au ven. de 10 h à 18 h
Accès : à 40 km au sud de Saint-Dizier et 12 km de Joinville par N67, à environ 1 km de Donjeux en direction de Doulaincourt, puis chemin à gauche

Château du Grand Jardin ★

Joinville

A l'aube de la renaissance d'un parc de la Renaissance. Si le château de Joinville s'appelle château du Grand Jardin c'est bien parce que son jardin méritait et mérite encore le détour.
Situé en bordure de Marne, le parc du château (4 ha) était à la Renaissance, comme le dit Rémy Belleau en 1565, « le plus beau et le plus accompli qu'on pourrait souhaiter, soit pour le comptant d'arbres

fruitiers donnant les fruits les plus exquis qu'on saurait recouvrer en notre France, soit pour la beauté du canal passant à travers ce jardin, enrichi de compartiments, entrelacs, cabinets, labyrinthe, berceaux, et tous autres enrichissements que l'œil pourrait souhaiter ».

Actuellement, le parc du château est dessiné à l'anglaise, avec une fontaine donnant naissance à une rivière qui serpente au milieu de pelouses mamelonnées et des arbres aux essences rares (hêtre, lacinié, pavier, etc.).

Ce parc, grâce aux documents iconographiques historiques, est en cours de réhabilitation, dans l'esprit de la Renaissance. On redécouvre par des fouilles le canal d'origine et les traces d'un pont.

De l'autre côté de la route nationale, le « petit bois » (3 ha) est le reste d'un bois dessiné vers 1750 avec des allées en étoile ; il est maintenant un lieu de promenade et de jeu des habitants de Joinville.

A.L.C.

Adresse : château du Grand Jardin, avenue de la Marne, 52300 Joinville
Propriétaire : Département et Commune pour le « petit bois »
Ouverture : t.l.j. sauf mar. de 10 h à 19 h (22 h les soirs de spectacles en été) ; « petit bois » : ouv. permanente. Renseignements, tél. : 25.94.14.99
Accès : à 31 km au sud-est de Saint-Dizier par N7

Promenade de Blanchefontaine ★

Langres

Chère à Diderot. La ville fortifiée présente de belles promenades autour du chemin de ronde d'où l'on découvre le paysage de la Haute-Marne. La promenade de Blanchefontaine située « hors les murs » a été aménagée au cours des XVIIe et XVIIIe siècles pour le plaisir des habitants de Langres. Le maire de la ville constatait en effet en 1656 que : « Si quelqu'un désire sortir des portes il faut toujours monter ou descendre. » Plusieurs campagnes de travaux ont permis de créer progressivement une avenue plantée d'arbres dans la continuité de ceux qu'avaient fait planter Sully pour remercier les Langrois de leur fidélité à Henri de Navarre, une grotte abritant la source, des bassins étagés qui recevaient les eaux des contre-allées. Reconstruite de 1755 à 1758, la grotte reçut un parement Louis XV ; au fond de la niche, on apposa une plaque sur laquelle on peut lire l'inscription latine annonçant avec poésie le projet d'une alimentation de la ville grâce aux eaux de la source. L'eau jaillit de la bouche d'un dauphin sculpté dans la pierre par Clément Javet dans la tradition des fontaines baroques.

La promenade que connut Diderot, né à Langres, devait avoir un aspect champêtre comme en témoigne la lettre qu'il écrit à son amie, Sophie Volland, en 1759 : « Nous avons ici une promenade charmante, c'est une grande allée d'arbres touffus qui conduit à un bosquet d'arbres rassemblés sans symétrie et sans ordre. On y trouve le frais et la solitude... Mes yeux errent sur le plus beau paysage du monde... »

Bouleversé au XIXe siècle, protégé en 1934, réhabilité récemment, cet espace convoité reste un lien heureux entre la ville et les paysages environnants malgré des abords immédiats qui n'ont pas été épargnés.

B.M.

Adresse : promenade de Blanchefontaine, place des États-Unis, 52200 Langres
Propriétaire : Ville de Langres, tél. : 25.87.00.68
Ouverture : permanente, visites libres
Accès : par la RN19, contourner les remparts de Langres jusqu'à la porte de Moulins

FRANCHE-COMTÉ

Jardins réguliers du XVIIIe siècle et parcs paysagers du XIXe siècle en Franche-Comté participent à l'histoire de l'art des jardins à travers des réalisations originales. On a interprété ici les grandes modes dans la création de jardins en fonction du génie proprement comtois.

Celui-ci se manifeste dans les jardins du XVIIIe siècle par le même goût pour la sobriété, la sagesse et l'harmonie du tracé qu'il avait mis dans l'architecture, en particulier dans le traitement raffiné de l'architecture néoclassique. Quelques jardins remarquables en témoignent encore.

Cette terre, où la nature prodiguant eaux, monts et forêts est « pittoresque » en soi, avait-elle moins qu'ailleurs besoin d'évocations paysagères ? Le XIXe siècle créa cependant de nombreux parcs dont la recherche dans la composition, la qualité et la diversité des essences utilisées témoignent d'un goût constant pour la mise en valeur des sites.

Cette mise en valeur est révélée dans des parcs et des jardins exceptionnels où le site est exalté par la rigueur du tracé, par un dialogue entre architecture, jardins, parcs et paysage, servi par une grandiose scénographie.   G.D.

L'arbre du voyageur. Jardin botanique de la Ville et de l'Université. Besançon.

FRANCHE-COMTÉ

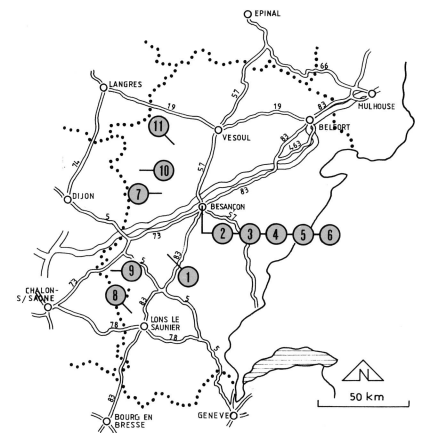

DOUBS 25

Château de Roche-sur-Loue ★

Arc-et-Senans

Descendant parallèlement à la rivière par un jeu de terrasses, l'espace du jardin relève d'une organisation très domestique : terrasse complantée de marronniers et de platanes, potager, jardin fruitier et verger s'étendent sur d'amples surfaces bien rythmées. Les reliant, un parcours en bord de rivière, ponctué par un kiosque, une tonnelle de tilleuls et un labyrinthe de buis, s'approprie le paysage pittoresque de la Loue. G.D.

Adresse : château de Roche-sur-Loue, 25610 Arc-et-Senans
Propriétaire : Famille Rota, tél. : 81.57.41.44

Ouverture : de Pâques à la Toussaint le week-end de 10 h à 19 h (vacances scolaires : t.l.j. de 10 h à 19 h)
Accès : à 37 km au sud-est de Besançon par N83, au nord-est d'Arc-et-Senans, environ 1,5 km par D17

Clos Barbisier ★ ★

Besançon

Un jardin de roses anciennes. Reliée par des cheminements piétons au cœur du quartier de Battant, la roseraie se veut jardin botanique du quartier, véritable parcelle « éclatée » à l'avenir aux quatre coins de Besançon. La roseraie montre, à l'aide des variétés anciennes encore cultivées, la richesse et l'histoire de ces roses qui donnèrent naissance au XXᵉ siècle à nos roses actuelles.

On y trouve des rosiers galliques, à cent feuilles, mousseux, Bourbon. Des hybrides de thé. Des rosiers blancs de Damas, du Bengale. Mais aussi le rosier musqué, de Portland, de Noisette, et des rosiers jaunes. Associés aux rosiers, on découvre également une collection de clématites et des hortensias grimpants *(Hydrangéa pétiolaris)*.

Adresse : clos Barbisier, chemin du Fort-Griffon, 25000 Besançon
Propriétaire : Ville de Besançon, tél. : 81.61.51.27
Ouverture : permanente, visites libres
Accès : au cœur du quartier Battant, nord-ouest du centre ville

Papayer. Jardin botanique de la ville et de l'Université. Besançon.

Jardin Botanique de la Ville et de l'Université ★ ★

Besançon

Ce jardin botanique recèle près de 4 000 espèces végétales, réparties dans des collections diverses, tant en serres qu'en plein air.

Un complexe de serres (froide, tempérées et tropicale) abrite des collections choisies pour leur intérêt biologique et pédagogique. Les thèmes « carnivores », « épiphyte » et « succulentes » sont les plus développés. Avec les sarracenia, drosera, pinguicula, dionaea et nepenthes on peut admirer des spécimens de plantes carnivores plus rare comme les fioridula, cephalotus et heliamphora.

Quelques orchidées, des tillandsia et autres broméliacées, des aracées, des fougères représentent les plantes épiphytes. Parmi elles un groupe très particulier : les myrmécophiles (plantes à fourmis) met en évidence les relations étroites existant entre le règne végétal et le règne animal.

En serre froide, des cactées et autres plantes succulentes permettent d'expliquer quelques mécanismes d'adaptation dans le règne végétal. Dans cet ensemble riche d'enseignement, des plantes à caudex (caudiciformes) et des plantes à fenêtres (lithops, fenestraria) complètent cette représentation des plantes des milieux arides.

On trouve également dans ces serres la plupart des plantes vivrières (bananier, caféier, vanillier, canne à sucre, etc.).

En plein air, la collection systématique permet de montrer les représentants des principales familles du règne végétal.

Des jardins de rocaille, des plantes médicinales et aquatiques, un petit arboretum complètent les collections extérieures.

Des plantes rares ou en danger d'extinction sont cultivées à des fins de conservation.

 Adresse : jardin botanique, place du Général-Leclerc, 25000 Besançon
Propriétaire : Université de Franche-Comté, tél. : 81.66.56.69 ou 81.66.56.70
Ouverture : t.l.j., de 8 h à 19 h ; serres : jours ouvrables de 8 h 30 à 11 h et de 14 h à 16 h 30 et sam. matin ; visites commentées sur demande pour les groupes
Accès : à l'ouest du centre ville, jouxte la promenade des Glacis

Jardin des Glacis ★

Besançon

Les Glacis entre la gare et le quartier de Battant ont été aménagés en parc au milieu du XIXe siècle par l'architecte paysagiste Brice Michel. Ils jouent aujourd'hui le rôle d'une splendide « coulée verte » conduisant de la gare à la ville, et offrent un beau point de vue au voyageur qui la découvre. Des arbres centenaires au port majestueux, de magnifiques massifs floraux composés avec beaucoup de soins en font une promenade particulièrement agréable. Signalons deux essences d'arbres très belles que l'on voit trop rarement dans les parcs : le platane d'Orient, nommé aussi « main découpée », plus court et plus touffu que *P. acerfolia*, et aux feuilles profondément divisées, et le chicot du Canada *(Gymnocladus dioïca)*, légumineuse qui fleurit en juin.   G.D.

 Adresse : jardin des Glacis, avenue Foch, 25000 Besançon
Propriétaire : Ville de Besançon, tél. : 81.61.51.27
Ouverture : permanente, visites libres
Accès : entre la gare et le quartier de Battant, sur les remparts

Promenade de l'Helvétie ★

Besançon

Un jardin des sens et des senteurs. Ce jardin a été imaginé et aménagé pour accueillir particulièrement les personnes handicapées et les non-voyants. Mais faisant appel à tous les sens, il est également un jardin pour tous. On y trouve des plantes odorantes, au touché particulier, mais aussi des plantes aromatiques aux couleurs vives pour combler les cinq sens.

Parmi les plantes odorantes on retiendra particulière-

ment une collection de pelargoniums qui, joints à de nombreuses autres variétés, créent une véritable symphonie d'odeurs exotiques dont le touché vous embaume et vous accompagne longtemps après les avoir quittées. Jardin à voir, à toucher, à sentir, à goûter (modérément) et bientôt à entendre : une fontaine devant venir y prendre place.   G.D.

Adresse : promenade de l'Helvétie, avenue d'Helvétie, 25000 Besançon
Propriétaire : Ville de Besançon, tél. : 81.61.51.27
Ouverture : permanente, visites libres
Accès : au bord du Doubs, près du pont de la République

Pour le plaisir de la promenade. Promenade Micaud.

Promenade Micaud ★★

Besançon

Située sur la rive droite du Doubs, en bordure de la rivière dont les eaux chantent du fait d'une chute aménagée, cette promenade de 3 ha permet de jouir du panorama sur les collines boisées de Brégille, de la chapelle des Buis et la citadelle. Créée en 1843 par l'architecte Delacroix, elle comporte 400 grands arbres répartis en 29 espèces ainsi que près de 600 m² de massifs floraux annuels dont 85 de mosaïque qui est une vieille tradition florale bison-tine. 53 sujets particulièrement remarquables sont étiquetés sur le tronc. Citons parmi les plus intéressants : un splendide cèdre du Liban, un tulipier, un gingko biloba, un hêtre pleureur, un hêtre pourpre, un hêtre asplenifolia... et une superbe aristoloche grimpant sur un pin noir à une belle hauteur. G.D.

Adresse : promenade Micaud, avenue Édouard-Droz, 25000 Besançon
Propriétaire : Ville de Besançon, tél. : 81.61.51.27
Ouverture : permanente, visites libres
Promenades à poney, restaurants
Accès : au bord du Doubs, près du casino municipal

Château de Jallerange ★★★
Jallerange

Les créateurs du jardin de Jallerange ont utilisé son site à merveille, ayant garde de « faire céder l'art à la nature », soucieux non pas de la contraindre mais de la modeler en un jardin classique, le plus « exact »

et « charmant » jardin de Franche-Comté. Composé sur une petite surface, le jardin régulier est agrandi par une perspective accélérée. Cette disposition et l'architecture de charmilles taillées pour certaines en berceau, le vertugadin à la coupe savante accompagné d'un bassin, témoignent de beaucoup de talent et de l'art des jardins à la française dans son expression achevée. Grâce à un entretien continu de son architecture de charmilles mais également aux soins apportés au maintien de ses aménagements, le jardin du château de Jallerange possède une très grande valeur, nous permettant d'apprécier une création remarquable de la fin du XVIIIe siècle (1771) ayant gardé toute son originalité. G.D.

Adresse : château de Jallerange, 25170 Jallerange
Propriétaire : Mlle de Jallerange
Ouverture : visite sur demande écrite, de Pâques à la Toussaint
Accès : à 25 km à l'ouest de Besançon

JURA 39

Parc d'Arlay ★★
Bletterans

Implanté sur un site déjà chargé d'histoire, le parc du château d'Arlay possède lui-même une valeur historique. Il représente une création importante de la fin du XVIIIe siècle. Aujourd'hui le parc présente l'aspect d'une belle futaie ordonnée, mais affleure sous le couvert végétal un « parc romantique », éclectique, mêlant la géométrie aux figures serpentines, reflet d'une « cour » provinciale éphémère et brillante.

On peut aujourd'hui parcourir les allées en imaginant ce que fut le parc romantique. Révélé par des figures correspondant précisément au tracé du plan d'aménagement de 1778 (certaines en cours de restitution), ce parc plein d'évocations nous entraîne dans une rêverie recréant ce « pays d'illusion » cher au romantisme. G.D.

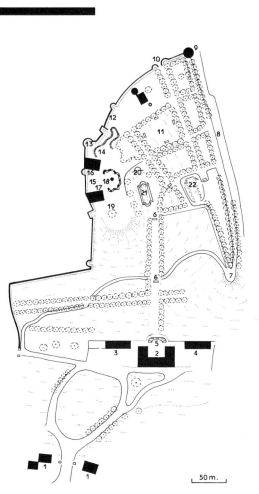

PARC D'ARLAY

1 Pavillons d'entrées, Tournebride
2 Château
3 Pavillon de l'horloge, anciennes écuries
4 Autre pavillon, anciennes écuries
5 Théâtre d'eau
6 Point de vue sur le château
7 Ancienne tour Chantemerle
8 Terrasse de Trez Vent
9 Tour Griffonne
10 Porte de l'Épinette
11 Bosquet des Quatre Bancs
12 Chemin de ronde
13 Point de vue circulaire
14 Collection de houx
15 Cour du château fort
16 Donjon
17 Chapelle, arsenal
18 Kiosque
19 Terrasse de l'Éventail
20 Grotte
21 Boulingrin
22 Théâtre de verdure

50 m.

Une belle futaie ordonnée et un parc romantique. Arlay.

Adresse : château d'Arlay, 39140 Bletterans
Propriétaires : M. et Mme R. de Laguiche,
tél. : 84.85.04.22
Ouverture : visites du parc du lun. au ven., du
1er mai au 30 juin et du 1er septembre au
31 octobre, de 10 h à 12 h et de 14 h à 17 h ;
week-end et jours fériés sur demande préalable ;
visite du château et du parc du 1er juillet au
31 août, t.l.j. sauf dim. matin, de 11 h à 18 h ;
groupes : sur demande du 1er mai au 31 octobre
Accès : à 13 km au nord-ouest de Lons-le-Saunier
par N78 et D470

Château du Deschaux ★

Chaussin

Ce parc paysager créé vers la fin du XIXe siècle
représente de façon remarquable un type de conception très en vogue à l'époque. De belles essences
d'arbres sont utilisées pour structurer la composition,
lui donner couleur, trait et volume, recréant un
paysage clos sur lui-même, mettant en valeur un
château du début du XVIIIe siècle.   G.D.

Adresse : château du Deschaux, 39120 Chaussin
Propriétaire : Fabulis S.A.R.L., tél. : 84.71.50.48
Ouverture : t.l.j. de 10 h à 17 h ; château des
Automates et du musée du Moulin
à Café
Accès : à 17 km au sud de Dôle par D475
et à 5 km à l'est de Chaussin par D469

Parc municipal Lamunière

Arc-lès-Gray

Ce parc, créé à la fin du XIXᵉ siècle, particulièrement bien planté, fut l'œuvre d'un amateur. Il possède trois serres témoignant de l'intérêt horticole de son propriétaire. A l'abandon pendant de nombreuses années, il a été racheté par la municipalité d'Arc-lès-Gray qui entend le restaurer et faire de la demeure une maison des Associations, redonnant ainsi vie à une réalisation remarquable.   G.D.

Adresse : parc municipal Lamunière, route de Dijon, 70100 Arc-lès-Gray
Propriétaire : Commune d'Arc-lès-Gray, tél. : 84.65.11.33
Ouverture : visites libres sans contrainte horaire
Accès : 46 km au nord-ouest de Besançon par la D67, à 2 km au nord de Gray

En arrivant au château. Ray-sur-Saône.

Château de Ray-sur-Saône ★

Ray-sur-Saône

Dominant la vallée de la Saône, le château de Ray offre une vue très lointaine vers les Vosges, le plateau de Langres et les monts du Jura. Cet emplacement fut de tout temps occupé par une place forte. Le parc du château, de 5 ha, s'étend sur toute la colline. Le jardin à l'anglaise date de la fin du XVIIIᵉ siècle. Réaménagé en 1880 et à nouveau à partir de 1932, il offre des essences particulièrement remarquables : tilleul planté en 1609, cèdre ancien, mélèzes, marronniers et ifs centenaires.   G.D.

Adresse : château de Ray-sur-Saône, 70130 Ray-sur-Saône
Propriétaire : Mme de Salverte, tél. : 84.78.42.44
Ouverture : t.l.j. de 9 h au coucher du soleil, visites libres
Accès : à 25 km à l'ouest de Vesoul par la D13, à 5 km au nord de Fresnes-Saint-Mamès

ILE-DE-FRANCE

Disposés en lobes vers les points cardinaux, les quatre plateaux calcaires d'Ile-de-France offrent à la fois de nombreux jardins et une grande variété de paysages : grandes forêts de chênes avec bouleaux, charmes, noisetiers, ormes, frênes et érables (Saint-Germain, Rambouillet, Dourdan, Sénart, Fontainebleau, Villefermoy, Armainvilliers), prairies humides des bords de rivières, petits champs de légumes du Sossonnais, étendues de céréales de la Beauce, étangs, alignements et bosquets d'arbres de la Brie, cultures protégées de trames de murs de pierre avec espaliers dont les productions de pommes et de poires étaient encore célèbres il y a peu.

Sous un ciel bleu pâle ou gris-bleu, « l'Ile », dite aussi « la France » et nommée « Ile de France » depuis le XVI⁰ siècle, est une région d'abondance pour l'amateur de jardins.

Implantés sur les coteaux en bord de rivière pour profiter de la vue, descendant des collines pour s'étendre sur de vastes espaces, en lisière d'immenses domaines pour la chasse, les grandes réalisations de l'époque classique — jardins royaux ou princiers, jardins de l'aristocratie et des grands financiers —, s'intègrent à une vision globale de l'aménagement du territoire. Trois siècles après, et malgré l'urbanisation dévorante, forêts, terroirs aussi bien que villes et villages restent le plus souvent fortement marqués par l'empreinte des grands jardiniers. Parmi eux, André Le Nôtre a joué un rôle de premier plan, non seulement à Versailles mais aussi à Saint-Germain-en-Laye, Fontainebleau, Saint-Cloud...

La deuxième période dont les traces sont encore très visibles dans le paysage est le XIX⁰ siècle. On a construit des châteaux et créé de grands jardins en Région parisienne jusqu'au début du XX⁰ siècle.

Devant la quantité et les qualités des jardins d'Ile-de-France, les amateurs pourront non seulement les aborder un par un mais aussi en faire des visites thématiques : jardins à fabriques (Désert de Retz, Jeurre...), grottes rustiques et nymphées (Fontainebleau, Versailles, Wideville, Chatou, Rambouillet...), jardins de jeux d'eau (Versailles, Saint-Cloud, Sceaux, Villette...), parcs paysagers et arboretum (le Petit Trianon, Balbi, Ferrières, Chèvreloup, Courson), roseraies (L'Haÿ-les-Roses, Bagatelle, Grisy-Suisnes, Honoré-Daumier, Vizier...), potagers et verger ornés (le Potager du Roi, Saint-Jean-de-Beauregard...), parcs contemporains (André Malraux, île de Saint-Germain, le Sausset, La Courneuve). Ils pourront aussi profiter des manifestations de plus en plus nombreuses, fêtes des plantes, concerts (Breteuil, les Glycines...) ou expositions de sculpture (Fondations Cartier, Coubertin...) qui viennent s'ajouter aux charmes naturels et quotidiens des jardins et contribuent à leur redonner un air de fête.

M.R.

Le potager de Saint-Jean-de-Beauregard.

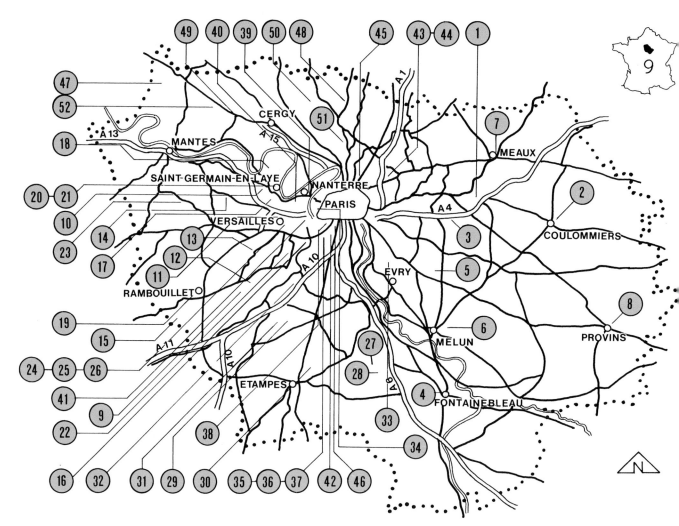

ILE-DE-FRANCE (hors Paris)

1 Château de Champs ★ ★
2 Parc des Capucins
3 Château de Ferrières ★ ★ ★
4 Château de Fontainebleau ★ ★ ★
5 Roseraie de Grisy-Suisnes ★ ★
6 Château de Vaux-le-Vicomte ★ ★ ★ ★
7 Jardin Bossuet ★ ★
8 Roseraie Vizier ★
9 Château de La Celle-les-Bordes ★ ★
10 Désert de Retz ★ ★ ★
11 Arboretum de Chèvreloup ★ ★
12 Château de Breteuil ★ ★ ★
13 Château de Dampierre ★ ★
14 Château de Wideville ★ ★
15 Château de Sauvage ★
16 Parc de la Fondation Cartier ★ ★
17 Domaine de Marly ★ ★
18 Parc Meissonier ★
19 Château de Rambouillet ★ ★ ★
20 Musée du Prieuré ★
21 Terrasses de Saint-Germain ★ ★
22 Château de Coubertin ★
23 Château de Thoiry ★ ★
24 Parc Balbi ★ ★
25 Le Potager du Roi ★ ★ ★
26 Château de Versailles, Grand et Petit Trianon ★ ★ ★

27 Château du Saussay
28 Château de Courances ★ ★ ★ ★
29 Château de Courson ★ ★ ★
30 Parc de Jeurre ★ ★ ★
31 Château du Marais ★ ★
32 Château de Saint-Jean-de-Beauregard ★ ★ ★
33 Parc Caillebotte
34 Jardins Albert-Kahn ★ ★ ★
35 Parc des Glycines (pépinières Croux) ★ ★
36 Arboretum de la Vallée aux Loups (ancien parc Croux) ★ ★
37 Parc de la Vallée aux Loups et de Chateaubriand ★ ★
38 Parc de l'île Saint-Germain ★
39 Parc André-Malraux ★
40 Château de Malmaison ★ ★
41 Parc de Saint-Cloud ★ ★ ★
42 Parc de Sceaux ★ ★ ★
43 Roseraie Honoré-Daumier ★
44 Parc du Sausset ★
45 Parc de La Courneuve ★
46 Roseraie de L'Haÿ-les-Roses ★ ★ ★
47 Château d'Ambleville ★ ★
48 Abbaye de Royaumont ★
49 Château de Villette ★ ★
50 Jardin du pavillon chinois de Cassan
51 Jardin de l'hôtel de ville
52 Château de Vigny ★ ★

SEINE-ET-MARNE 77

Château de Champs ★ ★

Champs-sur-Marne

Les deux pièces de broderies de buis étalées devant le château sont de beaux exemples de parterres du XVIIe siècle et la perspective des terrasses descendant progressivement vers la Marne est particulièrement remarquable. Les fontaines de Sylle, et « les Chevaux d'Apollon », par Marsy (que l'on trouve également à Versailles) animent les terrasses. Conçu par Claude Desgots, petit-neveu de Le Nôtre, ce jardin à la française (84 ha) fut redessiné par Jean-Charles Garnier de L'Isle-Adam pour le compte du duc de la Vallière, transformé en parc à l'anglaise après la Révolution puis restauré dans l'esprit du tracé originel par Henri et Achille Duchêne.   M.R.

Adresse : château de Champs-sur-Marne, 77420 Champs-sur-Marne
Propriétaire : l'État, Domaine national, tél. : (1) 60.05.24.43. Conservateur : M. B. Collette
Ouverture : t.l.j. sauf mar., de 9 h 30 au coucher du soleil (20 h en été) ; château t.l.j. sauf mar.
Accès : à 20 km à l'est de Paris, à 8 km à l'ouest de Lagny par D217b

Le parterre de broderies. Champs.

Parc des Capucins

Coulommiers

Le parc (4 ha) s'étend autour des vestiges d'un château du XVIIe siècle, d'une chapelle, et alterne en sous-bois et pelouses fleuries.
Une partie « à la française » avec parterres et bassins complète l'ensemble.   T.D.

Adresse : parc des Capucins, place Abel-Leblanc, 77120 Coulommiers
Propriétaire : Ville de Coulommiers, tél. : 64.03.51.91

Ouverture : t.l.j. de 7 h au coucher du soleil (19 h en hiver)
Illumination en été, musée de Coulommiers
Accès : à 30 km au sud-est de Meaux par A105 et N34

Une création anglaise en France. Ferrières.

Château de Ferrières ★ ★ ★

Ferrières-en-Brie

Un parc « victorien ». Avec Ferrières, nous avons la chance de posséder un exemple unique de parc victorien en France, parc qui fait aujourd'hui l'objet d'une redécouverte exemplaire. Le domaine originellement réuni par les Rothschild comprenait près de 7 000 ha, dont le parc seul en occupait 600. En 1853, le baron James de Rothschild chargea l'architecte paysagiste anglais Joseph Paxton (1803-1865), qui venait d'achever Mentmore près de Buckingham, de la construction d'un vaste château et de l'aménagement du parc. L'auteur célèbre du *Crystal Palace* transporta — en les modifiant à peine pour répondre au goût de Napoléon III — les schémas alors à la mode outre-Manche : une architecture monumentale néoélisabéthaine et un style de jardins éclectique où les abords de la maison sont traités de façon régulière (terrasses et perrons, sculptures et vases, plates-bandes fleuries) tandis que les lointains respectent le plus pur style paysager : l'intérêt botanique et le rôle dévolu aux serres et aux plantes rares restant essentiels.

Sur ce terrain qui n'offrait pas d'accidents naturels et que couvraient des bois très étendus, Paxton, relayé plus tard par Eugène Lami, créa un calme paysage de lacs et de ruisseaux, peuplé de ponts et de fabriques (l'embarcadère, l'île d'amour), dans la lignée d'Humphry Repton, tandis que d'importantes dépendances (faisanderies, fermes ornées, orangerie monumentale) déclinaient toutes les fantaisies du style vernaculaire ainsi que les perfectionnements techniques de l'architecture métallique, à l'orée des bois qui cernent le parc et servaient de cadres à de grandes chasses annuelles.

Encore aujourd'hui, les 150 ha (dont 60 accessibles au public), légués par le baron Guy de Rothschild à la Chancellerie des Universités de Paris, procurent au visiteur une sorte de dépaysement, surtout à l'automne quand les feuillages contrastés des hêtres pourpres, des séquoias et des cèdres bleus composent un étrange panorama chromatique. Même si les grandes serres et le jardin d'hiver « tropical », ou les potagers où des poiriers en espaliers dessinaient le nom du propriétaire et où travaillaient encore une cinquantaine de jardiniers dans les années 30, ont disparu, le parc a conservé une grande partie de son intérêt esthétique et botanique : les arbres ont fait récemment l'objet d'une campagne d'étiquetage et l'on a restauré le jardin japonais.   M.M.

Adresse : château de Ferrières,
77164 Ferrières-en-Brie
Propriétaire : Chancellerie des Universités de Paris,
tél. : (1) 64.66.31.25. Conservateur :
Mme Mireille Munch
Ouverture : du 1er mai au 1er octobre t.l.j., sauf lun. et mar., de 14 h à 19 h ; hors saison, mer., sam. et dim. de 14 h à 17 h ; groupes t.l.j. sur rendez-vous
Accès : à 25 km à l'est de Paris par A4 sortie Lagny/Melun et N371 (direction Melun) ou 8 km au sud de Lagny par D35

L'étang des Carpes. Fontainebleau.

Château de Fontainebleau ★ ★ ★

Fontainebleau

Un espace de grands projets. Implanté sur des marais au milieu d'une vaste forêt pour la chasse, le château et ses jardins actuels sont le fruit de nombreuses campagnes de travaux de terrassement, de drainage, de canalisation des sources, de construction et de démolition depuis le XIIe siècle. François Ier en fit sa résidence privilégiée à partir de 1528, y invitant les meilleurs artistes italiens de son temps, le Primatice, Serlio, Vignole, et donnant forme à un jardin dont on retrouve encore les grandes lignes. Une galerie à l'italienne fut édifiée au fond de la cour de la Fontaine, axée sur l'étang des Carpes — un étang trapézoïdal dont le creusement remonte à Saint Louis. A l'est, le Grand Jardin était composé d'une série d'îles sur plan carré séparées d'aires de jeu de plein air par un canal. A l'ouest du lac furent plantés des vignes, des arbres venus de Provence, en particulier des pins maritimes (*Pinus pinaster*) qui donnèrent au lieu le nom de jardin des Pins. Dans cette partie transformée en jardin anglais par Hurtault qui y planta des arbres exotiques tels que sophoras, tulipiers, cyprès chauves et catalpas, la grotte des Pins demeure un témoignage exceptionnel de l'architecture rustique de la Renaissance, sans doute le premier du genre en France. Attribué au Primatice, quatre superbes géants, faisant corps avec les blocs de grès, montent la garde devant la grotte.

L'intérieur, restauré avec une grande maladresse et une absence totale de sensibilité, n'a plus ce qui faisait le merveilleux des grottes rustiques. Au nord, le jardin de Diane était un jardin clos, où Vignole avait placé des sculptures de bronze, tel que le Laocoon et l'Apollon du Belvédère. Redessiné par Le Nôtre en 1645, il sera ouvert au nord sous Napoléon, et traité à l'anglaise, également par Hurtault. Sous Henri IV, le Grand Jardin devint le parterre du Tibre, avec quatre compartiments de broderies et quatre fontaines conçues par Alexandre Francini. Puis, entre 1661 et 1666, Le Nôtre lui donna son aspect actuel. C'est l'un de ses plus grands parterres, avec quatre compartiments en équerre autour d'un bassin carré central et un bassin circulaire faisant transition avec la forêt toujours présente. Aujourd'hui, l'ensemble fait l'objet d'une nouvelle campagne de travaux, avec restitution du grand parterre et réhabilitation de la prairie qui longe le canal. La promenade qui mène à son extrémité vaut un petit effort. Au pied de deux sphinges étonnantes, l'architecte Bernard Collette a dégagé un déversoir au dessin remarquable de pureté.

M.R.

Adresse : château de Fontainebleau, 77300 Fontainebleau
Propriétaire : l'État, Domaine national, tél. : (1) 64.22.34.86. Conservateur : M. B. Collette
Ouverture : t.l.j. de 8 h au coucher du soleil (20 h en été). Jardin de Diane et jardin anglais : t.l.j. de 9 h à 1 h avant le coucher du soleil (19 h en été). Château, t.l.j., sauf le mar. Collections (peintures, sculptures, mobilier), concerts, tél. : (1) 64.22.27.40
Accès : à 65 km au sud-est de Paris par A6 ou N7

Roseraie de Grisy-Suisnes ★★

Grisy-Suisnes

En pleine Brie, pays des roses, Bernard Boureau représente la quatrième génération de rosiéristes à cultiver la Reine des fleurs. Il s'est spécialisé dans la multiplication des variétés anciennes qui méritent de se faire mieux connaître tout en gardant en culture les grands classiques. Pour montrer ses fleurs préférées, il a planté autour de sa maison une roseraie qui s'ouvre au public tous les samedi matin, au moment où ces fleurs sont les vedettes (mois de juin).
Sur près de 1 000 m², quelque 200 variétés différentes se côtoient, intimement mêlées à des arbustes et des plantes vivaces.

J.C.L.

Adresse : pépinière Boureau, 28 *bis*, rue du Maréchal-Gallieni, 77166 Grisy-Suisnes
Propriétaire : Bernard Boureau, tél. : (1) 64.05.91.83

Ouverture : au mois de juin le sam. matin de 8 h 30 à 12 h
Accès : à 35 km au sud-est de Paris par N19 et à 5 km à l'est de Brie-Comte-Robert

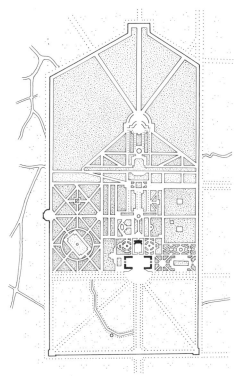

CHÂTEAU DE VAUX-LE-VICOMTE

Château de Vaux-le-Vicomte ★★★★

Maincy

« **Un rêve réalisé** ». Pour quelle raison Vaux est-il l'un des plus beaux jardins du monde ? Parfaite représentation de l'art des jardins classiques en France, le projet du surintendant Nicolas Fouquet (1615-1670) fut exécuté d'un trait en cinq ans, sur des terres patiemment acquises dès l'âge de 25 ans. Tout ce qu'il faut pour réaliser un beau projet était réuni, un mécène intelligent, cultivé, imaginatif, et une équipe d'artistes de premier ordre : l'architecte Louis Le Vau, le peintre et décorateur Charles Le Brun et l'architecte de jardins André Le Nôtre.
On sait que la réussite fut telle qu'elle irrita Louis XIV et entraîna la disgâce de Fouquet. Après avoir changé plusieurs fois de propriétaires et après 28 ans d'abandon, Alfred Sommier racheta le domaine pour le remettre en état en 1875 et chargea le paysagiste Lainé de la réhabilitation qui se poursuivra jusqu'en 1905. Son fils, Edme Sommier, confia à Achille Duchêne ce qu'il restait à faire : les parterres latéraux à l'est et à l'ouest du château et la reconstitution des grandes broderies, de part et d'autre de l'allée centrale. Aujourd'hui, le neveu de Mme Sommier, le comte Patrice de Vogüé, a repris cette charge immense.

La science des dénivellations. Vaux.

Allez sans délai vous asseoir sur les marches de l'escalier qui, enjambant les douves, conduit au Salon ovale. Vous serez dans l'axe du jardin et vous verrez se développer, tout au long d'un grand rectangle, les broderies, le Rond d'eau, puis, au-delà, de chaque côté de l'allée centrale, des grecques de gazon au pied d'une série de fontaines, puis enfin l'Arpent d'eau, grand bassin carré qui semble s'appuyer sur les Grottes faisant fond. En réalité, les Grottes sont séparées de ce bassin par 250 m et un grand canal transversal que Le Nôtre a volontairement masqués pour que vous les découvriez un peu plus tard dans votre promenade. La perspective encadrée de grands platanes remonte et se termine par l'énorme statue d'Hercule Farnèse.

Encadré par les charmilles et les bois, le grand rectangle est lumineux. L'effet s'accentue avec les ciels si caractéristiques d'Ile-de-France, bleus avec quelques nuages blancs. La distribution des parterres répond à un découpage géométrique qui satisfait l'intelligence. Les volutes des broderies semblent s'insinuer entre les statues et les ifs coniques comme des clous destinés à tendre une tapisserie.

Dirigez-vous vers le Rond d'eau en suivant le conseil que donnait Mme Sommier : plutôt que l'axe central, prenez l'allée parallèle à sa gauche, à l'est, les vues obliques étant souvent favorables dans les jardins réguliers. Allez ensuite vers les Grilles d'eau. Le Nôtre a ici corrigé la pente naturelle du terrain vers l'est en relevant le chemin que vous emprunterez, afin que du château on ait l'impression d'une horizontalité parfaite. C'est devant les Grilles d'eau que Molière présente au roi sa pièce *les Fâcheux*, lors de la célèbre fête du 17 avril 1661. Montez les quelques marches et vous trouverez à droite un charmant sentier sinueux qui, à travers bois, vous mènera au Confessionnal. De là, vous constaterez la distance qui sépare le Bassin carré de la Grotte, vous verrez enfin le canal de l'Anqueil. A vous d'en faire le tour, jusqu'au grand Hercule, pour admirer la vue sur les jardins et le château.   R.P.

Adresse : château de Vaux-le-Vicomte, 77950 Maincy
Propriétaire : comte de Vogüé, tél. : (1) 60.66.97.09
Ouverture : t.l.j., du 1er avril au 31 octobre, de 10 h à 18 h ; du 1er novembre au 31 mars, de 11 h à 17 h (fermé le 25 décembre)
Grandes eaux : d'avril à octobre les 2e et dernier sam. de chaque mois, de 15 h à 18 h
Visites aux chandelles le sam., de mai à septembre entre 20 h et 23 h
Musée des Équipages, point librairie, restaurant
Accès : à 50 km au sud-est de Paris par N6 et 6 km au nord-est de Melun par N36 et D215

L'utilisation savante des miroirs d'eau. Vaux.

Jardin Bossuet ★ ★

Meaux

Au pied du palais épiscopal et souligné par une voûte d'ifs, ce jardin classique en forme de mitre s'étend jusqu'aux remparts gallo-romains. Créé en 1640 par Le Nôtre, il est très proche de celui que connut Bossuet, « l'Aigle de Meaux », qui venait écrire et préparer ses discours dans la petite maison sur les remparts. Le coup d'œil de la terrasse du palais mérite un petit effort.   M.R.

Adresse : Cité épiscopale, 5, place Charles-de-Gaulle, 77100 Meaux
Propriétaire : Ville de Meaux, tél. : (1) 64.34.90.11
Ouverture : t.l.j. de 8 h au coucher du soleil (20 h en été)
Accès : à 45 km à l'est de Paris et, à Meaux, dans le centre ville

JARDIN BOSSUET

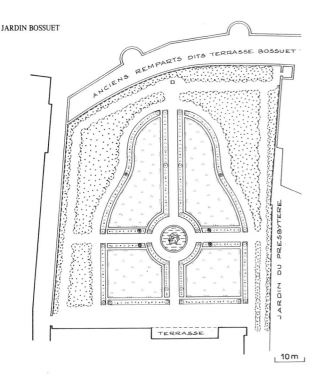

Roseraie Vizier ★

Provins

Ce jardin-pépinière présente une roseraie ordonnée à la française avec parterres rehaussés de rosiers tiges et rosiers grimpants ponctués d'ifs taillés en cônes.
Une référence à la rose de Provins, mais aussi près de 100 variétés de rosiers anciens et 2 000 de rosiers modernes.
T.D.

Adresse : pépinières Vizier, 11, rue des Prés, 77160 Provins
Propriétaire : Provins-Paysage, tél. : (1) 64.00.02.42
Ouverture : t.l.j. de 8 h à 12 h et de 13 h à 17 h 30 ; pépinières, ventes de plantes (fermé le dim.)
Accès : à 48 km à l'est de Melun par D408 et N19

YVELINES 78

Château de La Celle-les-Bordes ★ ★

La Celle-les-Bordes

Edifié sous le règne du bon roi Henri, le château de La Celle-les-Bordes fut tout d'abord la propriété de Claude de Harville, marquis de Palaiseau. Il restera pendant plus de deux siècles dans sa famille. En 1870, le duc d'Uzès, passionné de chasse à courre, choisira ces lieux proches de la forêt de Rambouillet pour y loger sa meute, ses chevaux et son personnel. La duchesse léguera plus tard ce château à son petit-fils, le duc de Brissac.

Les portes de l'élégante façade s'ouvrent sur l'un des plus beaux gazons qui se puissent rêver. Une perfection à rendre jaloux les meilleurs spécialistes anglais. Un écran topiaire en charme isole la propriété tout en ménageant, par des ouvertures en diagonale dans l'épaisseur de la haie, des vues sur le village et les environs qui se découvrent au fil des pas. Un procédé très astucieux car, de la terrasse du château, la haie semble un écran totalement fermé.

Lui faisant face, une colline couverte d'arbustes à fleurs et de plantes vivaces sert de lien et s'évanouit dans les sous-bois. Au bord de la pelouse, des massifs

Un paysage équilibré. La Celle-les-Bordes.

réguliers ponctués de buis sculptés en forme de bancs.

Un petit escalier discret niché à l'extrémité de la longue charmille conduit à la terrasse inférieure avec sa piscine bien abritée et une roseraie consacrée aux roses anciennes avec leurs doux coloris et leurs parfums suaves.

Entre ces deux pôles, un mur topiaire délicatement ouvragé de festons taillés en relief dans ce décor végétal. Gilles de Brissac, le créateur inspiré de cet ensemble exceptionnel, n'avait que 16 ans quand il décida de remodeler le jardin de sa grand-mère. Dans ce lieu, aujourd'hui bien établi et parfaitement soigné, il a su trouver un équilibre harmonieux entre la rectitude obligatoire, l'espace imposé par le style des bâtiments et les lieux plus secrets, intimes, les fantaisies et les couleurs qui apportent un plus de charme et de bien-être.

J.C.L.

Adresse : château de La Celle-les-Bordes, 78760 La Celle-les-Bordes
Propriétaires : M. et Mme de Brissac
Ouverture : groupes de spécialistes sur demande écrite uniquement
Accès : à 10 km à l'ouest de Paris

Désert de Retz ★ ★ ★

Chambourcy

Un monde rêvé. Une grotte dont le passage voûté et sombre conduit à l'intérieur d'un domaine irréel où les arbres immenses cachent des ruines étranges et symboliques : c'est le grand domaine de Retz que M. Racine de Monville, riche héritier, esthète, musicien, courtisan et libertin, commanda à partir de 1774 et réalisa en quinze ans. Dans ce parc planté d'espèces rares et aménagé dans le goût anglo-chinois, dix-sept fabriques évoquent l'ouverture sur le monde, le renouveau de l'intérêt pour l'Antiquité, l'éthique de Jean-Jacques Rousseau...

Une glacière en forme de pyramide, un temple dédié au dieu Pan, un obélisque égyptien, un autel votif, une maison chinoise à ossature de bois, aux façades extérieures rythmées par des poteaux imitant des bambous, et surtout la « colonne détruite » qui servait d'habitation au créateur du domaine et qui fait la singularité du Désert. Démarche unique, elle est une des rares réalisations de cette architecture visionnaire de la fin du XVIIIᵉ siècle prônée par Ledoux ou Boullée, un microcosme parfait de la société éclairée de son temps, un lieu où l'homme et la nature sont libérés de leurs contraintes. Le Désert de Retz est une vaste fresque éclectique, une mise en scène de l'humanité où l'Égypte, Rome, la Grèce, la Chine cohabitent. La variété, le mouvement, l'irrégularité, les accidents, stimulent les sensations de l'esprit et les allées courbes deviennent le théâtre des sentiments, un parcours de visions successives et surprenantes, à l'opposé de la notion de centralité et de direction issue des jardins classiques. Dès sa création, l'originalité du lieu fascine de très nombreux visiteurs. C'est au Désert de Retz qu'André Breton et les surréalistes se firent photographier et que Colette imagina son bonheur terrestre. A l'époque où l'écrivain découvre le Désert de Retz, le parc est pourtant livré à lui-même et, quinze années plus tard, il semble voué à une disparition totale. La voix d'André Malraux s'élève en 1966 pour que le domaine soit sauvé, mais c'est Olivier Choppin de Janvry et Jean-Marc Heftler qui participent activement à la restauration, réunis en société civile depuis 1986. Peu à peu, les essences rares sont dégagées, le terrain est drainé, la pyramide et la tente tartare restaurées. La jungle fait place au parc.

A.R.

Adresse : Désert de Retz, 78240 Chambourcy
Propriétaire : M. Olivier Choppin de Janvry
Ouverture : en cours de restauration, sur demande pour groupes ; visites individuelles possibles. Renseignements, tél. : (1) 39.76.90.37
Accès : à 25 km de Paris par A13 sortie Poissy-Villenns puis direction Orgeval, à Chambourcy direction Chambourcy-Village, entrée au bout de l'allée Frédéric-Passy

La « colonne détruite ». Désert de Retz.

Arboretum de Chèvreloup ★ ★

Le Chesnay

Chèvreloup est au jardin des Plantes ce que Wakehurst est au célèbre Kew Garden en Angleterre : une annexe où l'on essaie, innove ou acclimate — ce qu'on ne peut faire au jardin des Plantes ou à Kew faute de place et de sol ou à cause de la pollution.

Le parc de 200 ha, ancien terrain de chasse de Louis XIV, fut sous Louis XV un jardin botanique où Bernard de Jussieu planta une collection d'arbres rares. Après un long abandon, Chèvreloup fut affecté en 1927 au Muséum d'histoire naturelle et retrouva sa vocation première. Il se partage aujourd'hui en trois zones, la zone systématique qui contient les plus anciennes plantations, la zone géographique en trois secteurs (Europe, Asie et Amérique) et la zone horticole qui présente des cultivars d'intérêt scientifique ou ornemental, obtenus par les pépiniéristes pour les jardins de demain.   D.L.

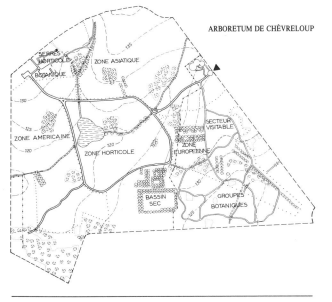

ARBORETUM DE CHÈVRELOUP

Dominant la vallée de Chevreuse : le château de Breteuil et ses jardins.

parc (70 ha) abrite de nombreux arbres vénérables, des cèdres, des chênes sessiflora, un tilleul planté, selon la légende, par Louis XI...

La famille de Breteuil possède le château depuis 1712. Les actuels propriétaires poursuivent une mise en valeur du parc en créant de nouvelles percées, en reconstituant un verger, en améliorant les abords de l'orangerie et en animant l'ensemble de façon exemplaire.   M.R.

Adresse : Chèvreloup, 30, route de Versailles, 78150 Le Chesnay
Propriétaire : Muséum d'histoire naturelle, tél. : (1) 39.55.53.80. Conservateur : M. Callen
Ouverture : du 1er avril au 15 novembre, les sam., dim. et lun. de 10 h à 17 h ; groupes sur rendez-vous, t.l.j., sauf mer.
Accès : à 22 km à l'ouest de Paris par A13 direction Versailles-Ouest, face au centre commercial Parly II

Adresse : château de Breteuil, 78460 Choiseul
Propriétaire : M. Henri-François de Breteuil, tél. : (1) 30.52.05.02/30.52.05.11
Ouverture : t.l.j. de 10 h au coucher du soleil ; château, tous les après-midi, et le matin jours fériés et vacances scolaires
Musée, expositions, concerts, location pour réceptions, jeux d'enfants
Accès : à 35 km au sud-ouest de Paris par N118 sortie Saclay, puis N306 jusqu'à Saint-Rémy-lès-Chevreuse puis fléchage

Château de Breteuil ★ ★ ★

Choiseul

« A la française ». Établis en promontoire, le château de plaisance et ses jardins dominent les pentes boisées descendant vers la fraîcheur et les marais de la vallée de Chevreuse. Après l'allée centrale, un jardin à la française dessiné vers 1900 par Henri Duchêne et son fils Achille entoure le château. Au sud, la vaste pièce d'eau est accompagnée de broderies, de cyprès taillés et d'un talus surplombant une remarquable percée. Encadré de hautes et sombres futaies, le regard dévale jusqu'au bas du Vallon où l'attirent les miroitements de l'étang. Le

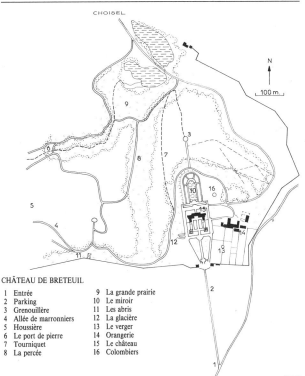

CHÂTEAU DE BRETEUIL

1 Entrée
2 Parking
3 Grenouillère
4 Allée de marronniers
5 Houssière
6 Le port de pierre
7 Tourniquet
8 La percée
9 La grande prairie
10 Le miroir
11 Les abris
12 La glacière
13 Le verger
14 Orangerie
15 Le château
16 Colombiers

Château de Dampierre ★★

Dampierre

Devant le château construit par Hardouin-Mansart pour le duc de Luynes (entre 1675 et 1686), le jardin conçu par Le Nôtre fait partie des grandes créations du maître jardinier. Reprenant l'emplacement des jardins dessinés à la Renaissance, la succession de parterres et de pièces d'eau vient barrer la petite vallée de l'Yvette. Maintenu dans ses grandes lignes mais dépourvu de ses décors, le jardin a été « agrémenté » d'un parc floral destiné à plaire au public par ses grandes masses colorées. On peut aimer... M.R.

Fleurissement printanier. Dampierre.

Adresse : château de Dampierre, 78720 Dampierre
Propriétaire : duc de Luynes,
tél. : (1) 30.52.52.64/30.52.50.44
Ouverture : parc floral, d'avril au 15 octobre, t.l.j. de 11 h à 19 h ; parc du château, t.l.j., sauf mar., de 14 h à 18 h même période
Vente de plantes, pépinières, expositions florales
Accès : à 35 km au sud-ouest de Paris par N118, N306 et D58 à Chevreuse ; 20 km au nord-est de Rambouillet par N306 et D91

Château de Wideville ★★

Davron

Encadré de douves le château, construit vers 1620 par Claude de Bouillon, est mis en valeur par deux parterres à la française redessinés par Achille Duchêne : à l'ouest, le boulingrin et, au nord, un vaste gazon relevé de broderies et d'ifs taillés en pièces d'échecs et terminé par l'un des plus beaux nymphées existants encore en France. M.R.

Adresse : château de Wideville, 78810 Davron
Propriétaire : M. Setton
Ouverture : sur demande écrite
Accès : à 35 km à l'ouest de Paris, entre Versailles et Mantes-la-Jolie

Château de Sauvage ★

Émancé

Connu pour son parc animalier, le château de Sauvage présente également un parc dont le tracé remonte au XVIIIᵉ siècle. Le domaine bénéficia des voyages de navigateurs qui, sous Louis XVI, fournissaient le parc du château de Rambouillet, situé à quelques kilomètres, en essences rares. Le parc a conservé de beaux et vieux arbres d'origine nord-américaine : cyprès chauves, tulipiers de Virginie, pins de l'Oregon, séquoias géants... T.D.

Adresse : château de Sauvage, 78120 Émancé
Propriétaire : I.W.P.F. (Fonds international pour la préservation de la nature), tél. : (1) 35.85.95.66
Ouverture : t.l.j. de 9 h à 19 h (18 h en hiver)
Parc animalier (réserve protégée), maison tropicale
Accès : à 10 km au sud-ouest de Rambouillet par D906 et D62

Parc de la Fondation Cartier ★★

Jouy-en-Josas

De surprises en surprises. Ce parc aujourd'hui célèbre pour ses expositions d'art contemporain est en fait un très vieux site : il est mentionné dès 1250 sous le nom de domaine de Montcel. Le baron Oberkampf, créateur de la toile de Jouy, l'acquiert en 1807 et son épouse fait dessiner par l'architecte écossais Blaikie un parc à l'anglaise. Par la suite, le domaine change plusieurs fois de propriétaire, mais le parc a été préservé. Le joaillier Cartier s'y est installé en 1984 pour y implanter une Fondation consacrée à l'art contemporain.

De son passé prestigieux, le parc conserve de nombreux arbres centenaires, voire bicentenaires. Le cèdre du Liban, derrière le château, date de 1750, et les séquoias remontent au début du XIXᵉ siècle. Parmi les arbres remarquables, il faut citer les chênes Turneri, près de la galerie. La forêt qui longe le parc abrite de nombreux conifères et feuillus — châtaigniers, chênes, érables, ainsi que de beaux massifs de rhododendrons.

Évidemment, la promenade prend un intérêt particulier grâce aux sculptures modernes disséminées dans le jardin, le sculpteur Arman a conçu une « tour » spectaculaire constituée d'automobiles superposées, il y a le pouce géant de César ou la « serre » de Raynaud qui héberge un gigantesque pot de fleurs. On est sans cesse surpris, étonné, déconcerté. La visite combine les plaisirs de la botanique avec ceux de la découverte de l'art contemporain.   D.L.

Adresse : Fondation Cartier, 3, rue de la Manufacture, 78350 Jouy-en-Josas
Propriétaire : propriété privée, Fondation Cartier pour l'art contemporain, tél. : (1) 39.56.46.46
Ouverture : en hiver, t.l.j., sauf lun., de 12 h à 18 h ; en été, t.l.j. de 12 h à 19 h, sam. jusqu'à 20 h ; visites commentées sur demande
Librairie, boutique, café, restaurant (en juin et juillet), bibliothèque du mécénat (sur rendez-vous).
Centre international de séminaires et de rencontres, village accueillant des artistes pour des séjours de travail
Accès : à 20 km au sud-ouest de Paris, à partir du pont de Sèvres, direction Chartres-Orléans, puis direction Versailles-Vélizy, sortie Jouy-en-Josas, puis fléchage

---

La « Serre » de Jean-Pierre Raynaud. Parc de la Fondation Cartier.

Domaine de Marly ★★
Marly-le-Roi

Entre deux flancs abrupts couverts de forêt, une dépression s'étire en une longue vallée herbeuse montant vers le ciel. Une vaste pièce d'eau oblongue occupe le centre de la perspective entre des glacis dont la géométrie s'est perdue. Çà et là, des ronds de roseaux signalent d'anciens bassins tandis qu'un superbe abreuvoir à chevaux en contrebas, seul vestige encore bien visible des splendeurs passées, termine le parc vers l'aval.

Le fastueux ermitage que Louis XIV se fit aménager près de Versailles à la fin de sa vie avait été entièrement conçu par l'architecte Jules Hardouin-Mansart. Douze pavillons semblables encadraient le bâtiment royal tandis que parterres, berceaux de verdure et jeux d'eau déclinaient savamment la progression vers les salles vertes et la forêt qui enserrait cette merveille comme un écrin.

Le parc de Marly n'a pas survécu à son créateur mais, après plus de deux siècles d'abandon et une sommaire reconstitution de quelques grandes lignes dans les années trente, le site reste encore séduisant.
I.A.

Adresse : domaine de Marly, 78160 Marly-le-Roi
Propriétaire : l'État, ministère de la Culture, tél. : (1) 40.15.82.42
Ouverture : permanente, visites libres
A l'est du parc, visiter le musée-promenade de Marly-le-Roi-Louvecienne (histoire du domaine de Marly) tous les après-midi, sauf lun., mar. et fêtes légales, tél. : (1) 39.69.06.26
Accès : à 20 km à l'ouest de Paris par autoroute A13 sortie Versailles-Ouest et direction Saint-Germain-en-Laye

Un paysage paisible : le parc Meissonier à Poissy.

rustique : des blocs énormes de rochers encadrent « Amalthée et sa chèvre » nichés au fond du salon. La gigantesque et majestueuse allée des cyprès chauves est la grande curiosité botanique de ce parc. Ces arbres rares et surprenants (taxodium) proviennent de graines rapportées de Louisiane au XVIIᵉ siècle, oubliées pendant près de deux siècles et finalement plantées sous Napoléon.

La visite de ce parc très varié, aménagé sur plusieurs siècles et combinant l'art du jardin à la française et à l'anglaise, est recommandée aux bons marcheurs : on peut suivre les allées et les canaux pendant des heures en découvrant constamment de nouveaux paysages.

D.L.

Parc Meissonier ★

Poissy

La ville a racheté en 1950 ce terrain à l'abandon qui fut autrefois le parc du prieuré de Saint-Louis, et l'a aménagé, sur 13 ha, en un grand jardin en pente douce. En bas, un lac, en haut, un théâtre de verdure, à l'entrée, une roseraie, et, au milieu, des allées qui serpentent parmi les massifs fleuris et les arbres centenaires.

M.R.

Adresse : parc Meissonier, avenue du Bon-Roi-Saint-Louis, 78300 Poissy
Propriétaire : Ville de Poissy, tél. : (1) 39.65.56.40, poste 44-09
Ouverture : t.l.j. de 7 h 30 à 18 h (19 h en été)
Accès : à 5 km au nord-ouest de Saint-Germain-en-Laye par N190

Château de Rambouillet ★★★

Rambouillet

Le domaine de Rambouillet est une résidence d'automne pour les présidents de la République. L'aménagement du parc à la française, conçu par Fleuriau d'Armenonville, date de 1699. Il comprenait terrasses, parterres et quinconces de tilleuls. A partir du grand canal qui traverse le domaine, il fit creuser un réseau de canaux secondaires dessinant un chapelet d'îles géométriques jadis peuplées de statues et devenues aujourd'hui des refuges pour la flore sauvage.

En 1779, le duc de Penthièvre créa un jardin anglais orné de fabriques, une grotte surmontée d'un kiosque chinois, un hermitage, un pavillon de coquillages. Plus tard, Hubert Robert dirigea l'aménagement de l'enclos de la laiterie. Contrastant avec la façade sévère, l'intérieur de la laiterie, construite par Thévenin, est un des exemples les plus épurés d'architecture

Adresse : château de Rambouillet, 78120 Rambouillet
Propriétaire : l'État, domaine national, tél. : (1) 34.83.02.49
Ouverture : t.l.j., sauf séjours présidentiels, du 1ᵉʳ mai au 31 août de 6 h 30 à 20 h ; du 1ᵉʳ septembre au 31 octobre de 7 h à 18 h 30 ; du 1ᵉʳ novembre au 31 janvier de 8 h à 17 h 30 ; du 1ᵉʳ février au 30 avril de 7 h à 18 h 30 ; château t.l.j., sauf mar., laiterie du 1ᵉʳ avril au 30 octobre, t.l.j., sauf mar.
Accès : à 55 km au sud-ouest de Paris, à l'ouest de Rambouillet

La laiterie de la Reine. Rambouillet.

Musée du Prieuré ★

Saint-Germain-en-Laye

Fermé de hauts murs, l'endroit évoque les « jardins de curés », les presbytères campagnards d'autrefois et un climat très particulier de calme, voire de mystère.

La demeure du Prieuré fut construite par Mme de Montespan et devint l'hôpital royal de Saint-Germain-en-Laye, dont elle reste un des plus anciens édifices. Mais sa grande époque se situe dans la première moitié du XXe siècle, lorsqu'elle devint la propriété du peintre Maurice Denis, animateur du groupe des nabis, une importante école de peintres proche de l'impressionnisme et du symbolisme. Depuis 1980, le Prieuré est devenu un musée consacré aux nabis et à d'autres peintres de l'époque — la collection comprend aussi des œuvres de Toulouse-Lautrec, Vallotton, Vuillard, Mucha... On visite l'atelier que se fit construire Maurice Denis, la chapelle décorée par le peintre, et un jardin tout en terrasses fleuries orné de statues de Bourdelle. D.L.

 Adresse : 2 *bis*, rue Maurice-Denis / rue du Prieuré, 78100 Saint-Germain-en-Laye
Propriétaire : Département des Yvelines, tél. : (1) 39.73.77.87
Ouverture : t.l.j. (sauf lun. et mar.) de 10 h à 17 h 30 (18 h 30 week-end et jours fériés) ; groupes le lun. sur rendez-vous
Accès : centre ville

Terrasses de Saint-Germain ★★

Saint-Germain-en-Laye

Comme de nombreux sites bien placés, celui de Saint-Germain a connu une histoire mouvementée. La grotte extraordinaire, conçue par Thomas Francini

dans l'une des sept terrasses à l'italienne qui descendaient vers la Seine, a disparu. Une demoiselle-automate y jouait des orgues hydrauliques pour les invités d'Henri IV. Le jardin-promenade que l'on peut encore apprécier fut dessiné par Le Nôtre de 1668 à 1673, en particulier la remarquable Grande Terrasse, de 2,400 km de long. On y domine un paysage sans limite. Abandonné, éventré par le chemin de fer et partiellement transformé en jardin anglais, il est progressivement réhabilité. Avant de restaurer les parterres, on se souviendra que Le Nôtre lui-même considérait ce grand belvédère comme « un lieu fait pour les bonnes d'enfants où l'on ne se promène pas et qu'il est agréable de voir du deuxième étage ». M.R.

 Adresse : château de Saint-Germain-en-Laye, place du Château, 78100 Saint-Germain-en-Laye
Propriétaire : l'État, domaine national, tél. : (1) 34.51.75.38
Ouverture : t.l.j. de 8 h au coucher du soleil
Musée des Antiquités nationales (t.l.j., sauf mar.), ateliers d'enfant
Accès : à 20 km à l'ouest de Paris et, à Saint-Germain, dans le centre ville

Château de Coubertin ★

Saint-Rémy-lès-Chevreuse

Derrière le château auquel on accède par une triple rangée de tilleuls, s'étend une vaste pelouse, encadrée d'arbres plantés de façon irrégulière. Cet aménagement date de 1863, lorsque le baron de Coubertin transforma les jardins à la française. En contrebas du château, parallèle à l'allée d'accès, s'étendait un potager, clos de mur. Il fut aménagé entre 1979 et 1982, sur les plans de Robert Auzelle, pour devenir un espace d'exposition pour la sculpture. Ce jardin des bronzes animé de terrasses, murets, escaliers, s'ordonne autour d'un chemin d'eau axial, scandé de trois bassins. La végétation discrète y laisse la primauté à la sculpture. M.R.

 Adresse : château de Coubertin, 78470 Saint-Rémy-lès-Chevreuse
Propriétaire : Fondation de Coubertin, tél. : (1) 30.85.69.89. Conservateur : Mme Grémont
Ouverture : lors de l'exposition annuelle de sculptures du 15 septembre au 11 novembre, t.l.j., sauf lun. et mar., de 10 h à 12 h et de 14 h à 17 h et hors saison pour groupes à vocation culturelle (en semaine) sur rendez-vous
Accès : à 30 km au sud-ouest de Paris, à 14 km au sud de Versailles par D938

Château de Thoiry ★★

Thoiry

Thoiry est aujourd'hui célèbre pour sa réserve d'animaux sauvages en liberté, que l'on peut admirer en voiture ou sur des passerelles suspendues. Mais c'est aussi un parc superbe. On avait créé en 1727 un jardin à la française. L'architecture du château est unique en son genre, avec d'étonnantes illusions d'optique. Aux solstices d'hiver et d'été, par exemple, le soleil levant semble surgir, selon la perspective, du plan d'eau qui ressemble alors à un immense miroir, ou juste au milieu des portes du grand vestibule. Le parc a été partiellement détruit au XVIIIe siècle. Au siècle suivant, Varé y implante un jardin à l'anglaise. Depuis la création de la réserve africaine, la propriétaire a porté une attention particulière à l'entretien et à la restauration des jardins, et l'aménagement continue. On a vu apparaître une vaste collection de berberis, un étonnant jardin d'automne composé d'essences flamboyantes — érables, liquidambars, chênes, ou sumacs et le jardin de rhododendrons est aujourd'hui ouvert au public. D.L.

Adresse : château de Thoiry, 78770 Thoiry
Propriétaires : M. et Mme de La Panouse, tél. : (1) 34.87.40.67/52.25
Ouverture : d'avril à fin septembre, t.l.j. en semaine de 10 h à 18 h (18 h 30 dim. et jours fériés) ; hors saison, de 10 h à 17 h (17 h 30 dim. et jours fériés)
Location pour réceptions, conférences, parc animalier (réserve africaine et parc pédestre), restaurant, salon de thé, boutiques, point librairie
Accès : à 4 km à l'ouest de Paris par l'autoroute A13 puis N12 et D11 ; à 20 km au sud-ouest de Mantes-la-Jolie par N183 et D11

Thoiry : le parc en automne.

Parc Balbi ★★

Versailles

Le comte de Provence, frère de Louis XVI et futur Louis XVIII, voulant faire construire pour son amie, la comtesse de Balbi, une « maison de campagne », se fit attribuer par son frère et souverain une parcelle du terrain attenant au Potager, et situé près de la pièce d'eau des Suisses. L'architecte Chalgrin fut chargé, en 1785, d'y créer un pavillon et un jardin à l'anglaise. Il dessina le parc avec un lac, un pont chinois et une grotte, faite d'énormes blocs de pierre provenant sans doute de la forêt de Fontainebleau. Des escaliers permettent d'accéder à une petite salle dans laquelle se tenaient des musiciens invisibles. Le pavillon fut détruit à la Révolution. Abandonné puis partiellement transformé en verger, le parc est devenu la propriété de l'École nationale supérieure d'horticulture. Il est progressivement restauré depuis 1960, en s'inspirant de l'ancien plan. M.R.

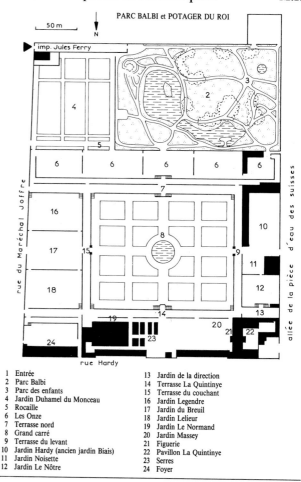

1 Entrée
2 Parc Balbi
3 Parc des enfants
4 Jardin Duhamel du Monceau
5 Rocaille
6 Les Onze
7 Terrasse nord
8 Grand carré
9 Terrasse du levant
10 Jardin Hardy (ancien jardin Biais)
11 Jardin Noisette
12 Jardin Le Nôtre
13 Jardin de la direction
14 Terrasse La Quintinye
15 Terrasse du couchant
16 Jardin Legendre
17 Jardin du Breuil
18 Jardin Lelieur
19 Jardin Le Normand
20 Jardin Massey
21 Figuerie
22 Pavillon La Quintinye
23 Serres
24 Foyer

Adresse : parc Balbi, 12, rue du Maréchal-Joffre, 78000 Versailles
Propriétaire : l'État, École nationale supérieure d'horticulture et École nationale supérieure du paysage, tél. : (1) 39.50.60.87
Ouverture : t.l.j., sauf lun. et jours fériés, de 13 h à 18 h (17 h hors saison)
Accès : au sud du centre ville

Un moment privilégié : la floraison du verger. Potager du Roi.

Le Potager du Roi ★ ★ ★

Versailles

Trois siècles et toujours en vie. A côté du château de Versailles et de ses jardins devenus des musées, le potager, créé en 1678 par La Quintinye pour le Roi-Soleil, a maintenu ses activités, malgré vicissitudes et changements de régime. Il reste un lieu vivant. Associé aux ateliers et aux laboratoires de l'École nationale supérieure d'horticulture (depuis 1874) et de l'École nationale supérieure du paysage (depuis 1976), il représente un remarquable conservatoire des savoirs et des savoir-faire pour les jardiniers, les horticulteurs et les paysagistes. Lieu d'expérimentation, de mémoire, de prestige et de plaisir, il a été conçu pour créer une succession de microclimats permettant d'étaler les productions destinées jadis au roi et à quelques privilégié(e)s, mais aujourd'hui à tous ceux qui peuvent se rendre aux ventes sur place. Il comporte un grand carré central avec bassin et jet d'eau. Divisé en quatre carrés qui se redivisent eux-même en quatre, le grand carré est dominé par une terrasse-promenoir protégée par un haut mur et percée de passages voûtés permettant aux jardiniers d'accéder à d'autres jardins en creux. Certains d'entre eux ont disparu comme la figuerie, la melonnière, mais la prunelaye est toujours en place. Une vingtaine de légumes, de nombreuses variétés de poires et de pommes qui étaient cultivées jadis. Reverra-t-on un jour pousser ici l'azérollier ? Ses fruits (proches de ceux de l'aubépine) servaient à la fabrication de confitures pour le roi. On aimerait bien y goûter...

M.R.

Adresse : le Potager du Roi, 4, rue Hardy, 78000 Versailles
Propriétaire : l'État, École nationale supérieure d'horticulture et École nationale supérieure du paysage, tél. : (1) 39.50.60.87
Ouverture : sur demande à l'ARPEJ, 6, rue Hardy, 78009 Versailles, tél. : (1) 39.02.71.03 ou 39.51.61.29, vente de fruits t.l.j. sauf sam. et dim., vente de légumes mar. et vend., de 8 h 30 à 11 h 30
Accès : centre ville, au sud du château

Château de Versailles, Grand et Petit Trianon ★ ★ ★ ★

Versailles

L'archétype du jardin français. Le choix de Louis XIV de faire d'un site marécageux, avec son petit « château de carte », sa résidence, le siège du gouvernement et de la Cour, le symbole du pouvoir royal sur le pays, n'était pas celui de la facilité. Il exigeait beaucoup de talent de la part des artistes concentrés autour d'un monarque âgé de 23 ans. Parmi eux, Le Nôtre est sans doute celui qui releva le défi avec le plus d'éclat, soutenu par Louis XIV qui participa activement à la création et rédigea lui-même la « Manière de montrer les Jardins de Versailles ». C'est à Versailles que put s'épanouir le plus complètement, et à une échelle inégalée, le jardin classique. Réduit à 760 ha, alors qu'il avait entraîné le modelage d'un site de 15 000 ha, progressivement modifié par les aléas de la gestion, il n'offrait plus qu'une image estompée de ce qu'il avait été au XVIIᵉ siècle. Une campagne de restauration est en cours pour régénérer les alignements, les bosquets, recréer des murs de verdure et des architectures de treillages devant eux, remettre en état l'alimentation en eau.

Suivant les périodes de ce perpétuel chantier, plusieurs milliers d'hommes et cinq à six mille chevaux travaillaient aux terrassements, aux plantations, aux adductions d'eau. Il n'y avait pourtant jamais assez d'eau pour alimenter les quelque 1 400 fontaines qui devaient impérativement couler lors du passage du roi. Après la pompe conçue par les frères Francini, fut construite l'énorme machine de Marly destinée à élever l'eau de la Seine et à l'amener par des aqueducs. Puis, le détournement de l'Eure fut entrepris mais resta inachevé. Les arbres étaient plantés par milliers avec l'aide d'une « machine à transplanter les arbres » adaptée aux grands sujets provenant des forêts voisines.

Responsable de la conception générale, des profils, des percées à travers les bosquets, des plans d'eau et des plantations, Le Nôtre travailla avec Le Brun, à qui l'on doit la totalité de l'œuvre sculptée, de 1665 à 1683. Ils consacrèrent l'axe principal, une perspective qui va du château au soleil couchant, à un vaste poème en l'honneur d'Apollon, dieu du Soleil, dont on sait qu'il était l'emblème du roi.

Sur la grande terrasse, les parterres d'eau offrent deux vastes miroirs reflétant le ciel et reliant la terrasse à l'axe lumineux du Grand Canal. Au sud, ouverte vers la pièce d'eau des Suisses, l'Orangerie, une immense galerie voûtée, permettait d'accueillir quelque 3 000 arbres fragiles. Elle protège aujourd'hui 1 100 plantes en bac, orangers, chamoerops, grenadiers, eugénias, lauriers d'Apollon et de nombreuses plantes rares, et sert de soutènement. A

Le char d'Apollon. Versailles.

l'ouest, la descente vers le parterre de Latone permet une vision d'ensemble du Tapis vert conduisant vers le bassin d'Apollon avant de découvrir les différents bosquets et salles de verdure, avec leurs formes et leurs thèmes variés : au sud, le bosquet des Rocailles où Louis XIV avait coutume de donner des bals, la Colonnade, un péristyle de 32 colonnes de marbre qui servait de cadre aux soupers du roi ; au nord, le bosquet des Dômes, la fontaine de l' Encélade, l'Obélisque, les bains d'Apollon. En remontant vers le château, après avoir contourné l'énorme ensemble du bassin de Neptune, l'allée d'eau mène au bassin du bain des Nymphes, à la très belle fontaine de la Pyramide, puis au parterre du Nord.

En forme de croix, le Grand Canal conduit le promeneur vers d'autres horizons. On peut y louer des barques venues remplacer la flotille de chaloupes et de gondoles dorées jadis à la disposition de la Cour.

Le Grand Trianon

A Versailles, seuls les trois grands parterres étaient fleuris, utilisant cependant quelque 15 000 plants par an. C'est autour du pavillon construit par Mansart, en remplacement du Trianon de Porcelaine, que Louis XIV put donner libre cours à sa passion pour les fleurs. Les compartiments, gazonnés plus tard par économie, étaient entièrement fleuris. S'il le fallait, les plants étaient remplacés juste avant la promenade du roi. Les orangers étaient plantés en pleine terre, avec de petites serres individuelles. Dans le jardin qui lui était réservé, le jardin du Roi, poussaient les plantes les plus rares et les plus

parfumées, rapportées de voyages par la Marine royale. Sous Louis XV, ce jardin s'étendit à l'est, devenant un jardin botanique confié en 1758 à Bernard de Jussieu.

Le Petit Trianon

Marie-Antoinette se passionna pour le Trianon que lui avait offert Louix XVI. Conseillé par Hubert Robert, elle fit appel à Richard Mique pour créer un jardin anglo-chinois. Remodelant un espace assez restreint, il imagina une succession de paysages à découvrir le long d'allées sinueuses, le Belvédère, une grotte, un petit temple d'Amour, avec un jeu de bague chinois devant le pavillon néoclassique de Gabriel.

Le Hameau

La laiterie, la tour de Marlborough, la ferme, la maison du garde, le colombier, la maison de la Reine, la salle de bal en forme de grange au toit de chaume et le petit potager forment un décor d'opérette qui faisait les délices d'une aristocratie redécouvrant les joies de la campagne.

M.R.

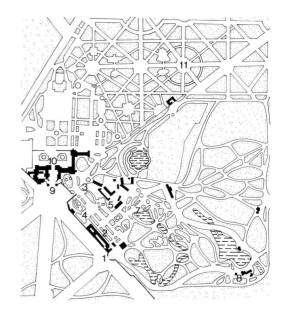

GRAND ET PETIT TRIANON

1 Entrée du Petit Trianon
2 Petit Trianon
3 Pont de réunion
4 Jardin et pavillon français
5 Théâtre de la Reine
6 Rocher, belvédère, petit lac
7 Hameau de la Reine
8 Temple de l'Amour
9 Entrée du Grand Trianon
10 Grand Trianon
11 Jardins du Grand Trianon

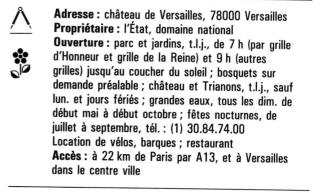

Adresse : château de Versailles, 78000 Versailles
Propriétaire : l'État, domaine national
Ouverture : parc et jardins, t.l.j., de 7 h (par grille d'Honneur et grille de la Reine) et 9 h (autres grilles) jusqu'au coucher du soleil ; bosquets sur demande préalable ; château et Trianons, t.l.j., sauf lun. et jours fériés ; grandes eaux, tous les dim. de début mai à début octobre ; fêtes nocturnes, de juillet à septembre, tél. : (1) 30.84.74.00
Location de vélos, barques ; restaurant
Accès : à 22 km de Paris par A13, et à Versailles dans le centre ville

ESSONNE 91

Château du Saussay

Ballancourt

Un jardin à la française ponctué d'ifs et un parc paysager avec plans d'eau et arbres centenaires servent d'écrin au château dit « du Grand-Saussay ».

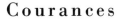

Adresse : château du Saussay, 91610 Ballancourt
Propriétaire : Mme J.-L. de Bourbon-Busset, tél. : (1) 64.93.20.10
Ouverture : du 15 mars au 15 octobre et jours fériés, de 14 h à 18 h, groupes sur rendez-vous
Fête de la chasse et du patrimoine le 2e dim. de septembre
Accès : à 40 km au sud de Paris, à 20 km au nord-est d'Etampes par N191

Château de Courances

★ ★ ★ ★

Courances

Le XVIIe siècle retrouvé. Le château et le parc actuel résultent de trois campagnes de travaux dont la première remonte au milieu du XVIIe siècle, mais, dès le XIIIe siècle, la seigneurie de Courances était connue. Vers 1650, la structure du parc est organisée et la plupart des bassins sont en eau. Le jardin est attribué à Le Nôtre. Durant presque deux siècles la propriété sera habitée et maintenue : les platanes admirables qui bordent les canaux conduisant au château datent de 1782, le miroir d'eau remplace au XVIIIe siècle un bassin circulaire.

A partir de 1830, et pour quarante ans, une période d'abandon livre Courances au délabrement et aux ronces mais aussi aux visites de Renoir et de Sisley venus travailler dans la proche forêt de Fontainebleau.

Le jardin japonais. Courances.

En 1872, date de l'achat de la propriété par le baron de Haber, ancêtre des propriétaires actuels, commence la deuxième campagne de travaux. Achille Duchêne succède à Le Nôtre, comme à Vaux-le-Vicomte voisin, et dans maints jardins classiques restaurés à cette époque. Le château reçoit quelques réaménagements — l'escalier en fer à cheval, une aile de liaison. Les dix bassins sont rétablis, le parc retrouve sa splendeur, les eaux leur pureté, le domaine des maîtres qui ne cesseront de l'aimer et de l'embellir. En témoigne la création entre 1920 et 1930 du jardin anglo-japonais à l'emplacement d'un ancien bassin : un jardin encaissé à la fois éblouissant et invisible depuis le reste du parc.

Durant la dernière guerre le parc est ravagé. A partir de 1948, troisième campagne de travaux. Il n'en résultera pas une restitution exacte de l'état XVIIe ou de celui de 1880, mais une réhabilitation à la fois respectueuse et créatrice adaptant le jardin à une gestion économique viable.

Aujourd'hui, Courances est un parc parfaitement classique par la pureté et la vérité de son tracé, par ses bassins splendides et variés, par sa statuaire, sa végétation, ses savantes broderies de buis Il comble également toute sensibilité préromantique par un ton de liberté. Aucune allée ne vient rompre l'immense tapis vert derrière le château.

Serti par les frondaisons apparemment sans apprêt des grands arbres, par les douces charmilles accompagnant les statues, il forme avec le miroir d'eau

Une percée latérale devant le château-Courances.

central un plan parfait. Le ciel d'Ile-de-France est dans la prairie, entre les arbres, entre les balustres. Les éléments se rejoignent en toute pureté dans une très savante simplicité. Dans le parc, les allées de gazon rendent encore plus secrète la promenade, plus surprenante la découverte des bassins, canaux, nappes d'eau ou cascatelles que n'annonce aucun contour sablé. Ce parc a gagné un charme incomparable en même temps qu'il perdait quelques jardiniers : une nécessité économique mais aussi un choix esthétique rendu possible grâce au terrain naturellement irrigué. Le goût de la maîtresse de maison pour les plantes ajoute une nouvelle dimension. Si rosiers, clématites, chèvrefeuille, magnolias courent sur les soubassements de la demeure en de doux et odorants entrelacs, c'est aussi l'histoire vivante du jardin qui continue.

F.D.

Adresse : château de Courances, 91490 Courances
Propriétaire : M. Jean-Louis de Ganay, tél. : (1) 64.98.41.18 ou (1) 45.50.34.24
Ouverture : du 31 mars au 1er novembre, sam., dim. et jours fériés de 14 h à 18 h 30 ; sur demande pour groupes (en semaine, en saison)
Accès : à 50 km au sud-est de Paris par A6 sortie Milly puis D372 ; à 22 km à l'ouest de Fontainebleau

Château de Courson ★ ★ ★

Courson-Monteloup

Essences du romantisme. Le parc de Courson inscrit son périmètre tricentenaire dans le riche paysage agricole du Hurepoix. Le domaine réserve la surprise de formes complémentaires et contrastées. Ainsi, la grande allée d'accès, replantée par Varé au XIXe siècle, l'ordonnance des grilles et des fossés, comme l'élégante façade en brique et pierre du château, composent un prologue classique et monumental à un beau parc irrégulier de près de 40 ha, largement dévolu à la curiosité botanique.
Les talents conjugués des plus grands jardiniers français du XIXe siècle ont subtilement dégagé de l'ordonnance originelle des bosquets en quinconce et des salles de verdure un parc paysager romantique, exemplairement remis en état et continué ces dernières années. La grande percée axiale et quelques très vieux chênes témoignent du premier parc à la française, contemporain de la construction du château par Guillaume de Lamoignon, premier président au parlement de Paris, vers 1680. La mutation des jardins date du retour du duc de Padoue, cousin de Napoléon, sur ces terres en 1820.
Il confie alors les travaux à Berthault, architecte et dessinateur de jardins qui s'était illustré à Compiègne et à Malmaison. Ce dernier insère la demeure dans le paysage par la suppression des anciens fossés, modèle harmonieusement le terrain et trace un large réseau d'allées courbes. On plante alors de nombreux

CHÂTEAU DE COURSON

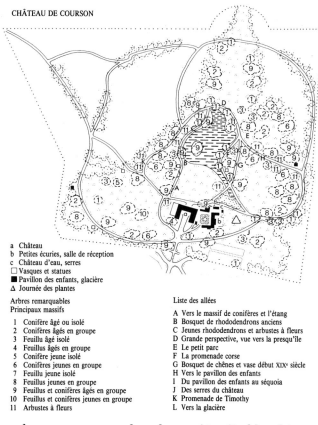

a Château
b Petites écuries, salle de réception
c Château d'eau, serres
□ Vasques et statues
■ Pavillon des enfants, glacière
△ Journée des plantes

Arbres remarquables
Principaux massifs
1 Conifère âgé ou isolé
2 Conifères âgés en groupe
3 Feuillu âgé isolé
4 Feuillus âgés en groupe
5 Conifère jeune isolé
6 Conifères jeunes en groupe
7 Feuillu jeune isolé
8 Feuillus jeunes en groupe
9 Feuillus et conifères âgés en groupe
10 Feuillus et conifères jeunes en groupe
11 Arbustes à fleurs

Liste des allées
A Vers le massif de conifères et l'étang
B Bosquet de rhododendrons anciens
C Jeunes rhododendrons et arbustes à fleurs
D Grande perspective, vue vers la presqu'île
E Le petit parc
F La promenade corse
G Bosquet de chênes et vase début XIXe siècle
H Vers le pavillon des enfants
I Du pavillon des enfants au séquoia
J Les serres du château
K Promenade de Timothy
L Vers la glacière

arbres aux essences les plus variées (érables, hêtres pourpres, platanes d'Orient, micocouliers...), tandis que les plans successifs sont créés par des massifs décoratifs (rhododendrons, pivoines, dahlias). C'est sur ce premier canevas irrégulier qu'intervinrent en 1860 les frères Bühler, célèbres créateurs de grands parcs urbains. Le creusement de l'étang, prévu dès l'origine, permit la focalisation et la diversification des « vues » du jardin, tandis que la palette végétale s'enrichissait largement : tulipiers de Virginie, cyprès chauves, pins noirs d'Autriche et laricios de Corse, beaux spécimens arrivés aujourd'hui à maturité.
Entre 1920 et 1950, le comte de Caraman, ami d'Albert Kahn, a complété les plantations dont le superbe massif de conifères au sud-ouest du château ainsi que les « chambres » de rhododendrons et d'azalées qui bordent l'étang. Depuis 1980, les actuels propriétaires se sont attaché à la restauration du château et du parc, sous la direction du paysagiste anglais Timothy Vaughan. Plus de 1 000 arbres à feuillage coloré et arbustes à fleurs ont été plantés, perpétuant l'esprit du lieu où convergent intérêt botanique et esthétique des jardins.
Le parc et son ensemble de communs monumentaux servent, depuis 1982, de cadre aux « journées des plantes », rassemblement bisannuel (mai et octobre) de pépiniéristes, botanistes, collectionneurs de plantes et amateurs de jardins.

M.M.

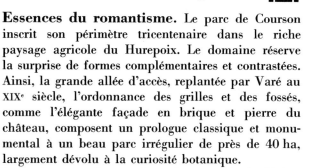

Adresse : château de Courson, 91680 Courson-Monteloup
Propriétaires : M. et Mme Patrice Fustier et M. et Mme Olivier de Nervaux-Loÿs, tél. : (1) 64.58.90.12

Ouverture : du 15 mars au 15 novembre, dim. et
jours fériés de 14 h à 18 h ; groupes en semaine
sur rendez-vous
Fête des plantes rares en mai et octobre
Accès : à 35 km au sud de Paris par la N20 et la
D97 à Arpajon, puis D3, ou par A10, sortie Les
Ulis puis N44b et D3

La laiterie. Jeurre.

Parc de Jeurre ★ ★ ★

Morigny-Champigny

Un jardin d'illusions. A Jeurre se trouve réuni
un ensemble remarquable de monuments historiques
classés des XVIIᵉ et XVIIIᵉ siècles appelés fabriques,
créés pour l'embellissement d'un jardin conçu comme
un jardin naturel.

De ces fabriques, les quatre principales (la Laiterie,
le temple de la Piété filiale, la Colonne Rostrale en
souvenir de l'expédition de La Pérouse, le Cénotaphe
de Cook par Pajou) ont été édifiées sous le règne de
Louis XVI dans le célèbre parc de Méréville, propriété
du marquis de Laborde, banquier de la Cour. Hubert
Robert avait été chargé de dessiner le parc et ses
embellissements. Il fut aidé dans cette tâche d'abord
par le célèbre architecte F.-J. Belanger qui construisit
Bagatelle, puis par J.-B. Barré à qui nous devons en
Essonne le si beau château du Marais. Le marquis
de Laborde fut guillotiné sous la Terreur et son
château de Méréville ne connut jamais plus sa
splendeur passée.

A la fin du XIXᵉ siècle, l'aïeul du propriétaire actuel
de Jeurre racheta ces fabriques ; il les fit démonter
pierre par pierre, transporter de Méréville à Jeurre
pour y être réédifiées, les sauvant d'une ruine
certaine. C'est au paysagiste Duchêne que fut confié
le soin de les y placer.

Au fond d'une grande allée de ce parc se trouve
aussi, érigé en porte monumentale, le fronton de
l'aile gauche du château de Saint-Cloud. Ce château
royal fut construit par Monsieur, frère de Louis XIV.
Après son incendie, provoqué par les bombardements
de 1870, l'État procéda à sa destruction et en vendit
les pierres. Le fronton fut alors aussi acheté, démonté
et réédifié à Jeurre.

Enfin, au milieu d'une prairie, se voit une belle
sphère armillaire du XVIIᵉ siècle placée sur une
colonne de granit rose.

La façade du château de Jeurre, côté pièce d'eau,
provient de l'ancien hôtel d'Anglade, aujourd'hui
disparu, son fronton est l'œuvre de l'architecte Robert
de Cotte et du sculpteur Coysevox. Les communs et
la conciergerie ont été édifiés entre 1808 et 1812
dans le style des villas agricoles de l'Italie du
Nord à partir de dessins ramenés à l'occasion des
campagnes de Bonaparte. Ces élégants bâtiments sont
toujours utilisés et permettent d'assurer le gardiennage
et l'entretien de ce remarquable ensemble. Les
six fabriques du parc sont classées monuments
historiques ; le château, les communs, la conciergerie
sont inscrits à l'inventaire supplémentaire des monuments historiques.
                                                            D.S.L.

Adresse : domaine de Jeurre,
91150 Morigny-Champigny
Propriétaires : M. et Mme de Saint-Léon,
tél. : (1) 64.94.57.43/08.78
Ouverture : t.l.j., sauf mer., sam. matin, jours
fériés et ponts correspondants, visites guidées à
10 h et 15 h
Accès : à 45 km au sud de Paris, à 2 km au nord
d'Étampes par N20

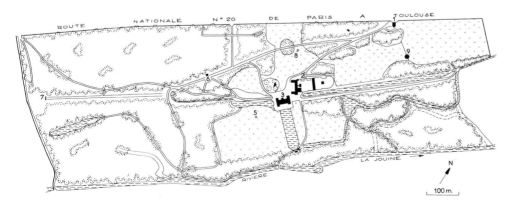

PARC DE JEURRE

1 La maison du portier
2 La ferme et son porche
3 Le château
4 La laiterie
5 La sphère armillerée
6 Le cénotaphe de Cook
7 Le fronton de Saint-Cloud
8 La colonne rostrale
9 Le temple de la Piété filiale

Château du Marais

Saint-Chéron

★★

On donnait ici autrefois des fêtes nautiques avec feux d'artifice et on se promenait en gondole sur le grand miroir d'eau faisant face au château (550 m de long sur 100 m de large, le plus grand après celui de Versailles).

Sur le côté droit du château se trouve l'entrée d'un souterrain médiéval qui permettait aux habitants du Marais de se réfugier à Montlhéry en cas de péril.

Derrière le château, le jardin à la française a été conçu par Achille Duchêne. Il est orné de sphinx analogues à ceux de Bagatelle, chevauchés par des amours de bronze, de beaux vases Louis XVI, de la perspective d'une nymphe de Vassé et de diverses sculptures, mais le dessin des parterres a disparu.

La partie boisée du parc est la plus ancienne, datant du XVIᵉ siècle. Le visiteur y verra des arbres centenaires et parfois tricentenaires tels que chênes, hêtres, tilleuls, marronniers, merisiers, frênes, érables et bouleaux.

Adresse : château du Marais, le Marais, 91530 Saint-Chéron
Propriétaire : Mme Gaston Palewski, tél. : (1) 64.58.96.01
Ouverture : du 15 mars au 15 novembre, dim. et jours fériés de 14 h à 18 h 30 ; t.l.j. pour les groupes sur rendez-vous
Accès : à 40 km au sud de Paris par A10 sortie Dourdan, à 10 km au nord-est de Dourdan par D938 et D27

Le grand miroir d'eau. Le Marais.

Pages précédentes : toujours plus beau à chaque saison, Courson.

La fleur et le fruit. Saint-Jean-de-Beauregard.

Château de Saint-Jean-de-Beauregard

Saint-Jean-de-Beauregard

★★★

L'utile et l'agréable. Regardant la vallée de la Salmouille et la plaine de Marcoussis, le château du XVIIᵉ siècle a conservé son environnement classique : jardin suspendu fait d'un parterre de buis taillés dominant le paysage, avant-cour et cour d'honneur conduisant à une longue percée dans les bois alentour, parc à la française.

Le potager, clos de murs, carré centré sur un rond d'eau faisant citerne, divisé en quatre parterres bordés de contre-espaliers de poiriers et de pommiers, eux-mêmes redivisés en quatre par des allées en gazon bordées de fleurs, a gardé son dessin d'origine (XVIIᵉ siècle), identique à celui du Potager du Roi à Versailles, à peine modifié, pour des raisons d'entretien, lors de sa restauration en 1985.

Dépendances du potager, le fruitier, la resserre à légumes, la chambre de conservation des raisins de table (produits encore de nos jours dans les serres) permettant de les garder de longs mois, illustrent le souci et l'habileté pour la conservation des fruits et légumes, en l'absence de chambre froide, des générations nous ayant précédés.

Mais aujourd'hui le potager est conçu non seulement pour fournir des légumes, des fruits ainsi que des fleurs coupées, mais aussi, grâce aux floraisons de ses diverses collections, pour être harmonieux en toute saison, offrant des palettes de couleurs et de senteurs rendant encore plus aimable la présence des fruits et légumes (floraison des narcisses et tulipes en avril, iris en mai, pivoines début juin, roses anciennes en juin-juillet, annuelles et vivaces durant l'été et l'automne).

On remarquera, en cours de création, une collection de plantes aromatiques, officinales et condimentaires.

G.D.

Adresse : domaine de Saint-Jean-de-Beauregard, 91940 Saint-Jean-de-Beauregard
Propriétaires : M. et Mme de Curel, tél. : (1) 60.12.00.01
Ouverture : du 15 mars au 15 novembre, dim. et jours fériés de 14 h à 18 h ; groupes du 15 mars au 15 novembre, t.l.j. sur rendez-vous pour plus de 20 personnes
Fête des plantes vivaces au printemps (fin avril ou début mai)
Exposition de fruits et légumes en automne (mi-novembre)
Accès : à 28 km au sud-ouest de Paris par N118 ou A10 sortie Les Ulis puis D35 direction Chartres

Parc Caillebotte

Yerres

Créé au XIXᵉ siècle, le parc Caillebotte offre une composition originale et reflète fidèlement les principes de l'époque : empreint du style anglais et éclectisme, avec les fabriques — la glacière coiffée d'un kiosque, la chapelle — et le « casin » à l'architecture Directoire.

Martial Caillebotte, père de Gustave Caillebotte, acquit le domaine en 1860 et le peintre naturaliste y vécut près de vingt ans.

T.D.

Adresse : parc Caillebotte, 6, rue de Concy, 91330 Yerres
Propriétaire : Ville d'Yerres, tél. : (1) 69.48.72.05
Ouverture : t.l.j. de 14 h à 18 h (de 9 h à 12 h et de 14 h à 18 h le dim.)
Accès : à 23 km au sud-est de Paris, à 8 km à l'est d'Orly par D32

HAUTS-DE-SEINE 92

Jardins Albert-Kahn ★ ★ ★

Boulogne

Une invitation au voyage. Cet ancien jardin particulier, bien protégé par ses grilles et les constructions qui l'entourent, peut facilement être ignoré du promeneur. C'est là, en cœur d'îlot, qu'Albert Kahn, philanthrope du début du siècle, homme secret et solitaire, assisté par Duchêne, créa un microcosme de moins de 2 ha composé de paysages qui lui étaient familiers. Certains lieux de son enfance et d'autres appréciés lors de ses voyages ont été reconstitués. C'est ainsi que, dès 1895, il conçut, autour du jardin français et du verger aux tracés réguliers, différentes scènes de composition moins formelle invitant au voyage. La forêt bleue aux lumières tamisées à travers les cèdres et les épicéas bleus abrite une collection d'azalées et de rhododendrons. La forêt vosgienne, plus accidentée, est plantée de pins noirs, d'épicéas verts, de sapins, de charmes et de hêtres qui créent une atmosphère austère. D'innombrables fleurs sauvages l'égaient au printemps. Plus loin, le jardin japonais avec ses arbres et arbustes traditionnels — érables, bambous, azalées, cerisiers à fleurs, chamaecyparis, sapin du Yedo... — s'ordonne autour d'authentiques maisons rurales et d'une maison de

JARDIN ALBERT-KAHN

1 Jardin anglais
2 Jardin japonais
3 Jardin fruitier et roseraie
4 Jardin français
5 Forêt vosgienne
6 Forêt dorée
7 Forêt bleue
8 Jardin d'enfants
9 Maison de A. Kahn
10 Maison de la nature

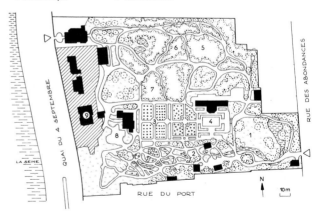

thé, réinventant l'ambiance d'un ancien village. A ces différentes scènes il faut encore ajouter un jardin à l'anglaise et un jardin d'hiver.

L'ensemble du jardin est resté tel qu'Albert Kahn l'imagina. Mais, à l'occasion de l'ouverture d'un musée consacré à son œuvre, une partie du jardin japonais a été restructurée. On peut cependant se demander si cette nouvelle création ne lui a pas fait perdre un peu de son âme...

J.C.

Jardins Albert Kahn.

Adresse : jardins Albert-Kahn, 1, rue des Abondances, 92100 Boulogne-Billancourt
Propriétaire : Département des Hauts-de-Seine, tél. : (1) 46.04.52.80. Conservateur : Mlle Beausoleil
Ouverture : t.l.j. sauf lun., du 1er mai au 30 septembre, de 11 h à 19 h (18 h hors saison) Maison de la Nature, musée Albert Kahn
Accès : à 2 km à l'ouest de Paris, à droite avant le pont de Saint-Cloud. Métro : Pont-de-Saint-Cloud/Boulogne

tes, magnifiquement développées : les *Taxodium distichum* et *Ascendens « Nutans »* avec leurs pneumatophores, deux très beaux fagus centenaires, une variété pendula et atropunicea, un gingko biloba, un *Liquidambar styraciflua*. Des massifs d'arbustes, de rhododendrons et d'azalées sont en cours de restauration par Maurice Croux, afin de compléter ce petit arboretum (collection de cornus, magnolias, viburnum, érables du Japon, etc). M.C.

Parc des Glycines (pépinières Croux) ★★

Châtenay-Malabry

Parc paysagé créé par Gabriel Croux entre 1851 et 1860 et complété par son fils Gustave au début du XXe siècle, il est situé devant la maison du XIXe siècle et jouxte le point de vente des pépinières Croux, dont le bâtiment fut réhabilité en 1987 et redevint le siège social des pépinières.

Autour d'une pièce d'eau, ce petit parc de 15 000 m² a rassemblé harmonieusement les essences intéressan-

Adresse : pépinières Croux, 1, rue Eugène-Sinet, 92290 Châtenay-Malabry
Propriétaire : Maurice Croux, tél. : (1) 46.61.04.06
Ouverture : d'octobre à mi-décembre, t.l.j., sauf dim., de 8 h 30 à 12 h et de 13 h 30 à 17 h 30 ; de mi-février à fin mai, t.l.j., sauf dim., de 8 h 30 à 12 h et de 13 h 30 à 18 h ; les autres mois, t.l.j. du lun. au ven. de 8 h 30 à 12 h et de 13 h 30 à 17 h 30 (fermeture annuelle du 22 décembre au 4 janvier)
Pépinières, vente de plantes
Accès : à 7 km de Paris porte d'Orléans et porte de Châtillon ; à Châtenay-Malabry en bordure du hameau d'Aulnay, entrée par le 72, avenue Roger-Salengro

Arboretum de la Vallée aux Loups (ancien parc Croux) ★ ★

Châtenay-Malabry

Commencé en 1890 par Gustave Croux, fils de Gabriel Croux, ce parc présente une collection végétale remarquable et une organisation spatiale caractéristique de la fin du XIXe siècle. Autour de la pièce d'eau, de l'île, les allées sinueuses nous font découvrir le spectaculaire *Cedrus Atlantica « glauca pendula »*, les taxodium, ifs dorés, érables, rhododendrons, azalées. Arboretum vitrine mais aussi jardin personnel jusqu'à sa récente acquisition par le Département, il associait à sa grande valeur botanique des lieux habités et un entretien excellent. F.D.

Adresse : la Vallée aux Loups, 46, rue de Chateaubriand, 92290 Châtenay-Malabry
Propriétaire : Département des Hauts-de-Seine, tél. : (1) 47.29.30.31
Ouverture : sur demande pour spécialistes à la direction des Espaces verts
Accès : à 7 km au sud de Paris

Parc de la Vallée aux Loups et de Chateaubriand ★ ★

Châtenay-Malabry

Nous pouvons admirer aujourd'hui les tulipiers, catalpas, cèdres et pin pleureur que Chateaubriand planta et éleva avec amour entre 1807 et 1817. Ils témoignent des divers climats où l'écrivain erra comme du projet de vie que le voyageur établissait en aménageant ce jardin, en installant la maison, en commençant là, en 1811, *les Mémoires d'outre-tombe*. Ce parc, que Chateaubriand vendit avec désespoir, exalte en particulier l'ampleur de l'espace et la beauté des arbres. Il se présente comme une vaste clairière à l'abri des bois de châtaigniers qui conservent au lieu son caractère d'ermitage.

Adresse : parc de la Vallée aux Loups, avenue Jean-Jaurès / 87, rue de Chateaubriand, 92290 Châtenay-Malabry
Propriétaire : Département des Hauts-de-Seine
Ouverture ; la Vallée au Loups, t.l.j. de 9 h au coucher du soleil (8 h à 22 h en été), tél. : (1) 46.31.07.02 ; parc et maison de Chateaubriand, du 1er avril au 30 septembre, du mer. au dim., de 10 h à 12 h et de 14 h à 18 h, hors saison, de 13 h 30 à 16 h 30, visites guidées

toutes les 30 mn ; groupes mar. et jeu. sur rendez-vous, tél. : (1) 47.02.08.62
Accès : à 7 km au sud de Paris par N306 ou N20, et D60

Parc de l'île Saint-Germain ★

Issy-les-Moulineaux

Plaines de jeu coupées de masses boisées et de lieux de promenade. A l'entrée, se dresse la monumentale et polychrome tour aux Figures, œuvre du sculpteur Dubuffet. Antithèse de l'architecture fonctionnelle, l'espace intérieur de la tour s'organise à partir d'une ossature originale appelée « gastrovolve ».

Adresse : parc de l'île Saint-Germain, 170, quai de Stalingrad, 92130 Issy-les-Moulineaux
Propriétaire : Département des Hauts-de-Seine, tél. : (1) 47.29.30.31
Ouverture : t.l.j. de 9 h au coucher du soleil, 8 h à 22 h en été
Tour aux Figures de Jean Dubuffet : pour les visites, informations prévues au pied de la tour
Accès : à 3 km au sud-ouest de Paris par porte de Versailles

Parc André-Malraux ★

Nanterre

Créé dans les années 70 sur les terrains de l'ancien bidonville de Nanterre ce parc paysager, œuvre du paysagiste Jacques Sgard, devait jouer le rôle d'espace de liaison et de lieu de rencontre pour les habitants du nouveau quartier de la Défense. Les souples formes de son relief très élégamment plantées d'arbres et d'arbustes simples recèlent un petit jardin secret, caché sur la hauteur comme un lac de cratère, où règne une composition de plantes presque picturale de couleurs et de textures renouvelées à chaque saison. I.A.

Adresse : parc André-Malraux, avenue Pablo-Picasso, 92000 Nanterre
Propriétaire : Département des Hauts-de-Seine, tél. : (1) 47.29.30.31
Ouverture : permanente sauf le jardin de collections, ouv. de novembre à février de 15 h à 17 h semaine et jours fériés, de mars à octobre de 15 h à 18 h en semaine et de 15 h à 18 h 30 dim. et jours fériés ; avril, septembre, de 15 h à 19 h semaine, de 15 h à 19 h 30 dim. et jours fériés
Accès : à 8 km à l'ouest de Paris. RER : ligne A-gare Nanterre-Préfecture

Château de Malmaison ★ ★

Rueil-Malmaison

« La Malmaison, le plus agréable parc que j'ai visité en France ; il est immense, dessiné avec beaucoup de goût, couvre toute une colline et s'étend bien plus loin que nous avons pu aller...

Il comporte des bois de hautes futaies, des pelouses très bien dessinées, des eaux magnifiques, un long canal sur lequel flottent de jolies barques et voguent des cygnes noirs. » Cette évocation du prince de Clary en 1810 permet d'imaginer ce que fut « le petit royaume de Joséphine » qui comprit jusqu'à 726 ha et dont il ne reste plus à présent que 5 ha. Ils servent d'écrin vert à la gentilhommière de moyenne importance, acquise en 1799 et qui, jusqu'à la mort de l'impératrice, en 1814, fut l'absolue passion de sa vie. Au grand dépit du très officiel Fontaine, l'aménagement du parc échappa aux architectes et seuls Berthault et les nombreux botanistes qui y apportèrent leur savoir (Howatson, Delahaye, Bonpland) purent s'entendre avec celle qui voulait que tout soit anglais et qui pensait que toute allée droite était un barbarisme envers les règles du jardinage !

Le parc, voulu par Joséphine, est très représentatif de cette deuxième époque du style paysager où la manie des fabriques cède la place à la passion de la botanique. A la Malmaison, il y eut un temple de l'Amour (dont Alexandre Lenoir, l'homme des « Monuments français », fournit les colonnes), une grotte, une rivière « anglaise » ainsi qu'une naumachie avec ses colonnes rostrales et sa statue de Neptune, mais ce que l'histoire a retenu, ce sont ses collections de végétaux qui concurrençaient le muséum car c'est le goût scientifique qui dominait à Malmaison ; à côté de la vacherie suisse de Saint-Cucufa et des mérinos dévolus — selon la méthode anglaise — à l'entretien des pelouses. Il est symptomatique que l'on ait pu y voir des zèbres, des kangourous et des gazelles. Mais la célébrité du lieu tenait surtout aux plantes, qu'il s'agisse de celles que l'ont tentait d'acclimater dans la grande serre de Thibault et Vignon, ou des 250 espèces de roses, immortalisées par le pinceau de Redouté. Les hortensias, dahlias, camélias, pivoines et hibiscus ou les catalpas, araucarias ou tulipiers, dont les jeunes pousses ou les graines réussirent même à percer le blocus continental, furent souvent des premières implantations en France. Les propriétaires successifs du domaine, dont Daniel-Osiris Iffla qui restaura la maison avant de l'offrir à l'État en 1903, se sont — de même que les récents conservateurs — préoccupé de l'architecture et du décor intérieur. M.M.

Adresse : château de Malmaison, avenue du Château, 92500 Rueil-Malmaison
Propriétaire : l'État, domaine national, tél. : (1) 47.29.20.07. Conservateur : M. Boulard

Ouverture : t.l.j., sauf mar., de 10 h à 12 h et de 13 h 30 à 16 h 50 (16 h 30 hors saison)
Musée national de Malmaison (premier Empire)
Accès : à 12 km à l'ouest de Paris par N13.
R.E.R. : ligne Saint-Germain

Saint-Cloud : l'emplacement du château disparu et la perspective qui lui faisait face.

Parc de Saint-Cloud ★ ★ ★

Saint-Cloud

« **Déluge de cristal** ». Avec son vaste territoire boisé, incliné vers la Seine, et son talus dominant Paris, le site de Saint-Cloud continue d'associer depuis le XVIe siècle les plaisirs de la forêt au plaisir des jeux d'eau. Le domaine devint en 1577 la propriété de la famille Gondi qui eut recours à Thomas Francini, le grand expert des amusements hydrauliques en vogue à cette époque. Le jardin était alors limité aux abords du château dont les perspectives étaient poursuivies par des peintures en trompe l'œil.

L'emplacement du château, brûlé en 1870, est marqué par des ifs, à côté du musée historique du domaine, au-dessus de la grille d'honneur.

Le duc d'Anjou, dit Monsieur, demanda à Le Nôtre de redessiner le jardin et fit aménager la Grande Cascade. Commencée par Le Pautre en 1667 (partie haute), elle fut achevée par Mansart (1697) et demeure aujourd'hui l'élément le plus spectaculaire du jardin. A côté se trouve le Grand Jet qui s'élance à 42 m. Le Nôtre rencontra quelques difficultés pour tracer ses grandes percées à travers le parc : à la différence de son frère, le roi Louis XIV, Monsieur ne chassait pas et n'acceptait que difficilement que l'on abatte les grands arbres.

Dans le bas-parc on découvrira également le bassin du Fer à Cheval, l'allée du Mail, l'allée de la Balustrade et la vue dominant Paris depuis la terrasse de la Lauterne. Les serres de Saint-Cloud fournissent les plantes des ministères de Paris, du Louvre, du Palais-Royal, de l'Élysée et de l'hôtel Matignon.

Dessinés en 1824 dans le style anglais, les jardins du Trocadéro dominent au nord l'emplacement de l'ancien château. Au sud on atteint, successivement, le bassin de la Petite Gerbe, les Vingt-Quatre Jets, puis, vers l'ouest, la grande perspective du Tapis Vert conduisant jusqu'à la Grande Gerbe. Les bons marcheurs amateurs de sentiers forestiers pourront remonter l'allée du Mans pour se dépayser sur le circuit de la Brosse.

Bien qu'il ait perdu son accès à la Seine et son château, le parc a conservé, sur 392 ha, les grandes lignes du tracé de Le Nôtre et les possibilités de spectacles hydrauliques qui pourraient être plus fréquents.   M.R.

Adresse : domaine national de Saint-Cloud, 92210 Saint-Cloud
Propriétaire : l'État, domaine national, tél. : (1) 46.02.70.01. Conservateur : M. Joseph Belmont
Ouverture : t.l.j. de 7 h à 20 h ou 22 h suivant les saisons
Grandes eaux : de mai à septembre ; les 2e et 4e dim. de chaque mois de 16 h à17 h
Restaurant, location de vélos
Accès : par pont de Saint-Cloud ou pont de Sèvre, à 4 km à l'ouest de Paris. Bus nos 52, 72, 175, 160, métro, SNCF

Parc de Sceaux ★ ★ ★

Sceaux

Restauré avec attention en 1850, le jardin dessiné par Le Nôtre pour Colbert a retrouvé ses grandes lignes, à l'exception de la partie ouest du canal. Une fois encore, Le Nôtre fut confronté à un site difficile pour exercer ses talents : un relief tourmenté et des marécages. L'eau de l'Aulnay fut amenée par des aqueducs et des canalisations qui existent encore. 10 000 m³ de terre furent déplacés pour achever la réalisation des deux axes convergeant à angle droit sur le château. Celui-ci fut démoli, puis reconstruit style Louis XIII. Il abrite aujourd'hui le musée de l'Ile-de-France. Au nord du château, le pavillon de l'Aurore, une rotonde due à Claude Perrault est toujours là. Au sud du château, l'allée de la Duchesse

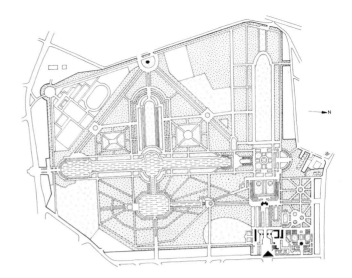

mène aux Grandes Cascades. Point fort de la composition, ce somptueux escalier d'eau, orné récemment de masques sculptés de Rodin, dévale jusqu'au bassin de l'Octogone. Les rives du Grand Canal, ajouté par le neveu de Colbert, le marquis de Seignelay, sont bordées d'alignements de peupliers d'Italie. Très apprécié par les habitants des alentours, le parc reste un lieu remarquablement entretenu et vivant.   M.R.

Les « grandes cascades » et le bassin octogonal. Sceaux.

Adresse : domaine de Sceaux, 92330 Sceaux
Propriétaire : Département des Hauts-de-Seine
Ouverture : t.l.j. de 8 h à 22 h en été, et 7 h au coucher du soleil en hiver, tél. : (1) 46.61.44.85
Musée de l'Ile-de-France, Pavillon de l'Aurore (audiovisuel, expositions, concerts)
tél. : (1) 41.61.01.71
Accès : à 8 km au sud de Paris par N20

Roseraie Honoré-Daumier ★

Aulnay-sous-Bois

En moins de 1 ha, cette roseraie « pour le coup d'œil » présente une double composition. « Roseraie à la française », avec parterres et rosiers grimpants, et « Roseraie paysagère », regroupent au total près de 4 500 rosiers mais aussi 2 500 végétaux de collection.
T.D.

Adresse : roseraie Honoré-Daumier, avenue du Maréchal-Juin, 93600 Aulnay-sous-Bois
Propriétaire : Ville d'Aulnay-sous-Bois, tél. : (1) 48.66.90.73
Ouverture : du 1er avril au 1er novembre, t.l.j. de 9 h au coucher du soleil (21 h en été)
Accès : à 17 km au nord-est de Paris par D115, ou A3 sortie Aulnay Centre. RER ligne B

Parc du Sausset ★

Aulnay-sous-Bois

Sur 200 ha de bonne terre à blé, un parc forestier offrira sa fraîcheur dans quelques années. Déjà, les 40 ha qui sont ouverts à la promenade donnent à voir la mise en scène d'une suite de tableaux qui empruntent au vocabulaire classique du paysage : pattes d'oie, clairières, haies bocagères, essarts, lisières, pour constituer un parc en devenir où le paysagiste Michel Corajoud a tenté de faire entrer le temps de la végétation dans la composition.
I.A.

Adresse : parc du Sausset, rue Dufy, 93600 Aulnay-sous-Bois
Propriétaire : Conseil général de Seine-Saint-Denis, tél. : (1) 48.95.64.20
Ouverture : t.l.j. de 7 h au coucher du soleil (21 h en été)
Accès : à 20 km au nord-est de Paris par A3 et D115, 4 km au sud de Roissy. RER ligne B-Gare Villepinte

Parc de La Courneuve ★

La Courneuve

Havre de verdure dans une zone fortement urbanisée, le vaste parc de La Courneuve (250 ha, et 400 fin 1992) offre tous les attributs du parc paysager avec effets de vallonnements, lacs artificiels, cascades. L'ensemble est enrichi d'une grande roseraie, d'un jardin de dahlias, d'un jeune arboretum et d'un jardin des sens où se mêlent plantes odoriférantes, sculptures et jeux sonores.
T.D.

Adresse : parc de La Courneuve, avenue Roger-Salengro, 93170 La Courneuve
Propriétaire : Département de Seine-Saint-Denis, tél. : (1) 48.36.07.70 (parc)
Ouverture : t.l.j. de 7 h au coucher du soleil (21 h en été)
Restaurant, parcours sportif
Accès : à 7 km au nord-est de Paris par N2

Roseraie Honoré-Daumier, à Aulnay-sous-Bois.

Roseraie de L'Haÿ-les-Roses

★ ★ ★

L'Haÿ-les-Roses

Toutes les formes connues du genre Rosa.
C'est sans doute à Jules Gravereaux que nous devons l'idée de la première roseraie, à la fin du siècle dernier. En 1892, il achète un terrain qui domine la Bièvre et collectionne les roses cultivées et sauvages. Il fait des échanges avec le monde entier et sa collection devient si vaste qu'il la transforme en véritable « jardin de roses », avec l'aide du paysagiste Édouard André. Il joue sur les formes, les tailles, les variétés, et crée ainsi un phénomène nouveau dans l'art des jardins. Puis Gravereaux voyage dans les Balkans, rapporte des plantes sauvages, pratique l'hybridation et se passionne pour l'histoire de la rose — il reconstitue la collection de roses de Malmaison et participe à la création de la roseraie de Bagatelle.

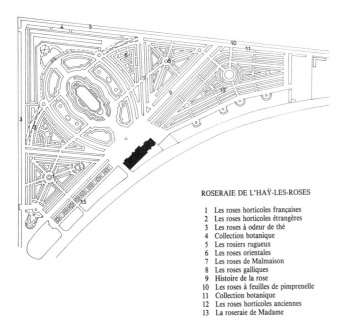

ROSERAIE DE L'HAŸ-LES-ROSES

1 Les roses horticoles françaises
2 Les roses horticoles étrangères
3 Les roses à odeur de thé
4 Collection botanique
5 Les rosiers rugueux
6 Les roses orientales
7 Les roses de Malmaison
8 Les roses galliques
9 Histoire de la rose
10 Les roses à feuilles de pimprenelle
11 Collection botanique
12 Les roses horticoles anciennes
13 La roseraie de Madame

Cette extraordinaire roseraie qui rassemble près de 3 200 variétés de roses se complète d'un parc dans lequel a été récemment planté un nouveau jardin de roses à massifs, mais aussi des hêtres, cèdres bleus et mûriers. On peut encore y admirer quelques vieux arbres soigneusement entretenus.
D.L.

Rosae, rosae, rosas... L'Haÿ-les-Roses.

Aujourd'hui, la roseraie de L'Haÿ-les-Roses abrite plus de 3 000 espèces ou variétés, qui atteignent leur pleine splendeur au mois de juin. C'est toute l'histoire de la rose qui nous est contée à travers la roseraie de Madame (un jardin de roses à couper), la collection de roses Galliques au parfum envoûtant qui rappellent les gravures du XVIIIᵉ siècle, les roses de Malmaison, la collection de roses botaniques de Chine, du Japon et de l'Himalaya, dont on peut admirer les fruits jusqu'en hiver, et encore les roses d'Extrême-Orient, autour de la pièce d'eau, la roseraie décorative centrale où les rosiers modernes sont regroupés par couleurs.

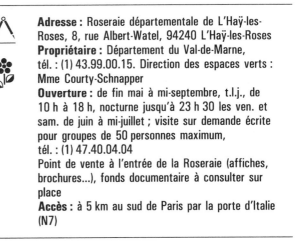

Adresse : Roseraie départementale de L'Haÿ-les-Roses, 8, rue Albert-Watel, 94240 L'Haÿ-les-Roses
Propriétaire : Département du Val-de-Marne, tél. : (1) 43.99.00.15. Direction des espaces verts : Mme Courty-Schnapper
Ouverture : de fin mai à mi-septembre, t.l.j., de 10 h à 18 h, nocturne jusqu'à 23 h 30 les ven. et sam. de juin à mi-juillet ; visite sur demande écrite pour groupes de 50 personnes maximum, tél. : (1) 47.40.04.04
Point de vente à l'entrée de la Roseraie (affiches, brochures...), fonds documentaire à consulter sur place
Accès : à 5 km au sud de Paris par la porte d'Italie (N7)

VAL-D'OISE 95

Château d'Ambleville ★★

Ambleville

La Toscane en Vexin. La comtesse de Villefranche, descendante des Borghese et des ducs Salviati, a créé des jardins inspirés de l'Italie, autour d'un château du XIVᵉ siècle. Ces jardins doivent leur aspect actuel à ce lien familial. Une partie d'entre eux est inspirée de la Gamberaia qui surplombe la ville de Florence. Au pied du château, l'hémicycle d'arcades d'ifs avec son bassin en demi-lune constitue, en particulier, un très beau fond de théâtre de verdure, posé devant le paysage vallonné du Vexin français. Ceux qui connaissent les deux jardins et les deux paysages apprécieront d'autant plus ce changement de décor. Le jardin possède aussi un parterre supérieur en cours de restauration et une belle statuaire romaine. M.R.

Adresse : château d'Ambleville, 95710 Ambleville
Propriétaires : M. et Mme de Laubadère, tél. : (1) 34.67.71.34
Ouverture : du 1ᵉʳ mai au 1ᵉʳ octobre, sam. et dim. de 10 h 30 à 18 h 30, groupes en semaine sur demande
Accès : à 60 km au nord-ouest de Paris par A15 puis N14 jusqu'à Magny-en-Vexin et enfin D86 vers Ambleville

Abbaye de Royaumont ★

Asnières-sur-Oise

Fondée par Saint Louis en 1228, l'abbaye de Royaumont, florissante jusqu'à la Révolution, offre un parc planté d'arbres centenaires et parcouru de canaux creusés par les moines cisterciens. La grotte, curiosité du parc, a été lotie au XIXᵉ siècle par les sœurs de la Sainte-Famille de Bordeaux. Une impression de sérénité se dégage de l'ensemble et des jardins du cloître de l'abbaye dont le sobre tracé, souligné de buis, a été conservé. T.D.

Adresse : abbaye de Royaumont, 95270 Asnières-sur-Oise
Propriétaire : Fondation Royaumont, tél. : (1) 30.35.40.18
Ouverture : du 15 mars au 11 novembre, t.l.j. sauf mar. de 10 h à 11 h 30 et de 14 h à 17 h 15 (ouvert le mar. en juillet et août) ; hors saison, sam., dim. et jours fériés de 10 h à 11 h 30 et de 14 h à 16 h 30 ; groupes en semaine sur rendez-vous
Librairie médiévale, saison musicale (printemps/automne), stage de musique
Accès : à 35 km au nord de Paris par N1 et D909, à 7 km à l'est de Beaumont-sur-Oise par D922 et D909

L'association onirique de deux paysages. Ambleville.

Château de Villette ★★

Condécourt

Réalisé pour Jean Dyel vers 1665, dans l'axe du château posé sur deux terrasses, le jardin fut réaménagé dans le style paysager. Il conserve la célèbre « rivière », escalier d'eau remarquable dévalant d'un nymphée qui ferme la perspective, et une belle ornementation de vases et sphinges provenant de Marly.   M.R.

Adresse : château de Villette, 95450 Condécourt
Propriétaire : M. Robert Gérard,
tél. : (1) 30.39.34.30
Ouverture : pour groupe (20 personnes minimum) sur demande du 1er mai au 15 octobre
Accès : à 35 km au nord-ouest de Paris, à 4 km au nord-est de Meulan

Jardin du pavillon chinois de Cassan

L'Isle-Adam

Le pavillon chinois de Cassan, construit peu avant la Révolution, est l'un des rares témoins, en France, de la mode paysagère « anglo-chinoise » du XVIIIe siècle. Placé sur un plan d'eau au cœur d'un petit jardin public, il fut acquis et restauré par la Ville de L'Isle-Adam en 1971.   T.D.

Adresse : pavillon de Cassan, rue de Beaumont, 95290 L'Isle-Adam
Propriétaire : Ville de L'Isle-Adam,
tél. : (1) 34.69.00.52
Ouverture : permanente ; visites libres (le pavillon ne se visite pas)
Accès : à 30 km au nord de Paris, 16 km au nord-est de Pontoise, par D922

Jardin de l'hôtel de ville

Montmorency

Créé en 1882, ce parc, très représentatif de la mode de l'époque, joue sur les effets paysagers et les éléments pittoresques : grotte artificielle, kiosque, allées sinueuses...   T.D.

Le pavillon chinois de Cassan.

Adresse : hôtel de Ville, 2, avenue Foch, 95160 Montmorency
Propriétaire : Ville de Montmorency,
tél. : (1) 39.64.44.31
Ouverture : t.l.j. de 7 h 30 à 19 h (20 h en été)
Accès : à 10 km au nord de Paris par N16

Château de Vigny ★★

Vigny

Un jardin à la française et un jardin paysager entourent le château Renaissance construit en 1505 pour le cardinal d'Amboise. Deux siècles plus tard, la famille de Rohan fit aménager le parc de 30 ha, qui a conservé son tracé du XVIIIe siècle et de vieux arbres : gingko biloba, hêtres pourpres, sophoras, épicéas, cèdres.

Adresse : château de Vigny, 95450 Vigny
Propriétaire : famille de Kerveguen,
tél. : (1) 30.39.21.06
Ouverture : du 1er avril au 15 novembre, sam., dim., lun. et jours fériés de 9 h 30 à 18 h 30, groupes en semaine sur demande
Accès : à 45 km de Paris par A15, et à 12 km à l'ouest de Pontoise par N14

PARIS

Depuis les Tuileries, premier grand jardin de Paris, créé en 1564 dans un milieu rural dont on cherchait alors à se différencier, jusqu'à la nouvelle génération de parcs en cours de réalisation sur des terrains industriels (la Villette, Bercy, Citroën...), les jardins de Paris ont complètement changé leur rapport à leur environnement.

Après les œuvres majeures du Luxembourg (1612), du Palais-Royal (1633), de l'esplanade des Invalides (1704), du Champ-de-Mars (1765), du parc Monceau (1773), de Bagatelle (1775), Paris connut un véritable bouleversement paysager sous le second Empire. L'Empereur-jardinier offrit aux Parisiens plus de 1 800 ha de parcs et de promenades, deux monuments situés sur d'anciennes forêts royales, — le bois de Boulogne à l'ouest, le bois de Vincennes à l'est —, deux autres transformant des sites dangereux en lieux de sages divertissements — les Buttes-Chaumont au nord et le parc Montsouris au sud, mais aussi de nombreux squares et promenades. Paris a vécu un bon siècle sur l'héritage, maintenant usé, de Napoléon III. Aujourd'hui, les plus grands jardins de cette période font l'objet de réhabilitations, mais les plus petits n'ont pas encore dépassé le seuil minimum de pauvreté.

Dans le paysage-mosaïque de plus en plus complexe, dense et stratifié en étages et sous-terrains, grands et petits jardins nous parlent du sol, de la terre. Ils sont nécessairement des repères essentiels. Jardins anciens et créations contemporaines ont ici un bel avenir.   M.R.

Square René-Le-Gall.

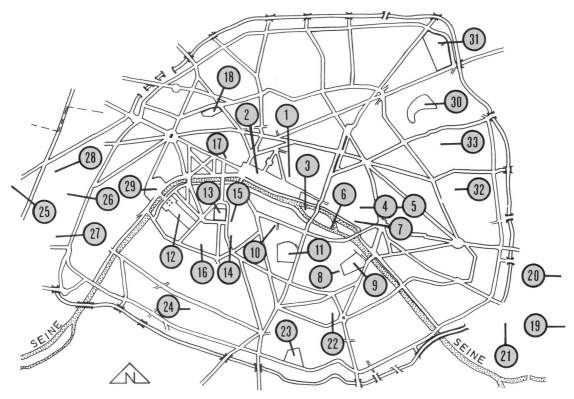

PARIS

PARIS 75

Jardin du Palais-Royal ★

1er arr.

Aujourd'hui intime et secret comme un cloître, on y pénètre en traversant des galeries ombreuses débouchant sur un espace clair et ordonné tout en longueur. Le jardin du Palais-Royal, enclos de hautes façades ordonnancées, bordé d'arbres sages et d'arcades, n'eut pas toujours des fréquentations édifiantes. Dans son état actuel, il est le résultat d'une opération immobilière de Philippe Égalité, duc d'Orléans et cousin de Louis XVI. Le lotissement comprenait soixante pavillons accolés et semblables, dus à l'architecte Victor Louis, entourant le jardin sur trois côtés. Au rez-de-chaussée, sous une galerie, des boutiques, bien calmes de nos jours, attirèrent dès l'origine une animation intense et des commerces quelque peu illicites. La galanterie et les idées nouvelles avaient cours librement au Palais-Royal à la veille de la Révolution.

Le quatrième côté du jardin, fermé par une élégante colonnade, permet d'accéder à une cour entourée de bâtiments à colonnes construits par l'architecte

Fontaine de 1814 à 1828. D'autres colonnes, plus étranges, cylindriques et rayées de gris, aux fûts tronqués dans des hauteurs inégales, créant des lignes biaises et des combinaisons optiques mouvantes, occupent aujourd'hui cette cour selon un quadrillage serré. Elles sont l'œuvre du peintre contemporain Daniel Buren. A côté du silence recueilli qui règne dans le jardin, la cour des colonnes, peuplée de Parisiens flâneurs, d'enfants agiles et de touristes, redonne un peu de l'ancienne animation du Palais-Royal. La nuit, malgré les grilles qui la rende inaccessible, il faut voir son éclairage, particulièrement réussi. Ses petites lumières évoquant le balisage d'un aéroport vous entraîneront vers le futur.

I.A.

Jardin des Tuileries.

Adresse : jardin du Palais-Royal, place du Palais-Royal, 75001 Paris
Propriétaire : l'État, ministère de la Culture, tél. : (1) 42.60.16.87
Ouverture : t.l.j. du 1er octobre au 30 mars de 7 h 30 à 20 h 30 ; du 1er avril au 31 mai de 7 h à 22 h ; du 1er juin au 31 août de 7 h à 23 h ; du 1er au 30 septembre de 7 h à 21 h 30
Boutiques, restaurants
Accès : centre ville. Métro : Palais-Royal

Jardin des Tuileries ★

1er arr.

Il est peu de jardin dans le monde dont on peut dire avec autant de vérité que leur tracé a été à l'origine du développement d'une ville. A partir de la façade du palais des Tuileries, aujourd'hui disparu, l'axe du jardin parallèle à la Seine et à l'antique voie est-ouest qui la longe s'élance comme une flèche vers l'océan lointain. Magnifié par la perspective de l'avenue des Champs-Élysées, le jardin se prolonge maintenant bien au-delà de ses limites strictes, incluant toutes les œuvres urbaines qu'il a générées au cours d'une histoire de quatre siècles, de la pyramide du Louvre jusqu'à l'Arche de la Défense, en passant par l'arc de triomphe du Carrousel, la rue de Rivoli, la place de la Concorde, la place Vendôme, l'arc de triomphe de l'Étoile, l'avenue Foch et le quartier de la Défense.
Le premier jardin, créé par la reine Catherine de Médicis à partir de 1563, était le plus important jamais aménagé dans Paris mais c'est avec André Le Nôtre, héritier d'une lignée de maîtres jardiniers des Tuileries, que le jardin prit une orientation définitive au XVIIe siècle.
Le riche parterre de broderie et les compartiments boisés, encadrés par deux terrasses longitudinales, se terminaient sur un bassin octogonal enserré entre deux rampes en hémicycle interrompues par une brèche laissant filer le regard vers l'échappée d'une patte d'oie et des allées plantées lancées hardiment à travers la campagne.

Dès le règne de Louis XIII, le jardin royal fut ouvert aux Parisiens et, à ce titre, il est le premier jardin public de l'histoire. Son tracé actuel, affaibli par une suite d'interventions ponctuelles, n'en reste pas moins vigoureusement organisateur des nouveaux projets qui viennent y prendre place.

I.A.

Adresse : jardin des Tuileries, place de la Concorde / rue de Rivoli, 75001 Paris
Propriétaire : l'État, ministère de la Culture, tél. : (1) 42.60.27.67
Ouverture : t.l.j. du lever au coucher du soleil (20 h en hiver)
Musée de l'Orangerie
Accès : centre ville. Métro : Tuileries, Concorde

Square du Vert-Galant

1er arr.

Soulignant la forme de navire de l'île de la Cité, ce petit jardin sur l'eau fait partie de la mémoire collective de tous ceux qui ont habité Paris un jour. Sans cesse peint, photographié ou simplement contemplé, il sort indemne de ces millions de regards par la magie des variations de lumière sur la Seine.

M.R.

Adresse : square du Vert-Galant, Pont-Neuf, 75001 Paris
Propriétaire : Ville de Paris
Ouverture : permanente, visites libres
Accès : centre ville, sur l'île de la Cité. Métro : Pont-Neuf

Musée Carnavalet ★

3e arr.

C'est un joli petit jardin de broderie qui accompagne l'un des plus anciens hôtels de Paris. Mme de Sévigné y trouva « un bel air, une belle cour, un beau jardin, un beau quartier ».

M.R.

Adresse : musée Carnavalet, 23, rue de Sévigné, 75003 Paris
Propriétaire : Ville de Paris
Ouverture : t.l.j. sauf les lun. et jours fériés, de 10 h à 17 h 30, tél. : (1) 42.72.21.13
Musée de l'Histoire de Paris ; point librairie
Accès : centre ville, quartier du Marais.
Métro : Saint-Paul

Squares Georges-Cain et Léopold-Achille

3ᵉ arr.

Deux squares au cœur du Marais, ce quartier où chaque porte est une découverte et chaque fronton une surprise. Les deux jardins sont encastrés dans les dépendances de l'hôtel de Saint-Fargeau, sur des anciens terrains maraîchers datant du XIIᵉ siècle. On entre dans le square Léopold-Achille entre deux vénérables platanes et on se promène sur une longue allée où l'œil est attiré par une sculpture de Pomone, des armoiries étonnantes ou un pêcher tortueux sur fond de façade du XVIIIᵉ siècle.

Le square Georges-Cain, plus carré, est devenu un « musée lapidaire » où trônent sculptures, bas-reliefs et statues, en annexe au musée Carnavalet qui le jouxte, et dont Georges Cain fut le conservateur. Un figuier est venu se nicher dans le square, et la vue offre en toile de fond l'orangerie de l'hôtel Saint-Fargeau.

L'ensemble des deux squares constitue une coulée de verdure tranquille au cœur du vieux Paris, une invitation à la flânerie pour le promeneur curieux.

D.L.

Adresse : square Georges-Cain, rue Payenne ; square Léopold-Achille, rue du Parc-Royal, 75003 Paris
Propriétaire : Ville de Paris
Ouverture : t.l.j. de 9 h au coucher du soleil
Accès : centre ville, quartier du Marais, près du musée Carnavalet. Métro : Saint-Paul

Square Jean-XXIII

4ᵉ arr.

Il reste encore quelques ormes à Paris, malgré la maladie qui a presque anéanti l'espèce en France. Le square Jean-XXIII, ancien square de l'Archevêché, en possède une dizaine, mais pour combien de temps encore ?

Ce square-promenade, d'un peu plus de 1 ha, longe un lieu prestigieux entre tous, les bords de la Seine au pied de Notre-Dame, et offre une superbe perspective sur l'abside de la cathédrale. Ce fut, au milieu du XIXᵉ siècle, le premier square public — on le doit au préfet Rambuteau. Une longue allée pour les promeneurs débouche sur une place ombragée de platanes où l'attendent de nombreux bancs et une fontaine de la Vierge, d'inspiration gothique, devant laquelle les touristes manquent rarement de se faire photographier... Leur nombre croissant commence toutefois à menacer la bordure de lierre ancestral qui enveloppe toute la balustrade longeant la Seine et retombe de chaque côté du parapet — il donne au square un charme certain et il serait dommage de le laisser disparaître.

D.L.

Adresse : square Jean-XXIII, quai de l'Archevêché, 75004 Paris
Propriétaire : Ville de Paris
Ouverture : t.l.j. de 9 h au coucher du soleil
Accès : centre ville, près de la Cité, au pied de Notre-Dame. Métro : Cité

Hôtel de Sens

4ᵉ arr.

Abritant aujourd'hui la bibliothèque Forney, l'hôtel est l'un des rares témoignages de l'architecture civile médiévale à Paris. Sa façade ouest est mise en valeur par un petit parterre à la française. Les amateurs trouveront là l'un des fonds les plus importants de la capitale en ouvrages anciens sur les jardins.

Adresse : hôtel de Sens, 1, rue du Figuier, 75004 Paris
Propriétaire : Ville de Paris
Ouverture : du mar. au ven. de 13 h 30 à 20 h 30, sam. de 10 h à 20 h 30
Bibliothèque Forney, tél. : (1) 47.78.14.60
Accès : centre ville, quartier du Marais.
Métro : Pont-Marie

Mosquée de Paris ★

5ᵉ arr.

Avec ses murs blancs et ses tuiles vertes vernissées, la mosquée de Paris et ses deux jardins constituent l'un des endroits les plus pittoresques de Paris. Les bâtiments de style hispano-mauresque ont été construits en 1925. Ils abritent aujourd'hui un lieu de culte, un salon de thé, un restaurant et un hammam. Dès l'origine, les jardins ont fait partie du projet architectural et constituent un exemple type de jardins arabo-andalous entourés de murs et d'arcades ; les massifs et les plates-bandes de roses

Jardin des Plantes.

suivent des tracés rectilignes autour d'une fontaine. Ici le temps s'écoule autrement. Un bouquet de fleurs dans la vasque du café maure, on écoute le petit jet d'eau, on lit des poèmes, on parle à voix basse, on vient se recueillir, s'imprégner de la sérénité ambiante.

D.L.

Adresse : mosquée de Paris, 1, place du Puits-de-l'Ermite, 75005 Paris
Propriétaire : Société des Habous, des Lieux saints de l'islam, tél. : (1) 45.35.97.33
Ouverture : t.l.j. sauf ven. de 10 h à 12 h et de 14 h à 18 h
Café-restaurant de la Mosquée, hammam, tél. : (1) 43.31.18.14
Accès : au sud-est du centre ville. Métro : Monge

JARDIN DES PLANTES

1	Porte d'Austerlitz		
2	Esplanade Lamarck	15	Plantes utiles et officinales
3	Carré Nirbel	16	École de botanique
4	Carré Thouin	17	Serres	30 Laboratoire
5	Carré des Rosiers	18	Jardin d'hiver	31 Petit labyrinthe
6	Carré Decaisne	19	Jardin mexicain	32 Golf miniature
7	Bassin aux Nymphéas	20	Jardin australien	33 Jardin alpin
8	Esplanade Edwards	21	Serres aux cactées	34 Amphithéâtre Rouelle
9	Zoologie	22	Bibliothèque	35 Grande volière
10	Géologie, minéralogie, paléobotanique	23	Grand labyrinthe	36 Rotonde éléphant
		24	Réservoir	37 Fosse aux ours
11	Cryptogamie, pharénogamie	25	Maison Chevreul	38 Singerie
12	Anatomie comparée	26	Carré Chevreul	39 Faisanderie	43 Fauverie
13	Carré Brongniart	27	Cour d'honneur	40 Reptiles	44 Petite singerie
14	Parc écologique	28	Administration	41 Physiologie	45 Laboratoire
		29	Grand amphithéâtre	42 Réserve d'hiver	46 Vivarium

Jardin des Plantes ★★

5ᵉ arr.

Jardin encyclopédique. Né au XVIIᵉ siècle d'un modeste jardin d'apothicaire du Roi avant de devenir le jardin des Plantes, ce jardin s'est construit sur trois siècles par une succession d'accroissements qui a permis à Buffon de lui faire atteindre la Seine. On doit au plus célèbre de ses administrateurs d'en avoir fait dès le XVIIIᵉ siècle un lieu de divulgation et de recherche. Jardin d'acclimatation, d'expérimentation, où se télescopent tous les règnes du végétal et de la nature, il offre la caractéristique exceptionnelle de présenter en un seul jardin, couvrant une superficie totale de 28 ha, plusieurs jardins :
— le premier est le jardin scientifique de Buffon où le végétal est classé, répertorié, et offre le visage de ce vaste parterre à la française que l'on découvre de la place Valhubert ;
— le deuxième est la partie la plus sauvage et la

plus mystérieuse du jardin, territoire des érables de crête, des micocouliers et des cèdres emplantés sur les parois d'un labyrinthe dont le sommet, surmonté par le belvédère de Verniquet, révèle l'ensemble du site ;

— le troisième jardin paysager à l'anglaise est fait pour abriter un zoo, édifié à travers ces maisons pittoresques imaginées pour les « animaux paisibles » venus de terres inconnues.

Ce jardin des Plantes construit pour y apprendre et s'y instruire est à la fois un jardin botanique et un musée, une vitrine vivante des sciences de la nature au centre de Paris. Jardin historique, il est aussi l'image d'un véritable jardin moderne, mosaïques de cultures autant que des climats, son charme tient à cette ambivalence, même s'il a perdu aujourd'hui l'exceptionnelle présence de l'eau tant pour son irrigation que pour son animation. Ce jardin en péril, unique en Europe, mérite pour toutes ces raisons les plus grands égards.   A.F.K.

Adresse : jardin des Plantes, place Valhubert / rue Cuvier, 75005 Paris
Propriétaire : l'État, Muséum d'histoire naturelle, tél. : (1) 40.79.30.00. Conservateur : M. Philippe Taquet
Ouverture : t.l.j. de 7 h 30 au coucher du soleil (20 h en été) ; jardin d'hiver et serres tropicales, t.l.j. sauf mar. de 13 h à 17 h : visites guidées pour groupes sur demande
Bibliothèque, librairie, ménagerie ; musée de minéralogie et musée de paléontologie, t.l.j. sauf mar.
Accès : au sud-est du centre ville. Métro : Jussieu, Monge, Gare-d'Austerlitz

Square Laurent-Prache

6ᵉ arr.

Au pied du clocher de Saint-Germain, encadré de fines arcades gothiques qui mériteraient une meilleure mise en valeur, ce petit vestige des jardins de l'abbaye de Saint-Germain reste un havre de recueillement environné d'agitation. Sous les grands arbres qui contribuent à l'intimité du lieu une tête de femme, sculptée par Picasso en hommage à Apollinaire, le relie à notre époque.   M.R.

Adresse : square Laurent-Prache, place Saint-Germain-des-Prés, 75006 Paris
Propriétaire : Ville de Paris
Ouverture : t.l.j. de 9 h au coucher du soleil
Accès : centre ville. Métro : Saint-Germain-des-Prés

Détail de la fontaine Médicis. Jardin du Luxembourg.

Jardin du Luxembourg ★★★
6ᵉ arr.

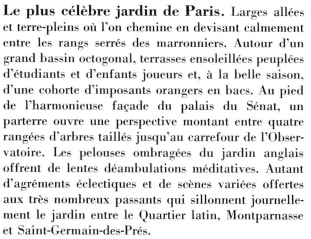

Le plus célèbre jardin de Paris. Larges allées et terre-pleins où l'on chemine en devisant calmement entre les rangs serrés des marronniers. Autour d'un grand bassin octogonal, terrasses ensoleillées peuplées d'étudiants et d'enfants joueurs et, à la belle saison, d'une cohorte d'imposants orangers en bacs. Au pied de l'harmonieuse façade du palais du Sénat, un parterre ouvre une perspective montant entre quatre rangées d'arbres taillés jusqu'au carrefour de l'Observatoire. Les pelouses ombragées du jardin anglais offrent de lentes déambulations méditatives. Autant d'agréments éclectiques et de scènes variées offertes aux très nombreux passants qui sillonnent journellement le jardin entre le Quartier latin, Montparnasse et Saint-Germain-des-Prés.

Le Luxembourg est sans aucun doute le jardin le plus apprécié et le plus animé de Paris. Pourtant, une fois passé les hautes grilles qui le bordent, on s'y sent transporté en un lieu singulièrement paisible, plein de bonhomie et de surprises. Près de quatre siècles nous séparent de la commande, à Salomon de Brosse, d'un palais et d'un jardin rappelant à la reine Marie de Médicis le palais Pitti de son enfance florentine. Il nous en reste le parterre, le bassin, les terrasses et la charmante fontaine Médicis avec son illusion optique. L'allée de l'Observatoire, créée sous le premier Empire, le jardin anglais aménagé sur les terres du couvent des chartreux, confisquées pendant la Révolution de 1789, le prolongent. Le jardin abrite également des serres de cultures, un verger école d'arbres fruitiers en espaliers, un rucher et des cours très appréciés des jardiniers amateurs, un guignol renommé, des tennis, des jeux pour les enfants, des ânes qui font naître des vocations de cavalier, et tout cela se combine dans un ensemble d'une grande harmonie.   I.A.

Adresse : jardin du Luxembourg, boulevard Saint-Michel, 75006 Paris
Propriétaire : Sénat, tél. : (1) 42.34.20.00.
Conservateur : M. Burte
Ouverture : t.l.j. de 7 h ou 8 h (selon saison) à 1 h avant le coucher du soleil
Musée, restaurant, guignol, courts de tennis, jeux pour enfants
Accès : centre ville. Métro : Odéon. Ligne RER B, Luxembourg

Champ-de-Mars ★

7ᵉ arr.

Commandée par Louis XV à Gabriel l'esplanade, destinée à accompagner l'École militaire, reste marquée par sa fonction première, celle d'un espace de parade et de fête. Avant d'être un jardin, elle sera une vaste scène de théâtre pour la fête de la Fédération (14 juillet 1790), la distribution des aigles par Napoléon et, de 1867 à 1937, pour de nombreuses expositions universelles.

Avec la construction du pont d'Iéna, en 1809, elle s'unit visuellement à la colline de Chaillot qui lui fait face, de l'autre côté de la Seine. Le Champ-de-Mars accueille en 1889 la tour Eiffel, symbole contesté puis universellement admiré de la modernité, fabrique monumentale, belvédère merveilleux.

En 1908, Jean-Camille Formigé transforma l'esplanade en jardin, ouvrant les abords à la construction d'immeubles de luxe. C'est à lui que l'on doit l'aspect actuel qui associe très judicieusement la majestueuse perspective centrale et des bosquets latéraux offrant surprise et intimité.

M.R.

Adresse : Champ-de-Mars, avenue de la Motte / quai Branly, 75007 Paris
Propriétaire : Ville de Paris
Ouverture : permanente, visites libres
Accès : à l'ouest du centre ville, au pied de la tour Eiffel et face à l'École militaire. Métro : Bir-Hakeim/École-Militaire

Jardin de l'Intendant

7ᵉ arr.

Net et rigoureux, ce jardin à la française, centré sur un bassin central, vient d'être réalisé selon des plans de 1756 destinés à mettre en valeur l'hôtel des Invalides. Un mail de tilleul l'accompagne à l'ouest.

M.R.

Adresse : jardin de l'Intendant, avenue de Tourville, 75007 Paris
Propriétaire : Ville de Paris
Ouverture : permanente, visites libres
Hôtel des Invalides (musée de l'Armée)
Accès : au pied de l'hôtel des Invalides.
Métro : Latour-Maubourg

La Pagode

7ᵉ arr.

Ce jardin japonais en plein Paris ravira tous les amoureux de l'Orient. Il a été créé, à la fin du siècle dernier, pour l'épouse du propriétaire du Bon Marché, par l'architecte Marcel Alexandre, grand spécialiste de l'exotisme orientaliste en Europe, créateur du parc de Maulévrier. Le lieu a servi de pavillon de réception pour la légation de Chine en 1905, puis est resté à l'abandon pendant des décennies, avant d'être classé et transformé en salle de cinéma en 1973, tandis qu'on replantait le jardin dans le style oriental. Aujourd'hui, les cinéphiles viennent bavarder auprès du pavillon chinois. La façade, décorée de faïences, est entourée d'érables laciniés, de bambous, d'anémones de Chine et d'un gingko biloba.

D.L.

La Pagode. Un jardin oriental.

Adresse : cinéma *la Pagode*, 57 *bis*,
rue de Babylone, 75007 Paris
Propriétaire : cinéma *la Pagode*,
tél. : (1) 47.05.12.15
Ouverture : t.l.j. de 16 h à 22 h, de 14 h à 20 h
le dim. (horaires du salon de thé)
Accès : au sud-ouest du centre ville. Métro : Saint-
François-Xavier

Musée Rodin ★

7ᵉ arr.

Aujourd'hui habité par les œuvres principales de
Rodin, et bien entretenu, ce jardin a connu une
succession de résidants et d'abandons : un perruquier
enrichi par la spéculation, le duc de Biron qui y édifia
diverses fabriques pittoresques, une congrégation
religieuse qui le transforma en potager et verger, le
poète Rainer Maria Rilke qui en appréciait déjà le
silence, « un privilège des parcs à l'abandon ».

M.R.

Adresse : musée Rodin, 77, rue de Varenne,
75007 Paris
Propriétaire : Ville de Paris
Ouverture : t.l.j. sauf lun. de 10 h à 17 h 45 (été),
de 10 h à 17 h (hiver) ; fermeture des guichets
30 mn avant celle du musée, tél. : (1) 47.05.01.34
Accès : à l'ouest du centre ville, à deux pas des
Invalides. Métro : Varenne

Jardin du musée Rodin.

Jardin japonais de l'Unesco ★

7ᵉ arr.

Dessiné par Isamu Noguchi, sculpteur-paysagiste
américain, ce petit jardin contemporain, caché derrière la forteresse pacifique de l'Unesco, continue à

être entretenu avec toute l'attention nécessaire pour
que les centaines de cerisiers, pruniers, magnolias,
bambous, et les tonnes de rochers venus du Japon
continuent à s'associer harmonieusement selon le
projet initial.

M.R.

Adresse : Unesco, 7, place de Fontenoy,
75007 Paris
Propriétaire : Unesco
Ouverture : du lun. au ven., de 9 h à 18 h ;
renseignements, tél. : (1) 45.68.06.42
Accès : à l'ouest du centre ville.
Métro : Ségur/École-Militaire

Champs-Élysées

8ᵉ arr.

Entre le rond-point et les chevaux de Marly, cette
promenade a perdu l'animation qu'elle a connue
avec ses établissements de plaisirs du XVIIIᵉ siècle et
ses guinguettes et caf'conc du XIXᵉ. Redessinée pour
la promenade par Alphand, elle reste ponctuée
par quelques sages divertissements, un guignol, un
kiosque à musique et des hommages sculptés qui ne
manquent pas d'étrangeté, comme la grande statue
de Georges Pompidou que l'on est tout surpris de
trouver là.

M.R.

Adresse : avenue des Champs-Élysées, 75008 Paris
Propriétaire : Ville de Paris
Ouverture : permanente, visites libres
Accès : à deux pas de la place de la Concorde.
Métro : Champs-Élysées-Clemenceau

Parc Monceau ★ ★

8ᵉ arr.

Antique et romantique. La disparité entre les
remplois du XVIIIᵉ siècle et l'allure « beaux quartiers »
de la plantation générale, de la statuaire fin de
siècle et de l'environnement architectural bourgeois
confère au parc Monceau une atmosphère unique
qui a inspiré plus d'un romancier moderne. Le petit
pavillon et son jardin régulier, aménagés pour le
duc de Chartres en 1769 par Louis-Marie Colignon,
forment le noyau initial de ce qui devait, à partir
de 1773, devenir la « folie de Chartres ». Le cousin
de Louis XVI, anglomane convaincu, confia alors à
Carmontelle, homme du monde à la fois peintre et
auteur dramatique, l'invention, sur 45 arpents,
« d'une simple fantaisie, d'un jardin extraordinaire
où seraient réunis tous les temps et tous les lieux ».
Comme dans ses « transparents » longs rouleaux
peints destinés à être regardés devant une source
lumineuse, Carmontelle fit apparaître successivement

« Pyramide égyptienne ». Parc Monceau.

École du Breuil ★ ★

12ᵉ arr.

Véritable paradis botanique aux portes de Paris, ce jardin-école municipale de 25 ha a été créé en 1867 afin de pourvoir les parcs et squares de Paris en jardiniers qualifiés, et permet d'admirer une collection très importante de végétaux étiquetés et classés. Encadrée par les bâtiments, la cour d'honneur au tracé régulier est décorée de nombreux massifs fleuris. L'arboretum rassemble environ 600 espèces regroupées par familles, plantées pour la plupart dans les années 40 et 50 et augmentées au hasard des échanges internationaux et de trouvailles des pépiniéristes. On y trouve de nombreuses variétés rares, comme les xanthocera, les ehretia, les cunninghamia...

Le parcours botanique. École du Breuil.

un bois, des tombeaux et sa pyramide égyptienne, une naumachie antique bordée de colonnes, un fort en ruine, un moulin à vent hollandais, un minaret et des tentes tartares... Parfait « pays d'illusion », destiné au plaisir des sens et au divertissement d'une société libertine, Monceau fut immédiatement critiqué. L'arrivée, en 1781, du jardinier écossais Blaikie qui agrandit le jardin marque d'ailleurs un infléchissement vers une plus stricte orthodoxie paysagère. Un peu plus tard, le pavillon d'octroi de la barrière de Monceau, construite par l'architecte Ledoux, devait faire figure de « fabrique involontaire ».

Parc d'attraction sous la Révolution, plus ou moins délaissé sous l'Empire et la Restauration (où il est restitué aux Orléans), le parc Monceau devait renaître en 1860, quand il devint propriété de la Ville de Paris, à un moment où, sous l'impulsion du banquier Péreire et d'Haussmann, tout ce quartier au nord-ouest de Paris est en proie à une nouvelle urbanisation. C'est sur une superficie réduite de moitié par rapport à celle de l'ancienne « folie » qu'Alphand, ingénieur en chef des Promenades et Plantations, secondé par le jardinier Barillet-Deschamps et l'architecte Davioud, aménagea le jardin « romantique » à l'anglaise que nous voyons aujourd'hui, associant les anciennes fabriques (la pyramide, la naumachie) à de nouveaux éléments (la rivière et son pont inspiré du Rialto, la cascade et la grotte), parmi les « arbres et des arbrisseaux remarquables par l'élégance de leur port et la beauté de leur feuillage ». Les fameuses grilles d'or et les façades composites des riches hôtels particuliers du lotissement supervisé par Émile Péreire enserrent cette étrange oasis où cohabitent les blanches statues d'écrivains et de musiciens et quelques spécimens rares (gingko biloba, l'érable de Montpellier et autre « arbre aux mouchoirs »).

Le jardin paysager présente des collections de plantes terre de bruyère et de pivoines, entourées de vieux arbres remarquables — platanes, marronniers, liquidambar ou *Lonicera maachi*. La rocaille abrite les plantes alpines et les fougères, ombragées par les érables du Japon et les chênes verts. Les plantes vivaces sont disposées en mixed-borders, groupées par familles ou par associations décoratives, et rythmées par des haies très variées. Le verger-fruitier propose une collection axée sur les formes (palissées ou de plein vent) et sur les variétés (environ 300 espèces, surtout des pommiers et poiriers). Il faut ajouter les serres tropicales, la roseraie (200 variétés), le bassin aux nymphéas, le fruticetum (500 espèces d'arbustes et plantes grimpantes en plates-bandes thématiques — feuillages gris, fruits décoratifs, etc.).

F.F.

Adresse : parc Monceau, boulevard de Courcelles, 75008 Paris
Propriétaire : Ville de Paris, tél. : (1) 46.51.71.20 (Direction des parcs et jardins)
Ouverture : t.l.j. de 9 h au coucher du soleil
Accès : au nord-est du centre ville. Métro : Monceau

Adresse : école du Breuil, route de la Ferme, bois de Vincennes, 75012 Paris
Propriétaire : Ville de Paris
Ouverture : de 13 h à 16 h 30, en semaine, tél. : (1) 43.28.28.94

Chaque année, journées portes ouvertes et fêtes des élèves avec ventes de végétaux
Accès : métro (RER, station Joinville-le-Pont) ou autoroute de l'Est (sortie Joinville, direction Joinville, tourner à gauche au deuxième feu tricolore puis première rue à droite au feu tricolore)

Parc floral de Paris ★ ★

12ᵉ arr.

Créé en 1969 à l'occasion des Floralies de Paris, le parc floral (35 ha) possède un charme né du mélange des genres : à la fois jardin d'ornement et authentique jardin forestier, il abrite aussi de nombreuses aires de jeu pour les enfants. Il est devenu un des lieux de promenades les plus populaires en Région parisienne.

A partir de l'entrée « Château », on emprunte une allée de chênes et de pins qui contourne la vallée aux cent mille fleurs et se termine sur un plan d'eau. La fontaine en grès de Stahly fait face aux lotus, nymphéas et autres plantes aquatiques. Derrière le bassin, une promenade relie des petits pavillons et des galeries couvertes à la tonalité très japonaise : les pavillons abritent des camélias, mimosas, bégonias et pelargoniums odorants — des plus suaves aux plus nauséabonds.

Au bout de l'allée de rhododendrons, on pénètre dans la pinède : 3 ha de pins sylvestres et de pins Laricio de Corse. Dépaysement garanti dans le silence, l'atmosphère feutrée et les odeurs de résine... Plus loin, les massifs de rhododendrons, d'hortensias, de bruyères, d'azalées et de gunneras ajoutent une touche de couleur et d'exotisme.

Le parcours botanique se poursuit à travers l'allée des dahlias et le jardin des quatre saisons, et la visite se termine souvent dans une exposition. Enfin, les amoureux des plantes utiles auront soin de ne pas manquer le jardin de plantes médicinales, à côté de l'entrée Château.   D.L.

Adresse : parc floral de Paris, route des Pyramides, esplanade du Château-de-Vincennes, 75012 Paris
Propriétaire : Ville de Paris, tél. : (1) 43.43.92.95
Ouverture : t.l.j. de 9 h à 17 h 30 en hiver (20 h en été) ; animation et spectacles du 1ᵉʳ mai au 30 septembre les mer., sam., dim. et jours fériés ; aire de pique-nique, crêperie et restaurants, expositions florales, peintures, sculptures
Accès : à l'extrême sud-est de Paris, au nord du bois de Vincennes. Métro : Château-de-Vincennes

Bois de Vincennes ★ ★

12ᵉ arr.

C'est le plus grand espace vert de la capitale, le plus sauvage aussi. On peut le parcourir à pied, à vélo, à cheval, et même en canoë sur le lac Daumesnil.

A l'origine, le bois faisait partie de la forêt de Bondy, domaine royal de chasse des premiers rois de France. Il s'organisa autour du château de Vincennes, œuvre de Philippe Auguste, de Saint Louis et plus tard des Valois. Le château fut par la suite annexé à la Bastille puis devint une forteresse. Sous Napoléon, le bois fut dévasté par les installations militaires et peu d'arbres de l'époque ont survécu. Sous l'impulsion de Napoléon III, le bois est remanié par Alphand, l'architecte Davioud et le paysagiste Barillet-Deschamps, qui dessinent pelouses, massifs et bosquets, creusent quatre lacs et donnent au bois son aspect contemporain.

Aujourd'hui, la Ville de Paris s'attache à conserver son caractère sylvestre en replantant de nombreuses espèces d'arbres — hêtres, bouleaux, mélèzes, cèdres, robiniers... Parmi les 140 000 arbres du bois, les plus anciens se trouvent près du temple bouddhiste : un hêtre à feuilles laciniées, âgé de plus de cent ans, et quelques chênes vénérables sous lesquels Saint Louis, selon la légende, venait rendre la justice.

Avec près de 1 000 ha, le bois de Vincennes constitue une extraordinaire enclave naturelle aux portes de Paris.   D.L.

Adresse : bois de Vincennes, 75012 Paris
Propriétaire : Ville de Paris
Ouverture : accès libre
 19 km pistes cavalières, 7 km pistes cyclables, 26 km sentiers piéton, club hippique, aires de tennis, tir à l'arc, parc zoologique, hippodrome, équitation, jeux, restaurants, cafés, location de barques et de bicyclettes, musée des Arts africains et océaniens ; sentier nature du bois de Vincennes (départ au carrefour de la Conservation, bus 325, arrêt Caserne-des-Gardes)
Accès : au sud-est de Paris. Métro : Porte-Dorée/Porte-de-Charenton

Un jardin d'exposition. Parc floral de Paris.

Square René-Le-Gall ★★

13ᵉ arr.

On descend des escaliers pour pénétrer dans ce jardin niché au fond d'une dénivellation qui fut autrefois le lit d'une rivière, la Bièvre. L'humidité restante y favorise la prolifération d'une flore étonnante en Région parisienne. Le square a été aménagé en 1938, à la place d'anciens potagers cultivés par les ouvriers de la manufacture des Gobelins. Il est l'un des seuls jardins qui restent en France réalisés par un grand créateur de l'entre-deux guerres, Jean-Charles Moreux. Les escaliers sont décorés de médaillons, sortes de bas-reliefs composés de galets, de coquillages et de silex dont la disposition crée des formes de visages humains ou de silhouettes d'oiseaux, à la manière du peintre baroque Arcimboldi. Le jardin tire son charme de l'ampleur de ses arbres, dont certains remontent à la fin du XVIIIᵉ siècle. Une haie de peupliers délimite ce qui fut jadis une île entre deux bras de la Bièvre, et au milieu on peut s'imaginer dans un véritable sous-bois. Des bosquets campagnards rassemblent les espèces champêtres de la Région parisienne — hêtres, bouleaux, tilleuls, érables, noisetiers, charmes, aubépines ou merisiers. Autour de l'obélisque, des berceaux en treillage recouverts de rosiers grimpants se dressent au milieu d'une roseraie. Ce square, encastré au milieu de grands immeubles, distille une ambiance mystérieuse et poétique. Il s'est récemment agrandi jusqu'à la rue Émile-Deslandes, et couvre ainsi une superficie de 3,5 ha.

D.L.

Adresse : square René-Le-Gall, rue Croulebarbe, 75013 Paris
Propriétaire : Ville de Paris, tél. : (1) 47.07.22.62
Ouverture : t.l.j. de 9 h au coucher du soleil
Accès : au sud du centre ville près de la place d'Italie. Métro : Glacière/Corvisart

Parc Montsouris ★★

14ᵉ arr.

Repère de brigands, carrière insérée dans un labyrinthe de catacombes, le site de Montsouris était chargé de légendes noires ; un lieu mal famé, envahi d'herbes folles quand Napoléon III décida d'y créer un vaste parc, en limite sud de Paris.
Alphand réalise, sur 16 ha, un jardin pittoresque avec effets de perspective, cheminements, pentes douces plantées d'arbres. Le parc est séparé en deux par un ravin au fond duquel passe le métro. Les pentes de cette vallée sont recouvertes d'une flore de montagne.
Les changements de rythme, la diversité des perspectives, les chemins en lacet donnent une illusion d'immensité.

De beaux arbres ornent les pelouses, en particulier l'orme de Sibérie, le pin Napoléon, pour les centenaires, le cèdre du Liban et l'eucommia.
A ne pas manquer : la floraison blanche des *Poncirus trifoliata* en mai, arbuste étrange, aux rameaux verts épineux qui s'enchevêtrent et forme des bosquets infranchissables.

D.L.

Adresse : parc Montsouris, boulevard Jourdan, 75014 Paris
Propriétaire : Ville de Paris, tél. : (1) 46.51.71.20
Ouverture : t.l.j. de 9 h au coucher du soleil
Concert sous kiosque, restaurant, jeux d'enfants
Accès : au sud de la ville. Métro : Cité-Universitaire

Un parc « neuf ». Parc Georges-Brassens.

Parc Georges-Brassens ★

15ᵉ arr.

Ce parc a été aménagé en 1983 sur l'emplacement des anciens abattoirs de Vaugirard, en conservant certains éléments : le beffroi de la criée, la halle aux chevaux, et deux statues de taureaux. Vallonné, parcouru par une rivière artificielle qui se jette dans un vaste bassin, il se singularise par ses mille pieds de vignes, plantés à la demande des habitants du quartier pour entretenir la mémoire des vignobles et du vin produit autrefois sur les coteaux des Morillons, et par son jardin d'odeurs, destiné particulièrement aux non-voyants : l'étiquetage des végétaux est inscrit en latin et en braille. Dans ce monde des parfums, on retiendra notamment les *Viburnum fragrans*, les *Lonicera fragantissima*, les rosiers odorants, les labiées entêtantes (romarin, lavande, sauge, perovskia...).
Les promeneurs viennent lire ou s'étendre sur les vastes pelouses, les gros rochers attirent les amateurs d'escalade, une halle abrite chaque week-end des bouquinistes...

D.L.

Adresse : parc Georges-Brassens, rue des Morillons, 75015 Paris
Propriétaire : Ville de Paris, tél. : (1) 46.51.71.20
Ouverture : t.l.j. de 9 h au coucher du soleil
Accès : au sud du centre ville. Métro : Convention

Parc de Bagatelle ★ ★ ★
16ᵉ arr.

Bagatelle se livre à nous dans la plénitude de ses expositions florales (plantes à bulbes au printemps et longue floraison de roses en été et en automne), et nous ne devinons guère, derrière cette actuelle perfection, le lent travail de l'histoire qui y a fait converger le talent des deux plus grands artistes en jardins depuis plus de deux siècles. Le fameux pari du comte d'Artois et de Marie-Antoinette qui fut à l'origine de cette folie, construite en deux mois à la fin de 1777, englobait aussi un premier jardin dans le style régulier du côté de Longchamp. Relativement exigu, il n'en constituait pas moins un tour de force puisqu'il fut défriché, nivelé, tracé et planté entre septembre et novembre de la même année ; les ouvriers travaillant de jour et de nuit. L'agrandissement du domaine et la mode firent que, l'année suivante, l'architecte François-Joseph Bélanger reprit son ouvrage et imagina un assez vaste jardin dans le style irrégulier à la réalisation duquel collabora,

PARC DE BAGATELLE

1 Entrée d'honneur	17 Mare aux biches
2 Entrée	18 Forêt de chênes
3 Cour d'honneur	19 Zone des conifères
4 Château	20 Grande pelouse
5 Trianon	21 Bassin des oies de Magellan
6 Pavillon Louis XVI	22 Pelouse à Blaikie
7 Kiosque de l'Impératrice	23 Pièce d'eau des cygnes noirs
8 Restaurant	24 Miroir japonais
9 Pavillon des gardes	25 Labyrinthe
10 Ruines de l'abbaye de Long-champs	26 Parterre français
11 Grotte	27 Roseraie
12 Grand rocher	28 Jardin des iris
13 Grotte des Quatre Vents	29 Jardin des plantes vivaces
14 Ponts	30 Maison du chef jardinier
15 Jardin français	31 Maison des présentateurs
16 Pièce d'eau des Nymphéas	32 Orangerie
	33 Pelouse creuse

Roseraie de Bagatelle.

pendant plus de dix ans, le jardinier écossais Thomas Blaikie. Sur un terrain relativement plat, conquis sur le bois de Boulogne, serpentait une rivière aboutissant à un lac dominé par un haut rocher et ses cascades, tandis que de nombreuses fabriques (Ermitage primitif, Maison du Philosophe, de style gothique, et toute une collection de ponts palladien, chinois, naturels) focalisaient les vues de ce jardin, véritablement anglo-chinois. Très célèbre pendant toute la fin de l'Ancien Régime (Bélanger dessina même les billets d'entrée pour les visiteurs), le parc devint sous la Révolution un lieu de divertissement fort couru. Après l'Empire et la Restauration, pendant lesquels ils restèrent le domaine privé des souverains, les 165 ha de l'ancienne folie d'Artois furent acquis en 1833 par sir Richard Hertford, comte de Yarmouth, qui devait agrandir son domaine, au nord et au sud. C'est Varé, qui travaillait à la même époque sous la direction d'Alphand à l'aménagement du bois de Boulogne, qui supervisa alors les transformations. De pittoresque le jardin devint romantique et le tracé originel fut grandement modifié. Sir Richard Wallace, fils adoptif d'Hertford, poursuivit ces aménagements. Peu après l'acquisition du domaine par la Ville de Paris et son incorporation au bois de Boulogne (1905), le Service des Promenades, sur l'initiative de J.C.N. Forestier (1861-1930), « jardiniste » de renommée internationale, proposa que, sur le modèle de Kew, « ce jardin historique et élégant de 24 ha serve désormais de cadre à des collections horticoles ». Alors, les plantes vivaces et sarmenteuses s'emparèrent de l'ancien potager, une superbe roseraie ainsi qu'un jardin d'iris occupèrent de nouveaux espaces, tandis que les collections de nymphéas envahissaient les anciennes pièces d'eau. Finalement la passion botanique de Forestier, puisée en partie aux sources anglaises de Gertrude Jekyll, conférait à Bagatelle un regain d'intérêt que des générations de jardiniers ont perpétué jusqu'à nos jours. **M.M.**

Liste des arbres remarquables

A *Tilia oliveri*	K *Diospyros raki*
B *Cedrus atlantica glauca*	L *Junuperus drupacea*
C *Robinia forestieri*	M *Pinus corsica*
D *Eucamia ulmoides*	N *Platanus hybridus acerifolia*
E *Davidia involucrata*	O *Platanus orientalis*
F *Araucaria imbricata*	P *Cedrus libani*
G *Fagus sylvatica atropurpurea*	Q *Sequoia gigantea*
H *Taxus baccata adpressa*	R *Picea orientalis*
J *Pinus corsica*	S *Platanus hybridus acerifolia*
	T *Corylus colurna*

Adresse : parc de Bagatelle, route de Sèvres, Neuilly, 75016 Paris
Propriétaire : Ville de Paris, tél. : (1) 45.01.20.10 (parc)
Ouverture : t.l.j. de 9 h à 17 h en hiver et de 9 h à 20 h en été
Expositions temporaires, festival Chopin (juin), restaurant
Accès : au nord-ouest du bois de Boulogne

Bois de Boulogne ★ ★

16ᵉ arr.

En sortant de Paris, porte Maillot, on tombe sans avertissement dans une forêt d'opérette. Des ponts de faux rondins y enjambent des ruisseaux capricieux, des lacs, des cascades aux rochers habilement disposés, des pavillons, des kiosques ponctuent la promenade le long d'allées généreusement plantées que croisent les pistes cavalières. Sur de vastes pelouses qui s'offrent comme autant de clairières lumineuses, des arbres précieux composent des bouquets aux couleurs changeantes. Les jours de courses l'hippodrome de Longchamp draine une intense activité et, partout, des futaies, des taillis, des pinèdes forment le fond de scène de tous les points de vue, donnant le sentiment que la forêt s'étend bien au-delà du regard.

Le bois de Boulogne, complètement réaménagé de 1860 à 1865 par Napoléon III dans le goût anglais qui lui était cher, est le dernier vestige de l'immense forêt de Rouvray qui couvrait tout l'ouest et le nord de Paris à l'époque de Lutèce. Truffée de repaires de brigands au Moyen Age, elle fut ensuite pour François Iᵉʳ et ses successeurs une chasse favorite. Au XVIIIᵉ siècle, les princes y firent construire de somptueuses retraites : les châteaux de la Muette, de Neuilly, Bagatelle.

De nos jours, de larges voies ouvertes à une circulation intense ont pris la place des allées cavalières ; leur vacarme est contraire au charme, au calme et à l'unité du bois mais il subsiste encore quelques promenades retirées qui font oublier la proximité de Paris.   I.A.

Adresse : bois de Boulogne, 75016 Paris
Propriétaire : Ville de Paris
Ouverture : accès libre
Restaurant, hippodrome, équitation, jardin d'acclimatation, musée des Arts et Traditions populaires, parcours sportifs
Accès : périphérie sud-ouest de Paris par portes Maillot, d'Auteuil, Dauphine

Serres d'Auteuil et jardin des Poètes ★ ★ ★

16ᵉ arr.

Promenade exotique. Si vous rêvez de promenades exotiques, il vous faut découvrir ces serres magnifiques, structures de fer et de verre, d'une grande légèreté, dessinées en 1895 par Jean-Camille Formigé. L'ensemble abrite un palmarium, une serre tropicale et une serre d'exposition. On peut y découvrir des strelitzia (oiseaux du paradis), des palmiers, des bananiers avec leurs régimes, des papyrus d'Égypte ou des pandanus, des *Victoria regia*. Formigé a utilisé la butte qui longe l'avenue de la Porte-d'Auteuil pour créer une terrasse qui domine le jardin. Les pilastres qui ornent le mur de soutènement sont décorés de mascarons provenant de l'atelier de Rodin. Face à l'entrée principale, un jardin à la française, et un sentier botanique bordé de nombreuses merveilles — kaki aux gros fruits orangés, parrotier de Perse presque centenaire, chêne vert à l'allure provençale, *Poncirus trifoliata* aux fleurs blanches étoilées... Tous les végétaux sont bien sûr étiquetés. Les serres de collection abritent des plantes rares, en particulier des orchidées, des bégonias et des plantes carnivores.

Aujourd'hui, la plus grande partie des plantations

Serres d'Auteuil.

destinées aux jardins de Paris se trouve à Rungis, mais les serres d'Auteuil assurent toujours la décoration florale des grandes cérémonies officielles. Des expositions florales ont lieu au printemps (azalées) et en automne (chrysanthèmes).

Jouxtant les serres, le jardin des Poètes, créé en 1954 par la Ville de Paris, propose des massifs dédiés aux grands poètes français, avec des plaques où sont gravées des strophes, consacrées aux plantes et aux fleurs, signées Chénier, Lamartine, Baudelaire, Apollinaire et bien d'autres. M.R.

Adresse : serres d'Auteuil, avenue de la Porte-d'Auteuil / avenue Gordon-Benett, 75016 Paris
Propriétaire : Ville de Paris, tél. : (1) 46.51.71.20
Ouverture : t.l.j. de 10 h à 19 h en été et de 10 h à 17 h en hiver ; jardin des Poètes, t.l.j. de 9 h à 16 h
Concerts en été
Accès : au sud-ouest de la ville. Métro : Porte-d'Auteuil

Jardin Shakespeare ★★

16ᵉ arr.

Jardin-théâtre. Situé dans le cadre du Pré-Catelan, et de son parc à l'anglaise, ce « jardin-théâtre » est tout à fait unique. Chaque été, on y donne des représentations, sur une pelouse qui peut accueillir jusqu'à trois cents spectateurs. La pelouse et le théâtre de verdure sont entourés de végétaux mentionnés dans l'œuvre de Shakespeare : à gauche de la scène, la lande d'Écosse évoque *Macbeth* avec son jardin de bruyères, et à droite l'île méditerranéenne, imprégnée du parfum des labiées, rappelle *la Tempête*. Derrière l'amphithéâtre, un ruisseau et un jardin d'eau parsemé de fougères, de lysimaques et de trolles représente la rivière où se noie Ophélie dans *Hamlet*. Plus loin, le bois méditerranéen s'inspire du *Songe d'une nuit d'été* et la forêt des Ardennes évoque *Comme il vous plaira*. Plus de 150 espèces, choisies avec rigueur, amour, raffinement et poésie, donnent à ce théâtre de verdure un charme indicible. D.L.

Adresse : Pré-Catelan, bois de Boulogne, 75016 Paris
Propriétaire : Ville de Paris
Animation : les Amis du jardin Shakespeare du Pré-Catelan, tél. : (1) 45.25.58.05
Ouverture : t.l.j. de 15 h à 15 h 30 et de 16 h 30 à 17 h
Pré-Catelan : t.l.j. de 9 h au coucher du soleil
Accès : au centre du bois de Boulogne, par la route de la Reine-Marguerite et la route de Suresnes

Jardins du Trocadéro ★

16ᵉ arr.

Le site accueille successivement une maison de plaisance avec jardins en terrasses édifiée pour Catherine de Médicis, un couvent, un palais oriental pour l'Exposition universelle de 1878, et l'actuel palais construit à l'occasion de l'Exposition de 1937. Conçus en 1878 par Alphand, les jardins dévalent la colline. Agrémenté d'escaliers, de ruisseaux et de rocailles, d'un fragment de façade des Tuileries. Au centre, la fontaine monumentale, conçue par l'architecte Expert, est l'une des plus belles réalisations d'architecture d'eau en France au XXᵉ siècle. Elle propulse, par l'intermédiaire de 20 canons obliques d'une portée de 50 m, de 56 gerbes et 12 colonnes d'eau, quelque 5 700 l d'eau à la seconde. M.R.

Adresse : jardins du Trocadéro, place du Trocadéro, 75016 Paris
Propriétaire : Ville de Paris
Ouverture : permanente, visites libres. Grandes eaux, t.l.j. 10 mn avant la fin de chaque heure jusqu'à 22 h et jusqu'à minuit sam., dim. et jours fériés
Palais de Chaillot : musées des Monuments français, de la Marine, aquarium, cinémathèque
Accès : à l'ouest du centre ville, rive droite, face à la tour Eiffel. Métro : Trocadéro

Parc ★★★
des Buttes-Chaumont

19ᵉ arr.

« **L'ensemble paraît tout un pays.** » En 1860, le Chaumont n'était encore qu'un mont chauve utilisé comme dépotoir après avoir porté le gibet de Montfaucon et servi de carrière de plâtre. Barillet-Deschamps et Alphand en ont fait un jardin de paysages où l'on peut voyager d'une butte boisée à des escarpements, un lac, une île et une copie de temple de la Sibylle.

800 000 m³ de terre furent déplacés à l'aide d'explo-

Ci-contre : parc des Buttes-Chaumont.

sifs et de wagonnets mobiles, 200 000 m³ de terre végétale apportés et l'eau nécessaire fut pompée dans le canal de l'Ourcq.

Les travaux furent achevés pour l'Exposition universelle de 1867.

En forme de croissant, le parc est organisé autour de quatre points hauts. La plus connue de ces hauteurs est l'île surmontée d'une rotonde conçue par Davioud. L'accès à l'île est assuré par un pont suspendu, le pont des Suicidés, et un bac. Sur 5 km de chemins les effets d'ombre et de lumière, les masques et les percées se succèdent, incitent le promeneur à la découverte de points d'intérêt nouveaux.

Ce parc fait actuellement l'objet d'une rénovation menée par la Ville de Paris. La grotte a été ainsi récemment restaurée. La cascade de plus de 30 m de haut y chante à nouveau après plus de 40 ans de silence. Cet effort se poursuivra avec la restauration des falaises et du patrimoine arboré.   L.M.P.

Adresse : les Buttes-Chaumont, rue Botzaris, 75019 Paris
Propriétaire : Ville de Paris, tél. : (1) 46.51.71.20
Ouverture : t.l.j. de 9 h au coucher du soleil
Accès : au nord-est de la ville.
Métro : Botzaris/Buttes-Chaumont

Parc de la Villette ★★

19ᵉ arr.

Un parc du XXIᵉ siècle. Le projet du parc de la Villette, qui fit l'objet d'un concours international en 1982, était de créer à Paris, cent ans après Haussmann, un « parc du XXIᵉ siècle ». Sur le site des anciens abattoirs de Paris traversés par le canal de l'Ourcq et en limite du périphérique est, le parc occupe 75 ha. Le parti adopté par l'architecte Bernard Tschumi repose sur un concept très simple apparenté aux théories des architectes constructivistes russes des années vingt. L'espace est décomposé en un certain nombre de fonctions et de formes qui sont ensuite

Une « folie » de B. Tschumi et la Géode. Parc de la Villette.

recombinées dans une composition plastique. Ni le site ni la dominante végétale, éléments majeurs de la plupart des parcs, ne sont ici vraiment pris en considération. Une trame orthogonale de 120 m divise virtuellement le parc, et ses intersections sont matérialisées par des pavillons appelés « folies », variations de couleur rouge sombre sur la forme d'un cube de 10 m d'arête. Entre deux grands tapis verts et les bâtiments nombreux sur le terrain, ondule une longue promenade pavée de bleu bordée, d'un côté, d'un haut talus planté et, de l'autre, d'une succession de petits jardins thématiques confiés chacun à un concepteur différent. La grande halle aux bestiaux, reconvertie habilement en halle d'exposition, anime la zone sud du parc tandis qu'au nord du canal l'immense sphère luisante de la Géode capte l'image distordue du parc et du musée des Sciences et des Techniques. Le meilleur moment pour visiter le parc de la Villette, c'est une chaude nuit d'été lorsque les lumières et les ombres apportent une touche poétique à ce lieu pour papier glacé.   I.A.

Adresse : parc de la Villette, avenue Jean-Jaurès / avenue Corentin-Cariou, 75019 Paris
Propriétaire : Établissement public pour l'aménagement de la Villette, tél. : (1) 42.40.27.28
Ouverture : permanente, visites libres
Cité des Sciences et de l'Industrie, la Géode (cinéma), expositions, salon, théâtre, café, restaurant
Accès : au nord-est de Paris. Métro : Porte-de-Pantin/Porte-de-la-Villette. Un accès original : par le canal de l'Ourcq, embarquement quai de la Loire (Stalingrad)

Parc de Belleville ★

20ᵉ arr.

En partie déjà ouverts les jardins de Belleville, au sommet du 20ᵉ arrondissement, devraient être achevés en 1991. Réalisés par l'architecte François Debulois, ils s'élèveront sur le point le plus élevé de Paris. Au début du XIXᵉ siècle, la colline, couverte de vignes, était fréquentée par les Parisiens en goguette. Ils venaient dans les guinguettes boire le vin « du pays ». Un escalier d'eau dégringole des pieds du belvédère édifié au sommet des jardins.

Bassins, massifs, rosiers, azalées, rhododendrons, petites places, vignes, une très vaste aire de jeu, et un jardin d'hiver sont en cours de création dans ce qui sera le plus haut jardin de la capitale.   J.P.

Adresse : parc de Belleville, rue des Couronnes, 75020 Paris
Propriétaire : Ville de Paris, tél. : (1) 46.51.71.20
Ouverture : t.l.j. de 9 h au coucher du soleil
Accès : au nord-est du centre ville.
Métro : Couronnes/Pyrénées

Parc de Belleville.

Cimetière du Père-Lachaise ★ ★ ★

20ᵉ arr.

Un jardin céleste dans Paris. Sur l'une des sept collines de la capitale, dominant la ville, le site privilégié du Père-Lachaise fut dès le XIVᵉ siècle le lieu d'une résidence d'agrément accompagnée d'un enclos nommé « la Folie-Regnault ». La propriété, rachetée en 1626 pour le compte des jésuites, prit le nom de Mont-Louis en souvenir du passage de Louis XIV enfant.

Confesseur du roi Louis XIV de 1675 jusqu'à sa mort, en 1709, le R.P. François de La Chaise fit aménager par Sa Majesté une superbe villa suburbaine à l'emplacement de l'actuelle chapelle. La façade orientée au midi regardait la vallée de la Seine et surmontait des parterres agrémentés de bassins.

Derrière s'étendait un jardin à la française et un magnifique verger accompagné d'un grand bassin rectangulaire.

En 1804, le Conseil général de la Seine acquit le clos de Mont-Louis pour y créer le cimetière de l'Est. Celui-ci devint rapidement un lieu de sépulture à la mode grâce aux efforts du préfet Prochot qui eut l'heureuse idée d'y transférer les restes de personnages célèbres : La Fontaine et Molière, Beaumarchais, puis Abélard et Héloïse. Il décida de tirer le meilleur parti du parc de l'enclos de Mont-Louis pour en faire un cimetière-jardin, ponctué de stèles, de cippes, de pyramides, d'obélisques et de cénotaphes s'alignant le long des allées de l'ancien parc. Les bosquets, les charmilles, les parterres diminuant peu à peu du fait de l'extension des sépultures, on les remplaça par des sycomores, des acacias, des tilleuls, des ifs... donnant au Père-Lachaise son aspect de « bois sacré » riche d'une dense végétation. Mais l'engouement pour ce champ de repos fut tel que celui-ci perdit rapidement son aspect de parc pour se transformer en une nécropole dense, le prix du terrain le réservant aux morts de bonne compagnie. Visité, admiré, il devint le lieu de référence d'un style européen de cimetière.

Une promenade dans les quartiers anciens de cette nécropole, où les arbres, les bosquets en font encore un jardin suspendu sur la ville, nous ménage un enseignement particulier : dans le dédale des sépultures, le végétal étreint parfois la pierre, la malmenant, la renversant, nous signifiant qu'au-delà du dur désir de durer inscrit dans les pierres tumulaires, dans les statues, la vie, l'arbre jaillit dans son éternel recommencement faisant de ce paysage de pierres et d'arbres une allégorie du jardin antique, « paysage sacré » célébrant la communion de la vie et de la mort.   G.D.

Adresse : cimetière du Père-Lachaise, boulevard de Ménilmontant, 75020 Paris
Propriétaire : Ville de Paris, tél. : (1) 43.70.70.33
Ouverture : t.l.j. de mars à novembre de 7 h 30 à 18 h, hors saison de 8 h à 17 h 30 (à 8 h 30 les sam., dim. et jours fériés)
Accès : au nord-est de la ville.
Métro : Père-Lachaise

Cimetière du Père-Lachaise.

LANGUEDOC-ROUSSILLON

Aires de contraste entre mer et montagne, le Languedoc et le Roussillon forment depuis l'Antiquité un large couloir où s'associent et parfois se heurtent les influences ultramontaines et les particularismes régionaux. Soleil, tramontane et mistral y repoussent l'homme vers l'abri des bosquets ou la douceur des grandes caves de pierre. Le *marin* lui promet des nuages. Les jardins de cette région s'inscrivent dans de multiples paysages : vignobles de grande production dont les terres légères et caillouteuses ondulent en nappes colorées, îles fossiles où le temps s'est arrêté, villes et villages tassés et blottis au creux des collines, serres violettes des hauts cantons où s'opposent gorges profondes et vergers vallonnés, cultures abandonnées et parcs de résineux, garrigues pierreuses et jardins secrets. Ici l'eau est précieuse mais parfois en excès lors d'orages dont la violence est légendaire et les conséquences désastreuses sur la stabilité des terres. Puits et canaux d'irrigation étoilent les plaines tandis que les aqueducs profilent leurs innombrables arcades au-dessus des plaines.

Les jardins participent de ces oppositions et leur diversité reste fortement imprimée dans la mémoire, en particulier les alignements d'arbres séculaires tels ceux de Fontmagne ou de Naurouse dont les voûtes évoquent les cathédrales et les parterres de broderies de Lavagnac, Cazilhac ou Castries. Aux ordonnancements de Flaugergues ou du château d'O, s'opposent le pittoresque des parcs de Luch ou du Teillan et les ambiances sèches et parfumées des bosquets de chênes et de pins de l'Engarran ou de la Mogère.

Du Moyen Age et de la Renaissance subsiste le jardin des plantes de Montpellier créé sous Henri IV, l'un des plus anciens jardins botaniques du monde encore en activité. Un *Phillyrea latifolia* datant du début du XVIIe siècle témoigne de cette remarquable continuité.

Dans la campagne languedocienne, les notables de la Cour des comptes ou des facultés de médecine et de droit et les bourgeois enrichis par le négoce du drap et des épices ont fait appel aux plus grands maîtres du XVIIIe siècle pour édifier leurs pavillons de plaisance ou « folies ». La composition architecturale concernait non seulement le bâtiment et ses jardins mais l'aménagement général des domaines selon les règles classiques. En ville, de splendides jardins accompagnent de grandes œuvres d'utilité publique : les jardins de la Fontaine à Nîmes, les jardins du Peyrou à Montpellier. Au XIXe siècle, la création d'importants domaines fondés sur la viticulture et le négoce du vin permet le développement de grands parcs ou de jardins à l'anglaise autour de résidences néoclassiques ou néo-Renaissance comme dans le domaine de Luch ou de La Jourdane. Les traces de cette prospérité sont encore bien visibles mais les vestiges de la splendeur passée, parfois lourds à porter par les actuels propriétaires. Dans la tradition du second Empire, les jardins publics sont confiés à des architectes paysagistes, notamment Édouard André pour le Champ de

Mars à Montpellier, les frères Bühler pour le plateau des Poètes à Béziers et le square Planchon à Montpellier.

Les jardins d'intérêt scientifique ou botanique sont associés à la médecine, aux sciences naturelles ou à l'économie forestière, le jardin des plantes de Montpellier déjà cité, les arboretums de l'Hort-de-Dieu et de la Foux, la bambouseraie d'Anduze, le jardin méditerranéen de Roquebrun, le parc de Lunaret, mais aussi les jardins de botanistes et d'amateurs éclairés comme Flaugergues, le Teillan, le Terral, Luch, Font-Colombe.

Le mouvement moderne est marqué dans cette région par la multiplication des jardins réguliers, arts-déco et régionalistes : le jardin hispano-mauresque conçu en 1918 par Jean-Claude-Nicolas Forestier à Béziers pour Joseph Guy, les jardins de l'hôpital Saint-Charles à Montpellier, aménagés en 1938. Certains jardins témoignent d'une très ancienne occupation : motte médiévale de Maugio, motte proto-historique de l'Espeyran, à Saint-Gilles, sites d'anciens châteaux forts de Beaucaire, de Cazilhac, cloîtres ou vergers d'abbayes telles celles des Cordeliers, de Valmagne, de Fontfroide ou de Lagrasse.

A.A.C.

p. 178 : une spécialité régionale, le buffet d'eau. La Mogère.

LANGUEDOC-ROUSSILLON

1 Abbaye de Fontfroide ★ ★
2 Parc de Naurouze
3 Château de Villegly ★
4 Château de Teillan ★ ★
5 Parc des Cordeliers ★
6 Bambouseraie de Prafrance ★ ★ ★
7 Château de Castille ★ ★
8 Château de Beaucaire ★
9 Jardins de la Fontaine ★ ★ ★
10 Arboretum de la Foux ★
11 Arboretum de l'Hort-de-Dieu ★
12 Jardins de l'abbaye Saint-André ★ ★ ★
13 Domaine de Luch ★ ★
14 Plateau des Poètes ★ ★
15 Château de Castries ★ ★ ★
16 Château de l'Engarran ★ ★
17 Jardin de la Motte ★
18 Château de Flaugergues ★ ★
19 Parc zoologique Henri de Lunaret ★
20 La Mogère ★ ★
21 Château d'O ★ ★
22 Promenade du Peyrou ★ ★
23 Jardin des plantes ★ ★
24 Jardin de l'hôpital Saint-Charles ★

25 Jardin méditerranéen de Roquebrun ★ ★
26 Abbaye de Saint-Guilhem-le-Désert ★
27 Château du Terral ★
28 Abbaye de Valmagne ★
29 Château de la Baume ★ ★ ★
30 Jardin du bastion Saint-Jacques ★
31 Parc de Clairfont ★

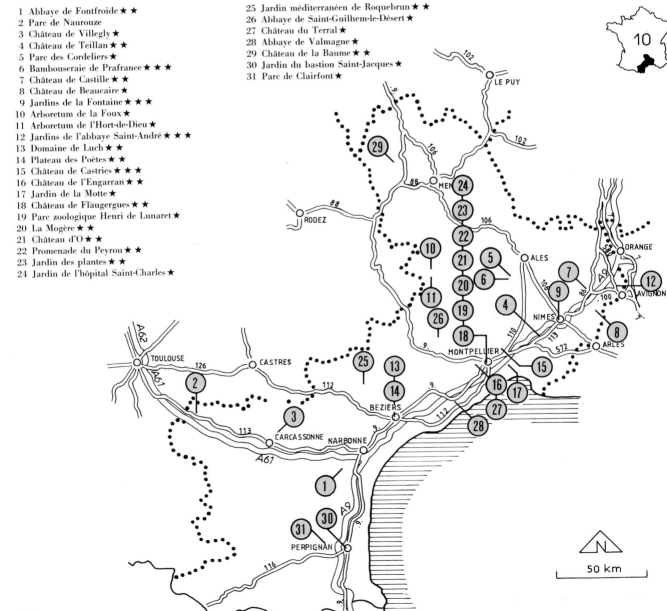

A U D E 11

Abbaye de Fontfroide ★ ★

Bizanet

L'abbaye de Fontfroide est une fondation cistercienne (XIIᵉ siècle) qui connut une très grande prospérité. Rachetée et restaurée par M. Fayet en 1908, elle est aujourd'hui entretenue par ses descendants. Le jardin du cloître, les jardins en terrasses, qui datent du XVIIIᵉ siècle, sont ornés de statues et de fabriques, formant un écrin à cet ensemble architectural en tous points remarquable. Une grande roseraie est en cours de création.   A.A.C.

Adresse : abbaye de Fontfroide, 11040 Bizanet
Propriétaire : M. Nicolas d'Andoque,
tél. : 68.45.11.08
Ouverture : visites guidées du 15 mars au 15 juin et du 15 septembre au 15 novembre ; t.l.j. de 9 h 45 à 12 h et de 14 h à 17 h (toutes les 45 mn) ; du 15 novembre au 15 mars le week-end seulement, mêmes horaires ; du 15 juin au 15 septembre, t.l.j. de 9 h 30 à 12 h et de 14 h à 17 h 30 (toutes les 30 mn)
Spectacles, festivals
Accès : à 10 km au sud-ouest de Narbonne par la RN113 puis la D613

Fontfroide : Le jardin du cloître.

Parc de Naurouze

Montferrand

Le site de Naurouze qui marque la ligne de partage des eaux entre le Languedoc et l'Aquitaine est un lieu symbolique extrêmement intéressant par les aménagements dont il fit l'objet au XVIIᵉ siècle par l'ingénieur Paul Riquet, concepteur du canal du Midi. Autour d'un bief et des installations du canal, d'un bassin octogonal XVIIᵉ comblé avant la Révolution... ces arbres aujourd'hui plus que centenaires forment un cadre historique et paysager très attractif et un site de qualité. A proximité se trouve l'obélisque dédié à Paul Riquet.   A.A.C.

Adresse : parc de Naurouze, 11320 Montferrand
Propriétaires : Canal du Midi, ministère des Transports, tél. : 68.60.10.55 (mairie)
Ouverture : permanente, visites libres
Accès : à 10 km au nord-ouest de Castelnaudary par la RN113

Château de Villegly ★

Villegly

Le château et le parc de Villegly (XVIIIᵉ siècle, rénové récemment) forment une composition très intéressante sur les rives de l'Orbiel, enjambé par un pont du XIIᵉ siècle. Les essences représentées sont variées (platanes, micocouliers, acacias, pins, arbustes et plantes de sous-bois) et parfois rares.   A.A.C.

Adresse : château de Villegly, 11600 Villegly
Propriétaire : Conseil général de l'Aude.
Renseignements, tél. : 68.71.38.40, p. 645
Ouverture : t.l.j. sauf week-end de 8 h à 18 h
Accès : à 12 km au nord-est de Carcassonne par la D118 et D620 vers Caunes

Fontfroide. Une fontaine.

GARD 30

Château de Teillan ★★

Aimargues

Une évocation romantique au seuil des marais de Camargue. Autour de vestiges du XVIIᵉ siècle (pigeonnier, noria) a été réalisé, dans le courant du XIXᵉ siècle, un parc paysager de style romantique. Sa décoration est essentiellement constituée de stèles romaines disséminées sous les ombrages : bornes milliaires de la voie Domitia, stèles et autels votifs. Un charme certain se dégage de ce grand espace où il est agréable de se promener aux heures chaudes des journées d'été. De beaux spécimens d'arbres de taille et d'essences variées sont répartis çà et là ; ils ont été plantés pour la plupart vers 1800-1830 : ginkgo biloba, ifs, *Photinia cerrulata*, filarias (philaria ou phillyreas), noyers d'Amérique, cyprès, dont l'un date du début du XVIIIᵉ siècle, buis de grandes tailles. A.A.C.

Adresse : château de Teillan, 30470 Aimargues
Propriétaire : M. de Cazenove, tél. : 66.88.02.38
Ouverture : au public, du 15 juin au 15 septembre t.l.j. de 14 h à 18 h sauf lundi ; hors saison pour groupes sur demande
Accès : à 4 km au sud d'Aimargues ; au sens giratoire : direction Aiguemortes

Une surprise au milieu des champs : le Teillan.

Parc des Cordeliers ★

Anduze

Agreste et jardiné. Restaurée en 1987, cette ancienne propriété de l'ordre religieux des cordeliers fut acquise par Augustin Bastide à la Révolution et resta dans la même famille jusqu'en 1880, date à laquelle la Ville l'acheta pour en faire une promenade publique.
La partie haute, de style classique (fin XVIIIᵉ-début XIXᵉ), est composée de terrasses aménagées en continuité avec le centre de la ville. La partie basse, de style paysagère, présente une grande variété d'ambiances où se succèdent une pièce d'eau importante, pelouses, clairières et bosquets plantés d'espèces méditerranéennes et exotiques (bambous géants : *Phyllostachys viridis* « Mitis », et palmiers *Chamaerops exelsa*). A.A.C.

Adresse : parc des Cordeliers, place des Cordeliers, 30140 Anduze
Propriétaire : Ville d'Anduze, tél. : 66.61.80.08
Ouverture : permanente, visites libres
Accès : à 15 km au sud-ouest d'Alès et à 40 km au nord-ouest de Nîmes

Bambouseraie de Prafrance ★★★

Anduze

Rhizome chinois. La bambouseraie de Prafrance est unique en Europe par son importance et son ancienneté. Les bambous les plus vieux datent de 130 ans. Aménagée dans un site protégé des vents, irriguée par les eaux abondantes du gardon et bénéficiant d'un microclimat exceptionnel, elle fut créée vers 1855 par Eugène Mazel, botaniste cévenol, passionné et grand voyageur. Parti en Asie pour étudier le mûrier si nécessaire à l'économie de sa région à cette époque, il rapporta des pousses de bambou qu'il acclimata avec succès dans le domaine de Prafrance acquis à son retour. Après une période d'abandon, la bambouseraie fut reconstituée en 1902 par M.G. Nègre et, depuis, constamment enrichie.
Elle possède environ 700 000 pieds de bambous représentant une centaine d'espèces (notamment *Phyllostachys pubescens*, *Phyllostachys quilloi*, *Prundinaria nana*). Le parc de 10 ha est orné également de très belles espèces d'arbres, plus que centenaires (séquoia, ginkgo biloba, palmiers de Chine). Aussi, il est possible de visiter des serres chaudes datant du XIXᵉ siècle et un village construit par des

Pour célébrer le culte du bambou. Prafrance.

Asiatiques. La bambouseraie est devenue depuis quelques années un centre de réflexion scientifique et technique sur ce matériau extrêmement beau et solide, utilisé depuis des millénaires en Extrême-Orient. Elle contribue également à la sauvegarde du panda par la culture des espèces de bambou adaptées à son alimentation et se trouve être ainsi, en quelque sorte, un prolongement en Europe des grandes forêts de la Chine millénaire...   A.A.C.

Adresse : bambouseraie de Prafrance,
30140 Anduze
Propriétaire : M. Crouzet
Ouverture : de Pâques au 1er novembre t.l.j. de
9 h 30 à 12 h 30 et de 14 h à 18 h 30 ; du 1er juin
au 24 septembre de 9 h 30 à 19 h ; en mars,
novembre, décembre t.l.j., sauf lun. et mar., de
9 h 30 à 12 h 30 et de 14 h à 18 h 30,
tél. : 66.61.70.47
Services et commerces : vente de plantes, boutiques,
restauration
Accès : à 15 km au sud-ouest d'Alès par la N110
et la D129 ou 40 km au nord-ouest de Nîmes par
N106 et D982, à 3 km d'Anduze par D50

Château de Castille ★★

Argilliers

Un jardin maçonnique. Étrange domaine où la volonté d'un seul homme a suffi pour transplanter l'Italie en plein Languedoc à la fin du XVIIIe siècle. Véritable folie constituée à partir d'un très ancien domaine, dont le château a été fortifié au XVIe siècle, le parc du domaine de Castille est aménagé entre 1773 et 1815 à partir d'une propriété de 400 ha environ, selon un mélange à la fois savant et personnel de styles classique et paysager, régulier et à l'anglaise.

Baronnie transmise au dernier héritier des Froment en 1773, elle échoit à Gabriel-Joseph Froment dont les goûts pour l'Antiquité et la Renaissance italienne vont bouleverser le site et le décor.

Long rêve éveillé de près de 40 ans d'un amateur éclairé, le site aujourd'hui morcelé reste peuplé de colonnades et de portiques, de fabriques et de cénotaphes dédiés aux femmes aimées. Réduit à des dimensions modestes car les terres ont été mises en culture, abandonné et pillé aux XIXe et XXe siècles, ce parc de 1,5 ha reste encore aujourd'hui unique et inattendu. Témoin d'une époque de transition dont les vestiges sont très rares aujourd'hui, il a fait l'objet d'une plus grande protection après être devenu la propriété de l'historien d'art Douglas Cooper.

Classé monument historique en 1983, il a bénéficié depuis d'une campagne de restauration partielle. Certaines fabriques furent enlevées au parc et transportées au château de Nointel, dans le Val-d'Oise. D'autres, nombreuses, subsistent dans les limites actuelles mais, sans pénétrer dans le parc enclos, il est émouvant d'en découvrir encore, en ruine ou réutilisées, dans les champs et les garrigues environnants.   A.A.C.

Adresse : château de Castille, 30210 Argilliers
Propriétaire : M. Nicolas de Bykhovetz,
tél. : 66.22.82.12
Ouverture : visite du domaine sur demande écrite
Accès : à 28 km à l'ouest d'Avignon et à 6 km de
Remoulins

Château de Beaucaire ★

Beaucaire

Les vues depuis les vestiges de ce château rasé sur ordre de Richelieu sont splendides. Les perspectives sur le Rhône, Tarascon, Beaucaire et les plaines provençales en font l'un des lieux les plus fréquentés de Provence, à la belle saison. Bientôt réhabilité avec les abords du musée, le parc aménagé au milieu du XIXe siècle (1840-1850) possède un caractère méditerranéen très marqué du fait de la déclivité du site, de sa sécheresse et de son ensoleillement. Cette haute pinède est parcourue d'allées sinueuses et d'escaliers de pierre mais l'absence d'eau et de décoration a réduit la lisibilité de la promenade qui ne manque cependant pas d'intérêt. A.A.C.

Adresse : château de Beaucaire, place du château, 30300 Beaucaire
Propriétaire : Ville de Beaucaire, tél. : 66.59.10.06 (mairie) ; 66.59.15.33 (château) ; 66.59.47.61 (musée)
Ouverture : du 1er avril au 30 septembre t.l.j., sauf mar., de 10 h à 12 h et de 14 h 15 à 18 h 45 ; hors saison, sauf mar., de 10 h 15 à 12 h et de 14 h à 17 h 15
Expositions temporaires
Manifestations : fête de la Foire du 21 juillet au 1er août et fête du Drac le 1er week-end de juin
Accès : à 25 km au sud d'Avignon par N570 ; à 15 km au nord d'Arles et à 25 km de Nîmes

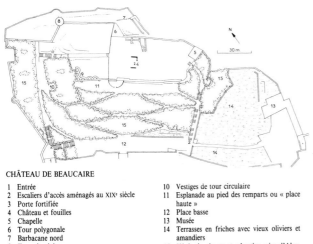

CHÂTEAU DE BEAUCAIRE

1 Entrée	10 Vestiges de tour circulaire
2 Escaliers d'accès aménagés au XIXe siècle	11 Esplanade au pied des remparts ou « place haute »
3 Porte fortifiée	12 Place basse
4 Château et fouilles	13 Musée
5 Chapelle	14 Terrasses en friches avec vieux oliviers et amandiers
6 Tour polygonale	15 Végétation haute et arbustive, pins d'Alep, cyprès, micocouliers
7 Barbacane nord	
8 Tour circulaire	
9 Constructions gallo-romaines	

Jardins de la Fontaine ★★★

Nîmes

Jardins de Nemausus. Le site englobant la source de la Fontaine était probablement un lieu sacré avant même les Romains. Ceux-ci entourèrent la source d'un vaste sanctuaire voué à Nemausus, à Vénus, à Jupiter et aux nymphes. De l'ensemble comprenant temple, portique, nymphée et théâtre, il ne subsiste aujourd'hui que le nymphée et sa colonnade, la Fontaine et ses marches hémycirculaires et le temple de Diane. Le jardin à la française est né d'un vaste projet de réaménagement du site pour mettre mieux en valeur la source en 1738. On se préoccupa d'intégrer au projet les vestiges romains révélés par les travaux de terrassement. Chargé en 1740 par le roi de résoudre le problème, l'ingénieur J.-Ph. Mareschal proposa un vaste plan de synthèse qui comportait une reconstruction modernisée du bassin de la source et du nymphée. L'ensemble des jardins (15 ha) que devait accompagner une grande

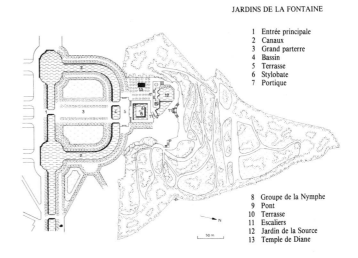

JARDINS DE LA FONTAINE

1 Entrée principale
2 Canaux
3 Grand parterre
4 Bassin
5 Terrasse
6 Stylobate
7 Portique

8 Groupe de la Nymphe
9 Pont
10 Terrasse
11 Escaliers
12 Jardin de la Source
13 Temple de Diane

opération d'urbanisme autour de l'actuelle avenue Jean-Jaurès ne put être achevé mais il constitue néanmoins une admirable réalisation du XVIIIe siècle qui est bien perceptible de la terrasse supérieure. La décoration du jardin a été très soignée (sculptures de D. Raché, P.-H. Larchevêque ; ferronneries d'art de P. Leclerc). De nombreux vestiges provenant du domaine de la Mosson à Montpellier soulignent le tracé, en particulier des vases et les statues de Sylvain, Endymion, Diane et Flore. Les trois portes du jardin sont décorées de belles grilles du XVIIIe siècle. Un parc pittoresque, datant de 1815, permet de poursuivre la promenade jusqu'à la tour Magne, qui domine la ville. M.R.

Adresse : jardins de la Fontaine, quai de la Fontaine, 30000 Nîmes
Propriétaire : Ville de Nîmes, tél. : 66.76.73.01 ou 66.23.37.03 (SEV)
Ouverture : t.l.j. du 1er avril au 31 mai de 7 h à 22 h ; du 1er juin au 15 septembre de 7 h à 23 h ; du 16 septembre au 31 octobre de 8 h à 21 h ; du 1er novembre au 31 mars de 8 h à 20 h
Accès : au nord-ouest du centre ville

Arboretum de la Foux ★

Le Vigan

Dans les brumes du mont Aigoual, de grands arbres rappellent les forêts du Nouveau Monde. L'arboretum, qui s'étend sur 10 ha, est situé entre 900 et 1 050 m d'altitude. Planté à partir de 1900, il enrichit le domaine forestier de cette montagne dont le versant sud-ouest est bien ensoleillé et les sols profonds et frais. 40 espèces y sont dénombrées et son intérêt botanique est évident. Notons parmi les résineux, *Abies cephalonica, Abies nordmanniana, Abies grandis, Abies holophylla, Pinus nigra var. corsicana, Sequoiadendron giganteum, Araucaria araucana* et, parmi les feuillus, *Fraxinus excelsior, Acer pseudoplatanus, Betula pubescens, Quercus rubra.* A.A.C.

Adresse : forêt domaniale de l'Aigoual,
30120 Le Vigan
Propriétaire : l'État, Office national des Forêts,
tél. : 67.81.00.83
Ouverture : visites libres
Accès : à 48 km au nord-ouest du Vigan par D48
puis D986 à L'Esperou, à 12 km avant Meyruis

Un arboretum d'altitude. L'Hort-de-Dieu.

Arboretum de l'Hort-de-Dieu

★

Le Vigan

Situé entre 1 250-1 350 m d'altitude sur les pentes du mont Aigoual, l'arboretum de l'Hort-de-Dieu, développé sous la direction de Charles Flahaut et du professeur Louis Emberger, de Montpellier, est une réussite tant par le choix de son site que par ses caractères botaniques et paysagers.

Climat rude, basses températures, enneigement abondant et vents très violents, ont permis de tester de nombreuses espèces de résineux et de feuillus d'origine européenne, asiatiques ou nord-américaines (*Abies veitchii, Abies balsamea, Picea hondoensis, Pinus peuce... ; Alnus glutinosa, Alnus incana, Fraxinus ornus...*). Au total : 38 espèces résineuses et 13 de feuillus. A.A.C.

Adresse : forêt domaniale de l'Aigoual,
30120 Le Vigan
Propriétaire : l'État, Office national des Forêts,
tél. : 67.81.00.83
Ouverture : visites libres
Accès : à 37 km au nord du Vigan par D48, D986
et D55 direction mont Aigoual

Jardins de l'abbaye Saint-André

★ ★ ★

Villeneuve-lès-Avignon

Un rêve d'Italie sur le Rhône. Aménagés au début du XXe siècle par Elsa Koeberlé sur les vestiges de l'une des plus importantes abbayes bénédictines de Provence, ces jardins italianisants forment un ensemble remarquable, architecture servie par une décoration raffinée et une palette végétale où se côtoient lauriers-roses, cyprès et pins parasols. Des parterres décoratifs mêlent roses anciennes et bordures taillées. Des terrasses se dégage, sur Avignon, la vallée du Rhône, le Luberon et le mont Ventoux, l'un des plus beaux paysages de Provence. A.A.C.

Adresse : abbaye Saint-André,
30400 Villeneuve-lès-Avignon
Propriétaire : Mlle R. Bacou, tél. : 90.25.55.95
Ouverture : du 1er avril au 1er octobre t.l.j. de 9 h à 12 h 30 et de 13 h 30 à 19 h ; hors saison, t.l.j. de 10 h à 12 h et de 14 h à 17 h
Accès : à 3 km au nord-est d'Avignon, par le pont Daladier sur le Rhône

La géométrie adoucie par des mains de femme. Abbaye de Saint-André.

HÉRAULT 34

Domaine de Luch ★★

Béziers

Jardins de la viticulture du XIXe siècle, Luch est un bel exemple d'art paysager. Entourant le petit château de pierre grise et les bâtiments de ferme de pierre claire et de brique rose ordonnés autour d'une cour carrée, ce jardin « à l'anglaise », de 4 ha, s'étale au milieu des vignobles, près des frondaisons du canal du Midi. Dessiné vers 1905 à partir d'une butte où se trouvait une demeure de plaisance d'architecture néoclassique (1858), il prend appui dans sa composition sur un certain nombre de perspectives (église et village de Colombiers et de Montady) et ménage des vues vers le canal du Midi et la ville de Béziers. Le parc associe des ambiances méditerranéennes et romantiques. Les arbres centenaires groupés autour de trois pièces d'eau alternent avec de grands tapis de gazon fauchés que la sécheresse malmène un peu. On pourra apprécier notamment : ginkgo biloba, cyprès chauves, cyprès de Lambert, hêtres pleureurs, sophoras, érables sycomores, érables planes, tilleuls, mais également peupliers, platanes, ifs, micocouliers, filaires, buis, houx, dans les bosquets et les alignements. A.A.C.

Adresse : domaine de Luch, 34480 Béziers
Propriétaires : M. et Mme de Fleurieu, tél. : 67.28.36.66
Ouverture : sur demande
Vente de vin et visites des caves
Accès : situé à 3 km à l'ouest de Béziers, par la RN113

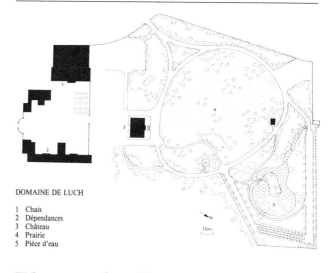

DOMAINE DE LUCH

1 Chais
2 Dépendances
3 Château
4 Prairie
5 Pièce d'eau

10m

Plateau des Poètes ★★

Béziers

Le jardin au Titan. Bien entretenu et très orné sur 5 ha, le jardin du Plateau des Poètes est l'un des plus remarquables jardins paysagers du Languedoc-Roussillon.

Aménagé entre 1863 et 1867 par Eugène et Denis Bühler dans le cadre d'un vaste projet de prolongement de la promenade des allées Paul-Riquet, le Plateau des Poètes permet d'accéder par un ensemble de rampes et de niveaux étagés à l'esplanade de la gare et à la ville basse. Son vaste lac et ses cascades qui drainent les eaux d'une source, sa vue admirable et ses arbres aujourd'hui centenaires formant un véritable arboretum, en font l'une des plus jolies parures de la ville.

Mais ce qui le caractérise plus particulièrement, c'est l'œuvre du sculpteur bittérois Jean-Antoine Injalbert (1845-1833) qui orne ses allées. Le monument aux morts, de nombreux bustes de poètes locaux et surtout le « Titan », vaste groupe de plus de 15 m de haut en marbre de Carrare dont on retrouvera l'esquisse dans le jardin Joseph Guy, est une fontaine monumentale qui date de 1892. Comportant trois étages, elle est à deux faces, l'une donnant vers l'ouest et assurant la retombée de ses eaux dans un vaste bassin, l'autre, orientée vers l'est, est composée essentiellement de la tête du Titan surmontée d'un globe terrestre et de l'Enfant accroupi posant sa main sur la bouche du « monstre ». A.A.C.

La tête du « Titan », par J.-A. Injalbert. Plateau des Poètes.

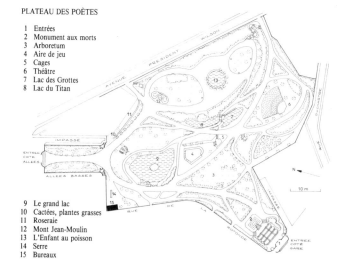

PLATEAU DES POÈTES

1 Entrées
2 Monument aux morts
3 Arboretum
4 Aire de jeu
5 Cages
6 Théâtre
7 Lac des Grottes
8 Lac du Titan

9 Le grand lac
10 Cactées, plantes grasses
11 Roseraie
12 Mont Jean-Moulin
13 L'Enfant au poisson
14 Serre
15 Bureaux

 Adresse : Plateau des Poètes, boulevard Wilson / allées Basses, 34480 Béziers
Propriétaire : Ville de Béziers, tél. : 67.76.90.10
Ouverture : t.l.j. de 7 h au coucher du soleil
Théâtre de verdure en juillet-août
Accès : près de la gare de Béziers, au bout des allées Paul-Riquet

Le rond d'eau et la perspective accélérée. Castries.

Château de Castries ★★★

Castries

L'ombre de Le Nôtre. Parmi les « petits » jardins dessinés par ou attribués à Le Nôtre, l'un des plus intéressants est celui de Castries. Créé en 1666 pour René Gaspar de la Croix, marquis de Castries, il possède, en miniature, l'empreinte de son style : les deux axes, l'utilisation de l'eau, les éléments de surprise. Le parterre principal avec deux bassins circulaires et fontaine est implanté sur les fondations d'une aile démolie du château. A l'extrémité de la terrasse, en atteignant la balustrade, un vaste rond

d'eau est révélé, avec une avenue dont la fausse perspective terminée par une demi-lune prolonge l'axe à l'infini. A gauche de la terrasse, se trouve un petit parterre de broderies encadré de chaque côté par des rampes. La partie la plus insolite est un grand aqueduc de 7 km dessiné par Pierre-Paul Riquet entre 1670 et 1676 pour amener l'eau au château et se terminant par une grotte inhabituelle.

K.W.

Adresse : château de Castries, 34160 Castries
Propriétaire : Académie française
Ouverture : du 1er avril au 15 décembre t.l.j., sauf lun., de 14 h 30 à 17 h 30 ; du 2 janvier au 1er avril, le week-end ou sur rendez-vous ; fermé du 15 décembre au 2 janvier ; groupes sur rendez-vous, tél. : 67.70.11.83/68.66
Accès : à 12 km au nord-est de Montpellier par la RN110 ; aqueduc : route de Guzargues

Château de l'Engarran ★★

Lavérune

Bosquets au bestiaire superbe. Créé à partir d'un site de coteau, ce très bel ensemble classique présente une scénographie et une dramatisation du lieu qui évoque un décor d'opéra. Le dessin des jardins est très fidèle aux règles de compositions établies par Le Nôtre au siècle précédent. Le jeu des terrasses et des niveaux imbriqués rappelle celui des villas italiennes de la Renaissance. Les jardins abondamment ornés de statues, de vases, de corbeilles et d'animaux de pierre associent bosquets et grands ordonnancements centrés sur un très beau buffet d'eau. Le château de l'Engarran et ses jardins furent construits vers 1758 par le conseiller Jean Vassal, propriétaire des lieux.

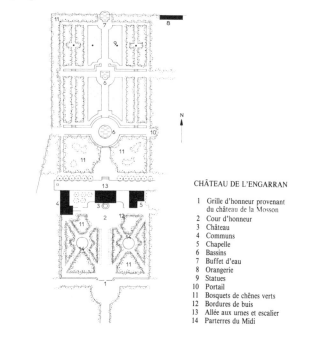

CHÂTEAU DE L'ENGARRAN

1 Grille d'honneur provenant du château de la Mosson
2 Cour d'honneur
3 Château
4 Communs
5 Chapelle
6 Bassins
7 Buffet d'eau
8 Orangerie
9 Statues
10 Portail
11 Bosquets de chênes verts
12 Bordures de buis
13 Allée aux urnes et escalier
14 Parterres du Midi

Le domaine est divisé en deux parties non égales en superficie et situées de part et d'autre d'un charmant pavillon de pierre blonde.

La partie sud est centrée sur le vaste portail d'entrée, provenant du démantèlement du domaine de la Mosson et qui était précédemment installé sur la place de la Comédie à Montpellier.

La partie nord est la plus étendue et la plus ornée.

A.A.C.

Adresse : château de l'Engarran, 34430 Lavérune
Propriétaires : M. et Mme Grill
Ouverture : visites de groupes sur demande (écrire à M. et Mme Grill, 11, rue de l'Université, 75007 Paris)
Accès : à 5 km de Montpellier

Jardin de la Motte ★

Mauguio

La motte des Melgueil aux rives des Étangs.
Au cœur du village de Mauguio, le jardin pittoresque de la Motte, de forme circulaire et de petites dimensions, a été aménagé vers 1905, sur une véritable motte médiévale constituée par la terre des fossés qui défendaient la cité. Ce n'est donc pas un accident géographique mais un ouvrage humain. Cette butte boisée faisait partie du fief des comtes de Melgueil (antique Mauguio) qui fondèrent Montpellier en 985 et constituait une sorte de poste d'observation avec vue à 360° vers la plaine et les étangs jusqu'à la mer, mais aussi vers le Nord et les Cévennes. A l'occasion de la création d'un réservoir d'eau communal à son sommet, les habitants de Mauguio y ont fait aménager un jardin paysager et un belvédère. Planté de platanes, de palmiers et d'essences méditerranéennes, le jardin de la Motte est un lieu de visite agréable tant par son décor de rocailles (restaurées en 1988) que par ses étroites allées serpentines qui permettent d'accéder au belvédère en longeant des buis odorants.

A.A.C.

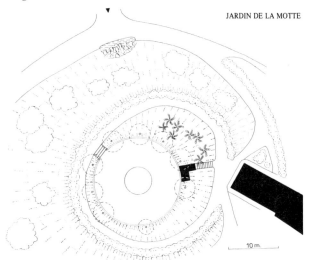

JARDIN DE LA MOTTE

10 m.

Adresse : jardin de la Motte, 34130 Mauguio
Propriétaire : Ville de Mauguio, tél. : 67.29.31.52 (mairie)
Ouverture : sur rendez-vous
Accès : à 10 km à l'est de Montpellier, par la D24

Château et jardin de Flaugergues.

Château de Flaugergues ★ ★

Montpellier

Sous le climat de l'oranger. Centre d'un domaine viticole aux portes de Montpellier, le château et les jardins de Flaugergues, entretenus avec amour par son actuel propriétaire, accueillent de nombreux visiteurs sensibles à la douceur du lieu.

Des jardins à la française entourent l'une des premières maisons de plaisance dans le Montpelliérais. Vers 1700, cette propriété agricole fut dotée d'une charmante maison des champs. Étienne de Flaugergues, financier, receveur des Tailles et secrétaire du Roi auprès du Parlement de Toulouse, fit agrémenter cette demeure à l'italienne de terrasses et de jardins.

L'ordonnancement de ceux-ci allie élégance et sobriété. La disposition du mobilier de jardin, une décoration raffinée témoignent d'un goût de la mise en scène de l'architecture et du paysage très caractéristique de l'époque classique.

Acquise par le baron de Saizieu, la propriété, située sur une petite colline siliceuse, devint progressivement un lieu exceptionnel du point de vue botanique par les collections de plantes rares qui la peuplent : *Ficus repens, Bignonia tweediana, Opuntia ficus-indica, Solanum rantonneli...*

Évoquant « le climat de l'oranger », cette flore est un des atouts de ce très beau jardin. Bordée de bancs et de points de vue latéraux sur les vignes, une merveilleuse allée d'oliviers centenaires, ravagée par le gel, renaît aujourd'hui sur 400 m de longueur.

A.A.C.

Adresse : château de Flaugergues, 1744, avenue
Albert-Einstein, 34000 Montpellier
Propriétaire : M. Henri de Colbert,
tél. : 67.65.51.72 ou 67.65.79.64
Ouverture : t.l.j. du lun. au sam. de 9 h à 12 h et
de 14 h 30 à 19 h ; visite du château en été (juillet,
août), tous les après-midi, sauf le lun. ; visites
guidées sur rendez-vous ; visites de cave ; vente de
vin (AOC), produits régionaux et artisanat
Accès : à 3 km à l'est de Montpellier ; après le
pont sur le Lez, prendre la direction de Mauguio et
suivre la D24 sur 2 km

Parc zoologique Henri de Lunaret ★

Montpellier

Créé à partir d'une ancienne propriété aristocratique,
ce jardin public présente une flore abondante et de
belle venue. Parcouru par un sentier botanique, le
domaine est également un parc zoologique où les
bêtes sauvages évoluent dans de grands enclos boisés
et ombragés. A.A.C.

Adresse : parc zoologique Henri de Lunaret, avenue
du Val-de-Montferrand, 34000 Montpellier
Propriétaire : Ville de Montpellier,
tél. : 67.63.27.63 (parc)
Ouverture : t.l.j. en hiver de 8 h à 18 h, en été de
8 h à 19 h
Accès : route de Mende, au nord de la ville

La Mogère ★★

Montpellier

Commencé par Fulcrand Boussairolles, l'aménagement du domaine a été terminé en 1770 par son
fils, Jacques-Joseph. Conseiller à la Cour des comptes

Le jardin régulier. La Mogère.

de Montpellier, ce dernier a conservé l'esprit classique
du projet initial et mis en scène avec ostentation le
pouvoir de sa classe sur la campagne. Le domaine
appartient toujours à ses descendants mais les deux
axes perpendiculaires, centrés sur le château, qui
divisaient à l'infini le terroir se perdent aujourd'hui
dans un paysage bouleversé par l'urbanisation. Transformé en parc à l'anglaise au XIXᵉ siècle puis à
nouveau réhabilité dans son dessin original au début
du XXᵉ siècle tout en conservant les magnifiques pins
parasols, le parterre et ses broderies de buis mérite
un double coup d'œil : l'un du perron, qui permet
de visualiser l'axe principal se prolongeant au-delà
du jardin par une avenue bordée d'arbres, l'autre
du fond du parterre avec la demeure se reflétant
dans le rond d'eau. Quelques pas vers l'est conduisent
à un bosquet entre deux lumières, transition nécessaire
avant le potager orné. Certes, l'eau manque aujourd'
hui cruellement et il faut imaginer les cultures
potagères soigneusement ordonnées derrière les traits
de buis et la ponctuation des orangers dans des
vases d'Anduze, mais la fontaine dédiée à Neptune,
couronnée d'amours jouant avec un cheval marin,
récompense encore le visiteur. Couverte de coquillages, de stalactites et de calcite, ce merveilleux buffet
d'eau, qui était au service du jardinier, reste le temps
fort de cette visite. C.Z.

Adresse : La Mogère, route de Vauguière,
34000 Montpellier
Propriétaires : M. et Mme Gaston de Saporta,
tél. : 67.65.72.01
Ouverture : toute l'année, l'après-midi de 14 h 30
à 18 h 30 ; le matin sur rendez-vous
Accès : à 4 km au sud-est de Montpellier, direction
aéroport de Fréjorgues

Château d'O ★★

Montpellier

Pour de grandioses naumachies. Maison de
ferme réaménagée avec fronton classique entre 1729
et 1762, le château ne prend son aspect définitif
qu'à partir de son acquisition par Jean-Emmanuel
de Guignard de Saint-Priest en 1762. Pour les
travaux de réaménagement et de décoration du parc
et des jardins, il se fait assister de Jean Antoine
Giral (1713-1787) qui en trace les dessins et creuse
les bassins dont un, particulièrement immense, qui
servait aux grandes fêtes nautiques (naumachies). On
assistait à celles-ci à partir d'une grande tribune de
pierre. Les tracés originaux sont bien conservés et
les grands bosquets peuplés d'essences méditerranéennes lui confèrent une atmosphère singulière lorsque
l'on en parcourt les allées. A.A.C.

Adresse : château d'O, rue Saint-Priest,
34000 Montpellier
Propriétaire : Conseil général de l'Hérault,
tél. : 67.84.67.84. Contact : M. Guiraudin
Ouverture : visites sur demande écrite
Animation : Printemps des comédiens de
Montpellier, réceptions C.G. 34
Accès : à 2 km au nord-ouest du centre ville près
de l'hôtel de région

Promenade du Peyrou ★ ★

Montpellier

Hommage au Roi Soleil. La vaste esplanade
(3 ha) surélevée conçue par l'architecte Daviler à la
fin du XVII siècle devait laisser libre les vues sur
les Pyrénées et les Cévennes. Flanquée de promenades
basses plantées d'arbres, c'est une œuvre gigantesque
dont la réalisation s'étalera sur la seconde moitié du
XVIII siècle (1752-1774). Elle associe la construction
d'un espace digne d'accueillir la statue équestre du
roi Louis XIV (projet initial de Basville) et la
réalisation par l'ingénieur Pitot d'un aqueduc de
7 km permettant d'amener l'eau à la ville. Le dernier
tronçon de celui-ci s'appelle : « les Arceaux ».
L'aboutissement de cet ouvrage est matérialisé par
un château d'eau, synthèse de nombreux projets dont
le dernier retenu fut celui de Jean A. Giral et Donnat
en 1767. La construction du réservoir fut conduite
par l'entrepreneur Dumas et la décoration confiée

Le plus ancien jardin botanique de France. Jardin des Plantes de Montpellier.

notamment aux sculpteurs Faure et Dupuis et Antoine
Injalbert, dont les « Enfants aux lions » montent une
garde silencieuse dans l'ombre de l'arc de triomphe.
A.A.C.

Adresse : promenade du Peyrou, rue Foch,
34000 Montpellier
Propriétaire : Ville de Montpellier
Ouverture : permanente ; visites libres
Monument historique et site classé
Accès : à l'ouest du centre ville, près du palais de
justice

Jardin des plantes ★ ★

Montpellier

Le jardin des plantes de Montpellier est le plus
ancien jardin botanique de France. Créé en 1593
sur ordre d'Henri IV pour servir aux recherches d'une
médecine moderne, il est d'abord l'œuvre de Pierre
Richer de Belleval qui y consacra près de 40 ans,
une partie de sa fortune personnelle et y réalisa la
« Montagne », une succession de banquettes offrant
diverses expositions. Le jardin botanique s'est structuré, agrandi, enrichi, au long des siècles. Boissier
de Sauvages y construit les premières serres, Brousson-
net une orangerie. L'herbier est prestigieux et les
plantes présentées, classées et numérotées (dont l'idée
revient à Richer de Belleval) sont remarquables.
C'est à Montpellier également que de célèbres botanistes travaillèrent à de nouvelles classifications qui
sont à l'origine de la botanique moderne : Pierre

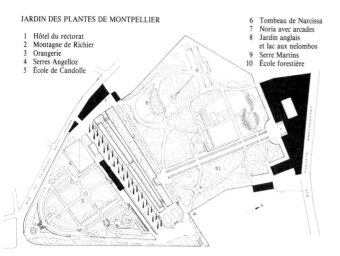

JARDIN DES PLANTES DE MONTPELLIER

1 Hôtel du rectorat
2 Montagne de Richier
3 Orangerie
4 Serres Angelloz
5 École de Candolle

6 Tombeau de Narcissa
7 Noria avec arcades
8 Jardin anglais
   et lac aux nelombos
9 Serre Martins
10 École forestière

Magnol, Boissier de Sauvages, Piton de Tournefort, de Jussieu, A.-P. de Candolle. J.-E. Planchon, quant à lui, sauva le vignoble ravagé par le phylloxera. L'Institut de botanique qui jouxte le jardin a été rénové par le professeur Louis Emberger, le père de la phytosociologie moderne.

Objet d'agrandissements successifs au XIXe siècle et doté de bassins, le jardin est équipé de serres d'acclimatation, sans cesse modernisées. C'est en 1841 qu'il fut ouvert au public. Restauré en 1972 selon des plans anciens qui lui ont redonné les tracés du XVIIIe siècle, le territoire de l'école de Candolle est peuplé d'arbres centenaires (notamment un ginkgo biloba planté en 1795) et d'une multitude de plantes rares. L'ensemble de ce jardin est aussi remarquable par ses collections précieuses que par son site aménagé de telle sorte que l'on puisse avoir une vision commode de la répartition géographique des plantes. Parfaitement intégré à ce jardin chargé de souvenirs, le tombeau de Narcissa est un cénotaphe à la mémoire de la belle-fille du poète Edward Young, décédée à Lyon en 1736.   A.A.C.

Adresse : jardin des plantes, 163, rue Auguste-Broussonnet, 34000 Montpellier
Propriétaire : faculté de médecine de Montpellier, tél. : 67.63.43.22
Ouverture : t.l.j. de 8 h à 12 h et de 14 h à 17 h 30 en hiver ; de 8 h 30 à 12 h et de 14 h à 18 h en été ; visites sur demande écrite pour groupes
Accès : au nord-est du centre ville, près de la cathédrale

Jardin de l'hôpital Saint-Charles ★

Montpellier

Construit dans les années 30 selon les règles de la symétrie qui ont présidé à la conception du projet d'architecture de l'hôpital, le jardin se divise en deux

parties correspondant chacune aux ailes de ce « grand paquebot » de béton et de verre. Très caractéristique des jardins de style « moderne », il associe au dessin régulier des allées et des canaux les rythmes de deux pergolas, ornées de bignones et de rosiers, et des arbustes taillés (buis). Un fond de cyprès et d'arbres d'ornement ferment les deux bas-côtés de ce jardin très décoratif.   A.A.C.

Adresse : hôpital Saint-Charles, rue Auguste-Broussonnet, 34000 Montpellier
Propriétaire : Assistance publique, tél. : 67.63.43.00
Ouverture : visites tolérées
Accès : au nord-ouest du centre ville

Jardin méditerranéen de Roquebrun ★ ★

R o q u e b r u n

Le « petit Nice » de l'Hérault. Création remarquable tournée vers l'acclimatation et la conservation d'espèces méditerranéennes et exotiques, Roquebrun bénéficie d'un microclimat exceptionnel au flanc d'une colline escarpée surplombant l'Orb et constitue un site où les mimosas, les agrumes et les plantes exotiques prospèrent depuis toujours. On l'appelait « le petit Nice » de l'Hérault. Créé à partir de 1986, par le Collectif agricole pour le Développement et l'Environnement, ce jardin à vocation scientifique et touristique s'intègre à un vaste projet de création d'un conservatoire botanique avec un verger, conservatoire d'espèces et de variétés fruitières d'intérêt local, agrumes, oliviers, pêchers, un secteur expérimental d'adaptation de plantes exotiques à vocation agricole et ornementale.

Avec une vue superbe sur l'Orb, les différents jardins en terrasses associent les plantes succulentes (belle collection de cactées), le jardin de rocaille, le sentier botanique qui escalade la colline. Il compte environ 250 espèces. Parmi elles on relève : gattiliers, citronniers, mandariniers, orangers, agaves, aloès, cierges, yuccas, figuiers de Barbarie, figuiers des Hottentots, joubarbes, orpins, euphorbes rares, astéroïdes...   A.A.C.

Adresse : jardin méditerranéen, 34460 Roquebrun
Propriétaire : Commune de Roquebrun, tél. : 67.89.55.29
Ouverture : du 15 juin au 15 septembre, t.l.j. de 9 h à 12 h et de 15 h à 19 h ; hors saison, t.l.j. sauf le week-end de 8 h à 12 h et de 14 h à 18 h ; visites guidées pour groupes sur demande
Accès : à 25 km au nord-ouest de Béziers par D14 et à 6 km au nord de Cessenon-sur-Orb par la route des vallées

Jardin méditerranéen de Roquebrun.

macrocarpus ou cyprès de Lambert, pins parasols centenaires, platanes, bambouseraie, frênes, fusains, lauriers, chênes verts, micocouliers, ormes, palmiers de Chine, saule tortueux ou *Salix contorta*, thuya d'Orient ou *Thuya orientalis*, *Cedrus atlantica*, *Pinus nigra austriaca* ou pin noir d'Autriche) et une autre partie, centrée sur un décor de rocaille qui accompagnait l'aménagement de terrasses au pied du château. Des transformations entreprises au XIXᵉ siècle par Alfred Bouscaren (1831-1895) créèrent un cadre à l'anglaise et les travaux de restauration ont porté sur les cascades, nymphée, bassin et réseau hydraulique encore en place. A.A.C.

Adresse : château du Terral,
34430 Saint-Jean-de-Védas
Propriétaire : Commune de Saint-Jean-de-Védas,
tél. : 67.47.08.08
Ouverture : visite sur demande à la mairie
Accès : à 6 km à l'ouest de Montpellier par N113

Abbaye de Saint-Guilhem-le-Désert ★

Saint-Guilhem-le-Désert

Intéressant par ses parterres dessinés, ses plantations de cyprès, son bassin (IXᵉ-XIᵉ siècle) et son cadre architectural exceptionnel, ce jardin mériterait une reconstitution plus fidèle autour du modèle médiéval des jardins de cloîtres méditerranéens. A.A.C.

Adresse : abbaye de Saint-Guilhem-le-Désert,
34150 Saint-Guilhem-le-Désert
Propriétaire : Commune de Saint-Guilhem-le-Désert,
tél. : 67.57.70.17 (mairie)
Ouverture : t.l.j. sauf au moment du culte, de 9 h
à 12 h et de 14 h à 17 h 30 (18 h 15 en été)
Accès : à 40 km à l'ouest de Montpellier, à 12 km
au nord de Gignac

Château du Terral ★

Saint-Jean-de-Védas

A l'initiative d'une association et de la municipalité, ce parc de 3 ha reprend vie depuis 1986. Il comporte une partie boisée avec de belles essences (*Cypressus*

Abbaye de Valmagne ★

Villeveyrac

Les jardins de l'abbaye de Valmagne sont de deux types : le jardin du cloître de l'ancienne abbaye de Valmagne, fondée en 1138 par des moines de l'ordre de Cîteaux, est ouvert à la visite. La remarquable fontaine de style gothique a été réalisée au XVIIIᵉ siècle avec des pierres d'époque. Ombragée par une structure en pierre portant une treille, elle forme le cœur de ce jardin régulier que l'on visite en même temps que le reste de cette abbaye transformée en maison de plaisance au XVIIIᵉ siècle.

Le parc et les jardins d'agrément dits « du Cardinal de Bonzy » ne sont accessibles que sur demande écrite. Beaucoup plus grands, aménagés eux aussi au XVIIIᵉ siècle, ils constituent un ensemble « à la française » avec parterres et bosquets très intéressant. De belles plantations de platanes ombragent un canal. Un buffet d'eau comporte encore une statue de Neptune. A.A.C.

Adresse : abbaye de Valmagne, 34140 Villeveyrac
Propriétaire : Mme D. de Gaudard d'Allaines,
tél. : 67.78.06.09
Ouverture : visites libres pour le cloître du 15 juin
au 30 septembre, t.l.j. de 10 h à 12 h et de 14 h 30
à 18 h 30 ; hors saison, tous les après-midi de 14 h
à 18 h ; groupes sur demande pour spécialistes et
professionnels pour le parc et les jardins
Accès : à 32 km au sud-ouest de Montpellier par
N113 ; à Mèze prendre la D51 puis la D161

LOZÈRE 48

Château de la Baume ★★

Prinsuéjols

Le « Versailles du Gévaudan », surnommé ainsi pour la splendeur de ses jardins, est une réalisation du milieu du XVIIe siècle. César de Grolée, baron de Peyre, termina les travaux que son père avait commencés. Le très beau parc est orné d'essences rares et de bassins au pied des terrasses. A.A.C.

Adresse : château de la Baume, 48100 Prinsuéjols
Propriétaire : comte de Las Cases, tél. : 66.32.51.59
Ouverture : t.l.j. sauf le mar. du 15 juin au 15 septembre de 10 h à 12 h et de 14 h à 18 h ; hors saison, l'après-midi de 14 h à 17 h (sur rendez-vous) ; concerts, expositions temporaires
Accès : à 15 km au nord-ouest de Marvejols (entre Marvejols et Aumont), prendre la N9

PYRÉNÉES-ORIENTALES 66

Jardin du bastion Saint-Jacques ★

Perpignan

Près de l'église Saint-Jacques (XIIIe et XIVe siècles) se trouve un important bastion de briques et de pierres construit aux XVe et XVIe siècles. Il fut renforcé par une construction de Vauban. A la suite d'aménagements récents destinés à mettre l'ensemble architectural en valeur, il a été créé un agréable et curieux jardin appelé « jardin de Miranda ». A.A.C.

Adresse : jardin du bastion Saint-Jacques, rue Fustel-de-Coulanges, 66000 Perpignan
Propriétaire : Ville de Perpignan, tél. : 68.66.30.66
Ouverture : t.l.j. de 8 h au coucher du soleil
Accès : derrière la cathédrale Saint-Jacques

Parc de Clairfont ★

Toulouges

Le parc de Clairfont, d'une superficie de 5 ha, possède de splendides arbres et forme un véritable arboretum. Une cinquantaine d'essences ont déjà été inventoriées. Des plans d'eau alevinés, animés de cygnes et de canards, complètent le charme de ce lieu où l'on trouve par ailleurs quantité d'oiseaux nicheurs. Un projet global de centre d'informations régional sur la flore et la faune et de jardin botanique est appelé à le faire mieux connaître. A.A.C.

Adresse : parc de Clairfont, 66350 Toulouges
Propriétaire : Ville de Toulouges, tél. : 68.56.51.11
Ouverture : hiver, t.l.j. sauf dim. de 10 h à 18 h ; été, t.l.j. sauf dim. de 10 h à 20 h
Accès : à 6 km au sud-ouest de Perpignan par D612

LIMOUSIN

« Le pays est de beaucoup le plus beau que j'aie vue en France. » Voilà comment Arthur Young, dans son *Voyages en France*, en 1787, décrit le Limousin. Tout ici est harmonie de forme et de couleurs, admirable parc paysager, changeant d'aspect à mesure que l'on se déplace. Cette nature profonde et généreuse, aux arbres majestueux, aux ruisseaux tumultueux, a donné naissance à des parcs où l'on retrouve cette force et cette puissance. Des parcs secrets, cachés au fond de longues allées de chênes et de hêtres, dévoilent le caractère des habitants qui n'ont pas besoin de rechercher l'affectation du pittoresque. Ils ont autour d'eux une nature d'une grande simplicité, empreinte de grandeur. Les parcs jouent avec le paysage. Terrasses, escaliers, fontaines et vieux murs de granit forment la structure minérale du parc. Des arbres majestueux (hêtres, chênes séculaires, charmes) se reflètent dans les pièces d'eau et forment une palette de couleurs changeant au fil des saisons. Bordés de haies vives faites d'aubépines, de charmes, de houx et de cornouillers, des chemins sinueux invitent à la découverte.

Cette simplicité se retrouve aussi dans les parterres des jardins à la française qui ornaient les terrasses et les abords de certains châteaux, jardins souvent remaniés au XIXe siècle ou entièrement remplacés par de vastes pelouses.

Au XIXe siècle un style nouveau, le jardin paysager, correspondant au mode de vie, aux aspirations d'une nouvelle société qui s'est créée avec le développement de l'industrie. On fait appel aux conseils de paysagistes de renom qui ouvrent les parcs aux essences du monde entier et qui trouvent dans la topographie du Limousin la pleine application de leur art de « la nature aménagée ». Ce mouvement conduit des passionnés de botanique à ramener de leur voyage lointain nombre de nouvelles plantes pour constituer des arboretums.

P.C.L.

Le parc de sculpture de Vassivière.

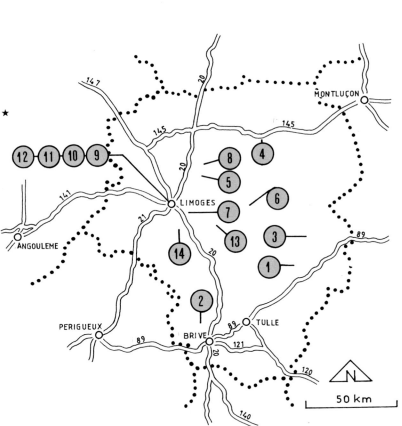

CORRÈZE 19

Arboretum de Puy Chabrol ★

Meymac

Il s'étend sur 20 ha, et fut constitué par Marius Vazeilles, ingénieur forestier. Il y a 70 ans, il comportait 300 espèces de feuillus et de résineux de la zone tempérée du globe. Jean Vazeilles, par ses connaissances et sa passion, a fait de cet arboretum un modèle du genre : semis naturel dans la forêt, éclaircies rationnelles, traitement de pointe des maladies de l'arbre. Parmi la vingtaine d'espèces qui restent, à noter parmi les arbres les plus remarquables : *Picéa sitchensis*, douglas, *Abies grandis*, sapin de Low.   P.C.L.

 Adresse : arboretum de Puy Chabrol, 19250 Meymac
Propriétaire : M. J. Vazeilles
Ouverture : sur demande, 15 jours avant, à M. Vazeilles, tél. : 55.95.10.23
Accès : à 15 km à l'ouest d'Ussel

Parc du Saillant ★

Voutezac

Le château, dont certains éléments remontent au XIIᵉ siècle, les douves, la chapelle, le pont sur la Vézère, le village du XVIIIᵉ siècle ajoutent au caractère romantique de ce parc qui abrite de très beaux spécimens : gingko biloba, séquoia, chamaecyparis, catalpa, chênes et érables.

Des buis taillés entourent la façade principale ainsi que l'allée d'arrivée. Par une passerelle on gagne une charmante petite île, royaume des osmondes royales, des rhododendrons et des tilleuls.   P.C.L.

 Adresse : le Saillant, 19130 Voutezac
Propriétaire : M. G. Lasteyrie du Saillant
Ouverture : visite pour groupes, sur demande, en juillet et août durant le festival de la Vézère (musique et chant classiques)
Accès : à 18 km au nord-est de Brives

CREUSE 23

Arboretum de Puy de Jaule ★

La Courtine-le-Trucq

Constitué en 1930 sur le terrain militaire de La Courtine pour mettre en valeur les parties non boisées. Géré par l'O.N.F., on y dénombre 25 espèces dont deux feuillus.

Parmi les espèces remarquables : *Abies arizonica, Abies balsamea, Abie concolor var. lowiana, Abies pinsapo, Abies nobilis, Thuyas plicatas* et *occi dentalis, Pinus nigra var. caramanica, Alnus cordata.*
P.C.L.

Adresse : camp militaire de La Courtine, 23100 La Courtine-le-Trucq
Propriétaire : l'État
Ouverture : sur autorisation au commandant du camp militaire de La Courtine
Accès : à 40 km au sud d'Aubusson, à 20 km au nord d'Ussel

Parc de la Sénatorerie ★★

Guéret

En 1907, la municipalité de Guéret fit appel à l'architecte Sauvanet pour créer un musée archéologique dans l'hôtel de la Sénatorerie. Celui-ci transforma la demeure et dessina un jardin de style classique composé de parterres à la française et d'arbres et d'arbustes remarquables : rhododendrons, azalées, séquoias, taxodium, araucaria...
M.N.

Adresse : musée municipal, avenue de la Sénatorerie, 23000 Guéret
Propriétaire : Ville de Guéret, tél. : 55.52.14.69 (S.E.V.)
Ouverture : t.l.j. de 8 h au coucher du soleil
Accès : au sud du centre ville

HAUTE-VIENNE 87

Parc de Montméry ★★★

Ambazac

Une allée de chênes et de hêtres séculaires conduit au site enchanteur de Montméry.

Dans le cadre exceptionnel des monts bleutés d'Ambazac, Théodore Haviland, le célèbre porcelainier, fit édifier en 1885 un château dans le plus pur style éclectique new-yorkais fin XIXe et conçut le parc vers 1890 avec le paysagiste Édouard André.

Le parc, qui contient des espèces américaines remarquables (provenant des pépinières de Rochester en particulier), s'étage en courbes de niveaux tout en douceur. Ici, rien de clinquant, de théâtral, tout n'est qu'harmonie, douceur de vivre, c'est la nature aménagée avec art, un tableau impressionniste, reflet du goût artistique de T. Haviland.

Près du délicieux chalet canadien en rondins de bois, d'impressionnantes haies de rhododendrons, de pieris mêlées de houx variés.

Près du château, un certain nombre d'arbres centenaires remarquables : *Magnolias macrophyollas, Acer palmatum atropurpureum, Zelkovas, Cornus florida, sequoiadendron,* tilleuls américains, *Thuyas plicatas...* Des allées à thèmes conduisent dans les sous-bois : allée des *Kalmias latifolias* blancs, des tilleuls, des acers, des *Bétulas lentas.*

Près d'une motte castrale très wagnerienne : la rivière anglaise et son île où se reflètent les chênes fastigiés, les cornus florida, aulnes bambous et aubépines.
P.C.L.

Adresse : parc de Montméry, 87240 Ambazac
Propriétaire : Mlle R.M. de Pourtalès, tél. : 55.56.60.02 et 55.56.63.94
Ouverture : du 15 mars au 15 novembre, les 1er et 3e dim. après-midi ; visites guidées pour groupes et individuels sur demande
Accès : à 16 km au nord-est de Limoges par N20 et D914

Parc de sculpture de Vassivière

Beaumont-du-Lac

L'île aux pierres. Au pied du plateau de Milleva-ches, un lac de 1 000 ha : Vassivière. L'île que l'on nomme « l'île aux pierres » et qui en occupe le centre a été choisie pour être le lieu d'un parc de sculpture. Les œuvres seront toutes le résultat d'une confrontation entre les plus grands sculpteurs contemporains et un matériau qui abonde dans le paysage régional : le granite. Une vingtaine de sculptures ont déjà été réalisées parmi lesquelles le totem d'Alain Gerbaud, une table de Michaël Prentice. Pour le centre d'Art contemporain, qui sera bientôt construit, l'architecte Aldo Rossi a conçu deux volumes très simples, une voûte de 75 m de long et une tour à la fois sémaphore et belvédère.   M.R.

Adresse : centre d'Art contemporain de Vassivière, île de Vassivière, 87120 Beaumont-du-Lac
Propriétaire : Syndicat mixte interdépartemental et régional de Vassivière
Ouverture : permanente ; visites libres pour le parc, tél. : 55.69.27.27
Accès : à 60 km à l'est de Limoges par D979 jusqu'à Eymoutiers, puis D43 vers Beaumont-du-Lac

Jardin du Ponteix

★

Feytiat

Autour d'une maison ancienne ce petit jardin d'ombre aux essences séculaires (cèdre, tilleul, buis, *Picéa orientalis*, taxus) a été restauré récemment par les propriétaires qui lui ont gardé son caractère secret. Arbustes et roses anciennes, plantes vivaces et couvre-sols d'ombres, plantes grimpantes, allées de granite et de gazette (moules brisés de porcelaines que l'on utilisaient autrefois pour recouvrir les sols des bâtiments annexes) forment une harmonie de couleurs qui laisse aux visiteurs une impression de fraîcheur et de douceur.

P.C.L.

Adresse : le Ponteix, 87220 Feytiat
Propriétaire : M. Charles-Lavauzelle, tél. : 55.31.29.79
Ouverture : toute l'année les week-end de 14 h à 18 h
Accès : à 5 km à l'est de Limoges par D979 et D98

Arboretum de La Jonchère

★ ★

La Jonchère-Saint-Maurice

Afin de reboiser avec des résineux, Henri Gerardin créa, sur 6,68 ha, cet arboretum en 1885, autour d'un étang et dans un site pittoresque. Acquis par l'école nationale des Eaux et Forêts en 1938, il permet d'apprécier ce que deviennent certaines espèces dans cette région, en particulier des essences de reboisement, *Tsuga heterophylla, Pseudosuga menziesii, Thuja plicata, Abies grandis, Abies procera, Abies lowiana, Sequoia sempervirens, Cryptomeria japonica* et des essences de collection, *Taxodium distichum, Abies amabilis, Araucaria araucana, Picea abies « Pendula », Pinus jeffreyi, Tsuga pattoniana,* une espèce de houx rare en France, *Ilex latifolia.*

M.R.

Adresse : arboretum de la Jonchère, 87340 La Jonchère-Saint-Maurice
Propriétaire : l'État. Gestion : Office national des forêts, tél. : 55.34.53.13
Ouverture : sur demande
Accès : à 20 km au nord-est de Limoges par N20 et D914

Jardin de l'Évêché et jardin botanique

★ ★

Limoges

Aux abords de la vieille ville, jouxtant la cathédrale, le jardin de l'Évêché (4,6 ha) domine le sud de la cité et la vallée de la Vienne. L'ancien palais épiscopal, aujourd'hui transformé en musée, les parterres qui lui servent de cadre, les mails, les bassins et l'orangerie, constituent un ensemble rare. Le jardin s'étage sur six terrasses établies au-dessus des collatéraux. Restauré en 1976 en utilisant le module de base qui avait servi à la détermination des jardins, il constitue aujourd'hui une tentative pour recréer un jardin historique et témoigne qu'à l'époque classique l'aménagement de l'espace allait toujours au-delà de la construction des seuls bâtiments.

Situé dans ce cadre exceptionnel, le jardin botanique offre un compromis judicieux de plantes botaniques et horticoles et la possibilité de connaître ou reconnaître environ 1 500 plantes, en particulier des collections de plantes aquatiques, de plantes annuelles, bisannuelles, de plantes vivaces, de plantes grimpantes, d'arbres, d'arbustes et conifères, répertoriées par thèmes (tinctoriales, médicinales...) et complétées par une serre tropicale.

M.N.

Adresse : jardin de l'Évêché, place de la Cathédrale, 87000 Limoges
Propriétaire : Ville de Limoges, tél. : 55.45.60.00 (M. Alifat)
Ouverture : t.l.j. de 8 h au coucher du soleil
Accès : au sud-est du centre ville

En haut : Le granit mis en lumière. Parc de sculpture de Vassivière.

A droite : A l'ombre d'une cathédrale. Jardin botanique de Limoges.

A gauche : Un jardin intime. Le Ponteix.

Jardin du Moulin-Pinard

Limoges

Ce petit jardin public (6 ha), situé près d'un ruisseau, a beaucoup de charme avec ses ponts enjambant l'Aurence, sa verdure, son calme troublé seulement par le chant des oiseaux et les remous de l'eau.

P.C.L.

Adresse : jardin du Moulin-Pinard, 87000 Limoges
Propriétaire : Ville de Limoges
Ouverture : t.l.j., de 8 h au coucher du soleil
Accès : au nord de la ville, près de la N20, derrière le palais des Expositions

Parc Victor Thuillat : la pièce d'eau et ses plantes aquatiques.

Roseraie municipale ★

Limoges

Créée en 1980 dans le parc Jambost, situé le long de la vallée de l'Aurence, la roseraie regroupe, sur 1,5 ha, 200 variétés et 5 000 rosiers. On peut y juger de la vigueur et de la floribundité de chaque espèce, comme on peut suivre l'histoire de la rose, des rosiers galliques ou rosiers de France aux roses de Damas, les Cent Feuilles, les Provins, les Moussus, les rosiers de Chine et du Bengale dont les croisements ont abouti aux rosiers modernes.

M.R.

Adresse : roseraie municipale, rue de la Roseraie, 87000 Limoges
Propriétaire : Ville de Limoges, tél. : 55.33.70.10
Ouverture : permanente ; visites libres
Accès : à 3 km au sud-ouest de la ville, quartier de la Vergne

Roseraie municipale. Limoges.

Parc
Victor-Thuillat ★

Limoges

En tirant parti d'une source, d'une rivière à l'anglaise et de beaux arbres existants, ce parc récent de 4 ha a été créé en plantant des masses de plantes vivaces et des plantes aquatiques.   M.N.

Adresse : parc Victor-Thuillat, rue Emile-Labussière, 87000 Limoges
Propriétaire : Ville de Limoges, tél. : 55.33.70.10
Ouverture : permanente ; visites libres
Accès : au nord-est du centre ville

Jardin
du Bas Beaumont ★★

Saint-Paul

Ce jardin de topiaire, harmonieux et étonnant, a été créé il y a une vingtaine d'années par un autodidacte passionné de l'art de la taille.
Parterres à la française de plantes vivaces persistantes *(Stachys lanata)*, de légumes, de plantes annuelles aux couleurs décoratives ponctués d'arbres taillés aux formes différentes mais toujours très sobres : thuyas, chamaecyparis, buis, arbres fruitiers...
La haie taillée bordant le jardin est formée de charmes, cornus, picéa, aubépines, houx.   P.C.L.

Adresse : le Bas Beaumont, 87260 Saint-Paul
Propriétaire : M. Mausset
Ouverture : visite toute l'année le dim. après-midi
Accès : à 13 km au sud-est de Limoges par D979 et D12

Une illustration de l'art topiaire. Jardin du Bas-Beaumont.

Parc de Ligoure ★★

Solignac

Sur 80 ha, propriété de la famille Le Play, célèbre économiste de Napoléon III ; Albert, docteur en médecine, agriculteur distingué, passionné de botanique, puis son fils, Pierre, ont introduit plus de 200 variétés de conifères de l'Europe entière pour en faire un parc tout en harmonie de couleurs et de formes autour du château typiquement XIXᵉ. Citons, se mélangeant aux feuillus : *Chamaecyparis pisifera squarosa, Abies pinsapo, Torreyas, Cephalotaxus, Cunninghamia, Pinus montezumae.*   P.C.L.

Adresse : château de Ligoure, 87110 Solignac
Propriétaire : Mme B. Thomas Mouzon. Gestion : Association du château de Ligoure, centre d'hébergement pour stages
Ouverture : toute l'année sur demande à l'Association du château de Ligoure, 87110 Le Vigen, tél. : 55.00.52.32.
Parc en cours de restauration
Accès : à 10 km au sud de Limoges par D704 et D32

LORRAINE

Ma racine est au fond des bois
Émile Gallé.

Région à la fois historique et naturelle, la Lorraine est un paysage de coteaux et de larges dépressions occupées par les cultures et les pâturages, alternant avec des plateaux recouverts de forêts. Sapins, épicéas, hêtres et pins donnent à la forêt vosgienne ses tonalités particulières, son paysage en perpétuel changement, selon les saisons.

Au Moyen Age, la forêt fut la grande richesse des abbayes qui protégèrent l'intégrité des massifs boisés. Les luthiers de Mirecourt utilisaient l'érable, le sycomore et l'épicéa. Les forges, fonderies et cristalleries se fournissaient en combustibles dans les massifs de feuillus des Vosges gréseuses. Pour protéger ce patrimoine naturel et culturel, et pour qu'on puisse s'y initier, deux parcs naturels ont été créés récemment. Au XVIIIe siècle, Stanislas, ancien roi de Pologne et beau-frère de Louis XV, fut un grand bâtisseur et un créateur de parcs : le jardin botanique de Nancy ou le château de Lunéville, avec ses jardins à la française, lui sont attachés. La noblesse suivit le mouvement et chaque château se dota de jardins passionnants. Par la suite, les grandes dynasties industrielles poursuivirent le mouvement et créèrent de nombreux jardins paysagers. A la fin du XIXe siècle, véritable âge d'or de la botanique, la flore lorraine devint objet d'études et de réflexions. On se passionna pour l'acclimatation en serre d'espèces lointaines. Les chercheurs scientifiques y trouvèrent un terrain d'élection. Le pépiniériste Lemoine y inventa de nouvelles espèces de fuchsias, de chrysanthèmes et de glaïeuls. Godron, directeur du jardin des plantes de Nancy, accentua cette impulsion novatrice et Gallé, artiste et botaniste, fut à l'origine d'un style inspiré par la nature et qualifié aujourd'hui d'école de Nancy. Il fit aménager dans sa propriété familiale un « jardin géographique » avec, au nord, les essences d'Amérique, au sud, des espèces venues de la Chine et du Japon.

Aujourd'hui, les jardins lorrains sont justement célèbres pour leur acclimatation de plantes d'altitude, rapportées de l'Asie et de l'Himalaya, et pour ses parcs où sont conservées les plantes ornementales obtenues ou créées par les pépiniéristes lorrains.

D.L.

Jardin botanique de Metz.

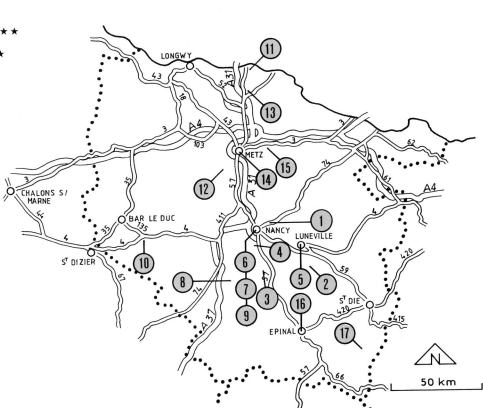

MEURTHE-ET-MOSELLE   54

Arboretum d'Amance   ★

Champenoux

Situé à la lisière de la forêt domaniale d'Amance, cet arboretum de 16 ha fut créé entre 1901 et 1909. Arboretum de collections et arboretum forestier, il présente un double intérêt : intérêt pédagogique et intérêt scientifique puisqu'il permet d'étudier l'adaptation d'essences exogènes au climat lorrain. Au total, près de 4 800 arbres, arbustes ou arbrisseaux (dont 2/3 de résineux), 405 espèces et quelques spécimens remarquables : un sapin de Vancouver *(Abies grandis)*, de 39 m de hauteur, un séquoia géant *(Séquoiadendron giganteum)*, de 3,65 m de circonférence, et un peuplier baumier *(Populus tricho-carpa)*, qui gagne 1,30 m chaque année.   A.R.

 Adresse : arboretum d'Amance, 54280 Champenoux
Propriétaire : I.N.R.A., Centre de recherches forestières de Champenoux, tél. : 83.39.40.41 (standard). Contact : M. Vernier, tél. : 83.39.40.91
Ouverture : t.l.j. ouvrables de 8 h 30 à 17 h ; visites guidées sur demande

Plan, listes de végétaux, brochures d'information
Accès : à 12 km au nord-est de Nancy par N74, suivre le panneau I.N.R.A.

Château de Gerbeviller   ★ ★

Gerbeviller

Le parc créé à la fin du XIXᵉ siècle s'associe parfaitement au paysage de la vallée de la Mortagne. Le château fut incendié en 1914 et reconstruit par l'architecte Albert Laprade en 1920, mais le pavillon Louis XIII, dit « Pavillon rouge », et le précieux nymphée du XVIIIᵉ siècle ont été conservés.   M.R.

Adresse : château de Gerbeviller, 54830 Gerbeviller
Propriétaire : propriété privée
Ouverture : sur rendez-vous, tél. : 83.42.70.15
Accès : à 10 km au sud de Lunéville et à 28 km de Nancy

Château d'Haroué ★★

Haroué

Chef-d'œuvre de l'architecture du XVIIIᵉ siècle en Lorraine, le « Versailles lorrain » fut construit par Germain Boffrand sur des fondations du XIVᵉ siècle dont il reste les douves d'eau vive et les tours. De la belle grille d'entrée à la vallée du Madon, le jardin régulier avec ses bassins, ses bosquets et ses parterres ornés de putti contribue à réaliser l'accord parfait entre palais et paysage.   M.R.

Adresse : château d'Haroué, 54740 Haroué
Propriétaire : princesse de Beauvau-Craon, tél. : 83.52.40.14
Ouverture : château, du 1ᵉʳ avril au 15 novembre, t.l.j. de 14 h 30 à 18 h ; visites des jardins sur demande préalable
Accès : à 25 km au sud de Nancy, par D913 et D9

Un tapis vert guide l'œil vers le paysage. Haroué.

Château de Fléville ★★

Ludres

Les jardins de Fléville (18 ha) sont chargés d'histoire. Depuis le château féodal, avec son enclos, au parc « agricole et paysager » du XIXᵉ siècle, en passant par les jardins de la Renaissance, puis les jardins à la française du XVIIIᵉ siècle créés par L.-F. de Nesle dit Gervais, élève de Claude Desgots, les jardins de Fléville ont suivi les modes paysagères. Aujourd'hui, le parc entourant le château est un parc paysager ou à « l'anglaise ». Les bosquets, le petit étang, le Belvédère donnent à Fléville un aspect romantique. Les jardins du XVIIIᵉ siècle et les parterres sont, quant à eux, en cours de réhabilitation.   A.R.

Adresse : château de Fléville, 54710 Ludres
Propriétaire : M. de Lambel, tél. : 83.54.64.71
Ouverture : du 1ᵉʳ avril au 1ᵉʳ novembre, sam., dim. et jours fériés, de 13 h à 19 h ; du 1ᵉʳ juillet au 1ᵉʳ septembre, t.l.j. de 14 h à 18 h ; groupes sur rendez-vous
Accès : au sud de Nancy par la A330 depuis Nancy et sortie Fléville à 8 km

Les Bosquets ★★

Lunéville

Dessiné par Yves des Ours, remanié par Louis-Ferdinand de Nesles, transformé en parc à l'anglaise au XIXᵉ siècle et partiellement restauré en 1945 en s'inspirant du tracé du XVIIIᵉ siècle, les Bosquets offrent encore un vaste espace d'environ 13 ha devant le château et sa terrasse. Malgré le parterre, les bassins, le miroir d'eau et les boisements, on aura du mal à imaginer ce que fut ce jardin extraordinaire. Conçu et réalisé par Germain Boffrand entre 1702 et 1723, le château de Lunéville fut d'abord la résidence préférée de Léopold Iᵉʳ, duc de Lorraine. Puis les jardins furent considérablement agrandis par Stanislas, avec un grand canal, des bosquets et une série de petits pavillons inspirés des « Marlys » de Marly. Au pied du château, un bassin rectangulaire était entouré de l'une des plus extravagantes rocailles jamais réalisées : un paysage miniature fait de petites scènes champêtres avec automates hydrauliques en mouvement au milieu des blocs de pierre.   M.R.

Adresse : château de Lunéville, 54300 Lunéville
Propriétaire : Commune de Lunéville, tél. : 83.76.23.00
Ouverture : permanente, visites libres ; visites guidées pour groupes sur demande, tél. : 83.74.06.55
Musée de la faïence, musée de la cavalerie, t.l.j. sauf mar.
Accès : à 26 km au sud-est de Nancy par N4

Parc de la Pépinière ★★

Nancy

Malgré ses transformations, l'ancienne pépinière de Stanislas a conservé ses allées rectilignes et son caractère initial. Agrandie en 1766, elle devint une promenade publique. On y planta 36 000 ormes, 30 000 frênes, 10 000 tilleuls de Hollande. Entre 1841 et 1877, elle devint un parc urbain de 27 ha qui reste bien entretenu avec une petite roseraie, des parterres de mosaïculture soignés, un très joli kiosque à musique et quelques sculptures, en particulier un « Claude le Lorrain » par Rodin.   M.R.

Parc de la pépinière. Nancy.

 Adresse : parc de la Pépinière, boulevard
du 26e-RI, 54000 Nancy
Propriétaire : Ville de Nancy, tél. : 83.37.65.01
Ouverture : t.l.j. de 5 h 45 à 20 h ou 23 h 30
selon saison
Brasserie ; minigolf ; zoo
Accès : centre ville, près de la place Stanislas
et palais de justice

Jardin botanique Sainte-Catherine ★ ★

Nancy

Fondé en 1758 par le roi Stanislas Leszczýnski, ses collections de plantes lui valurent la visite de l'impératrice Joséphine en 1805 puis, un peu plus tard, toute l'attention d'Émile Gallé dont on sait la passion pour les végétaux dont il tirait de nouvelles formes pour créer ses meubles et ses objets. Successivement rénové puis abandonné, il conserve, sur 1 ha, l'aspect que lui avait donné le docteur Godron en 1870, mais ce sont aujourd'hui les plantes d'ornement destinées à l'agrément du voisinage qui ont la priorité des gestionnaires de ce petit jardin plein de charme.
M.R.

 Adresse : jardin botanique Sainte-Catherine,
36, rue Sainte-Catherine, 54000 Nancy
Propriétaire : Conservatoire et jardins botaniques
de Nancy, tél. : 83.36.51.33
Ouverture : t.l.j. de 8 h à 12 h et de 13 h à 17 h
(sauf le dim. matin, le 25 décembre et le 1er janvier),
visites guidées sur demande pour groupes
Accès : au centre ville

Château de Thorey-Lyautey ★

Thorey-Lyautey

Le parc paysager fut nivelé, ordonné, planté sur les indications du maréchal Lyautey après 1918. Le mausolée du jardin de la Résidence à Rabat a été démonté et reconstruit près de la pièce d'eau et du groupe de pins formant une rose des vents. M.R.

Adresse : château de Thorey-Lyautey,
54115 Thorey-Lyautey
Propriétaire : Association Maréchal-Lyautey,
tél. : 83.25.17.21
Ouverture : du 1er mai au 15 octobre ; visites
guidées de 13 h 30 à 17 h, t.l.j. sauf le mar.
Accès : à 35 km au sud-est de Nancy par D913
et D5, à 7 km au sud-ouest de Vézelise

Jardin botanique du Montet ★ ★ ★

Villers-lès-Nancy

Un jardin botanique moderne. Afin de pallier le manque de moyens qui tue lentement la plupart des jardins botaniques de ville ou d'université en France, le jardin botanique Sainte-Catherine, le jardin d'altitude du Haut-Chitelet et le jardin botanique du Montet ont été regroupés en un conservatoire géré par un syndicat mixte associant le district de l'agglomération nancéenne et l'Université de Nancy, sous la responsabilité de F. Mangenot et P. Valck. Créé en 1977 dans un vallon dépendant du château du Montet, ce nouveau jardin de 25 ha est en pleine expansion. Il répond à des exigences à la fois

Victoria regia. Jardin botanique du Montet.

scientifiques et pédagogiques. Sur un plan hérité de la tradition paysagère des parcs urbains du XIXᵉ siècle, les collections thématiques sont entourées de larges pièces de gazon. Au fond du vallon, une collection historique rappelle les plantes utilisées à chacune des grandes périodes de l'humanité, depuis le néolithique jusqu'à nos jours. La collection de plantes ornementales vise à retrouver la mémoire des horticulteurs lorrains de la fin du XIXᵉ siècle et de leurs obtentions qui ne sont plus cultivées : Victor Lemoine, connu dans le monde entier pour ses *Syringa*, *Philadelphus*, *Deutzia* et ses 445 variétés de fuchsias, F.-F. Crousse, célèbre pour ses begonia, paeonia et pelargonium. 4 serres sont ouvertes au visiteur, accueillant végétation aquatique, plantes tropicales et subtropicales, épiphytes de la forêt équatoriale, succulentes. En haut de la pente, un arboretum limité aux petits arbres et arbustes est distribué en fonction de régions choisies pour leurs analogies avec la Lorraine. Avec Brest et Porquerolles, le Conservatoire de Nancy est l'un des trois grands conservatoires de plantes menacées en France.   M.R.

Adresse : jardin botanique du Montet, 100, rue du Jardin-Botanique, 54600 Villers-lès-Nancy
Propriétaire : Conservatoire et jardins botaniques de Nancy, tél. : 83.41.47.47
Ouverture : t.l.j. du mer. au dim. et jours fériés de 14 h à 17 h ; groupes sur rendez-vous du lun. au ven. ; serres payantes ; bibliothèque pour spécialistes
Accès : par avenue du Général-Leclerc, en périphérie au sud-ouest de Nancy

MEUSE 55

Parc municipal ★

Ligny-en-Barrois

Lieu de promenade traditionnel de la ville, en bord de l'Ornain, affluent de la Marne, le parc se poursuit par une allée de très vieux marronniers le long de la rivière. Transition entre la ville du XVIIIᵉ siècle et la campagne, le parc relie aujourd'hui les bâtiments et les terrains sportifs et scolaires. Il est composé de grandes allées droites limitant des espaces rectangulaires. La grandeur du parc provient de la simple répétition du même rythme vertical, et de la hauteur des alignements.   M.R.

Adresse : parc municipal, 55500 Ligny-en-Barrois
Propriétaire : Commune de Ligny-en-Barrois, tél. : 29.78.02.22
Ouverture : permanente, visites libres
Accès : à 16 km au sud-est de Bar-le-Duc par N135

MOSELLE 57

Château de Preisch ★

Basse-Rentgen

Créé en 1812 par M. Milleret autour du château médiéval, ce beau parc à l'anglaise, entièrement clos de murs, renferme quelques très beaux arbres (tulipiers, magnolias) plantés au siècle dernier.

Adresse : château de Preisch, 57570 Basse-Rentgen
Propriétaire : M. Charles de Gargan. Renseignements, tél. : 82.83.47.81/44.08
Ouverture : de Pâques à la Toussaint, visites guidées le dim. de 14 h 30 à 16 h 30

Accès : à 17 km au nord de Thionville par N53 puis D62

Palais abbatial ★★

Gorze

Commandé par Philippe Eberhardt de Lowenstein et de Bavière, abbé de Murbach, le château abbatial de Gorze et ses jardins furent conçus vers 1696 par l'architecte lyonnais Pierre Bourdict et réalisés en 1700 par Étienne Lastrade. Une succession de terrasses utilisent au mieux la pente remontant du château vers la forêt. Au fond de la cour pavée, un escalier à deux volées encadre un bassin et conduit au parterre. Composé de 18 carrés plantés d'arbres, le parterre se termine par un bassin dont le mur du fond est orné de pilastres.

Un escalier demi-circulaire mène à une deuxième terrasse, barrée par une cascade avec un canal en hémicycle longeant 8 arcades sculptées de figures allégoriques, et un dernier escalier donnant accès à la terrasse supérieure.

M.R.

Adresse : palais abbatial, 1, place du Château, 57680 Gorze
Propriétaire : Centre de soins et d'hébergement, tél. : 87.52.00.05
Ouverture : t.l.j. de 9 h à 17 h
Accès : à 19 km au sud-ouest de Metz par D6, puis à droite à Ancy-sur-Moselle

Château de La Grange ★

Manom

Menant à la cour d'honneur du château classique (1714), une avenue de tilleuls longe le parc à l'anglaise. De l'autre côté du château entouré de douves, une seconde allée de tilleuls conduit à la forêt et à un étang de 4 ha. Au milieu de l'étang s'élève un mausolée et dans la forêt les ruines d'une « maison d'Alger », souvenir de la campagne d'Algérie de 1830.

La serre du jardin botanique. Metz.

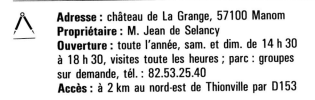

Adresse : château de La Grange, 57100 Manom
Propriétaire : M. Jean de Selancy
Ouverture : toute l'année, sam. et dim. de 14 h 30 à 18 h 30, visites toute les heures ; parc : groupes sur demande, tél. : 82.53.25.40
Accès : à 2 km au nord-est de Thionville par D153

Jardin botanique ★★

Montigny-lès-Metz

Très fréquenté, ce parc fut aménagé en jardin paysager par l'architecte Demoget, après son rachat par la ville en 1865. Aujourd'hui, ses formes régulières mettent en valeur quelques spécimens superbes. A l'automne, le gingko biloba de l'entrée arbore des couleurs flamboyantes. Plus loin, de magnifiques arbres pleureurs — hêtres, frênes et sophoras — intriguent par leur port spectaculaire. Les serres de collection et l'orangeraie abritent plantes vertes et exotiques, notamment des espèces utilitaires comme les camphriers, caféiers et poivriers. Une roseraie au dessin régulier présente 80 variétés de roses modernes. Des buvettes, des jeux d'enfants et un petit train complètent ce jardin de promenade et de détente où il fait bon flâner loin du bruit de la ville.

D.L.

Adresse : jardin botanique, 27 *ter*, rue de Pont-à-Mousson, 57158 Montigny-lès-Metz
Propriétaire : Ville de Metz, tél. : 87.55.54.00 (S.E.V.)
Ouverture : t.l.j. de 7 h au coucher du soleil (21 h en été) ; serres, t.l.j. de 8 h à 11 h 45 de 13 h 30 à 16 h 45
Accès : sortie sud-ouest de Metz par N57 vers Nancy

Château de Pange ★

Pange

Au-devant de l'élégante demeure, construite entre 1720 et 1756 sur les plans de l'architecte Louis, et de chaque côté d'une avenue de tilleuls, s'étend un parc planté d'essences variées après la dernière guerre et de nouveau en cours de réhabilitation. Au-delà du Pont-Blanc qui conduit à la garenne longeant la Nied, chênes et hêtres bicentenaires peuplent le parc.

Adresse : château de Pange, 57530 Pange
Propriétaire : M. Jean de Pange, tél. : 87.64.04.41
Ouverture : du 1er juin au 30 septembre, t.l.j. sauf mar. de 14 h à 18 h
Accès : à 14 km à l'est de Metz, par le technopole de Metz ou par N3 et D67

VOSGES 88

Château d'Épinal ★

Épinal

Parcourant le parc aménagé en 1809 pour M. Doublat, les 5 km de sentiers à travers les bois vous feront découvrir des séquences romantiques ponctuées de clairières, de fabriques et des ruines du château.

Adresse : château d'Épinal, rue d'Ambrail, 88000 Épinal
Propriétaire : Ville d'Épinal, tél. : 29.31.45.45
Ouverture : du 1er au 28 février, t.l.j. de 8 h à 17 h ; de mars à octobre, de 7 h 30 à 18 h ; d'avril à septembre, de 7 h 30 à 19 h ; du 1er mai au 31 août de 7 h 30 à 20 h
Accès : au centre ville, près du parc des sports

Jardin d'altitude du Haut-Chitelet ★ ★

Xonrupt-Longemer

Accrochées au flanc du massif du Honneck à 1 228 m d'altitude, les collections du Haut-Chitelet viennent compléter celles du jardin du Montet de Nancy (280 m). La gestion des deux jardins est coordonnée.

Plus de 3 000 plantes de haute montagne sont réparties, sur 1,2 ha, dans de nombreuses rocailles, bordées de sentiers, de prairies et de ruisseaux. La Vologne y prend sa source. Le plan de circulation a été dessiné par l'ingénieur horticole Henri Lefèvre. On trouvera, à l'état spontané ou en culture, toutes les plantes intéressantes de la flore des Vosges qui occupent le centre du jardin, et un grand nombre d'espèces des grands massifs montagneux du monde : Alpes, Pyrénées, Jura, Massif central, mais aussi Amérique du Nord, Chine, Himalaya, Japon, Carpates, Caucase... autant de plantes difficilement accessibles dont la découverte vous fera faire un grand voyage. M.R.

Adresse : jardin d'altitude du Haut-Chitelet, col de la Schlucht, 88400 Xonrupt-Longemer
Propriétaire : Conservatoire et jardins botaniques de Nancy, tél. : 83.41.43.43. Responsable : M. Ferry, tél. : 29.63.31.46
Ouverture : t.l.j., juin, septembre, octobre, de 8 h à 17 h 30 ; juillet et août, de 10 h à 12 h et de 14 h à 18 h ; meilleure époque : du 20 juin au 1er août
Accès : à 2 km du col de la Schlucht et à 20 km à l'est de Gérardmer par D417

Jardin d'altitude du Haut-Chitelet.

MIDI-PYRÉNÉES

La gamme des paysages du piémont pyrénéen à la vallée de la Garonne crée des jardins aussi différents que les collines ou les plateaux sur lesquels ils s'adossent. Entre les contreforts découpés des montagnes et la douceur du relief toulousain, les conditions climatiques sont très contrastées. Ces écarts de température engendrent une adaptation naturelle des végétaux utilisés en limite d'influence méditerranéenne : les plantes exotiques abritées créent les points forts du jardin pyrénéen. La tendance estivale sèche appelle la présence quasi indispensable de l'eau. Acteur principal du scénario, elle se glisse dans plusieurs rôles pour redessiner le relief, animer les nombreuses vasques, fontaines et statues de terre cuite, caractéristiques de la région. Les techniques de culture recherchaient les meilleures conditions comme le pastel cultivé au Moyen Age le long des rivières, sur les versants bien exposés. Les grands domaines agricoles ne sont pas toujours représentatifs de ces pratiques économiques, leurs parcs d'ombrages sont dissociés des champs de céréales comme des oasis. Les jardins, n'ayant pu bénéficier de la présence de l'eau dans le Midi toulousain, se caractérisent au contraire par une palette végétale sobre et répétitive composée d'arbustes persistants. Ces compositions peuvent être perçues comme des interventions horticoles minimales. Ces jardins, les plus représentés, sont décalés des tendances historiques et reprennent le même vocabulaire à travers les époques.

Dès le XVIe siècle, les jardins religieux donnent la note : chapelets d'espaces clos et réguliers, ils sont à l'origine des jardins de la Renaissance dont il ne subsiste que quelques traces. Près d'un siècle plus tard, les parcs classiques participent du même principe simple tout en s'ouvrant sur le paysage de la Garonne, les collines du Lauragais, les terrasses du Tarn. Avec le XVIIIe siècle, le décor en terre cuite apparaît, tranchant avec la rigueur noble et austère du jardin local. L'abondance des vases, corbeilles et statues rompt définitivement avec cette tradition, décor diffusé par les industriels briquettiers Virebent. Au milieu du second Empire, les jardins de style anglais font leur apparition à Toulouse. Au début du siècle, Édouard André imprime aux parcs de quelques riches propriétaires ses tracés paysagers. On notera que, dans cette région, les remaniements successifs n'ont pas gommé tout à fait la qualité intrinsèque du jardin régulier.

V.L.

Jardin des Plantes. Toulouse.

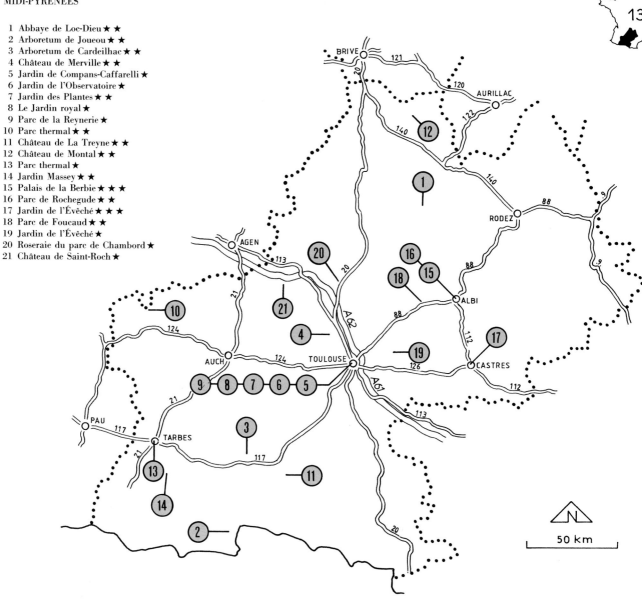

AVEYRON 12

Abbaye de Loc-Dieu ★★

Martiel

L'ensemble, représentant 75 ha, est un domaine dont les terres agricoles gagnent sur le parc d'agrément. Ses limites floues intègrent pelouses, pâturages et boisements anciens cernés de murs. Près de l'abbaye, un étang alimenté par une source servait autrefois de vivier aux moines cisterciens. Il fut aménagé en lac romantique tout comme un autre point d'eau entouré d'une grotte qui cache sous les rocailles un lavoir domestique. Les transformations du parc pendant le second Empire ont changé l'esprit monastique des lieux. Cependant, à travers les modifications, Loc-Dieu a su garder son authenticité. Une terrasse imposante creusée de niches pour y jucher des statues supporte magnolias, lauriers et sophoras. Plus loin, un parc ombragé mène au cœur de la forêt. 50 ha de chênes rouvres et pédonculés évoquent l'ambiance de la forêt des temps anciens.

V.L.

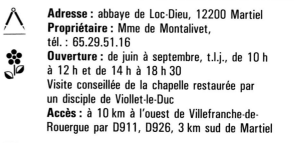

Adresse : abbaye de Loc-Dieu, 12200 Martiel
Propriétaire : Mme de Montalivet, tél. : 65.29.51.16
Ouverture : de juin à septembre, t.l.j., de 10 h à 12 h et de 14 h à 18 h 30
Visite conseillée de la chapelle restaurée par un disciple de Viollet-le-Duc
Accès : à 10 km à l'ouest de Villefranche-de-Rouergue par D911, D926, 3 km sud de Martiel

Arboretum de Joueou ★★

Bagnères-de-Luchon

C'est le deuxième arboretum de France (5 ha) après celui du domaine des Barres. Il a été fondé en 1921 dans un site prestigieux des Pyrénées. Sur place, on doit la création d'un laboratoire forestier au célèbre botaniste toulousain Henri Gaussen (1891-1981). Le but de ces plantations en pleine montagne est d'évaluer les facultés d'adaptation de chaque espèce en France dans des conditions climatiques optimales. D'approche très technique, sa visite concerne surtout les botanistes professionnels. Sa particularité est de posséder 250 espèces de conifères venus du monde entier, répertoriés par l'université Paul Sabatier à Toulouse.   V.L.

Adresse : arboretum de Joueou, 31110 Bagnères-de-Luchon
Propriétaire : Université Paul Sabatier, Toulouse. Renseignements, tél. : 61.53.02.35
Ouverture : permanente ; visites libres ou accompagnées. Se renseigner à Luchon-Animation, tél. : 61.79.32.22
Accès : après Bagnères-de-Luchon, sur la route de l'Hospice de France, D125 (à Bagnères-de-Luchon voir le parc des Quinconces)

Arboretum de Cardeilhac ★★

Cardeilhac

L'originalité de cet arboretum de 13 ha est d'être inclus dans une forêt domaniale de 187 ha. Dans le prolongement du plateau de Lannemezan, à 470 m d'altitude, c'est un lieu pédagogique par excellence. Dessiné au début du siècle par un ingénieur des Eaux et Forêts, il est composé de grandes allées dont les bosquets de quelques ares sont riches en essences forestières. Ces carrés où les espèces ne sont pas mélangées diffèrent donc d'un arboretum où chaque sujet est unique. C'est un sylvetum conçu pour expérimenter les boisements susceptibles de remplacer les chênes pédonculés et les chênes tauzins décimés par l'oïdium. De ces recherches sont nés les repeuplements de sapins de Douglas et de chênes rouges d'Amérique de la moyenne montagne. Les espèces qui n'ont pas donné de résultats efficaces sont intéressantes à conserver dans leur pleine maturité, tels les sapins de Norman, les féviers d'Amérique ou les cyprès chauves.   V.L.

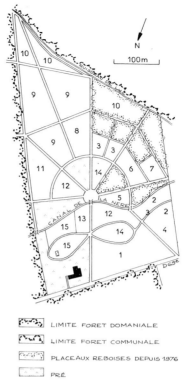

ARBORETUM DE CARDEILHAC

1 Frênes et résineux
2 Cedrus
3 Abies nordmanniana
4 Concolor
5 Quercus pedunculata
6 Cedrus deodora
7 Pinus densiflora
8 Chamaecyparis lawsoniana
9 Abies grandis
10 Pseudotsuga douglasii
11 Tuya plicata
12 Quercus borealis
13 Castanea japonica
14 Résineux et feuillus
15 Arbres variés

LIMITE FORÊT DOMANIALE
LIMITE FORÊT COMMUNALE
PLACEAUX REBOISES DEPUIS 1976
PRÉ

Adresse : arboretum de Cardeilhac, 31350 Cardeilhac
Propriétaire : l'État. Gestion : Office national des Forêts, 31800 Saint-Gaudens, tél. : 61.89.62.77
Ouverture : permanente ; visites libres ; visites guidées conseillées pour groupes ; contacter M. Decap à l'O.N.F.
Accès : à 12 km au nord de Saint-Gaudens par D9

Château de Merville ★★

Merville

En cours de réhabilitation, le parc de Merville (30 ha) témoigne de la diffusion du style classique au XVIIe siècle en province et possède un labyrinthe de buis qui fut exceptionnel. De l'allée centrale bordée d'un quadruple mail de platanes, qui soupçonnerait la situation privilégiée du jardin en balcon sur les premières terrasses de la Garonne ? De par la position dominante du château, l'esplanade surplombe la prairie ouverte sur le paysage. La terrasse se prolonge par une allée coupée de sauts de loup qui servaient à ralentir la course des chevaux tout en donnant l'illusion d'une perspective plus profonde. Marquée de pins parasols, la première rupture de niveau souligne l'orée des bois. De découverte en découverte, on suit cette promenade longeant la vallée vers les buis palissés qui mettent en scène les soubassements de la demeure. Une succession de bosquets de chêne bordés de buis offrent une lumière filtrée, une promenade sereine, à travers les allées conduisant à une salle de bal et un labyrinthe. V.L.

Adresse : château de Merville, 31330 Merville
Propriétaire : Famille de Beaumont. Contact : M. R. de Marcillac, tél. : 61.85.00.14
Ouverture : 1er dim. de juin ; promeneurs tolérés
Accès : à 25 km au nord-ouest de Toulouse par D2, direction Grenade-sur-Garonne

JARDIN DE MERVILLE

Jardin de Compans-Caffarelli ★

Toulouse

C'est un parc nouveau installé sur une ancienne caserne dont il subsistait quelques allées de platanes centenaires. Conçu par la municipalité en 1981, inauguré deux ans plus tard, il correspond à un souhait pressant de la population urbaine. Ses proportions (8 ha) permettent d'accueillir bon nombre de visiteurs et son échelle est adaptée à la demande nouvelle. Les allées sont larges pour y courir, l'espace est dégagé. Le cœur, plus resserré, accueille un jardin japonais dont les lotus ont atteint une envergure inespérée. Un ruisseau peuplé de canards sert à l'alimentation du plan d'eau depuis le proche canal du Midi. La qualité des végétaux récemment plantés est incontestable. V.L.

Adresse : jardin de Compans-Caffarelli, boulevard Lascrosses, 31000 Toulouse
Propriétaire : Ville de Toulouse, tél. : 61.22.26.24 (S.E.V.)
Ouverture : t.l.j., de 7 h 45 au coucher du soleil (21 h en été)
Accès : au nord du centre ville

Jardin de l'Observatoire ★

Toulouse

En promontoire sur la ville, le plateau du Calvinet est encore isolé du contexte urbain récent par le quartier de Marengo typiquement toulousain parmi bâtiments et dômes blanchis, un morceau de parc à l'anglaise trace des bifurcations contrôlées autour des cèdres, chênes verts, cyprès et pins. L'âme de ce parc vient autant du site que des aménagements fonctionnels issus de sa vocation. La double orientation de la colline permet de percevoir, d'un côté, la campagne et, de l'autre, la ville jusqu'aux coteaux opposés. L'implantation de l'Observatoire a été choisie pour l'immobilité qu'offrait l'assise argileuse élevée face aux trépidations de la ville.
Le parc fut achevé en 1846 sur les directives de l'architecte Urbain Vitry qui conçut l'Observatoire dans un style égyptien étonnant. Surmonté d'un dôme, ce bâtiment se pose perpendiculaire à l'axe précis nord-sud qui traverse le terrain. La construction carrée qui abrite la méridienne est implantée au milieu de ce double alignement hélas hétérogène. Cette ligne droite bornée par deux supports en pierre donne aux lunettes télescopiques leur premier repère avant de se lancer vers les coordonnées célestes. V.L.

Adresse : Observatoire, avenue de l'Observatoire, 31000 Toulouse
Propriétaire : Ville de Toulouse, tél. : 61.22.26.24 (S.E.V.)
Ouverture : t.l.j., de 7 h 45 au coucher du soleil (20 h en été)
Maison de la nature avec expositions temporaires
Association d'astronomie populaire
Accès : au nord-est du centre ville après la gare Matabiau
Visiter également le square Félix-Lavit, sur les allées Georges-Pompidou

Jardin des Plantes ★★

Toulouse

Dans un quartier calme du centre ville, ce parc renoue avec l'idée de profondeur, d'étendue et d'espace dont la ville médiévale était dépourvue. C'est donc en contraste bien marqué que se dessine l'ensemble du jardin des Plantes. Grand Rond, Jardin royal et Grandes Allées. Conçues au XVIIIe siècle, les liaisons des différents jardins entre eux sont remarquables jusque dans les façades qui les bordent. Détournées des vestiges de l'ancien rempart, les portes d'entrée du jardin des Plantes sont caractéristiques de l'attirance pour la ruine et l'extravagance du décor. De la première vocation horticole, il ne reste aucune trace si ce n'est la répartition régulière des parterres et une petite partie cachée derrière la faculté des sciences actuelle. Les embellissements successifs du XIXᵉ siècle mettent en œuvre des terrassements importants pour créer un bassin, des points d'eau et une butte. Toutes les conditions sont alors réunies pour poursuivre des essais d'acclimatation de plantes exotiques. De lieu d'étude il devient, pour l'Exposition universelle de 1887, un lieu de promenade remis au goût du jour. Ce remaniement stylistique ne supprime pas les deux grandes allées de jonction, plantées de tilleuls, de chênes verts et de noyers d'Amérique. V.L.

Adresse : jardin des Plantes, allées Jules-Guesde/ Frédéric-Mistral, 31000 Toulouse
Propriétaire : Ville de Toulouse, tél. : 61.22.26.24
Ouverture : t.l.j., de 7 h 45 au coucher du soleil (21 h en été)
Accès : centre ville, quartier du Boulingrin
De là, visiter les hôtels du quartier Saint-Étienne et leurs petits jardins enclavés (rue Vélane, rue Mage, rue Espinasse...)

Le Jardin royal ★

Toulouse

A l'ouest du Boulingrin, le Jardin royal domine les allées Jules-Guesde que borde, de l'autre côté, le jardin des Plantes. Assez étroit mais s'étendant sur

2 ha, le Jardin royal a été créé en 1754, juste à l'extérieur des remparts. Destiné d'abord à employer quelques centaines de sans-travail menaçants, il fut le premier jardin public de Toulouse. De très beaux arbres, quelques-uns exotiques, y font une ombre épaisse et appréciée autour du lac dessiné, en bordure d'un des quartiers les plus pittoresques de la vieille ville. Une passerelle conduit au Boulingrin sans nécessité d'affronter la circulation automobile. B.K.

Adresse : Jardin royal, allées Jules-Guesde, 31000 Toulouse
Propriétaire : Ville de Toulouse, tél. : 61.22.26.24
Ouverture : t.l.j., de 7 h 45 au coucher du soleil (21 h en été)
Accès : centre ville, quartier du Boulingrin

Jardin royal. Toulouse.

Détail d'un banc, jardin royal de Toulouse.

Parc de la Reynerie ★

Toulouse-Le Mirail

Le pavillon de chasse de Guillaume du Barry est le reflet de la pensée naturaliste du XVIIIᵉ siècle. Navigateur et aventurier, cet homme avait acquis sa fortune de son mariage blanc avec Mme du Barry, favorite de Louis XV. De ses voyages, il ramenait des plantes dont il composa habilement le jardin. Plus de 200 espèces sont recensées aujourd'hui. Le tracé minutieux des filets d'eau qui courent à travers le parc de 3 ha est le signe d'un concepteur de talent. Trop-plein de bassin réglé par nivellement imperceptible, rigoles éphémères et drainage calculé sont autant de témoins d'une composition parfaitement maîtrisée attribuée à Claude-Nicolas Ledoux.
C'est en suivant le fil de l'eau que l'on écoute le récit du jardin. Les perspectives des allées, bordées de buis et remplies d'essences exotiques innombrables, conduisent au bassin médian entouré de bosquets de palmiers, tulipiers de Virginie, séquoias géants, gingko biloba. En périphérie, un nymphée de briques donne naissance au canal de ceinture. Conçue sur les terrasses de la Garonne, la première marche,

parallèle au bâtiment, est marquée de deux lions de pierre qui regardent le parc. Du bout de cet axe, la folie, de style Bagatelle, offre une image de sérénité.

V.L.

Adresse : parc de la Reynerie, impasse de l'Abbé-Salvat, 31000 Toulouse
Propriétaire : Ville de Toulouse. Demeure : propriété privée, tél. : 61.40.46.76
Ouverture : t.l.j., de 7 h 45 au coucher du soleil (21 h en été) ; visite du château, en été pour groupe sur demande
Accès : Le Mirail, quartier de la Reynerie, en périphérie sud-ouest de Toulouse

Le parc de la Reynerie et sa « folie ».

GERS 32

Parc thermal ★★

Barbotan-les-Thermes

A la limite du Gers, des Landes et du Lot-et-Garonne, au cœur de l'Armagnac, la station thermale de Barbotan fut fréquentée dès le Moyen Age, sous le joli nom de San Pé du Riou Caou (Saint-Pierre du ruisseau chaud). Son climat particulièrement amène, ses eaux et ses boues tièdes, ont permis au début du XIXᵉ siècle l'installation dans un très beau parc d'essences tropicales, rares à l'époque : palmiers, bananiers, yuccas, caldium et surtout lotus. Ceux-ci poussent et fleurissent en plein air, couvrant un grand bassin, leurs rhizomes protégés naturellement,

l'hiver, par l'infiltration des eaux thermales. Près des lotus, cinq variétés de nénuphars ont envahi un petit lac peuplé de poissons rouges peu farouches. La belle bananeraie a été détruite par le gel de 1985 mais le parc alentour se pare toujours de superbes magnolias et d'un cyprès chauve planté en l'honneur d'une visite de Napoléon III.

B.K.

Adresse : parc thermal, 32210 Barbotan-les-Thermes
Propriétaire : Société thermale, tél. : 62.69.52.09
Ouverture : permanente ; visites libres
Accès : à 36 km à l'ouest de Condom par D931 et D626 à Eauze, et à 2 km au nord de Cazaubon

LOT 46

Château de la Treyne ★★

Lacave

Le très beau château qui domine la Dordogne est entouré d'un parc ouvrant sur la forêt. Ce parc compte plusieurs arbres séculaires. Il est longé par un jardin à la française, parfaitement entretenu, que commandent deux superbes cèdres du Liban. Roseraie en création. Le château est aménagé en hôtel de luxe.

B.K.

Adresse : château de la Treyne, 46200 Lacave
Propriétaire : Mme Michèle Gombert-Devals. Hôtel de la Treyne, tél. : 65.32.66.66
Ouverture : du 1ᵉʳ juin au 15 septembre, t.l.j. (sauf lun.), de 10 h à 12 h et de 14 h à 17 h
Accès : à 12 km au nord-ouest de Rocamadour, puis à 3 km par D43 à Lacave

Château de Montal

Saint-Céré

Pour le coup d'œil. Le château de Montal, aux environs de Saint-Céré, offre en prime à ses nombreux visiteurs un petit jardin de buis très secret. Il faut monter quelques marches, qui bordent au sud la cour d'honneur, pour contempler, au pied d'une petite terrasse, un joyau de la Renaissance française. Croirait-on que ce jardin du XVIe siècle a été intégralement recréé en 1967 par les propriétaires actuels et l'architecte des Bâtiments de France sur le modèle d'une peinture ancienne ?   B.K.

Adresse : château de Montal, 46400 Saint-Céré
Propriétaire : l'État. Mme de Panafieu (usufruitière), tél. : 65.38.13.72
Ouverture : jardin visible lors de la visite du château, visites guidées ; t.l.j. (sauf sam.), des Rameaux au 30 juin et septembre-octobre, de 9 h 30 à 11 h et de 14 h 30 à 17 h ; en juillet, t.l.j. mêmes horaires ; août, tous les après-midi, de 14 h 30 à 18 h
Accès : à 3 km à l'ouest de Saint-Céré par route de Gramat (D673)

Le jardin à la française. La Treyne.

Un jardin recréé dans l'esprit renaissance. Le Montal.

Parc thermal ★

Argelès-Gazost

Ce parc est une composition à l'anglaise de la fin du XIXe siècle avec sa structure circulaire, ses eaux vives et sa situation au pied des Pyrénées au cœur de la cité thermale. Il offre un îlot de calme et de verdure sur 5 ha. T.D.

Adresse : parc thermal, 65400 Argelès-Gazost
Propriétaire : Ville d'Argelès-Gazost,
tél. : 62.97.22.66 (S.E.V.)
Ouverture : t.l.j.
Jeux d'enfants, fêtes champêtres en été
Accès : à 15 km au sud-ouest de Lourdes par N20

Jardin Massey ★★

Tarbes

Placide Massey créa ce beau parc paysager de 13 ha, et le légua ensuite à sa ville natale en 1853. Intendant des jardins que la reine Hortense possédait en Hollande et en France, Placide Massey devint directeur des parcs et jardins de Versailles, de Sèvres et de Saint-Cloud en 1819. Il réalisa de nombreux plans de jardins pour des personnalités de la première moitié du XIXe siècle. A Tarbes, il aménagea un parc et un jardin d'hiver autour d'un pavillon surmonté d'un minaret, aujourd'hui musée d'histoire naturelle. Allées et bosquets, d'essences exotiques destinées à être présentées au public, étaient mis en valeur par des pelouses et des plates-bandes fleuries. Le parc fut agrandi et un lac creusé vers 1860. Le cloître de l'abbaye de Saint-Séver-de-Rustan, remonté vers 1890, forme une étrange galerie archéologique. La vocation pédagogique du parc a été reprise par la municipalité et la promenade permet une étude botanique approfondie parmi de beaux séquoias, tulipiers, noyers carias, magnolias et de nombreux animaux, chevreuils, daims, mouflons qui participent à la composition de l'ambiance. M.R.

Adresse : jardin Massey, place Henri-Bordes, 65000 Tarbes
Propriétaire : Ville de Tarbes,
tél. : 62.93.96.52 (S.E.V.)
Ouverture : t.l.j., de 7 h ou 8 h (selon saison) au coucher du soleil
Accès : au nord du centre ville

Jardin Massey, à Tarbes.

TARN 81

Palais de la Berbie ★★★

Albi

Un jardin sur le Tarn. La construction de la Berbie, ancien palais des évêques d'Albi, est antérieure au palais des Papes d'Avignon. Le donjon imposant, érigé dès le XIIIe siècle, surplombe le jardin escarpé accessible par un escalier de brique remarquable. C'est à Hyacinthe Serroni, premier archevêque d'Albi, que l'on doit au XVIIe siècle la transformation savante du site de défense de l'inquisiteur Bernard de Castanet en lieu de contemplation. Le jardin de broderie se substitua à la cour d'armes, le promenoir au chemin de ronde. Les statues des Quatre Saisons vinrent remplacer les merlons. Le prélat italien retrouva l'esprit d'adaptation commencé à la Renaissance par Louis d'Amboise.

C'est de ces « détournements » qu'apparaît la singularité du jardin de buis installé au cœur de la forteresse et de la promenade en aplomb sur le Tarn. A chaque angle de la galerie, les tourelles carrées permettent de jouer les sentinelles pour admirer les faubourgs du vieil Albi ou pour suivre les remous de la rivière. Les remparts abaissés ont permis l'entrée du paysage extérieur, comme un tableau dans le cadre fermé du palais médiéval.   V.L.

Adresse : palais de la Berbie, place Sainte-Cécile, 81000 Albi
Propriétaire : Ville d'Albi, tél. : 63.54.00.20
Ouverture : t.l.j., de 9 h à 19 h
Musée Toulouse-Lautrec, tél. : 63.54.14.09
Accès : centre ville

Jardin de la Berbie.

Parc de Rochegude ★ ★

Albi

Ce parc est un dialogue entre le classicisme et le romantisme naissant, entre la nature disciplinée par l'homme et la nature libre. Pascal de Rochegude, né à Albi en 1741, contre-amiral, compagnon de Lapérouse, s'installa en 1799 dans un vieil hôtel Louis XIII à Albi et créa alors un parc à la française. Son goût très vif pour la botanique le poussa à construire une grande orangerie (aujourd'hui disparue) pour abriter orangers, myrthes et arbustes des pays chauds. Mais, avant l'installation de Rochegude, existait déjà un jardin avec allées et plates-bandes dans la partie haute du parc actuel. Celui-ci avait peut-être été dessiné par le chanoine Renaudin, propriétaire des lieux avant 1730. Mais c'est à Rochegude que nous devons les espèces rares que l'on découvre encore dans ce parc, ainsi que les orangers, les allées du parterre central et les arbustes. Au XIXᵉ siècle, le parc se terminait à la terrasse sur laquelle fut érigé le buste de l'amiral en 1886, le reste étant occupé par une exploitation agricole avec jardin potager et verger. Celle-ci fut supprimée et la ville installa alors un jardin à l'anglaise avec labyrinthe, pièce d'eau, allées mystérieuses... qui

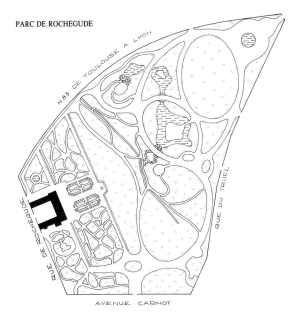

PARC DE ROCHEGUDE

tranche avec la noble ordonnance du jardin à la française de la terrasse. La ville d'Albi et ses jardiniers sont toujours restés fidèles au souvenir de Rochegude en maintenant dans le parc des espèces, assez rares dans notre région, introduites et soignées avec amour par le contre-amiral, contribuant ainsi à faire de ce parc un ensemble harmonieux et plein de charme.   M.N.

Adresse : parc de Rochegude, avenue du Maréchal-Foch, 81000 Albi
Propriétaire : Ville d'Albi, tél. : 63.54.00.20
Ouverture : été de 8 h à 19 h 30, hiver de 9 h à 17 h 30
Accès : au sud du centre ville

Détail d'une fontaine. Parc de Rochegude.

Jardin de l'Évêché ★ ★ ★

Castres

Exercice de style. Implanté sur un terrain bordant l'Agout, le palais épiscopal de Castres fut commandé en 1666 par Mgr Tubœuf à Jules Hardouin-Mansart. En 1676, André Le Nôtre donna le dessin d'un

JARDIN DE L'ÉVÊCHÉ DE CASTRES

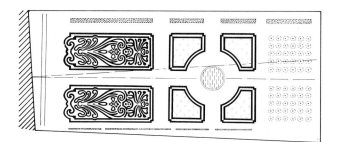

jardin à créer sur le devant du palais, œuvre qui sera réalisée plus tard par Mgr de Maupou, vraisemblablement en 1700. Pour profiter de la vue sur la vallée, Mansart avait orienté le palais en oblique par rapport aux rives de l'Agout, laissant à Le Nôtre un terrain difficile. Avec le talent qu'on lui connaît, celui-ci fit pivoter vers la droite l'axe central pour disposer d'un parterre rectangulaire central et élargit le fond du jardin afin de corriger la perspective et ménager des allées latérales. Au pied du palais, s'étale la partie spectaculaire du dessin. Deux parterres de compartiments, composés d'enroulements de buis très fournis sur fond de sable blond, sont encadrés par des compartiments fleuris et des ifs taillés en topiaire. En second plan, quatre parterres à compartiments de gazon encadrent le miroir d'eau habilement décentré... pour qu'il paraisse central, malgré l'effet perspectif. Bordée par une rangée de tilleuls palissés à l'italienne de façon à laisser passer la vue au-dessus, cette superbe terrasse sur l'Agout se termine par deux petits bosquets réguliers qui, n'étant plus taillés, font aujourd'hui office de fond de scène. Un jardin dessiné par Le Nôtre encore en état, ce n'est pas si courant ! Et le coup d'œil par la fenêtre du palais vaut bien un détour.

M.R.

Adresse : hôtel de ville, rue de l'Évêché, 81100 Castres
Propriétaire : Ville de Castres, tél. : 63.59.62.63
Ouverture : permanente ; visites libres
Musées Goya et Jaurès (t.l.j. sauf le lun.), tél. : 63.59.12.43
Accès : au sud du centre ville

Parc de Foucaud ★★

Gaillac

Cascades de verdure et d'eau. Construit au XVIIe siècle pour Jacques Foucauld d'Alzon, le château de briques roses se prolonge par un parc à la française et des communs en hémicycle, le long d'un axe orienté au nord, vers le village. Au sud, luxuriantes de végétation, les terrasses à l'italienne descendent vers le Tarn sont animées de cascades, de gargouilles et de rigoles dont l'eau prend des formes et des sonorités variées. Au XVIIIe siècle,

M. de Huteau aimait à recevoir la société brillante de son temps. La romancière Eugénie de Guérin fréquentait alors ses salons, et ses jardins qui possèdent un pavillon de lecture. Un peu plus tard, Fragonard et Liszt seront les hôtes de ce lieu qui inspire les artistes. Aujourd'hui, derrière le château transformé en musée, le jardin est intact, et les terrasses, qui ont tant vu de réceptions, se recouvrent chaque année de grandes tables blanches pour la fête des vendanges.

V.L.

Adresse : parc de Foucaud, 81600 Gaillac
Propriétaire : Commune de Gaillac,
tél. : 63.57.18.25
Ouverture : t.l.j., de 8 h au coucher du soleil
Demeure historique : musée de peinture, d'histoire locale et du vignoble gaillacois
Accès : à 45 km au nord-est de Toulouse par N88, à 22 km à l'ouest d'Albi

Jardin de l'Évêché ★

Lavaur

Au pied de la cathédrale Saint-Alain, modèle réduit de Sainte-Cécile d'Albi construit au XIIIe siècle, les jardiniers municipaux de Lavaur entretiennent avec amour un jardin public aux parterres généreusement fleuris. L'attraction en est constituée par deux amusants sujets d'art topiaire qui changent chaque année. A quelques pas, une belle esplanade aux arbres centenaires domine l'Agout.

B.K.

Adresse : jardin de l'Évêché, 81500 Lavaur
Propriétaire : Commune de Lavaur,
tél. : 63.58.06.71
Ouverture : permanente ; visites libres
Accès : à 37 km à l'est de Toulouse par D112

TARN-ET-GARONNE 82

Roseraie du parc de Chambord ★

Montauban

Créée en 1975 pour sauver la collection de Roger Sucret qui en fit don à la ville de Montauban, cette roseraie présente plus de 1 000 variétés à grosses fleurs, françaises ou étrangères, regroupées par pays d'origine.
De la rose à l'arbre, on pourra faire un petit détour vers le Tarn et le jardin des Plantes (centre ville) qui a conservé quelques belles essences.

T.D.

Adresse : Roseraie du parc de Chambord, boulevard Vincent-Auriol, 82000 Montauban
Propriétaire : Ville de Montauban,
tél. : 63.63.55.20
Ouverture : de 8 h au coucher du soleil
Accès : au sud du centre ville

Château de Saint-Roch ★

Le Pin

Autour du château de style néogothique, le parc à l'anglaise, sur 18 ha, a été dessiné par Édouard André. De grandes perspectives modelées assurent la continuité avec la campagne environnante. Une enfilade de fenêtres permet à la vue de passer à travers le château. Le parc est remarquable par son emprise sur le territoire. Les dessins du jardin donnent au promeneur une véritable leçon de géographie. Au détour des allées, les massifs de chênes chevelus, séquoiadendrons et cèdres séculaires se détachent des espèces spontanées. Certaines essences sont en fin de course, d'autres atteignent leur pleine maturité.

V.L.

Adresse : château de Saint-Roch, chemin de Saint-Roch, 82340 Le Pin
Propriétaire : M. André Sagne,
tél. : 63.95.95.22
Ouverture : de Pâques au 15 novembre, dim. et jours fériés, de 14 h 30 à 19 h ; du 15 juillet au 15 septembre, t.l.j., de 14 h 30 à 19 h
Accès : à 12 km à l'ouest de Castelsarrasin sur la D12

Une œuvre de Le Nôtre dans le Midi : le jardin de l'Évêché à Castres.

N O R D -
P A S - D E - C A L A I S

Zone frontière sans délimitations physiques marquées, la région Nord-Pas-de-Calais a subi des influences contradictoires au cours de l'histoire dans la constitution de son territoire, prenant modèle tantôt sur les pays septentrionaux, tantôt sur la France.

Cependant, l'ensemble de la région jouit d'un climat tempéré doux et humide où les vents dominants du Sud-Ouest venant de la mer l'apparente davantage à l'Europe du Nord-Ouest. Très peu de grands froids, un climat sans grande amplitude de température, permettent une acclimatation de très nombreuses espèces végétales telles que nous le constatons en Grande-Bretagne par exemple.

Dans cette région, depuis l'époque médiévale densément peuplée et enrichie par ses productions agricoles et artisanales et par un commerce florissant, les parcs et jardins des demeures aristocratiques et des institutions religieuses ou laïques apparaissent dispersés sur l'ensemble du territoire. Ils sont davantage en confrontation avec le monde urbain et le monde agricole qu'avec un paysage naturel.

Il ne s'agit pas de domestiquer une nature mais d'être repérable dans un territoire totalement humanisé, quelquefois même créer de « la nature » et surtout du « pittoresque ».

Ainsi des parcs ou des éléments de parcs à la française subsistent çà et là mais ce sont surtout les parcs romantiques de la fin du XVIIIe et du début du XIXe siècle élaborés après les guerres de frontière du Grand Siècle, qui sont le plus préservés.

L'industrialisation et l'urbanisation souvent accomplies dans la précipitation et le désordre du cours du XIXe siècle ont considérablement modifié le paysage régional. Mais ce qui caractérise véritablement la région Nord-Pas-de-Calais c'est la profusion de jardins et de parcs accompagnant la croissance économique et urbaine de la période industrielle dans un territoire où le mode privilégié d'expansion est la multiplication de maisons individuelles avec jardins, quelle que soit l'appartenance sociale, selon la tradition septentrionale.

Parcs et jardins privés, créations de la bourgeoisie industrielle, rivalisent avec les parcs et jardins publics des grandes villes. Les mêmes paysagistes et jardiniers étant appelés à réaliser ces jardins d'agrément plus pittoresques que réguliers, aussi éclectiques dans les essences végétales que l'était dans son décor l'architecture domestique de la fin du XIXe siècle.

Les ravages provoqués par les deux guerres mondiales du XXe siècle dans cette région frontalière ont malheureusement entamé le patrimoine bâti et paysager. C'est cependant à ces phénomènes bien peu désirés que nous devons une des originalités de la typologie régionale des jardins : les cimetières militaires qui jalonnent les terrains des grandes batailles de l'Artois et de la Flandre, en particulier au lendemain de la Première Guerre mondiale, sont exemplaires par leur entretien, leur composition et leur végétation. Chaque nation veut honorer ses morts souvent à l'aide des plantes du pays d'origine.

Par ailleurs, cette région très urbaine est soumise actuellement à une pression foncière de plus en plus forte, vrai péril pour les jardins urbains et périurbains transformés en « terre à bâtir ». En contrepartie, les grands parcs contemporains aménagés sur les friches des grandes industries de la première moitié du XXe siècle (réaménagement de terrils dans le bassin minier, récupération par aménagement paysager des vastes espaces de la sidérurgie...) ouvrent une nouvelle ère dans l'histoire des parcs et jardins de la région.

14

NORD - PAS-DE-CALAIS

1 Château du Vert Bois ★ ★
2 Parc Fénelon ★
3 Parc de l'Hermitage ★ ★
4 Jardin des Sculptures ★ ★
5 Château d'Esquelbecq ★
6 Parc du Manoir aux Loups ★
7 Parc de la mairie d'Hellemmes ★
8 Jardin des Plantes ★
9 Jardin Vauban ★ ★
10 Parc Coquelle ★
11 Parc Barbieux ★ ★
12 Cimetière national militaire de Notre-Dame-de-Lorette ★
13 Château de la Villeneuve ★
14 Parc du bureau des Mines ★
15 Château de la Caucherie ★ ★
16 Jardin public ★ ★
17 Manoir d'Estruval ★

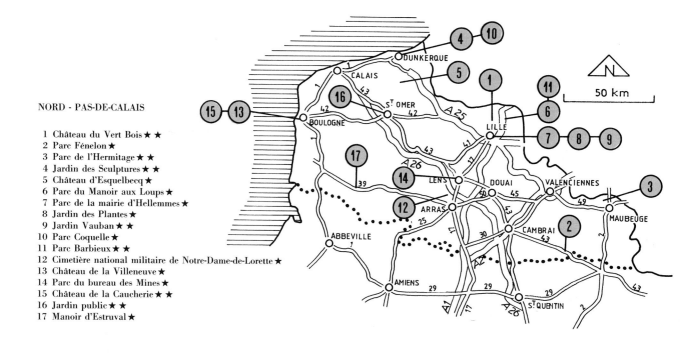

p. 222 : Une tradition régionale, la mosaïculture.

NORD 59

Château du Vert Bois ★★

Bondues

Rendez-vous culturel. A deux pas de Tourcoing, le château du Vert Bois, classé monument historique depuis 1965, est un pôle culturel de la région.

Conçu en 1743 par M. Page, architecte-paysagiste anglais, ce jardin de 2,7 ha a été créé sur l'emplacement d'une ferme fortifiée.

L'eau dormante domine dans le site : dès l'entrée, deux énormes saules pleureurs plongent leurs racines dans l'eau. Puis des canaux encadrent les parterres ordonnancés du parc à la française qui s'étend majestueusement devant le château. De part et d'autre, deux pavillons chinois de 1751 donnent une ambiance inattendue. L'eau, traitée à la manière d'un étang de forme libre, entoure une pelouse plantée d'arbres fruitiers et un coin paysager aux arbres âgés.

Il faut signaler, d'autre part, que le parc du château jouxte l'ancienne « ferme des Marguerites », siège de la Fondation Septentrion, vivante par ses expositions et ses animations.   F.R.

Adresse : château du Vert Bois, 29, rue de Tourcoing, 59910 Bondues, tél. : 20.46.23.16
Propriétaires : M. et Mme Albert Prouvost
Ouverture : toute l'année le dim. et les jours fériés de 14 h à 18 h (fermé du 20 juillet au 15 août) ; visite de groupes sur demande écrite auprès de M. Prouvost, Fondation Septentrion, chemin des Coulons, 59700 Marcq-en-Barœul, tél. : 20.46.26.37
Accès : à 10 km au nord de Lille par N17

Parc Fénelon.

Parc Fénelon ★

Le Cateau

Pour les écrivains... Ce parc de 2 ha fait par le « jardinier » Neufforge (auteur de « modèle de jardins de propreté » vers 1760) est souvent attribué à Le Nôtre dans la région. Serait-il un petit Versailles du Cambrésis ?

Il faut admettre que ce parc s'impose par une certaine majesté face au palais Fénelon, ancien palais des archevêques de Cambrai, abritant actuellement le musée Matisse. Ce jardin est composé d'un grand tapis vert dans l'axe du palais, bordé de chaque côté d'allées de vieux tilleuls. Trois niveaux communiquent par des escaliers monumentaux. Au fond, une partie plus champêtre est ornée des couleurs chatoyantes de mosaïques de fleurs. Face à l'entrée, une statue de Fénelon, précepteur du duc de Bourgogne en 1689, se dresse imposante : on dit que c'est là que celui-ci aurait composé les célèbres *Aventures de Télémaque*.

Le parc inspirerait-il les écrivains ? A vous de voir...   F.R.

Adresse : parc Fénelon, rue des Poilus, 59360 Le Cateau
Propriétaire : Commune du Cateau, tél. : 27.84.00.10
Ouverture : t.l.j. de 8 h 30 à 18 h (en été : 19 h 30)
Accès : centre ville

Parc de l'Hermitage ★★

Condé-sur-l'Escaut

Une forêt jardinisée. Forêt domaniale de 480 ha pour la partie française, la forêt-parc s'étend sur 380 ha en Belgique : qui imaginerait maintenant qu'au Siècle des Lumières, vers 1770, le maréchal de Croÿ avait « construit pendant vingt années » un parc novateur, un pendant au parc de Belœil en Belgique ?

Dans l'indifférence générale, la « forêt jardinisée », selon les termes de Croÿ, est transformée en « forêt de rapport » : sont oubliés les berceaux magiques, allées tournoyantes et les salles de verdure, animées par des sangliers empaillés à roulettes...

Et pourtant, en atteignant le château, on perçoit clairement :

— Un parc de château (privé) aux grandes lignes vigoureuses : quatre pattes d'oie sur les quatre côtés du château et quatre diagonales agrémentées de « bosquets » vont architecturer ce jardin. Huit « bosquets de saisons », à floraison homogène, comportaient « une quantité infinie de plantes rares et communes », et permettaient de « s'approprier le monde » d'une façon bien commode.

De tout cela, reste le tracé en étoile à partir du château, le jardin anglais, plusieurs arbres séculaires : chênes, marronniers, paviers, enfermés par des grilles défiant le siècle.

— Une « forêt jardinisée » (forêt domaniale maintenant) qui est libre d'accès. Prolongeant les perspectives des allées et tramant la forêt proche (étoile de Diane), de Croÿ a décidé de « suivre la nature pas à pas, mûrissant l'organisation de sa forêt-parc. Un jardin anglais avec une île sauvage et un tholos (temple), une cascade et un cirque, un pont et un pavillon chinois, viendront s'accoler à ce qui est maintenant le parc privé du château.

Le cheminement par les allées du parc est aisé et permet de se perdre à loisir, repérant, çà et là, l'étang du jardin anglais, le gigantesque séquoia à la motte, les ruines presque englouties sous les hêtres de la tour commencée, tout cela en tournant autour du château et en aboutissant sous la Vierge de Bonsecours...

H.L.

Parc de l'Hermitage. Le jardin régulier.

Adresse : forêt domaniale de Bonsecours-France et château de l'Hermitage, 59162 Condé-sur-l'Escaut
Propriétaires : forêt-parc, ministère de l'Agriculture, gérée par l'Office national des Forêts ; château, Mme Antonini-Ardielli
Ouverture : libre accès dans la forêt domaniale ; visite sur demande écrite de la partie privée du parc et du château
Accès : à 15 km au nord de Valenciennes par D935, à 50 km de Lille (par la Belgique)

Jardin des Sculptures ★★

Dunkerque

La grande ville industrielle a mangé la vie... exception faite du joyau qu'est le jardin des Sculptures sur une ancienne friche portuaire.

Cette création toute récente (12 ha) enveloppant le musée d'Art contemporain est « une œuvre écrite pour le vent et la tempête. Elle respire l'iode et l'acier en fusion, à l'écoute du martèlement des tôles et des bruits des sirènes du port. »

Dans ce site, sous les grues, à l'ombre des pétroliers, une porte, dentelle de lames d'acier tordues, vous introduit dans cet univers envoûtant. Au plat pays de la Flandre maritime, le paysagiste Gilbert Samel a créé un large tapis de sol engazonné dont les courbes s'enchaînent sur un arrière-plan d'une singulière beauté : le port et l'infini de la mer.

Une allée, serpentant entre une végétation gris et bleu comme le ciel, dirige vos pas vers une explosion sculpturale de pierres brutes posées là comme déchargées d'un cargo. Au centre, entre deux cotylédons de marbre noir surgit une source d'eau qui amène, plus loin, au miroir d'eau où baigne l'entrée du musée. L'architecte Jean Willerval l'a conçu comme une sculpture qui s'enchâsse dans les taches vertes du jardin.

Il faut aussi grimper sur les vallonnements, dominer le site, et prendre le temps de regarder, dans cet écrin végétal, les nombreuses sculptures qui, chacune, sont un sujet de rêve, un symbole de notre époque.

A.L.

Adresse : musée d'Art contemporain, avenue des Bains, 59240 Dunkerque
Propriétaire : Ville de Dunkerque
Ouverture : du 1er avril au 1er octobre, de 9 h à 20 h (19 h hors saison) ; visite guidée sur rendez-vous, tél. : 28.59.21.65
Musée d'Art contemporain
Accès : à 1 km du centre sur la route de Malo-les-Bains

Jardin des Sculptures. Dunkerque.

Château d'Esquelbecq ★

Esquelbecq

Le jardin et le château d'Esquelbecq (3 ha) sont des témoins, en partie conservés, de la Renaissance. On retrouve une image ancienne de ceux-ci, dessinée par Sandérus en 1644 dans la *Flandria illustrata*.

Des douves lient le château au jardin, réfléchissant ses façades. La partie la plus intéressante du jardin est l'ancien potager-fruitier.

Au lieu du dessin habituel en carré, les allées partent des angles en diagonale et coupent le jardin en grands triangles. Ces allées sont accompagnées de contre-espaliers bas de fruitiers et de palissades faites de quadrillage de lattes en bois qui enclosent l'intérieur des grands compartiments. Un très beau pot à feu du XVIIIe siècle marque le centre du potager. Malheureusement, une tour du château regardant le jardin s'est effondrée dans les douves en 1984, image de la fragilité de notre patrimoine. Une restauration lente a été entreprise, et un arrêté de péril empêche la visite à l'intérieur des lieux.

On peut cependant admirer le jardin potager-fruitier derrière la grille qui le sépare de la charmante place du bourg.   A.L.

Adresse : château d'Esquelbecq, 59470 Esquelbecq
Propriétaire : Mme Morael, Paris
Ouverture : fermé au public par arrêté municipal « de péril » ; visible depuis la place du bourg
Auberge-restaurant *le Relais du Château*, place du Bourg, tél. : 28.65.67.63
Accès : par l'autoroute Lille-Dunkerque, sortie Wormhout

Parc du Manoir aux Loups ★

Halluin

Au sommet du mont d'Halluin, dernier chaînon des monts de Flandre, le Manoir aux Loups est fièrement campé en balcon... à 55 m d'altitude. Le chaleureux accueil du propriétaire ne manquera pas d'étonner tout visiteur, tant il est vrai que M. Carissimo vous fera partager ses passions, dont celle des résineux...

Le parc du Manoir aux Loups (5 ha env.), dont « l'art est caché sous une nature agreste », contient les plus beaux arbres colorés de l'automne, des feuillus rares tel l'aulne impérial japonais (60 m), le platane espagnol (50 m de pourtour de ramure), et de très nombreux résineux.

En suivant les longues drèves gazonnées, le promeneur découvrira des sites comme « l'archerie », nichée entre épicéas, picéas et séquoias, puis entreverra, par le ravin des chênes centenaires, « le manoir », ira ensuite vers le « tour ombragé de l'étang » et regagnera les abords soignés du manoir par le verger.

Est-ce M. Percy Cane, le paysagiste anglais, ou M. Carissimo, l'auteur de ce lieu d'exception ? Qu'importe, puisqu'une fusion heureuse du site et de sa végétation nous est là offerte...   H.L.

Adresse : Manoir aux Loups, 300, Mont-d'Halluin, 59250 Halluin
Propriétaires : M. et Mme Carissimo-Desurmont
Ouverture : sur demande écrite aux propriétaires
Accès : à 15 km au nord de Lille

Parc de la mairie d'Hellemmes.

Parc de la mairie d'Hellemmes ★

Hellemmes-Lille

Ancienne propriété bourgeoise d'un patron de l'industrie édifiée vers 1880, la mairie d'Hellemmes, commune contiguë à Lille, est entourée d'un parc (2 ha), véritable prototype du jardin d'agrément paysager de la fin du XIXe siècle. La propriété devenue mairie vers 1910 n'a pas cessé d'être entretenue et le parc a conservé toute la « saveur bourgeoise » de la fastueuse période de son édification.

Entre parc et jardin, les arbres aux essences variées et exotiques, aujourd'hui dans la majesté de leur maturité, s'associent aux massifs de fleurs de mosaïques et aux rocailles. Les mouvements mamelonnés du terrain ont été créés à partir des pièces d'eau : un grand bassin ovale avec jeux d'eau devant la maison, un cours d'eau en cascade (aujourd'hui asséché) et un étang, avec cygnes et canards, surmonté d'une île en rochers très fleurie et d'un kiosque en bois dans la partie arrière du parc.

Ponts rustiques, pigeonnier, rochers ponctuent le parcours sinueux des allées entre pelouses souples et grands arbres.   D.M.

Adresse : mairie d'Hellemmes, 155, rue Roger-Salengro, 59260 Hellemmes-Lille
Propriétaire : Mairie d'Hellemmes, tél. : 20.47.80.31
Ouverture : t.l.j. de 9 h à 20 h (été) ; de 9 h à 12 h et de 14 h à 17 h (hiver)
Accès : périphérie est de Lille

Jardin des Plantes ★

Lille

Créé après la seconde guerre sur les anciennes fortifications, le jardin des Plantes de Lille présente une composition « moderne ». La serre, articulée en trois cubes de verre, regroupe une collection de plantes exotiques. La roseraie monumentale, animée de jets d'eau, et le jardin alpin, pour lequel des reliefs artificiels ont été aménagés, contribuent à faire de ce lieu un jardin de ville original.   T.D.

Adresse : jardin des Plantes, rue du Jardin-des-Plantes, 59000 Lille
Propriétaire : Ville de Lille
Ouverture : t.l.j. de 9 h à 18 h (21 h en été) ; serres, de 9 h à 11 h 30 et de 13 h à 16 h (18 h sam. et dim.), tél. : 20.52.06.83
Accès : au sud de la ville à la limite de Ronchin

Une grotte « pittoresque » dans le jardin Vauban. Lille.

Jardin Vauban ★ ★

Lille

Le jardin Vauban fut créé sous le second Empire par l'architecte paysagiste Barillet Deschamps, adjoint d'Alphand à la Ville de Paris. Dans le même temps, Lille faisait un « grand bon en avant » industriel...

De style pittoresque, ce jardin permettait de créer au cœur de la ville résidentielle une atmosphère rupestre, un lieu de paisibles promenades bourgeoises.

Il est composé, sur 3,5 ha, d'une belle mise en scène d'arbres aux essences rares. A travers l'ombre épaisse de ceux-ci, les parterres de mosaïculture explosent de couleurs. Une grotte donne naissance à une rivière serpentine coulant au milieu du parc et franchissable par des gués. Un petit pavillon, qui autrefois abritait les chèvres, est en cours de restauration.

Un jardin fruitier d'arbres palissés autour d'une fontaine du XIXᵉ siècle prolonge le parc à l'anglaise. D'un dessin régulier, ce fruticetum, aux variétés fruitières « bourgeoise », telles que la poire Moulin-Lille ou la poire Grosse-Louise, est géré par la Ville de Lille et visitable sur demande écrite.   A.L.

Adresse : jardin Vauban, boulevards de la Liberté/Vauban, 59000 Lille
Propriétaire : Ville de Lille, tél. : 20.49.50.00, poste 24.87
Ouverture : permanente, visites libres, sauf le fruticetum, sur demande écrite à M. Lhotellier, mairie de Lille
Accès : depuis le boulevard de la Liberté, la rue Desmazière ou le boulevard Vauban, au nord-est de Lille, à côté de la citadelle

Parc Coquelle ★

Rosendaël

Une folie de l'art nouveau. Par un enchevêtrement d'allées en creux s'étendant sur 4,3 ha, on peut s'étourdir dans ce parc de la Belle Époque, créé en 1907 par Félix Coquelle... En « transformation » depuis 1941, il bénéficie des soins attentifs des jardiniers de la ville de Dunkerque-Rosendaël : on pourrait regretter le fonctionnalisme trop apparent et les végétaux trop nombreux, rendant touffu le parc... Qui s'en plaindrait trop, lorsque les embruns marins limitent la végétation ?

Pourtant, l'ensoleillement, abondant à Dunkerque, donne un air de santé à cette « belle plante de l'art nouveau »... et l'eau, de la fausse cascade et du vrai canal de Furnes, rappelle que la mer est toute proche.
H.L.

Adresse : parc Coquelle, place des Martyrs-de-la-Résistance, 59240 Rosendaël
Propriétaire : Ville de Rosendaël-Dunkerque, tél. : 28.63.22.00
Ouverture : du 1er avril au 15 octobre, t.l.j. de 9 h à 20 h ; hors saison, de 14 h à 17 h 30
Accès : périphérie est de Dunkerque

Parc Barbieux ★★

Roubaix

Le « beau jardin » hygiéniste. Le parc Barbieux est la fierté de nombre de gens du Nord. Ce « beau jardin », dessiné en 1867 par Georges Aumont (successeur de Barillet-Descamps, le célèbre architecte-paysagiste parisien), est un prototype de nombreux jardins pittoresques du second Empire, époque hygiéniste où prospéraient les grandes industries de textile du Nord.

Poumon de verdure sur 16 ha, il empreinte le tracé abandonné d'un canal. Une rivière encaissée tantôt s'élargit en pièce d'eau calme où s'ébattent des cygnes, tantôt tombe en cascade avec fracas dans une grotte.

Le long des sentiers sinueux, l'ombre des magnifiques arbres aux essences rares alterne avec les passages de lumière, complétant les étendues de gazon régulier agrémentées de nombreux tapis fleuris.

Facile d'accès, ce parc est un lieu de promenade très fréquenté les fins de semaine.
F.R.

Adresse : parc Barbieux, avenue Jean-Jaurès, 59100 Roubaix
Propriétaire : Ville de Roubaix, tél. : 20.73.92.05
Ouverture : permanente, visites libres ; jeux d'enfants, minigolf, pédalos, manifestation de pêche, restaurant
Accès : par le « Grand Boulevard » Lille-Roubaix, par le tramway appelé *Mongy*

PAS-DE-CALAIS 62

Cimetière national militaire de Notre-Dame-de-Lorette ★

Ablain-Saint-Nazaire

En montant vers le cimetière national militaire, l'émotion est grande : le seuil n'est pas franchi que l'on domine, depuis la table d'orientation, la moitié du bassin minier.

L'entrée est marquée par l'ancienne chapelle datant de 1727, édifiée par Florent Guillebert d'Ablain-Saint-Nazaire.

Puis le rideau d'arbres s'ouvre, apparaissent alors la basilique et la tour de lanterne, les deux grandes allées perpendiculaires, et les 19 000 croix accompagnées d'autant de rosiers. On voit écrit ces mots sur la tour : « Peuples, soyez unis, hommes, soyez humains. » Tout est ici sobriété, simplicité et grandeur à la fois. Les rosiers colorés émaillent le tapis vert piqueté de croix blanches.

Ce site de Notre-Dame-de-Lorette (14 ha), créé entre 1921 et 1927, aujourd'hui en partie classé, est un lieu de recueillement, de re-naissance.
F.R.

Adresse : cimetière de Notre-Dame-de-Lorette, 62153 Ablain-Saint-Nazaire
Propriétaire : l'État, secrétariat d'État aux Anciens Combattants
Ouverture : permanente, visites libres ; événements, cérémonies annuelles, veillées du souvenir : 10 novembre, 10 mai, 10 septembre ; réunion des familles : 1er dim. de juillet ; réunion de la garde d'honneur : 2e dim. avant Pâques ; tour de garde de la garde d'honneur : t.l.j. du dim. des Rameaux au 11 novembre ; souvenirs, diaporama, musée Notre-Dame-de-Lorette (1914-1918) ; tél. : 21.45.15.80 (musée)
Accès : à 15 km au nord d'Arras par D937

Notre-Dame-de-Lorette.

Château de la Villeneuve ★

Bellebrune

Dans le paysage vert et ondoyant du bocage boulonnais, à l'orée de la forêt de Boulogne, les frères Bühler ont entrepris, à partir d'un parc et de plantations existantes, et sur la demande du propriétaire d'alors, Octave de Rouvroy, la création en 1856 d'une œuvre sobre et élégante, à la composition ample et souple, reposant le pittoresque et affirmant le style paysager. De vastes pelouses et un étang se succèdent et l'allée du parc se prolonge dans le paysage campagnard en l'intégrant ainsi à la composition d'ensemble.

Des massifs d'arbres et surtout de hêtres en futaies cernent le domaine et l'individualisent des terres agricoles environnantes.

Ce sont ici les nuances vertes qui font apparaître la subtilité de la composition de la végétation.   D.M.

 Adresse : château de la Villeneuve, 62142 Bellebrune
Propriétaires : M. et Mme de Premont
Ouverture : pour groupes sur demande en saison, tél. : 21.33.31.75
Accès : à 12 km à l'est de Boulogne-sur-Mer

Parc du bureau des Mines ★

Lens

Le géant de la mine. Ce jardin de 3 ha, créé en 1928, est un témoin de la grande époque de l'extraction du charbon dans le Nord-Pas-de-Calais.

Il montre l'éclat étonnant des bâtiments de bureaux, véritable château de l'industrie, devant lequel s'étend un jardin ordonnancé, fait de parterres géométriques ponctués de buis taillés.

Vous sentirez aussi dans ce lieu majestueux le déclin d'une époque : les tracés des allées s'effacent lentement, faute d'entretien. On ne peut que souhaiter que ce parc, héritage régional, subsiste indépendamment des contingences économiques.   F.R.

Adresse : bureau des Mines, route de La Bassée, 62300 Lens
Propriétaire : Houillères du Bassin du Nord et du Pas-de-Calais (privé)
Ouverture : sur demande écrite au service patrimoine des HBNPC, rue Vasco-de-Gamma, B.P. 52, 62750 Loos-en-Gohelle, tél. : 21.42.01.73
Accès : route de La Bassée, à l'angle de l'avenue Elie-Reumaux à Lens

Témoin d'une grande époque, le parc du bureau des Mines, à Lens.

Château de la Caucherie ★★

Saint-Martin-Boulogne

Les plans que Le Nôtre donna à Jacques Abot, en 1698, pour réaliser les projets de jardins dans sa résidence de la Caucherie, en Boulonnais, ne nous sont malheureusement pas parvenus mais il semble que, pour l'essentiel, les grandes lignes de composition du jardin à la française aient été retenues dans la réalisation aboutie au début du XVIIIe siècle (1716). Malgré l'espace relativement restreint, la succession de terrasses et des jardins (jardin d'en haut, jardin d'en bas) permettent une individualisation du traitement des espaces en même temps qu'une homogénéité de l'ensemble par des mises en perspective.

Aujourd'hui subsiste essentiellement le jardin d'en haut s'étendant en longueur en face du château, sur 1,5 à 2 ha. Un jeu de terrasses successives est complété d'un bassin circulaire au centre de la composition. Ces parterres de broderies ne sont plus que des pelouses mais la rigueur de la composition y est toujours sensible et les jeux du regard vers le château ou vers l'extérieur sont typiques de cet art français alors à son apogée.   D.M.

Adresse : château de la Caucherie, 62200 Saint-Martin-Boulogne
Propriétaire : M. François de Rosny
Ouverture : sur demande écrite
Accès : entre RN42 et CD341, à 2 km à l'est de Boulogne-sur-Mer

Jardin public ★★

Saint-Omer

Établi vers 1896 dans les anciens remparts de la ville, c'est l'un des jardins publics les plus composés de la région. Il rassemble par le plaisir des yeux, sur 8,50 ha complétés par 11 ha de glacis, dans un jardin à l'anglaise, des corbeilles de mosaïque de fleurs, de grandes pelouses et de frais bosquets constitués d'arbres rares : gingko biloba, baguenau-dier, sophora du Japon, etc., de quoi combler les amateurs d'arbres.

Un kiosque, au centre d'un mail d'arbres, permet les concours d'orphéon... et surtout un jardin à la française, en contrebas de la promenade, est ceinturé par des murs de végétation exubérante. Composé de pelouses aux angles découpés, piquetées sur leurs bords d'une alternance de buis taillés en boule ou en cône, il est la « respiration » de toute la cité flamande de Saint-Omer. A.L.

Adresse : jardin public, boulevard Vauban, 62500 Saint-Omer
Propriétaire : Ville de Saint-Omer, tél. : 21.84.40.88
Ouverture : permanente, visites libres
Accès : centre ville, près de la place Foch

Manoir d'Estruval ★

Vieil-Hesdin

Un considérable « jardin de plaisir » du Moyen Age. Les « envahisseurs » septentrionaux sont les bienvenus lorsqu'ils traversent la Manche, bientôt par le tunnel, afin de « gagner le Sud » : ils ne peuvent éviter Le Pracq, le long de la RN 39. Avec de la curiosité et de l'imagination, le terrain, bouleversé par sept siècles d'histoire, ne tarde pas à révéler les vieilles empreintes.

Au temps des croisades et de Saint Louis, Robert d'Artois, puis les ducs de Bourgogne, imaginèrent d'éblouir leurs voisins par leurs fastes et leur puissance : un parc de 940 ha, enclos de 13 km, fut créé dans le haut Moyen Age autour du château de Vieil-Hesdin.

La nature s'y voulait rassurante (enclose) et éton-nante : une série d'automates, mus par l'eau de peintures, « d'ors et d'argent bruni », de cadran solaire « comme la grande fontaine de Nuremberg », de « monstres » végétaux ou de plantations dans des vases précieux, faisaient de ce parc le précurseur de beaucoup d'autres. C'était l'expression gothique de l'esprit flamand, des « farces et soties ».

250 ans après son installation, le parc et la ville d'Hesdin furent détruits par Charles Quint.

Que reste-t-il de ces « engins d'esbattements » et de ce parc de 940 ha ? La maison du marais ou manoir d'Estruval, situé au fond du vallon merveilleux, est encore le témoin de cet âge d'or d'Hesdin. Une grande trêve de tilleuls, plantée en 1718, et une ancienne voie romaine, ponctuée de hêtres pourpres, matérialisant les tracés anciens. Puis entre les commu-nes de Vieil-Hesdin et du Parcq, des pans des murs d'enceinte existent encore. Puisse la proximité du transmanche revivifier cette partie du Ternois qui vécut de « très riches heures... ». H.L.

Adresse : manoir d'Estruval, 62770 Vieil-Hesdin
Propriétaire : M. Bernard Le Gentil
Ouverture : visite sur demande écrite
Accès : à 35 km au sud-est d'Étaples

Jardin public de Saint-Omer.

BASSE-NORMANDIE

Baignant dans un climat dont l'humidité et la douceur constante tiennent à l'omniprésence de la mer et à des pluies bienfaisantes, la Basse-Normandie est une terre d'élection pour les jardins. Depuis l'arrivage massif d'hommes du Nord, les Northmen venus de Scandinavie au Xe siècle avec leur savoir-faire du paysage, jusqu'au vent de jardins anglais ou d'inspiration anglaise qui a soufflé du XIXe siècle à nos jours, la Basse-Normandie est une région sous influence septentrionale.

Enveloppés de l'écharpe tiède du Gulf Stream, les jardins de la presqu'île du Cotentin nous parlent du monde, de leurs plantes, comme ceux de leurs voisins d'Angleterre ou, plus proches, des îles Anglo-Normandes, ce paradis des jardins dont on sait qu'il était relié au continent jusqu'aux assauts de la mer au quaternaire. Rhododendrons, camélias, chênes verts voisinent avec les palmiers et les cordylines. On ne s'étonnera pas de trouver ici des jardins de collection, comme ceux de Beaurepaire, de Nacqueville, et des atmosphères tropicales comme celles de la Roche-Fauconnière et du parc Emmanuel Liais, ou australes et subtropicales comme à Vauville.

A l'intérieur des terres, que ce soit entre les collines boisées et les vallons du pays d'Auge, entre les bois et les eaux du pays d'Ouche ou dans les enclos du Bocage normand, les pommiers sont en fleurs d'avril à mai. Du jardin maniériste de Brécy aux créations récentes telles que celle de Thury-Harcourt, ou du château d'O, en passant par la parfaite union entre « peigné et sauvage » de Canon, la région offre un panorama complet de l'histoire des jardins. La Basse-Normandie mérite une attention particulière pour la grande qualité de ses jardins publics entretenus dans une tradition héritée du XIXe siècle. Nous sommes ici au pays de la mosaïculture (Caen, Coutances) et au pays des jardins botaniques de ville. Au XIXe siècle, les réseaux de sociétés savantes tels que la Société d'horticulture de Cherbourg connurent ici un développement exceptionnel. Amateurs et professionnels (Le Jolis, Alfred Favier, M. Corbière) collaboraient à l'adaptation de plantes venues de loin. On les découvrait dans les jardins, comme des cadeaux. Plusieurs jardins privés furent légués à la ville, à Coutances par Quesnel de la Morinière, à Cherbourg par Emmanuel Liais, à Bayeux par Jean Delamarre. Il était de bon ton de connaître les plantes et il n'était pas rare de trouver un maire botaniste...

Sur les côtes, déferlèrent par vagues successives des créations exotiques associées à des chapelets éclectiques de chalets de bord de mer, des constructions modernes du paysage balnéaire de l'entre-deux-guerres ; enfin, sur les plages du Débarquement, les blockhaus de béton dont les meurtrières noires continuent à fixer l'horizon, sans empêcher les idées de jardins nouveaux de pénétrer la région.   M.R.

Au cœur d'un paysage normand : le jardin de Brécy.

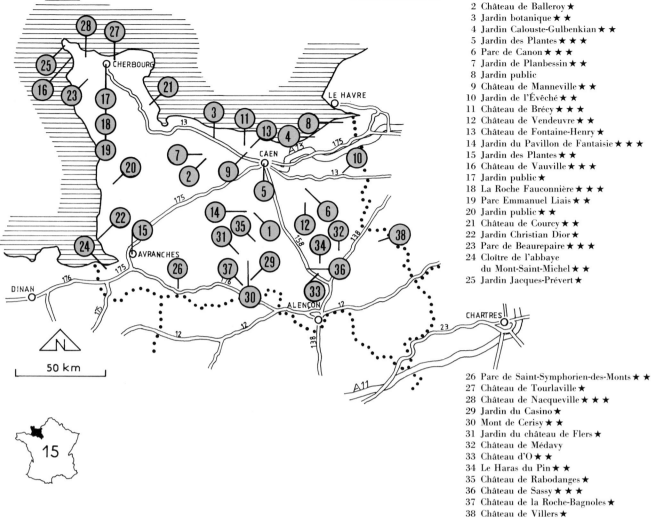

BASSE-NORMANDIE

1 Château de La Motte ★
2 Château de Balleroy ★
3 Jardin botanique ★ ★
4 Jardin Calouste-Gulbenkian ★ ★
5 Jardin des Plantes ★ ★ ★
6 Parc de Canon ★ ★ ★
7 Jardin de Planbessin ★ ★
8 Jardin public
9 Château de Manneville ★ ★
10 Jardin de l'Évêché ★ ★
11 Château de Brécy ★ ★ ★
12 Château de Vendeuvre ★ ★
13 Château de Fontaine-Henry ★
14 Jardin du Pavillon de Fantaisie ★ ★ ★
15 Jardin des Plantes ★ ★
16 Château de Vauville ★ ★ ★
17 Jardin public ★
18 La Roche Fauconnière ★ ★ ★
19 Parc Emmanuel Liais ★ ★
20 Jardin public ★ ★
21 Château de Courcy ★ ★
22 Jardin Christian Dior ★
23 Parc de Beaurepaire ★ ★ ★
24 Cloître de l'abbaye
  du Mont-Saint-Michel ★ ★
25 Jardin Jacques-Prévert ★

26 Parc de Saint-Symphorien-des-Monts ★ ★
27 Château de Tourlaville ★
28 Château de Nacqueville ★ ★ ★
29 Jardin du Casino ★
30 Mont de Cerisy ★ ★
31 Jardin du château de Flers ★
32 Château de Médavy
33 Château d'O ★ ★
34 Le Haras du Pin ★ ★
35 Château de Rabodanges ★
36 Château de Sassy ★ ★ ★
37 Château de la Roche-Bagnoles ★
38 Château de Villers ★

C A L V A D O S   14

Château de La Motte ★

Acqueville

Un beau parc pour la promenade entoure cette
élégante construction du XVIIᵉ siècle. Plus secret, le
jardin d'agrément est implanté dans l'ancien potager
clos de murs. Autour d'une allée centrale s'organisent
un parterre à compartiments fleuris et un potager.
2 000 plantes sont ici repiquées chaque année pour
le plaisir des yeux, un plaisir d'été.   M.R.

Adresse : château de La Motte, 14220 Acqueville
Propriétaire : M. Thibault, tél. : 31.78.31.73
Ouverture : t.l.j. de 10 h à 19 h ; groupes plus de
12 personnes, sur demande téléphonique ou écrite
Sur demande pour le jardin d'agrément
Accès : à 28 km au sud de Caen par D562 et D6,
à 12 km à l'est de Thury-Harcourt

Le parterre d'entrée vu du château. Balleroy.

Château de Balleroy ★

Balleroy

Centrée sur le château construit par François Mansart en 1626 pour Jean de Choisy, l'avenue d'accès le long de laquelle s'alignent les petites maisons du village est le premier élément remarquable du site. Les abords de cet ancien rendez-vous de chasse se composent ensuite d'un parterre d'entrée, de douves plantées et d'un beau parc à l'anglaise d'où s'envolent les montgolfières lors des manifestations organisées par le musée des Ballons. M.R.

Adresse : château de Balleroy, 14490 Balleroy
Propriétaire : Forbes Investors Advisory Institute Inc., tél. : 31.21.60.61
Ouverture : visites du 15 avril au 30 octobre, t.l.j. (sauf mer.) de 9 h à 12 h et de 14 h à 18 h
Musée des Ballons (même période, t.l.j. sauf mer.)
Accès : à 16 km au sud-ouest de Bayeux par D572 et D13

Le hêtre pleureur. Jardin botanique de Bayeux.

Jardin botanique ★ ★

Bayeux

Jean Delamare, qui aida au début du XIX\ :sup:`e` siècle à constituer la Société linéenne de Normandie, céda à la ville un terrain pour qu'y soit créé un jardin botanique. Sur les plans des frères Bühler, approuvés en 1851, le jardin fut réalisé progressivement. Le jardin de plantes locales a disparu mais il reste de beaux bosquets d'arbres et de rhododendrons, des serres et surtout un exceptionnel hêtre pleureur (*Fagus sylvatica* « Pendula ») de 20 m d'envergure dont les nombreuses branches et la structure métallique qui les soutient forment un bosquet original. M.R.

Adresse : jardin botanique, 55, route de Port-en-Bessin, 14400 Bayeux
Propriétaire : Ville de Bayeux, tél. : 31.92.26.61 (jardin)
Ouverture : du 1\ :sup:`er` avril au 30 septembre de 9 h à 20 h et de 9 h à 17 h hors saison
Accès : au sud de Bayeux par D6 vers Vire

Jardin Calouste-Gulbenkian ★ ★

Bénerville-sur-Mer

Composition paysagère originale, le parc du domaine des Enclos fut réalisé par un paysagiste anglais en 1938, sur les plans de Duchêne. Une allée bordée de buis partant de l'entrée se déroule entre les plates-bandes fleuries et permet d'accéder à la grande pelouse. Des arbres séculaires entourent, au milieu de l'allée, une clairière où se dressait autrefois le château. Une balustrade de pierre délimite une roseraie ; en contrebas, un jardin fruitier, puis le potager. Dominant le site, un vaste plateau planté de résineux forme des motifs géométriques et crée un paysage insolite en pays d'Auge. A.R.

Adresse : jardin Calouste-Gulbenkian, chemin des Enclos, 14910 Bénerville-sur-Mer
Propriétaire : Ville de Deauville, tél. : 31.88.70.91 (S.E.V.)
Ouverture : de juillet à septembre : le week-end ; et toute l'année sur demande préalable
Accès : à 3 km au sud-ouest de Deauville

Jardin des plantes ★ ★ ★

Caen

Pour diffuser la passion botanique. Depuis sa création, le rôle pédagogique de ce jardin n'a cessé de s'amplifier. Avec ses nouvelles serres à régulation climatique, il offre maintenant la possibilité de découvrir successivement les flores de différents climats : le climat tropical humide avec sa forêt et ses plantes aquatiques, la sécheresse du climat désertique avec cactées, ainsi que les rigueurs du climat polaire.
Créé en 1736 pour l'Université, le jardin botanique est devenu aussi un jardin des plantes et s'est ouvert au public à partir de 1829. Afin d'ajouter le plaisir

JARDIN DES PLANTES DE CAEN

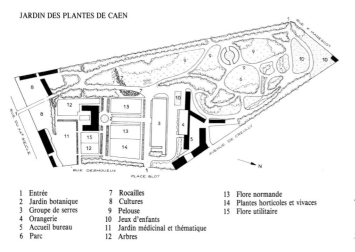

1 Entrée
2 Jardin botanique
3 Groupe de serres
4 Orangerie
5 Accueil bureau
6 Parc
7 Rocailles
8 Cultures
9 Pelouse
10 Jeux d'enfants
11 Jardin médicinal et thématique
12 Arbres
13 Flore normande
14 Plantes horticoles et vivaces
15 Flore utilitaire

par Dufour, un architecte-paysagiste local. Le jardin botanique occupe la partie basse avec diverses collections, jardin médicinal et jardin thématique, plantes horticoles, vivaces, et plantes de rocailles.

Conservatoire de plantes normandes, le jardin botanique maintient aussi ses échanges avec 750 correspondants dans le monde : 10 000 sachets de graines ou éclats de plantes sont expédiés et 3 000 sachets sont reçus. Il s'est vu confier aussi par le Conservatoire des espèces menacées de Brest, ainsi qu'un certain nombre de plantes menacées du monde entier. M.R.

Adresse : jardin des plantes, 5, place Blot, 14000 Caen
Propriétaire : Ville de Caen, tél. : 31.86.28.80 (S.E.V.)
Ouverture : t.l.j. de 8 h au coucher du soleil (19 h 30 en été) ; serres, t.l.j. de 14 h à 16 h ; Index seminum
Accès : au nord-ouest du centre ville

de la promenade et de la découverte d'arbres et d'arbustes nouveaux au rôle scientifique du jardin et afin d'aménager le sommet de cette ancienne carrière de pierre de Caen, un parc fut alors dessiné

Les Chartreuses. Canon.

Parc de Canon ★ ★ ★

Canon

« Les Bonnes Gens. » Pourquoi ce jardin est-il l'un de ceux que je préfère ? Sans doute en raison de l'harmonie que dégage la fusion parfaite entre « le peigné et le sauvage », entre deux conceptions du paysage. Élie de Beaumont fut le principal créateur de ce jardin entre 1768 et 1783. Mais pour comprendre comment se sont mêlés un tracé à la française et un jardin à l'anglaise, il faut remonter en 1727. Alignements et dégagements furent réalisés dans l'esprit classique de cette période. On les découvre en entrant, le long de l'axe principal. D'un côté du château, face à la cour d'honneur, l'avenue d'ormes jalonnée de statues, de l'autre, le miroir d'eau reflétant des bustes de marbre et le tapis vert bordés de tilleuls aux frondaisons gigantesques.

L'influence d'un voyage qu'Élie de Beaumont fit en Angleterre détermina la conception de son jardin. Enfoncez-vous dans les allées transversales et dans les chemins sinueux découpant les bosquets et découvrez comment on rêvait la vie à la fin du XVIIIe siècle, une vie conçue comme un grand tableau ou un théâtre. Chacun y jouait un rôle pour embellir le quotidien et le paysage, aussi bien les humbles, le bon vieillard, le berger musicien, dont on célébra à partir de 1775 la « Fête de Bonnes Gens », que la maîtresse de maison dont les qualités sont évoquées avec tendresse au temple de la Pleureuse. La rivière canalisée permet de clore le domaine sans interrompre la vue et de créer une cascade adossée à la motte féodale. Différentes fabriques ponctuent la promenade : les ruines d'un château, un pigeonnier orné d'un motif néoclassique et un kiosque chinois pour se reposer à l'ombre en contemplant les prés ou « l'allée de la Montagne ». Élie de Beaumont avait tout particulièrement soigné le dessin des « Chartreuses », 13 vergers encadrés par des murs. Véritables serres à ciel ouvert, elles étaient destinées à la culture en espaliers des arbres fruitiers. C'est un ravissement de découvrir l'enfilade de pièces reliées par une succession d'arcs en plein cintre, pièces colorées de masses de framboisiers, de dahlias, de lavatères... et de marcher jusqu'à la statue de Pomone, déesse des jardins.   M.R.

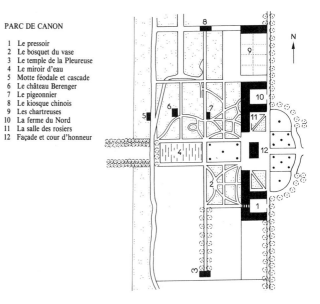

PARC DE CANON

1 Le pressoir
2 Le bosquet du vase
3 Le temple de la Pleureuse
4 Le miroir d'eau
5 Motte féodale et cascade
6 Le château Berenger
7 Le pigeonnier
8 Le kiosque chinois
9 Les chartreuses
10 La ferme du Nord
11 La salle des rosiers
12 Façade et cour d'honneur

Jardin de Planbessin ★ ★

Castillon

Jardins à emporter. Créé récemment par M. et Mme Sainte-Beuve, propriétaires d'une pépinière de plantes vivaces située tout à côté, ce petit jardin de 1 ha est une réussite sur le plan de l'ambiance. Il se divise en différentes zones séparées par une haie ou un rideau d'arbres ou d'arbustes. Dans ces jardins le visiteur peut trouver l'inspiration pour la réalisation de son propre univers décoratif : bassins-pergolas, jardins de senteurs, jardin d'aromates, jardin aquatique ou de style japonais, mixed-borders. Une profusion d'arbres, d'arbustes (prunus, viburnum, magnolia, érables...) et de plantes vivaces usuelles et rares (fougères, géraniums vivaces, vergenia...) s'y côtoient. Autant de plantes que vous retrouverez avec plaisir dans la pépinière voisine si vous souhaitez en emporter quelques-unes chez vous.   M.R.

⚘ **Adresse :** château de Canon, 14270 Canon
Propriétaire : famille de Mézerac,
tél. : 31.20.05.07 ou 31.20.02.72
Ouverture : de Pâques au 30 juin, sam., dim.
et jours fériés de 14 h à 19 h ; du 1er juillet
au 30 septembre, t.l.j. sauf mar. après-midi ; hors
saison pour groupes sur demande
Accès : à 20 km au sud-est de Caen par N13
jusqu'à Vimont puis D47

Jardin-pépinière de Planbessin.

Adresse : jardin de Planbessin, 14490 Castillon
Propriétaire : M. et Mme Sainte-Beuve,
tél. : 31.92.56.03
Ouverture : t.l.j. l'après-midi (sauf dim.)
de 14 h à 17 h, le sam. sur rendez-vous
Catalogue de plantes ; pépinière
Accès : à 10 km au sud-ouest de Bayeux par D572
et D73, à 2 km au nord-est de Balleroy

Jardin public

Honfleur

Peu de choses ont survécu de la belle composition
de Paul Véra. Réalisé en 1930, ce bel espace au
bord de l'avant-port n'a pas trouvé suffisamment
d'amoureux pour résister à l'urbanisme d'après-
guerre.

M.R.

Adresse : jardin public, boulevard Charles-V,
14600 Honfleur
Propriétaire : Ville d'Honfleur, tél. : 31.89.16.47
Ouverture : permanente, visites libres
Accès : à 15 km au nord-est de Deauville par D513

Château
de Manneville ★ ★

Lantheuil

Au creux d'un vallon boisé, à l'abri du vent et des
regards, le château du XVII⁰ siècle se profile au bout
d'une longue avenue de hêtres. Une fois le portail
franchi, on remarquera sur la droite les douves où
coule la Manneville, bordés de « Géants », des
platanes tricentenaires. Au pied du château, le jardin
à la française est composé d'une première terrasse
ornée de deux carrés cernés de buis formant une
grecque autour d'un petit bassin central, puis,
quelques marches plus haut, d'un parterre de simples
pièces de gazon ponctuées d'ifs taillés, de vases et
d'une belle reproduction du « Spinario », le jeune
homme à l'épine. L'ensemble de cet espace en creux
est encadré de terrasses du XVII⁰ siècle puis enveloppé
par un parc à l'anglaise. M.R.

Adresse : château de Manneville, 14480 Lantheuil
Propriétaires : baronne Durandy Van den Daele,
baronne d'Anthouard
Ouverture : sur demande préalable,
tél. : 31.80.13.80
Accès : à 17 km au nord-ouest de Caen, à 10 km
à l'est de Bayeux par D12 et D93 à Creully

Jardin
de l'Évêché ★ ★

Lisieux

Encadré par la cathédrale et les habitations, ce
jardin à la française sur plan carré conserve de belles
proportions malgré une succession de transformations.
Bordé d'un double mail de platanes, le jardin
épiscopal est devenu un jardin public centré sur un
rond d'eau central et des parterres de gazon. M.R.

Adresse : jardin de l'Évêché, boulevard Carnot,
14100 Lisieux
Propriétaire : Ville de Lisieux, tél. : 31.31.16.10
Ouverture : t.l.j. de 7 h 30 à 19 h (hiver) et de
7 h à 22 h (été)
Accès : centre ville, à côté de la cathédrale

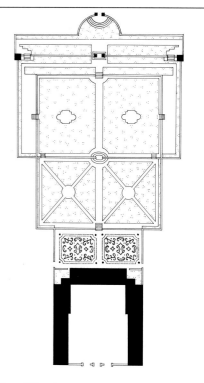

CHÂTEAU DE BRÉCY

Château de Brécy ★ ★ ★

Saint-Gabriel-Brécy

Des effets très calculés. Trois siècles et demi
après leur création, les jardins de Brécy n'ont pas
perdu leur pouvoir de séduction. Le concepteur de
ce jardin maniériste a su ménager ses effets : un
portail monumental, une cour sobrement décorée, le
jardin se découvre d'un seul coup d'œil, en ressortant
par la façade arrière ou en se penchant à la fenêtre
de l'étage. Soigneusement séparées des prairies et
vergers voisins par des murs latéraux décorés de pots
à feu et de consoles, une succession de terrasses
remonte vers le haut de la colline. Leur largeur est
croissante, afin de corriger la perspective. L'ensemble
pourrait sembler clos mais l'allée centrale se termine

par deux portails successifs jouant le rôle de viseurs sur une percée dans la forêt qui se poursuit dans les nuages. Cet axe pointé vers le ciel pommelé de Normandie et l'infini donne leur envolée aux terrasses. Les deux portails, dont l'un est décoré d'une grille élégante, laissent le regard s'échapper tout en forçant l'intérêt sur l'intérieur du jardin. Tout ici est parfaitement calculé. L'auteur génial reste cependant inconnu. Rien en effet ne permet d'attribuer cette œuvre datant de 1630 à Mansart bien que la demeure fut construite pour Jacques le Bas, un proche de Jean de Loisy (Balleroy). Au cours de la restauration des jardins, le dessin des broderies de la première terrasse a été emprunté au « Jardin de plaisir » de Claude Monet. Le raffinement du décor sculpté est une autre source d'étonnement : balustres à feuilles d'acanthe, pots à feu, vases, viennent rythmer le jardin au-dessus des pilastres des terrasses. Un bel escalier à degré convexe contreparti et deux lions bicéphales marquent la transition entre la deuxième et la troisième terrasse. Pour donner une touche de couleur à cette belle architecture, les côtés de la quatrième terrasse en U ont été transformé en jardins de curé foisonnants de fleurs à couper.   M.R.

Adresse : château de Brécy,
14420 Saint-Gabriel-Brécy
Propriétaire : Mme Yolande de Lacretelle,
tél. : 31.80.11.48
Ouverture : t.l.j., sauf le mer., de 10 h à 12 h et de 15 h à 18 h ; fermé du 5 janvier au 28 février
Vente de cartes postales, dépliants
Accès : à 19 km au nord-ouest de Caen par la D22 puis D35 à Creully

Les terrasses vues du château. Brécy.

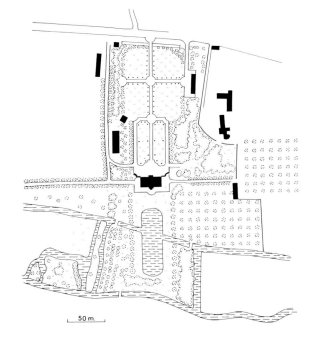

CHÂTEAU DE VENDEUVRE

Château de Vendeuvre ★★
Saint-Pierre-sur-Dives

Construite à partir de 1750 sur les plans de Jean-François Blondel, cette maison de campagne était entourée d'un jardin dont on retrouve le dessin sur le cadastre de 1813. Les transformations entreprises en 1830 ont épargné les trois îles situées à l'arrière du château et les propriétaires actuels ont creusé à nouveau le miroir d'eau, reconstitué ponts et fabriques pour aménager une promenade dans cette partie protégée de la vallée de la Dives. Lorsque cascades et canaux entourant les îles auront été curés, un itinéraire sera proposé le long d'un jardin de plantes aquatiques.   M.R.

Adresse : château de Vendeuvre,
14170 Saint-Pierre-sur-Dives
Propriétaire : comte de Vendeuvre,
tél. : 31.40.93.83
Ouverture : de Pâques à la Toussaint (sur rendez-vous pour groupes) ; de Pâques au 1er juin et du 15 septembre à la Toussaint les week-end et jours fériés de 14 h à 19 h ; du 1er juin au 15 septembre t.l.j. de 14 h à 19 h
Animation pour les enfants ; initiation à la connaissance des arbres
Musée international du mobilier miniature
Accès : à 27 km au sud-est de Caen par la N13 et la D40, à 4 km au sud-ouest de Saint-Pierre-sur-Dives

Château de Fontaine-Henry ★

Thaon

Parc de platanes, hêtres pourpres et verts entourant le beau château Renaissance. Le parc a souffert de la tempête de 1986 et du général Rommel qui utilisa les ormeaux pour faire des piquets. On remarquera surtout un beau tulipier et la vue sur la vallée de la Mue. M.R.

Adresse : château de Fontaine-Henry, 14610 Thaon
Propriétaire : M. J. d'Oilliamson
Ouverture : de Pâques au 31 mai, mer., sam., dim., et jours fériés de 14 h 30 à 18 h 30 ; du 1er juin au 15 septembre (sauf mar. et ven.) de 14 h 30 à 18 h 30 ; du 16 septembre au 2 novembre, mer., sam., dim. et jours fériés de 14 h 30 à 18 h 30 ; ouverture exceptionnelle pour groupes sur demande, tél. : 31.80.00.42
Visites, expositions temporaires, concerts (en été)
Accès : à 13 km au nord de Caen par D79 puis à gauche à Anguerny

Une clairière fleurie. Jardins du pavillon de fantaisie.

Jardins du Pavillon de Fantaisie ★★★

Thury-Harcourt

« **Un jardin pose les mêmes problèmes que ceux d'un tableau.** » Sur le vaste site qui garde la mémoire d'un beau parc et les restes du château détruit en 1944, le duc d'Harcourt a mis toute sa passion dans la création d'un nouveau jardin. Laissons ce grand jardinier nous promener en toute saison dans son domaine et nous livrer sa conception du jardin :

« Au début d'avril les jonquilles bordent les allées et les talus. Les anémones sauvages enchantent les sous-bois. En mai, les cerisiers du Japon évoquent un feu d'artifice, les lilas embaument l'air et les marronniers chargés de fleurs rouges dominent les blanches aubépines. Une charmille conduit au bord de l'Orne. Le promeneur peut poursuivre son chemin le long de la rivière bordée de hauts peupliers. Le jardin d'été se cache dans ce grand parc et semble posé comme un tapis sur une pente légère. L'axe est la ligne invisible autour de laquelle tout s'ordonne. Ici le regard est dirigé vers des bancs de pierre. Dans ce cadre régulier, des bordures fleuries entourent quatre rectangles de gazon. Un charme s'en dégage au sens magique de ce mot. L'équilibre d'un jardin provient d'une opposition heureuse entre la rigueur du dessin et le désordre apparent des plantations. Chaque plante se développe sans trop subir la tyrannie du jardinier. Les impatiens ont l'avantage de s'épanouir à la fois à l'ombre et à la lumière.

Les zinnias se dressent avec insolence au-dessus de leurs voisines. Les sauges *Farinacea*, aux teintes profondes, donnent aux bordures une rare intensité. Les fleurs de tabac sont odorantes, mais fragiles. Les mufliers nains, aux couleurs éclatantes, ont l'avantage de fleurir tout l'été. Voici les cléomes au port arrogant, les célosies à l'allure incendiaire. Nos fleurs ne sont pas choisies pour leur rareté mais seulement pour le rôle qu'elles doivent jouer dans la composition générale ; un jardin pose les mêmes problèmes que ceux d'un tableau. Une symphonie de couleurs est le résultat d'un accord parfait entre diverses vibrations lumineuses. Les fleurs blanches éclairent un jardin sombre et sont un lien précieux entre les couleurs disparates. Le ciel est un élément qui entre dans la composition des plantations. Le rôle des arbres est de le mettre en valeur, soit en l'encadrant, soit en permettant aux nuages colorés par les premiers ou les derniers rayons du soleil de passer au travers des branches dénudées... Ne ramassons pas trop vite les feuilles mortes que le vent d'automne fait danser sur nos pelouses. Un jardin vivant comporte toujours une part d'inattendu. Le charme d'un jardin, c'est aussi son mystère. » D.H.

Adresse : château de Thury-Harcourt, 14220 Thury-Harcourt
Propriétaire : duc d'Harcourt, tél. : 31.79.65.41 ou 31.79.72.05
Ouverture : avril, mai, juin, octobre, dim. et jours fériés, de 14 h 30 à 18 h 30 ; en juillet, août, septembre, t.l.j. de 14 h 30 à 18 h 30 ; groupes sur demande ; spectacle audiovisuel
Accès : à 26 km au sud de Caen par D562

MANCHE 50

Jardin des plantes ★★
Avranches

Bénéficiant d'un panorama exceptionnel sur la baie du Mont-Saint-Michel (« l'un des plus beaux points de vue du monde », disait-on en 1875 pour le protéger), cet ancien enclos monacal, devenu au XVIIIᵉ siècle le jardin botanique de l'école centrale du département, conserve encore, sur 4 ha, un gingko et un tulipier comme vestiges de ses anciennes périodes fastes. Repris en main depuis 1980, le jardin est aujourd'hui remarquable par le fleurissement des massifs d'été, avec notamment héliotropes tiges et fuchsias tiges... M.R.

Adresse : jardin des plantes, place Carnot, 50300 Avranches
Propriétaire : Ville d'Avranches. Responsable : M. Guillot, tél. : 33.58.25.42
Ouverture : t.l.j. de 8 h au coucher du soleil (minuit en été) ; spectacle son et lumière (été)
Accès : à l'ouest du centre ville

JARDIN DES PLANTES
D'AVRANCHES

A   Puits de l'abbaye
     des Moutons
B   Cimetière des ursulines
C   Portail de la chapelle de
     Bouillé
D   Table d'orientation
E   Fontaine Saint-Saturnin
F   Monument Lerouxel
G   Calvaire

1   Séquoia de Virginie
2   Laurier Sassafras
3   Érable de Montpellier
4   Tulipier de Virginie
5   Ginkgo du Japon
6   Bruyères des îles d'Hyères

cependant dans cette aventure en 1947, après un tour du monde. Avec le Gulf Stream comme allié, avec aussi des plantes obtenues par échange plutôt que par achat, ils ont conçu et réalisé progressivement un jardin toujours vert, un jardin ne demandant pas un entretien excessif.

Pour briser le vent, ils ont élevé des murets, créé des haies et des boqueteaux au moyen de végétaux robustes, pour beaucoup originaires de l'hémisphère austral. *Gynerium argenteum*, *Cordyline australis*, *Eryngium* ou *Phormium tenax* ont permis de ceinturer et de recloisonner l'espace, de border les sentiers, afin de bien protéger les plantes les plus sensibles : crinum, échiums et gunnera géants, osmondes royales... qui prospèrent de façon insolente. M.R.

Avec le Gulf-Stream comme allié. Vauville.

Adresse : château de Vauville, 50440 Beaumont-Hague
Propriétaire : Mme Pellerin, tél. : 33.52.71.11
Ouverture : le mar seulement, du 15 mai au 1ᵉʳ octobre ; visites accompagnées de 14 h à 18 h et sur demande
Accès : à 17 km à l'est de Cherbourg

Château de Vauville ★★★
Beaumont-Hague

« Une oasis. » Sous les embruns et les vents, les prairies entourant ce château de bord de mer offraient surtout une somme de difficultés à ceux qui voulaient y créer un jardin. Nicole et Éric Pellerin se lancèrent

Jardin public ★
Cherbourg

Créé à la fin du siècle dernier, ce joli jardin est toujours fleuri avec soin. Il reste encore en France quelques squares publics entretenus dans le respect d'une tradition qu'avait balayé un vent de banalisation. M.R.

Adresse : jardin public, avenue de Paris,
50100 Cherbourg
Propriétaire : Ville de Cherbourg,
tél. : 33.20.43.40 (S.E.V.)
Ouverture : t.l.j. de 8 h à 19 h 30 en été ; de
8 h 30 à 17 h en hiver
Accès : au sud-est de la ville

Parc ★ ★
Emmanuel Liais

Cherbourg

C'était le temps où les jardiniers étaient maires.
Naturaliste de la fin du XIXᵉ siècle, et maire de
Cherbourg, Emmanuel Liais a fait don à la ville de
son parc à l'anglaise de 1 ha. Camélias et azalées
centenaires assurent toujours l'accueil et la plupart
des arbres datent de la période de création. Reflétés
par un étang, palmiers *(Trachycarpus excelsa)*, rhododendrons, tulipier de Virginie, chênes verts et hortensias offrent un de ces curieux mélanges de volumes,
de couleurs et de feuillages que l'on se plaisait à
composer au siècle dernier à partir de plantes
tropicales qui, ne l'oublions pas, étaient alors des
révélations. M.R.

Adresse : parc Emmanuel Liais, rue Emmanuel-Liais,
50100 Cherbourg
Propriétaire : Ville de Cherbourg,
tél. : 33.53.12.31 (parc)
Ouverture : t.l.j. de 8 h (8 h 30)
à 17 h 30 (ou 19 h 30) selon saison ; serres fermées
sam. et jours fériés
Musée d'histoire naturelle (tous les après-midi sauf
mar.)
Accès : à l'ouest du centre ville

La Roche Fauconnière ★ ★ ★

Cherbourg

La passion des plantes. Perché au-dessus de
Cherbourg, ce jardin botanique de 4 ha, très secret, est
le fruit d'incessantes expérimentations, d'observations
permanentes de la part de trois générations de grands
amateurs de plantes : Alfred Favier, qui en a
commencé l'aménagement sur des landes à partir de
1870 ; Léon Favier (1869-1966), qui s'est attaché à
planter chaque année des espèces nouvelles d'arbrisseaux et d'arbustes tout en conservant les végétaux
spontanés ; Charles Favier, qui a poursuivi l'adaptation des espèces d'arbustes nouvellement découvertes,
en particulier dans l'Himalaya et en Chine. Jadis
couvert de bruyères, d'ajoncs et de fougères, le terrain
en forte pente est devenu le support des associations
les plus inattendues de plantes introduites et autochto-
nes, « la plus importante collection privée d'arbustes

qui soit en France » (Société nationale d'acclimatation, 1957). Près de 4 000 espèces y sont réparties.
En haut du jardin, collection d'eucalyptus, de
rhododendrons, de nothofagus, de fuchsias, olearia,
hébé, et fougères ; au centre, *Mesenbryanthemum,
Lewisia, Puya, Fascicularia* et quelques aloés, *Nolina*,
agaves, *Gazania*, et *Cactaceae*, puis une zone fraîche
facilement arrosable pour les plantes fragiles, lis,
Nomocharis, éricacées, méconopsis, épacridacées, fougères et orchidées, enfin une serre et deux petites
tourbières. Les vrais amateurs de plantes ne seront
pas déçus d'être allés au bout du Contentin pour
découvrir tant de trésors venus de l'hémisphère Sud.
M.R.

Adresse : la Roche Fauconnière, 50100 Cherbourg
Propriétaire : Dr Charles Favier
Ouverture : sur demande écrite, aux véritables
amateurs de botanique et sur recommandation

Jardin public de Coutances.

Jardin public ★ ★

Coutances

Un spectacle en été. Les amateurs de mosaïculture
apprécieront en connaisseurs les compositions nécessitant quelque 45 000 plantes chaque été. Quelques
très beaux arbres parsèment ce parc de 2 ha : un
hêtre à feuilles de fougères, un gingko biloba, un
chêne vert spectaculaire et un cèdre du Liban de
250 ans (en déclin). Cédé à la ville par Jean-Jacques
Quesnel de la Morandière pour qu'il devienne public
« et qu'on y cultive les plantes pour les indigents »,
ce jardin dut être remodelé. Trois terrasses furent
construites et deux larges allées en équerre vinrent
encadrer le réseau d'allées sinueuses et offrir panorama et perspectives. C'était en 1850, et la ville

JARDIN PUBLIC DE COUTANCES

A Deux entrées principales, grille de la rue Quesnel-Canveaux
B La cour du musée
C Le musée

1 Cyprès de Lawson « Lane »
2 Érable de Léopold
3 Peuplier lasiocarpa
4 Cèdre bleu de l'Atlas
5 Frêne pleureur
6 *Pterocarya caucasica*
7 Tulipier de Virginie
8 Cèdre de l'Atlas
9 Chêne vert yeuse
10 Hêtre pourpre
11 Cèdre du Liban
12 Cryptomeria du Japon
13 Magnolia à grandes fleurs
14 Hêtre à feuilles de fougères
15 Faux hêtres *(Nothafagus)*
16 Pin de l'Himalaya
17 Chicot du Canada
18 Arbres aux 40 écus (ginkgo biloba)
19 Savonnier
20 Séquoia géant

commença peu après un important programme de plantations d'arbres dont certains spécimens sont encore en place. Le « colimaçon », labyrinthe de charmilles sur plan circulaire, date probablement de cette période. M.R.

Adresse : jardin des plantes, 2, rue Quesnel de la Morandière, 50200 Coutances
Propriétaire : Ville de Coutances. Responsable : M. Mauger, tél. : 33.45.04.44
Ouverture : toute l'année, de 9 h au coucher du soleil ; en juillet et août, illuminations jusqu'à 22 h 30 (t.l.j. sauf mar.) ; concerts
Accès : à 27 km à l'ouest de Saint-Lô par D972

Château de Courcy ★★

Fontenay-sur-Mer

A chacune des quatre façades du château correspond un jardin différent, un parterre à la française entouré de douves, un jardin bleu composé d'arbustes et de fleurs bleus, un étang bordé d'allées de tilleuls taillés éclairées de jonquilles et de narcisses au printemps ou de roses en été, enfin un jardin clos. C'est l'ancien potager où jardins bouquettiers planté de vivaces, verger et plates-bandes bordées de buis taillés entourent les serres et le colombier. M.R.

Adresse : château de Courcy, 50310 Fontenay-sur-Mer
Propriétaire : M. Michel Gatellier, tél. : 33.21.41.10
Ouverture : de Pâques à la Toussaint, t.l.j., sauf dim. et lun., de 14 h à 18 h
Accès : à 12 km à l'ouest de Valognes par Montebourg

Jardin Christian Dior ★

Granville

Créé dans les années 20 par les parents du couturier, le jardin devenu public avant la seconde guerre est accessible par la promenade du bord de mer. C. Dior y passa son enfance. Abondamment fleuri, le jardin a conservé sa structure (serres, bassin) et fait l'objet de réaménagement.

Adresse : jardin Christian Dior, 50400 Granville
Propriétaire : Ville de Granville, tél. : 33.50.15.58 (M. Pican)
Ouverture : t.l.j., de 8 h au coucher du soleil (21 h en été)
Accès : par avenue de la Libération en direction de Coutances

Parc de Beaurepaire ★★★

Martinvast

Un jardin spectaculaire. Créé par le comte de Moncel en 1820, le parc associe foisonnement végétal, cascades et étangs avec une belle allée rectiligne au bout de laquelle un obélisque fait office de viseur. Rhododendrons, palmiers, gunnéras accompagnent allées sinueuses et rivières. Outre de beaux feuillus, hêtres, chênes, tulipiers, les dendrologues apprécieront les superbes résineux, *Sequoiadendron*, *Cryptmoria japonica* et cyprès chauves. Ce qu'écrivait un visiteur en 1851 reste d'actualité : « Tout dans l'arrangement du parc témoigne du bon goût et des hautes connaissances du propriétaire. Tout y est à sa place. » M.R.

Adresse : domaine de Beaurepaire, 50690 Martinvast
Propriétaire : S.C.I. du Domaine de Beaurepaire, M. de Pourtalès, tél. : 33.52.02.23
Ouverture : t.l.j. de 9 h à 12 h et de 14 h à 19 h ; son et lumière (fin juin)
Accès : à 7 km au sud-ouest de Cherbourg par D900

Cloître de l'abbaye du Mont-Saint-Michel ★★

Le Mont-Saint-Michel

Les moines jardiniers. Dans ce lieu clos entre ciel et mer, on retrouve spontanément cet appel au calme et à la paix de l'esprit que les moines avaient voulu pour leurs méditations quotidiennes.
En l'an 1226, le jeune frère François, tout juste âgé de 18 ans, a la surprise de sa vie : le père abbé lui

confie la réalisation d'un jardin pour le cloître, qui doit être achevé dans les deux ans. Le jeune moine suit son inspiration, mais doit aussi tenir compte de toutes les demandes : le frère infirmier veut des simples, le frère chantre des fleurs à couper, le frère cuisinier des fines herbes...

Ce jardin n'existait plus, il avait été remplacé par un pavage. En 1966, l'architecte Froideveaux a reconstitué le jardin avec des espèces existant au Moyen Age.

Le jardin du cloître jouit d'un privilège rare : une vue plongeante et panoramique sur la mer. Des buis taillés et des plantes grasses encadrent des plates-bandes de roses et de simples, chaque angle est orné de cinéraires maritimes au feuillage persistant gris argenté et de coréopsis jaunes. Une allée de petits galets entoure les parties plantées.
D.L.

Adresse : abbaye du Mont-Saint-Michel, 50116 Le Mont-Saint-Michel
Propriétaire : l'État, tél. : 33.60.14.14/ 33.60.04.52
Ouverture : du 15 mai au 15 septembre, t.l.j. de 9 h 30 à 18 h ; du 16 septembre au 15 novembre et du 15 février au 14 mai, t.l.j. de 9 h à 11 h 45 et de 13 h 45 à 17 h ; du 16 novembre au 14 février, t.l.j. de 9 h à 11 h 45 et de 13 h 45 à 16 h ; fermé les 1er janvier, 1er mai, 1er et 11 novembre, 25 décembre
Accès : à 25 km à l'ouest d'Avranches

Le jardin de cloître. Le Mont-Saint-Michel.

Jardin Jacques-Prévert ★

Saint-Germain-des-Vaux

Un cèdre, deux palmiers, un premier *Chamaecyparis*, un deuxième, un rhododendron, puis un autre, un tilleul... La liste des plantes se lit avec la liste des amis qui les ont offertes : Mme Prévert, la Commune, Arletty, Ursula Vian, Juliette Greco, Robert Doisneau... Ce jardin tout neuf de 1 ha a besoin d'un peu de temps et les plantes de vos encouragements.
M.R.

Adresse : jardin Jacques-Prévert, vallée des Moulins, 50440 Saint-Germain-des-Vaux
Propriétaire : M. Gilles Fusberti
Ouverture : de mai à fin septembre, t.l.j. (sauf ven.) de 14 h à 19 h et tous les après-midi de 14 h à 19 h en juillet et août
Accès : à 28 km à l'ouest de Cherbourg, près du port Racine à Saint-Germain-des-Vaux

Parc de Saint-Symphorien-des-Monts ★★

Saint-Symphorien-des-Monts

Ce parc de 40 ha, qui aurait été dessiné au XVIIIe siècle, est composé de prairies, de bosquets et d'étangs. Riche de nombreux conifères et feuillus centenaires, cèdres, séquoias, hêtres, chênes, tilleuls, châtaigniers, il est planté de centaines de massifs de rhododendrons et d'azalées. Mais il est avant tout un parc animalier et floral, destiné à un large public, présentant dans de grands espaces des animaux de faune européenne en voie de disparition.
M.R.

Adresse : parc de Saint-Symphorien-des-Monts, 50640 Saint-Symphorien-des-Monts
Propriétaire : Charles-Édouard de Miramon.
Responsable : M. Korobetsky, tél. : 33.49.02.41
Ouverture : t.l.j. de 9 h à 19 h de Pâques à la Toussaint
Accès : à 7 km au sud-est de Saint-Hilaire-du-Harcouet, par N176, à 30 km au nord-est de Fougères

Château de Tourlaville ★

Tourlaville

Après un jardin à la française et une roseraie, des sentiers bordés de bambous et de houx longent les deux étangs qui entourent le château, le tout sur 12 ha. Ils vous conduiront vers le parc et les prairies jusqu'à la futaie de hêtres séculaires.
M.R.

Un site embelli. Nacqueville.

Adresse : château de Tourlaville, 50110 Tourlaville
Propriétaire : Ville de Cherbourg,
tél. : 33.20.43.40 (S.E.V.)
Ouverture : t.l.j. de 8 h à 19 h 30 en été ; de
8 h 30 à 17 h en hiver ; le château ne se visite
pas
Accès : à 4 km à l'est de Cherbourg

Château de Nacqueville ★ ★ ★

Urville-Nacqueville

L'art de la séduction. On est séduit... mais comment l'expliquer ? Le site avait déjà beaucoup de charmes naturels, une vallée proche du littoral, un microclimat très doux. Plantée sur la pelouse au-devant d'un harmonieux manoir de granit rose, la poterne flanquée de deux tours joue aujourd'hui le rôle d'un portail de prestige ou d'une fabrique dans ce jardin à l'anglaise. Avec une simplicité apparente, c'est-à-dire avec beaucoup d'art, les créateurs du jardin ont idéalisé le site. Soulignée par quelques traits fluides de rhododendrons (l'un d'eux a 150 ans et 10 m de haut), la rivière traverse la pelouse et descend en cascade vers un étang très étudié bien qu'il n'y paraisse rien. Non seulement il joue le rôle classique de miroir d'eau reflétant le ciel mais aussi de plan intermédiaire captant la mer lointaine et l'intégrant à la composition. M.R.

Adresse : château de Nacqueville,
50460 Urville-Nacqueville
Propriétaire : Mme Azan, tél. : 33.03.56.03
Ouverture : t.l.j. de Pâques au 30 septembre, sauf
mar. et ven. non fériés ; visites guidées à 14 h,
15 h, 16 h, 17 h ; floraisons entre le 15 mai et le
15 juin
Accès : à 10 km à l'ouest de Cherbourg par D901
et D45 à Hainneville

ORNE 61

Jardin du Casino ★
Bagnoles-de-l'Orne

Associant la géométrie (devant le casino) et les allées paysagères pour la promenade (autour du lac), Jean Graef a dessiné ce parc municipal (2,5 ha) et son plan d'eau en 1927. M.R.

Adresse : Casino, rue de l'Hippodrome/rue du Casino, 61140 Bagnoles-de-l'Orne
Propriétaire : casino de Bagnoles. Gestion : Ville, tél. : 33.37.81.03
Ouverture : permanente ; visites libres
Accès : à 18 km à l'est de Domfront par N176 ou D908

Le Mont de Cerisy ★★
Cerisy-Belle-Étoile

Autour du château de style écossais édifié vers 1870 par lord Burkinyoung, riche avocat londonien qui se ruina au jeu, la famille Corbière planta, au début du siècle, près de 4 000 rhododendrons !
Il ne faut pas manquer, fin mai, leur floraison, autour des ruines du château et dans le domaine forestier qui couvre 100 ha, pour assister à l'un des spectacles floraux les plus impressionnants de la région. T.D.

Le Mont de Cerisy.

Adresse : le Mont de Cerisy, 61100 Cerisy-Belle-Étoile
Propriétaire : Commune de Cerisy-Belle-Étoile, tél. : 33.66.52.62
Ouverture : permanente ; visites libres
Jeux pour enfants, tennis, parcours de santé, escalade. Fête des rhododendrons fin mai
Accès : à 50 km de Caen et d'Argentan, à 5 km au nord-ouest de Flers par D18

Jardin du château de Flers ★
Flers

Devenu jardin public, ce lieu connut trois grandes périodes de création dont il reste des traces : les étangs réalisés au milieu du XVIIe siècle, la cour d'honneur traitée à la française et le parc aménagé en 1751 par Rainette pour le comte de Flers, enfin de nombreuses plantations dans le parc réalisées en 1808 par le comte de Redern, des hêtres aujourd'hui plus que centenaires. M.R.

Adresse : château de Flers, 61000 Flers
Propriétaire : Ville de Flers, tél. : 33.65.00.47
Ouverture : été, de 7 h à 21 h ; hiver, de 7 h à 19 h
Musée du château (t.l.j. sauf mar.)
Accès : à 57 km au sud de Caen par D562

Château de Médavy

Médavy

Bordé de balustre, un parterre à la française occupe la cour d'honneur. On pourra apprécier surtout les très belles allées de tilleuls plantés le long de l'Orne au XVIIIᵉ siècle.   M.R.

Adresse : château de Médavy, 61570 Médavy
Propriétaire : M. Rey
Ouverture : t.l.j. du 14 juillet au 14 septembre de 10 h à 12 h et de 14 h à 18 h 30 ; sur demande hors saison, tél. : 33.35.34.54
Accès : à 10 km au sud-ouest d'Argentan par D240

Un verger nouveau. Château d'O.

Château d'O ★★

Mortrée

Sur l'initiative de sa propriétaire, Mme Jacques de Lacretelle, présidente d'honneur des Vieilles Maisons françaises, et avec les conseils du paysagiste Alain Richert, le parc du château d'O est en passe de retrouver l'éclat qu'il eut du temps du marquis d'O, mignon d'Henri III. Une rivière le longe, bordée d'aconits et de seringas, des canaux le traversent, ainsi qu'une longue allée de vivaces. Un cheminement labyrinthique d'herbe taillée, un jardin de fleurs à couper bordé de santolines, une volière d'oiseaux rares, un croquet de buis, ne cèdent en intérêt qu'à une collection de roses anciennes et de variétés locales d'arbres fruitiers taillés.   C.W.

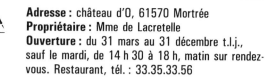
Adresse : château d'O, 61570 Mortrée
Propriétaire : Mme de Lacretelle
Ouverture : du 31 mars au 31 décembre t.l.j., sauf le mardi, de 14 h 30 à 18 h, matin sur rendez-vous. Restaurant, tél. : 33.35.33.56
Accès : à 14 km au sud-est d'Argentan par N158

Le Haras du Pin ★★

Le Pin-au-Haras

Le Versailles des chevaux. Trois allées forestières en patte d'oie convergent vers la cour d'honneur et la très belle grille de ce superbe « palais pour étalons ». Créé en 1715, son architecture est attribuée à Mansart, et son jardin à Le Nôtre. Quoi qu'il en soit, l'opération fut grandiose (1 120 ha) et marque fortement le territoire environnant. Devant le haras, une succession de terrasses, dont la première est très simplement fleurie, conduit le regard vers les prairies. La beauté de ce paysage est encore relevée par la présence de centaines de chevaux.   M.R.

Adresse : Le Haras du Pin, 61310 Le Pin-au-Haras
Propriétaire : l'État, ministère de l'Agriculture
Ouverture : visite du haras t.l.j. de 9 h à 12 h et de 14 h à 18 h, tél. : 33.39.92.01
Nombreuses manifestations hippiques
Accès : à 14 km à l'est d'Argentan par N26

Des terrasses au paysage. Le Haras du Pin.

Château de Rabodanges ★

Rabodanges

Inscrit dans un parc fermé par des grilles, le château du XVIIᵉ siècle a gardé ses beaux jardins en terrasses, pièces d'eau et allées majestueuses.

Adresse : château de Rabodanges, 61210 Rabodanges
Propriétaire : Mme Lemoine Boucaud, tél. : 33.35.04.76

Ouverture : t.l.j. en juillet et en septembre, de
10 h à 12 h et de 14 h à 17 h 30, ou sur demande
Accès : à 45 km au sud de Caen, 12 km au sud
de Falaise par D909 et D121 à Bazoches

Château de Sassy ★ ★ ★

Saint-Christophe-le-Jajolet

La perfection d'un jardin à la française.
Perché au-dessus d'un escalier abrupt de cinq terrasses
à l'italienne, le château de brique rouge offre déjà
une découpe étonnante sur les collines boisées et les
prairies humides. Après la belle grille d'entrée, vous
serez accueilli par une coulée de rhododendrons et
de grandes ombres sur la pelouse, celles des arbres
du parc. Ce paysage de transition mène à la vaste
cour d'honneur, immense terrasse couverte de gravier
dont la traversée vous laissera le temps de vous
préparer à une surprise agréable. Vous ne devriez
pas être déçu par le jardin à la française qui vous
apparaît, par sa parfaite géométrie de ce siècle, le
parterre de broderies de buis sur fond de brique
pilée est un remarquable exemple du degré de
perfection auquel étaient parvenus les paysagistes du
renouveau classique de la fin du XIXᵉ siècle. Encadré
par les douves et des haies, ce jardin au dessin très
sophistiqué est « posé » dans le paysage avec retenue.
Au fond du jardin, la perspective centrale est
volontairement bloquée par un joli petit pavillon et
la vue vers les prairies et les bocages est attirée sur
les côtés par des transparences, deux marquises
parfaitement taillées, comme il n'en existe plus
aujourd'hui en France.   M.R.

Adresse : château de Sassy,
61570 Saint-Christophe-le-Jajolet
Propriétaires : M. et Mme d'Audiffret-Pasquier,
tél. : 33.35.32.66
Ouverture : t.l.j. de 9 h à 18 h
Accès : à 10 km au sud d'Argentan par N158 et
D219

Château de La Roche-Bagnoles ★

Tessé-la-Madeleine

Parc paysager de 18 ha dessiné en 1860 par David,
architecte au Mans. C'est un arboretum associant
conifères et feuillus (une centaine de variétés) autour
du château devenu hôtel de ville.   M.R.

Adresse : château de La Roche-Bagnoles,
61140 Tessé-la-Madeleine
Propriétaire : Commune de Tessé-la-Madeleine,
tél. : 33.37.93.03
Ouverture : permanente, visites libres
Accès : à 10 km à l'est de Domfront, à 1 km de
Bagnoles-de-l'Orne

Château de Villers ★

Villers-en-Ouche

Le parc de Villers, dont l'origine remonte au
XVIIIᵉ siècle, est un parc à l'anglaise agrémenté de
diverses fabriques, en particulier un temple à quatre
colonnes et fronton corinthien. A droite du temple,
deux bosquets : l'un, dit « rond de danses », et l'autre,
dit « le bosquet du chasseur », complètent ce bel
ensemble.   A.R.

Adresse : château de Villers,
61550 Villers-en-Ouche
Propriétaire : comte Trudon des Ormes,
tél. : 33.34.90.30
Ouverture : t.l.j., du 15 juin au 15 septembre, de
14 h à 18 h, et sur rendez-vous le reste de l'année
Accès : à 15 km au nord-ouest de L'Aigle après
D12, 25 km au sud de Bernay par N138 et D12

Le parterre de broderies. Sassy.

HAUTE-NORMANDIE

La diversité et l'opulence des paysages de la Haute-Normandie ont de tout temps frappé les visiteurs, offrant une succession de sites d'une remarquable beauté : falaises escarpées dominant la Seine ou la mer, riches plateaux agricoles (Vexin, Neubourg...), vallonnements structurés de haies vives où, selon la tradition, de paisibles troupeaux de vaches paissent à l'ombre des pommiers, marais devenus réserve naturelle (marais Vernier), forêts mystérieuses du pays d'Ouche où plane l'esprit de de La Varende. L'habitat dispersé est généralement ouvert sur la campagne sauf dans le pays de Caux où, pour se protéger des vents, les fameux clos-masures dressent leurs haies de hêtres au-dessus d'une levée de terre, le fossé.

La douceur du climat et du relief, l'abondance des pluies et la richesse du sol, l'ouverture des Normands aux formes les plus variées de l'expression artistique ont fait de la Haute-Normandie une terre de prédilection pour les jardins. Dès le début du XVIᵉ siècle apparaît un des premiers chefs-d'œuvre de l'art des jardins à Gaillon dont la renommée fut telle qu'aujourd'hui encore les projets les plus ambitieux s'attachent à son nom. D'autres chefs-d'œuvre suivront, jalonnant une longue évolution qu'ils marquent souvent d'une façon décisive.

Dans ce passé très riche, dont ne subsistent parfois que des vestiges, on trouve les noms de Le Nôtre (Navarre, Le Vaudreuil), Collinet (Bosmelet), Contant d'Ivry (Bizy), P. A. Paris (Courteilles), A. Duchesne (Condé-sur-Iton), G. Jekill (les Moutiers), R. Page (Fontaine-la-Soret, Gadencourt), etc. A cette tradition de création de grande ampleur s'ajoute désormais une volonté très affirmée de restaurations décisives (Giverny, Limpiville, Bizy) qui s'étend aussi à des parcs moins connus dont l'ouverture au public pourra se faire dans les prochaines années.

D'une diversité extrême, le patrimoine parcs et jardins de la Haute-Normandie présente quelques particularismes : les parcs restent le plus souvent le prolongement de l'architecture des châteaux, clos de murs, mais ouverts sur la campagne en vastes perspectives savamment ménagées grâce à des sauts-de-loup ; dans la région de Dieppe, au contraire, ils ont une identité propre avec un intérêt botanique prédominant que favorise la douceur extrême du climat (les Moutiers, le Vastérival). Enfin, mêlant à la rigueur des tracés réguliers le foisonnement et l'exubérance des vivaces et des annuelles, les potagers fleuris (Miromesnil, Galleville) assurent un renouvellement du genre particulièrement séduisant, dont Giverny, s'il n'était que cela, serait la plus brillante illustration.   M.C.

Jardin Claude Monet. Giverny.

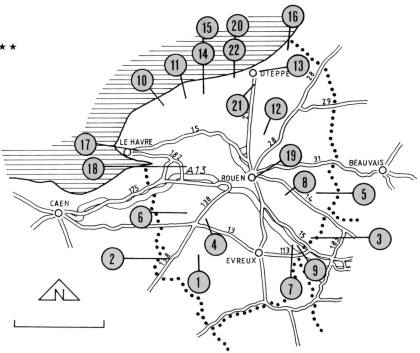

EURE 27

Château de Beaumesnil ★ ★

Beaumesnil

En pays d'Ouche, le château de Beaumesnil (milieu XVIIᵉ siècle) rayonne au milieu d'un parc qui garde les vestiges de son ancienne splendeur. Précédé d'une avenue de tilleuls plantés en 1757 et prolongée récemment, le parc a été restauré par M. et Mme Fürstenberg, avant de devenir Fondation. L'accès se fait par de petits jardins clos qui longent l'avant-cour et conduisent à la demi-lune ornée de broderies et de statues. Au pied de la cour d'honneur, à hauteur des douves, le petit jardin de Madame veut rappeler par le rose de ses fleurs la douceur de la brique de l'architecture. A l'opposé, en île au milieu des larges douves, restent les fondations de l'ancien donjon formant motte, transformé en labyrinthe de buis.
La longue perspective du tapis vert et l'ancien miroir qui le ponctue rappellent le brillant passé d'un parc qui a pu être conçu au XVIIᵉ siècle et que l'on attribue à La Quintinye. M.L.C.

Adresse : château de Beaumesnil, 27410 Beaumesnil, tél. : 32.44.40.09
Propriétaire : Fondation Fürstenberg-Beaumesnil
Ouverture : du 1ᵉʳ mai au 30 septembre, t.l.j. (sauf mar.) de 9 h à 12 h et de 14 h 30 à 18 h ; château, du ven. au lun. inclus, groupes t.l.j. sur demande
Musée de la reliure
Accès : à 40 km à l'ouest d'Évreux, à 13 km au sud-est de Bernay par la D140

Château de Bonneville ★

Le Chamblac

La forte personnalité de l'écrivain Jean de La Varende s'affirme dans des lieux où sa marque est omniprésente : restauration du parc pittoresque — un des premiers qui furent conçus en France — et création d'un jardin régulier orné de topiaires formant un jeu d'échecs. M.L.C.

Adresse : château de Bonneville,
27270 Le Chamblac
Propriétaire : Mme de La Varende,
tél. : 32.44.63.56
Ouverture : aux groupes, du 1er juin au
30 septembre sur rendez-vous
Maison d'écrivain
Accès : à 15 km de Bernay en direction de Brongly

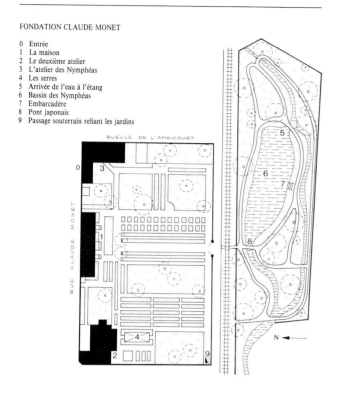

FONDATION CLAUDE MONET

0 Entrée
1 La maison
2 Le deuxième atelier
3 L'atelier des Nymphéas
4 Les serres
5 Arrivée de l'eau à l'étang
6 Bassin des Nymphéas
7 Embarcadère
8 Pont japonais
9 Passage souterrain reliant les jardins

Fondation Claude Monet

★ ★ ★

Giverny

C'est à Giverny que le maître de l'impressionnisme, Claude Monet, a fini ses jours en 1926. Ce petit village à flanc de coteau, arrosé par l'Epte baignée de lumière, ravit le maître et lui fit acquérir cette propriété en 1883. Peintre de la nature, il allait sur son terrain assouvir sa passion : l'amour des fleurs. Seul dans un premier temps, il commença à établir son jardin, nommé le Clos Normand en souvenir du pâturage. En 1893, il créa un jardin d'eau dont il se servira pour l'accomplissement de son œuvre. Ce Clos Normand, légèrement en pente, monte vers une habitation tout en longueur, aux murs roses et volets verts. Il est divisé en deux par une allée centrale et, de chaque côté, des massifs rectilignes sont cernés d'allées. De cette prairie il ne reste que trois parcelles d'herbe où les pommiers à fleurs ont remplacé les pommiers à cidre. La plus grande d'entre elles est bordée par une roseraie. Ces îlots de verdure ne restent pas longtemps vierges. Ils sont envahis au printemps et à l'automne par une multitude de bulbeuses. C'est un jardin de couleurs où la rigidité du plan horizontal se trouve atténuée par la variété des formes et des couleurs. Géométrie et monochromie, si l'on contemple ces massifs en enfilade. Relief et polychromie si on les regarde en transversal, l'œil choisit son décor, guidé par la concentration des couleurs et l'inspiration personnelle. C'est une multitude de fleurs qui s'échelonnent du printemps à l'hiver, tous les types de végétation y sont présentés : vivaces, bisannuelles, annuelles, plantes d'orangerie, bulbes, plantes grimpantes. Pour ces dernières, il conçut des portiques. Au bas de sa propriété, de l'autre côté d'une voie ferrée, il réalisa un jardin d'eau différent du premier, de style romantique anglais avec quelques nuances asiatiques, un pont, des bambous... Et à la surface de l'eau des nymphéas qu'il a si bien immortalisés. En 1976, après 50 années de déclin, M. Van der Kemp, pour l'Académie des beaux-arts, s'est chargé d'organiser la restauration de la propriété.

M.H.

Adresse : Fondation Claude Monet, musée Monet, 27620 Giverny
Propriétaire : Institut de France, Académie des beaux-arts, tél. : 32.51.28.21
Ouverture : t.l.j., sauf lun., du 1er avril au 31 octobre de 10 h à 18 h ; de 10 h à 12 h et de 14 h à 18 h pour la maison
Boutique, restaurant
Accès : à 3 km au sud-est de Vernon par D5

Arboretum d'Harcourt

★ ★

Harcourt

Au cœur de la forêt qui l'environne, l'arboretum d'Harcourt sert d'écrin luxuriant à la forteresse médiévale qui appartint jusqu'en 1452 à la famille du même nom. Abandonné pendant la Révolution, le domaine fut acquis en 1802 par Louis Gervais Delamarre qui en entreprit la restauration en lui donnant la vocation que l'Académie d'agriculture de France continue à promouvoir aujourd'hui.
Le visiteur est accueilli par deux beaux cèdres plantés par Delamarre en 1810 et de grands résineux exotiques atteignant 40 m de haut. En 1851, le jardinier chef du muséum, Pépin, planta autour du château une collection d'essences forestières exotiques susceptibles d'être introduites en France. Tour à tour travaillèrent dans l'arboretum Maurice de Vilmorin, de 1901 à 1913, et l'école forestière de Nancy, après la dernière guerre. L'arboretum continue à s'enrichir et offre une collection de quelque 300 espèces feuillues et résineuses (séquoias, sapins de Nordmann et de Vancouver, Douglas, pins de Weimouth, tulipiers de Virginie, noyers d'Amérique, hêtres de Patagonie, etc.). Les circuits balisés empruntent des allées dont les noms évoquent les propriétaires d'antan.

M.L.C.

Adresse : Arboretum d'Harcourt, 27800 Harcourt
Propriétaire : Académie d'agriculture de France,
tél. : 32.46.29.70 ou 32.44.80.44
Ouverture : de début mars à mi-novembre, t.l.j.
(sauf mar.) de 14 h 30 à 18 h ; visites guidées sur
demande pour groupes
Accès : à 6 km au sud-est de Brionne par la D137

Château d'Heudicourt ★

Heudicourt

Le parc d'Heudicourt offre une image bien conservée,
quoique réduite et simplifiée, de l'atmosphère qui
régnait dans les parcs au XVIIIᵉ siècle : longue
perspective d'accès (1 500 m de platanes et tilleuls),
parterre sobre et régulier garni de buis taillés dans
la cour d'honneur et surtout, sur le côté gauche, des
bosquets qui ont gardé leur tracé tel qu'il est figuré
sur un plan de 1765 : les allées droites et biaises
traversent des ronds-points et s'orientent vers des
sauts-de-loup qui intègrent le parc à la campagne
environnante.   M.L.C.

Adresse : château d'Heudicourt, 27860 Heudicourt
Propriétaire : comte Xavier Estève,
tél. : 32.55.86.06
Ouverture : aux groupes de Pâques à la Toussaint

Pour intégrer la sculpture au jardin. Vascœuil.

sur rendez-vous et les dim. de juin de 10 h à 18 h
(château de 14 h 30 à 18 h) ; participation aux
manifestations de « l'Eure en fleurs » (juin)
Accès : à 40 km à l'ouest de Beauvais, à 10 km
au nord-ouest de Gisors par D14*bis* et D13

Château de Launay ★

Saint-Georges-du-Vièvre

Ce classique petit parc du XVIIIᵉ siècle a été aménagé
et planté vers 1730, lors de la construction du
château et reconstitué dans le même esprit en 1925,
avec parterres encadrés de charmilles. Le pigeonnier
et le hêtre pleureur (1730), peut-être le plus vieux de
France, méritent une visite.   M.L.C.

Adresse : château de Launay,
27450 Saint-Georges-du-Vièvre
Propriétaire : M. Philippe Bacot, tél. : 32.42.84.87
Ouverture : visite d'une partie du parc libre toute
l'année, et sur demande pour jardins et château
Accès : à 20 km au nord de Bernay

Château de Saint-Just ★★

Saint-Just

D'un romantisme exacerbé où plane le souvenir de
la mère de Victor Hugo — Sophie Trébuchet —, le
parc de Saint-Just utilise la déclivité du terrain qui

domine la vallée de la Seine pour offrir un vaste parc paysager dessiné par Belguise vers 1825 pour le maréchal Suchet, duc d'Albufera. Terrasses, allée de tilleuls longeant une fabrique de la fin du XVIIIᵉ siècle, tombeau Renaissance, glacière, laiterie et surtout cheminement de l'eau dans des goulettes alimentant un vaste miroir, se perdent sous les frondaisons d'arbres séculaires aux essences variées.

M.L.C.

Adresse : château de Saint-Just, 27950 Saint-Just
Propriétaire : M. Lalloz, tél. : 32.52.21.52
Ouverture : du 15 juin au 31 juillet, t.l.j. de 14 h à 18 h ; visite commentée pour les groupes sur rendez-vous
Participation aux manifestations de « l'Eure en fleurs » (juin)
Accès : à 4 km à l'ouest de Vernon par D64

Château de Vascœuil ★

Vascœuil

Restauré en même temps que le manoir où vécut Michelet, à partir d'un plan de 1774, le parc est ordonné en jardin classique ponctué de petites cascades et en musée de sculptures et de mosaïques (Beck, Braque, Carzou, Dalí, Hedberg, Kijno, Pompon, Szekely, Vasarely, Volti). M.L.C.

Adresse : château de Vascœuil, 27380 Vascœuil
Propriétaire : Mᵉ Papillard, tél. : 35.23.62.35
Ouverture : t.l.j., de fin mars à début novembre, de 14 h 30 à 18 h 30 et le matin pour groupes sur rendez-vous
Maison d'écrivain ; librairie ; cafétéria
Accès : fléché depuis la N14 et la A13, sortie Le Vaudreuil, à 20 km de Rouen

Château de Bizy ★ ★

Vernon

Bizy doit à la qualité de ses propriétaires successifs d'avoir toujours été l'un des plus beaux fleurons des parcs de la région. Les architectes les plus célèbres ont œuvré à sa création et à ses modifications ultérieures. En 1723 Desgots, gendre de Le Nôtre, créa l'avenue des Capucins qui relie le château à la ville de Vernon, mais le parc a été surtout dessiné pour le maréchal Fouquet de Belle Isle, par le célèbre architecte Contant d'Ivry qui, à partir de 1738-1739, y multiplia les jeux d'eau et les parterres. L'ensemble, bâtiments et parc, était achevé vers 1756. De cette époque subsistent les fontaines et les bassins avec leurs sculptures souvent monumentales.

L'escalier d'eau mis en scène. Bizy.

De la fontaine de Gribouille, l'eau descendait par marches successives en une allée axée sur le château et ses écuries, s'apaisait dans le bassin des Chevaux Marins, jouait dans la vasque de la fontaine du Dauphin, se cachait, souterraine, pour réapparaître dans un pédiluve en forme de violon au centre de la cour et à nouveau resurgissait en avant du château pour alimenter un bassin de forme baroque dominé par un immense jet d'eau. D'importants travaux permettront une prochaine remise en eau de ce qui fit longtemps la gloire de Bizy.

Le parc au tracé classique et parfois baroque, qui entourait ces jeux d'eau sur une très vaste superficie, a été par la suite redessiné à l'anglaise par Louis-Philippe et déploie de somptueuses frondaisons. Il appartient actuellement à la famille d'Albufera qui l'entretient avec le plus grand soin et en a ouvert une partie à la visite. M.L.C.

Adresse : château de Bizy, 27200 Vernon
Propriétaires : M. et Mme Patrice Vergé, tél. : 32.51.00.82
Ouverture : du 1ᵉʳ avril au 1ᵉʳ novembre, t.l.j., sauf ven., de 10 h à 12 h et de 14 h à 18 h ; en juillet et août les dim. de 10 h à 18 h
Accès : par la D181, route de Pacy

Château de Bailleul ★★

Angerville-Bailleul

Du petit jardin clos, qui entourait le château lors de sa construction au XVIe siècle, au parc actuel, Bailleul a toujours reflété les courants successifs de l'art des jardins. Entouré d'avenues de hêtres, le parc paysager, planté au XIXe siècle, s'étend largement autour du château. Les hêtres et les chênes, majestueux en toute saison, servent de couvert à des hortensias formant des îlots colorés. La souplesse du tracé s'interrompt à proximité du château pour former de larges parterres ornés de statues et de vases. Récemment, le propriétaire a créé près de la chapelle un petit jardin d'herbes aromatiques au dessin régulier et, non loin, un labyrinthe de charmes adossé au colombier.

M.L.C.

Adresse : château de Bailleul, 76110 Angerville-Bailleul
Propriétaires : M. et Mme Moltzer, tél. : 35.27.77.87 ou 35.27.81.39
Ouverture : les jardins et une partie du parc sont visibles après la visite du château ; de Pâques au 14 juin, les week-ends et jours fériés de 10 h à 11 h 30 et de 14 h à 17 h 30 ; t.l.j. sauf lun. du 14 juin à mi-septembre
Antiquités-brocante, boissons
Accès : à 10 km au sud de Fécamp, fléché depuis Goderville, par la D73

Château de Cany ★★

Cany-Barville

Situé à quelques kilomètres de la mer, le parc de Cany pourrait être une représentation idéale de la Normandie où l'eau semble rivaliser avec les tapis de gazon. Bassins, douves, allées d'eau et miroirs alimentés en eau courante par la Durdent, reflètent un ciel souvent changeant ; la pureté et la sobriété du parterre régulier mettent en exergue une des façades du château Louis XIII, tandis que, au-delà de l'autre façade, s'étendent les lignes plus souples d'un parc paysager planté sous Louis-Philippe par la famille de Montmorency qui transforma des pièces d'eau et des canaux en rivières serpentant dans un paysage reconstitué. Labyrinthes, buis taillés et allées en étoile, dessinés à partir de 1648, firent place alors à des bosquets, des allées sinueuses et des îles romantiques. Aucun détail superflu ne rompt la noblesse du tracé d'un des parcs les plus imposants de Normandie.

M.L.C.

Adresse : château de Cany, 76450 Cany-Barville, tél. : 35.97.70.32
Propriétaire : comte Antoine de Dreux-Brézé
Ouverture : le 1er dim. de mai (de 8 h 30 à 19 h) et le 4e dim. de juil. (toute la journée lors de la fête du château) ; château, du 1er juillet au 1er octobre t.l.j. (sauf ven.)
Accès : à 20 km à l'est de Fécamp par la D925 puis D131 à Cany

Un parc vivant. Clères.

Parc zoologique ★★★

Clères

Jean Delacour acquit le domaine de Clères en 1919. Il installa autour du château, célèbre pour avoir reçu Charles IX, Catherine de Médicis et, plus tard, Henri IV, un jardin orné de plantes et peuplé d'animaux. Devenu parc zoologique et ouvert au public, le caractère privé de ce premier jardin a été conservé. Ici, oiseaux et mammifères vivent en liberté dans le parc. Les jardins, qui sont séparés du parc par l'ensemble des bâtiments du château, contiennent d'importantes collections de plantes vivaces, d'arbres et d'arbustes, tandis que des serres abritent des espèces tropicales rares.

M.N.

Adresse : parc zoologique, 76690 Clères
Propriétaire : l'État, Muséum d'histoire naturelle, tél. : 35.33.23.08
Ouverture : t.l.j., printemps et automne, de 9 h à 12 h et de 13 h 30 à 17 h ou 18 h ; été, de 9 h à 18 h ou 19 h ; fermé du début décembre à mi-mars ; fermeture des guichets 1 h avant la clôture du parc
Vente de guides et cartes postales, brochures, affiches...
Accès : à 20 km au nord de Rouen par N27 ; au Boulay, prendre D6

Jardin des pépinières Frédéric Cotelle ★★

Derchigny

Un jardin plein d'inventions, de fantaisie et de fraîcheur d'où se dégage un charme bucolique. Il sert d'écrin à la maison-bureau d'un pépiniériste qui a une passion toute particulière pour les plantes vivaces et porte la marque de la maîtresse de maison, peintre et donc amoureuse des couleurs et de leurs subtiles associations.

Sur fond de pelouse, de larges plates-bandes permettent au visiteur d'admirer en situation les floraisons, les formes, les textures des feuillages et l'évolution au fil des mois de bon nombre de végétaux qui sont proposés par la pépinière.

Jardin de démonstration mais surtout jardin d'esthète qui vous donnera une foule d'idées pour réussir un bel ensemble sur une modeste surface. Au long des allées de gazon, dans le plus pur style d'outre-Manche, vous ferez connaissance avec une foule de plantes vivaces mais aussi d'arbustes à fleurs originaux, et de rosiers anciens.

Il sera complété en 1990 par la création de deux zones nouvelles : l'une consacrée aux plantes de lieux humides et l'autre de couvre-sol adaptés au plein soleil.   J.C.L.

 Adresse : pépinières Frédéric Cotelle,
76370 Derchigny
Propriétaires : Frédéric et Catherine Cotelle, tél. : 35.83.61.38
Ouverture : t.l.j., sauf dim. et jours fériés, de 10 h à 12 h et de 14 h à 18 h ; fermeture en août et du 22 décembre au 2 janvier
Pépinière, vente de plantes rares (vivaces, bruyère, arbustes, roses anciennes...)
Accès : à 2 km à l'est de Dieppe par D925

Château de Galleville ★★

Doudeville

En harmonie avec le château de la fin du XVIIᵉ siècle, le parc de Galleville étend sa large perspective de tapis vert souligné par de puissants alignements de hêtres centenaires. Il est précédé d'une avant-cour et d'une cour à la majestueuse simplicité. Contrastant avec cette noble harmonie, un jardin clos de murs de silex rehaussés de briques cache un potager fleuri éclatant de la couleur des vivaces qui se mêlent aux alignements de légumes.

Adresse : château de Galleville, 76560 Doudeville
Propriétaires : M. et Mme Robert Gillet, tél. : 35.96.54.65
Ouverture : visite du jardin, à la suite de la visite

du château, du 22 juillet au 31 août, t.l.j. de 14 h à 18 h ; groupes sur demande préalable
Accès : à 13 km au sud de Saint-Valéry-en-Caux par D20

Château du Mesnil-Geoffroy ★

Ermenouville

De très nombreux topiaires (ifs), des allées ombragées de tilleuls et un labyrinthe ou jardin d'illusion bordé de charmes, tels sont les éléments que, dans son projet de rénovation, le nouveau propriétaire entend remettre en état.   M.L.C.

Adresse : château du Mesnil-Geoffroy, 76740 Ermenouville
Propriétaire : M. Daniel Paterne, tél. : 35.97.16.09
Ouverture : du 3 juillet au 3 septembre, du lun. au vend. inclus, de 14 h 30 à 18 h ; hors saison sur demande
Accès : à 8 km au sud de Saint-Valéry-en-Caux par D20 et à droite à Sainte-Colombe

Parc du château d'Eu ★

Eu

Parc romantique, d'intérêt botanique et historique, Eu conserve des souvenirs de ses propriétaires successifs : « Guisard », hêtre planté par les Guise au XVIᵉ siècle, azalées et rhododendrons établis par Louis-Philippe, rejet de l'épine plantée par le duc de Penthièvre après 1775. Un jardin ordonnancé précède le parc paysager peuplé d'innombrables constructions.   M.L.C.

Le jardin régulier. Château d'Eu.

Adresse : château d'Eu, 76260 Eu
Propriétaire : Ville d'Eu, tél. : 35.86.44.00
Ouverture : t.l.j. de 8 h 30 à 18 h
Musée Louis-Philippe (t.l.j. sauf mar. des Rameaux
à la Toussaint)
Accès : à 30 km au nord-est de Dieppe par D925

Château d'Orcher ★ ★

Gonfreville-l'Orcher

Dominant les falaises escarpées de la Seine, Orcher occupe un site admirable. Son parc boisé contraste fortement avec l'industrialisation avoisinante. Le tracé du parc est connu depuis 1735, comprenant d'immenses allées de hêtres séculaires, des bosquets (charmilles) et une terrasse de 900 m² d'où la vue s'étend sur l'ensemble de l'estuaire de la Seine.

M.L.C.

Adresse : château d'Orcher,
76700 Gonfreville-l'Orcher
Propriétaire : comtesse Emmanuel d'Harcourt,
tél. : 35.45.45.91
Ouverture : t.l.j. (sauf jeu.), d'avril à septembre,
de 8 h à 18 h, et d'octobre à mars de 9 h à 17 h ;
château, t.l. après-midi, sauf jeu., du 4 juillet
au 15 août
Accès : à 8 km à l'est du Havre

Abbaye de Jumièges ★ ★

Jumièges

Depuis le XIIᵉ siècle, cette abbaye majestueuse est un centre spirituel et intellectuel. Son rayonnement a toujours inspiré les créateurs. Située dans le parc national de Brotonne, elle frappe avant tout par son architecture magnifique. Mais le jardin qui l'entoure n'est pas en reste : on y admire des ifs centenaires ou des charmes imposants, et l'alliance des arbres vénérables et des ruines médiévales crée une vision qui semble sortie des illustrations d'un conte de fées.

D.L.

Adresse : abbaye de Jumièges, 76480 Jumièges
Propriétaire : l'État, C.N.M.H.S., tél. : 35.37.24.02
Ouverture : t.l.j. du 1ᵉʳ novembre au 31 mars de
10 h à 12 h et de 14 h à 16 h (17 h le week-
end) ; du 1ᵉʳ avril au 15 avril et du 15 septembre
au 30 octobre de 9 h à 12 h et de 14 h à 17 h
(9 h à 12 h 30 et 14 h à 18 h le week-end) ; du
15 juin au 15 septembre de 9 h à 18 h 30
Accès : à 30 km à l'ouest de Rouen par D982
et D65 après Duclair

Jardin des Plantes ★ ★

Rouen

Largement étendu sur la rive gauche de la Seine depuis 1838, c'est le jardin le plus ancien de la ville. Outre un grand parc paysager planté d'arbres

Exubérance et exotisme autour des Victoria regia. Jardin des Plantes de Rouen.

et d'arbustes d'essences très variées, il offre, de part et d'autre de la pièce d'eau centrale qui s'étend au pied d'une belle rocaille, des petits jardins spécialisés : roseraie, jardin d'iris, collection de plantes médicinales (400 espèces). On visitera surtout les serres, remarquables par leur architecture (1839-1842) et par les collections qu'elles abritent : orchidées, broméliacées, généricacées et, parmi les nymphéacées, la célèbre *Victoria Regia*, nénuphar géant de l'Amazonie.   M.L.C.

Adresse : jardin des Plantes, 114 *ter,* avenue des Martyrs-de-la-Résistance, 76100 Rouen
Propriétaire : Ville de Rouen, tél. : 35.72.36.36
Ouverture : t.l.j. de 8 h au coucher du soleil (20 h en été) ; serres, de 8 h à 11 h 45 et de 13 h 30 à 17 h 15 (16 h 45 en hiver)
Circuit pour les non-voyants, cours d'horticulture
Accès : au sud du centre ville, rive gauche de la Seine

JARDIN DES PLANTES DE ROUEN

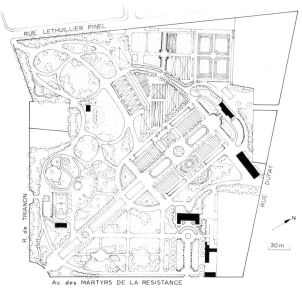

Le Vasterival ★ ★ ★ ★

Sainte-Marguerite

Un jardin pour toute l'année. Avec de grandes connaissances et beaucoup de savoir-faire, la princesse Sturdza consacre sa vie à son jardin. Son univers n'était, il y a trente ans, qu'un terrain abandonné. Toutes les plantes participent aujourd'hui, sous sa direction, à une même symphonie de formes, de couleurs et de textures. Laissons-la nous guider : « Les arbustes forment le fond de l'habit d'hiver de ce jardin. C'est ainsi que j'ai planté des *Daphne mezereum* blancs et roses, des prunus, des sarcococca et diverses variétés de viburnum, ainsi que le *Garrya elliptica* aux longs chatons gris-mauve. Les hamamelis sont largement représentés. Entre décembre et mars, leurs branches nues se couvrent de fleurs très

L'art d'associer les plantes de collection. Le Vasterival.

parfumées, rouges, orange ou jaunes. Pour étoffer leurs silhouettes légères, j'ai installé à leurs pieds des tapis de bruyères.
Celles-ci fleurissent entre novembre et avril, quel que soit le temps, et même sous la neige ! Les principales sont les *Erica carnea*, de petite taille, dans les variétés Springwood Pink, rose, et Vivilii, carmin, associées aux *Erica × darleyensis*, plus élevées. Mes préférées parmi celles-ci sont Silberschmelze et Arthur Johnson. Les plantes vivaces sont avant tout les hellébores, plantés en grande quantité dans un large choix. Les *Helleborus niger* ou roses de Noël commencent à fleurir début décembre dans les variétés Maxima et Praecox. Puis viennent les espèces *corsicus* (ou *argutifolius),* × *sternii* et *orientalis*. Ces dernières, aux coloris blancs, roses ou pourpres, fleurissent jusqu'à la fin avril. Ce sont des amateurs de calcaire. Pour les contenter, je leur donne, outre du terreau de feuilles et du fumier, un lit de cendres et de bois vieilles au moins de trois mois. Dans les très nombreux semis, nous avons pu sélectionner une rose de Noël blanc pur, une autre plus foncée, et dans les *orientalis* une presque bleue. Toutes portent le nom du jardin.
En mars, les premiers hellébores cèdent la place aux narcisses précoces et à de nombreux autres bulbes. C'est là aussi qu'apparaissent les premières fleurs de pieris, dont un grand pépiniériste hollandais m'a offert plusieurs formes naines. Répondant aux noms de Rondo, Prélude, Chacone, Nocturne et Minor, elles semblent promises à un grand avenir. »   G.S.

Des fleurs au potager. Miromesnil.

Adresse : le Vasterival, 76119 Sainte-Marguerite
Propriétaire : princesse Sturdza
Ouverture : sur demande uniquement pour les groupes (de 15 à 50 personnes) toute l'année.
Cours de jardinage sur demande, tél. : 35.85.12.05
Accès : à 9 km à l'ouest de Dieppe par la D75 et la route du phare d'Ailly

Adresse : château de Miromesnil,
76550 Tourville-sur-Arques
Propriétaire : Mme de Vogüé, tél. : 35.04.40.30
Ouverture : visites guidées (château et jardin) du 1er mai au 15 octobre t.l.j., sauf mar., de 14 h à 18 h ; groupes le matin sur rendez-vous
Accès : à 8 km au sud de Dieppe par la N27, à gauche à Saint-Aubin

Potager de Miromesnil ★ ★ ★

Tourville-sur-Arques

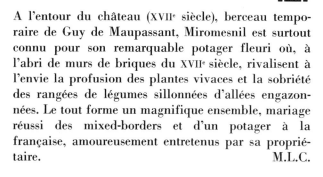

A l'entour du château (XVIIᵉ siècle), berceau temporaire de Guy de Maupassant, Miromesnil est surtout connu pour son remarquable potager fleuri où, à l'abri de murs de briques du XVIIᵉ siècle, rivalisent à l'envie la profusion des plantes vivaces et la sobriété des rangées de légumes sillonnées d'allées engazonnées. Le tout forme un magnifique ensemble, mariage réussi des mixed-borders et d'un potager à la française, amoureusement entretenus par sa propriétaire.   M.L.C.

Parc floral des Moutiers ★ ★ ★ ★

Varengeville-sur-Mer

En prenant le chemin ombragé qui mène à la vieille église de Varengeville et à son cimetière marin situé en haut des falaises, on découvre l'entrée du domaine du Bois des Moutiers. En 1898, à l'époque où la station balnéaire de Dieppe accueillait artistes et écrivains français et d'outre-Manche, le banquier Guillaume Mallet demanda au jeune architecte anglais E. L. Lutyens d'agrandir sa maison et de dessiner les jardins attenants. Jardins et parc ont été composés en prenant conseil auprès de Gertrude Jekyll, connue pour ses talents de botaniste et de jardinier-paysagiste. La connaissance de l'art des jardins du propriétaire, acquise au cours de ses séjours en Angleterre, et son ouverture à tous les courants de pensée de l'époque ont fait de ce lieu un ensemble significatif où architecture, jardin, parc et paysage sont étroitement liés.

Au sud, du côté de l'entrée, une succession de jardins clos au dessin régulier accompagne chaque séquence de la maison et la protège du chemin, alors qu'au nord la demeure domine un terrain vallonné. Une terrasse gazonnée la relie au parc en contrebas. Si les jardins sont à l'échelle des pièces d'habitation, le parc est à l'échelle du paysage et prolonge visuellement le domaine jusqu'à la mer qui se dessine au-dessus des frondaisons.

Dans le parc, les tableaux s'enchaînent et leur composition garde un intérêt en toute saison. Au printemps, c'est le moment de la floraison des azalées et des rhododendrons dont les massifs atteignent une hauteur de près de 10 m. En été, les hortensias, les roses, les cistes et les clématites font attendre les couleurs automnales flamboyantes des liquidambars et des érables. Enfin, les cyprès géants de Chypre, les cèdres bleus de l'Atlas, les pins noirs d'Autriche structurent le paysage en hiver. Ce domaine, resté depuis sa création dans la même famille, est remarquablement géré et entretenu ; l'architecture, les jardins et le parc conservent leur charme et leur unité.
J.C.

Adresse : parc floral des Moutiers, route de l'Église, 76119 Varengeville-sur-Mer
Propriétaire : famille Mallet, tél. : 35.85.10.02
Ouverture : du 15 mars au 15 novembre, t.l.j. de 10 h à 12 h et de 14 h à 18 h ; hors saison pour groupes sur demande ; pépinière (vente de plantes rares) ; tél. : 35.85.14.64
Expositions temporaires
Accès : par la D75 à 5 km à l'ouest de Dieppe vers Saint-Valéry-en-Caux

Une collection botanique et un paysage inoubliables. Les Moutiers.

PAYS DE LA LOIRE

La diversité fait la richesse de la Région des Pays de la Loire. Paysages de côtes sableuses ou rocheuses, de marais, paysages de bocages et de rivières, lumières mille fois décrites ou peintes de la Loire...

Enrichie de multiples influences, cette région a manifesté depuis longtemps un fort goût pour l'horticulture et le maraîchage. Aujourd'hui encore, le nombre important de producteurs, d'écoles horticoles, de jardins publics et privés, témoignent de cet attachement, favorisé par les conditions géologiques et climatiques.

A cette région est liée notamment l'histoire du camélia, du magnolia, l'obtention de l'hortensia bleu, la production du muguet... Trois grandes périodes ont marqué son histoire au XVᵉ siècle. Le roi René, duc d'Anjou, comte de Provence, roi de Naples et de Sicile, était passionné d'art, d'agriculture et d'horticulture. Il créa de nombreux jardins auxquels il portait la plus grande attention, acclimata de nombreuses essences végétales. Il eut une grande influence sur ses contemporains en les encourageant à embellir leurs manoirs. Le XVIIIᵉ siècle verra l'essor du port de Nantes, l'un des premiers ports marchands de France. Par édit royal, les capitaines de navires se verront obligés de rapporter à Nantes les plantes trouvées lors de leurs lointains voyages : elles seront acclimatées à Nantes avant d'être envoyées au jardin des Plantes de Paris. Il s'ensuivra la création d'une série de « petits jardins d'acclimatation privés ». Le XIXᵉ siècle, quant à lui, apportera de nouvelles conceptions d'exploitation agricole qui transformeront profondément le paysage et favoriseront un développement important du parc paysager, du parc lié à une exploitation.

De très nombreux parcs et jardins ont été créés. Ils répondent au modèle type caractérisant chaque époque, réalisés d'après des plans (ou copies de plans) d'auteurs célèbres (Mansart, Bühler, Choulot, E. André, Duchêne...) ou régionaux (Noisette, Killian, Villers...). Mais ils sont aussi très souvent des œuvres personnalisées de propriétaires amateurs.

N.L.N.

La Massonière (Sarthe).

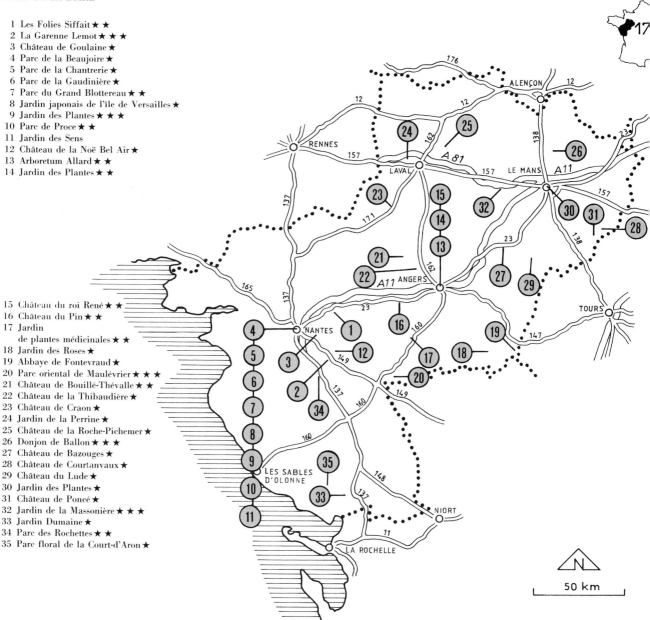

LOIRE-ATLANTIQUE 44

Les Folies Siffait
★ ★

Le Cellier

La folie monumentale du receveur des douanes. « Que diriez-vous d'un homme qui bâtirait des murs de forteresse pour ne rien protéger... des appartements où l'on ne peut loger, une terrasse jaune qui n'a d'autre but que de mener à un terrain rouge... Une chapelle lilas mise sous la garde d'un grenadier français ? Vous diriez évidemment que cet homme a fait une folie. Eh bien, tout le monde l'a dit avant vous ! »

En 1826, à quelques centaines de mètres de sa maison, Alexandre Siffait commença à aménager une succession de terrasses plantées d'essences rares, soutenues par des murailles enduites, peintes d'ocre, de bleu et de gris, ornées de fausses fenêtres. Signalé dans les brochures touristiques, l'extravagante invention de ce receveur des douanes était alors particulièrement impressionnante vue de la rivière qui était encore naviguée.

Pour découvrir ce qu'il reste de l'univers étrange des Folies Siffait, il est conseillé, la première fois, de commencer la promenade « par le haut », d'emprunter l'allée de chênes verts qui conduit à la tour de garde.

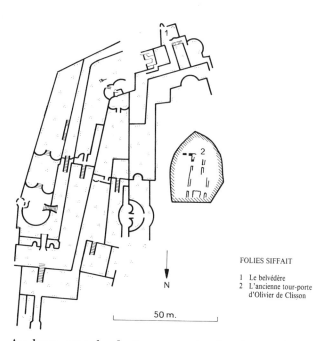

FOLIES SIFFAIT

1 Le belvédère
2 L'ancienne tour-porte
d'Olivier de Clisson

N

50 m.

Adresse : les Folies Siffait, 44850 Le Cellier
Propriétaire : Consort Drilhon. Gestion : commune,
tél. : 40.25.40.18
Ouverture : permanente, visites libres
Accès : par N23 à 12 km au nord-est de Nantes
puis à droite vers Le Cellier et D68 vers la Loire

La Garenne Lemot ★★★

Gétigné

La métamorphose italienne de la Sèvre Nantaise. Offrant une belle promenade nostalgique, le parc un peu trop abandonné de la Garenne Lemot se confond avec la ville de Clisson. Après les guerres révolutionnaires, les frères Cacault installèrent à Clisson leur musée-école (collection actuellement au musée des Beaux-Arts de Nantes) et y invitèrent le sculpteur Frédéric Lemot (1772-1827). Séduit par le pittoresque du paysage qui lui rappelait l'Italie, Lemot acquit la Garenne et le château médiéval. Aidé de son régisseur Cautret et de l'architecte nantais Mathurin Crucy (1749-1826), il constitua, en vingt ans, un domaine néoclassique à l'image d'un paysage historique composé comme un tableau de Poussin ou de P.H. de Valenciennes. La maison du jardinier, petite ferme fortifiée imitée de l'Italie centrale, et la maison, villa à l'italienne, marquent la limite supérieure de la propriété qui s'étendait sur les deux rives de la Sèvre Nantaise.

Au bout, vers la droite, un petit chemin accidenté mène au belvédère, superbe promontoire d'où l'on découvre la Loire, ses îles, ses grèves, ses épis... Alors petit à petit, de terrasse en escalier, dans la pénombre du sous-bois, le promeneur ira de surprise en surprise. Sur les murs s'ouvrent de fausses fenêtres, de fausses portes, s'appuient de faux pavillons. Des peintures en trompe l'œil apparaîtront ici ou là, sur la rampe d'un escalier ou à l'intérieur d'une niche... Le site croule aujourd'hui sous des cascades de végétation et nous pose à tous la question : comment sauver ce lieu sans en perdre la magie ? J.G.-M.R.

Un univers étrange. Les Folies Siffait.

Sur la rive gauche, l'obélisque (1815-1817), la colonne Henri IV (1824), le temple de l'Amitié (1812-1824), conçu en hommage aux frères Cacault (en fait le tombeau de Lemot), et le château d'Olivier de Clisson formaient l'horizon du paysage construit par Lemot. Dans la Garenne proprement dite, après la maison du portier, petite construction au décor de briques, on trouve une dizaine de fabriques dans un parc escarpé dont les plantations furent, à l'origine, soigneusement choisies (en particulier des pins maritimes, des acacias, des peupliers, saules et marronniers). On rencontre d'abord le rocher Rousseau (1811-1813), inscription inspirée d'un poème gravé à Ermenonville, la grotte d'Héloïse (1813), dans laquelle on peut lire un poème d'Antoine Peccot, le rocher Delille à l'imitation de Mortefontaine (vers gravés en 1815), un édicule à l'antique, la colonne milliaire (1813), marque d'une hypothétique voie romaine, un montoir à l'antique pour cavaliers, les bains de Diane, ensemble rocheux au bord de la rivière (1815-1817). A la suite se trouvent un tombeau à l'antique (1817-1818) inspiré du tableau de Poussin, « les Bergers d'Arcadie », le temple de Vesta construit de 1819 à 1823 sur les plans de Crucy, à l'imitation du temple de Tivoli. Plusieurs statues antiques (ou copies) complètent cet ensemble de fabriques qui peuplent le jardin, véritable manifeste de la culture classique de son créateur, désireux de transporter l'Italie sur les bords de la Sèvre. Lors de ses séjours annuels, Lemot aimait s'entourer de ses amis artistes. Il favorisa la renaissance de Clisson et son goût pour l'architecture rurale italienne influença durablement les constructions de la région.   C.C.

Adresse : domaine de la Garenne Lemot, 44190 Gétigné
Propriétaire : Conseil général de Loire-Atlantique
Ouverture : t.l.j. de 8 h à 18 h (20 h en juillet et août), tél. : 40.54.03.88. Contact : M. Leroux Fonds régional d'Art contemporain
Accès : à 29 km au sud-est de Nantes par N149

Château de Goulaine ★

Haute-Goulaine

En bord des marais de Goulaine, des parterres à la française ont été créés devant le château Renaissance. La volière à papillons tropicaux, unique en Europe, et des plantes exotiques ajoutent une note précieuse à cette composition récente.   N.L.N.

Adresse : château de Goulaine, 44115 Haute-Goulaine
Propriétaire : M. Robert de Goulaine, tél. : 40.54.91.42
Ouverture : du 16 juin au 15 septembre, t.l.j. de 14 h à 18 h sauf mar. ; du 16 septembre à la Toussaint et de Pâques au 15 juin les sam., dim. et jours fériés de 14 h à 18 h

Jardin visibles lors de la visite du château
Accès : à 15 km à l'est de Nantes vers Cholet par N149 et D105

Parc de la Beaujoire ★

Nantes

Parc d'exposition de 60 ha, ce jardin public de 12 ha, après un jardin de bruyère et un jardin d'iris, vient d'être doté d'une nouvelle roseraie, présentant près de 1 500 variétés, et d'un « clos des roses parfumées ».   N.L.N.

Adresse : parc de la Beaujoire, route Saint-Joseph-de-Porterie, 44000 Nantes
Propriétaire : Ville de Nantes, tél. : 40.41.98.55 (S.E.V.)
Ouverture : t.l.j. de 9 h à 18 h (en hiver) et de 8 h à 21 h (en été)
Accès : au nord de la ville, près du stade, direction Châteaubriant

Parc de la Chantrerie ★

Nantes

Autre parc dessiné par Noisette, il borde l'Erdre sur plus de 1 km : de beaux et vieux arbres ponctuent de vastes pelouses. Petite bambouseraie.   N.L.N.

Adresse : parc de la Chantrerie, route de Gâchet, 44000 Nantes
Propriétaire : Ville de Nantes, tél. : 40.41.98.55 (S.E.V.)
Ouverture : t.l.j. de 8 h à 21 h (été) et de 9 h à 18 h (hiver)
Accès : sur les bords de l'Erdre, près de Gachet et de la Beaujoire

Parc de la Gaudinière ★

Nantes

Ce parc romantique de 7 ha, situé au fond d'un vallon boisé, présente chaque printemps une belle collection de bulbes (plus de 200 000) dont la floraison au printemps est impressionnante.   N.L.N.

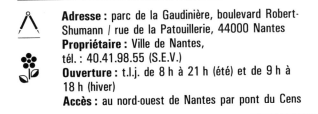

Adresse : parc de la Gaudinière, boulevard Robert-Shumann / rue de la Patouillerie, 44000 Nantes
Propriétaire : Ville de Nantes, tél. : 40.41.98.55 (S.E.V.)
Ouverture : t.l.j. de 8 h à 21 h (été) et de 9 h à 18 h (hiver)
Accès : au nord-ouest de Nantes par pont du Cens

Parc du Grand Blottereau

★★

Nantes

Très vaste parc (37,5 ha) cédé à la ville en 1905. Les serres tropicales, présentant aujourd'hui une collection, peut-être la plus importante en France, de plantes exotiques utilitaires (bois précieux, épices, condiments...) furent créées par Thomas Dobree, fils d'un riche armateur nantais qui aurait rapporté de Chine à la fin du siècle dernier les premières mandarines pour les étudiants en agronomie coloniale.

Adresse : parc du Grand Blottereau, boulevard Auguste-Péneau, 44000 Nantes
Propriétaire : Ville de Nantes, tél. : 40.41.98.55 (S.E.V.)
Ouverture : t.l.j. de 8 h à 21 h (en été) et de 9 h à 18 h (en hiver) ; serres, mer., dim. de 9 h à 12 h et de 14 h à 17 h et sam. après-midi
Accès : au nord-est du centre ville, quartier de Doulon

Jardin japonais de l'île de Versailles

★

Nantes

Anciennement occupée par des pêcheurs, des lavandiers puis des chantiers de construction de bateaux, cette île située sur l'Erdre, en plein cœur de Nantes, vient d'être réaménagée en jardin avec rocailles, cascades, lanternes japonaises... Outre un restaurant, des jeux sonores pour enfants, le jardin accueille la Maison de l'Erdre, pavillon de style japonais qui présente l'histoire locale de la batellerie, un aquarium, une belle exposition sur la faune et la flore de l'Erdre.   N.L.N.

Adresse : jardin japonais de l'île de Versailles, quai de Versailles, 44000 Nantes
Propriétaire : Ville de Nantes, tél. : 40.41.98.55
Ouverture : permanente, visites libres
Maison de l'Erdre : de 14 h à 18 h (18 h 45 le week-end) t.l.j. sauf le lun.
Location de barques, restaurant
Accès : centre ville

Jardin des Plantes

★★★

Nantes

Les camélias (400 variétés), les allées de rhododendrons, les 200 magnolias et les nombreuses plantes exotiques de ce jardin paysager de 7,5 ha vous plongeront aussitôt dans les voyages lointains et la vocation du port de Nantes en matière d'introduction de végétaux. En 1726, Louis XV ordonnait à ses capitaines de rapporter toutes les plantes utilitaires qu'ils pourraient trouver outre-mer. Après avoir été « réconfortées » au jardin des Apothicaires, aujourd'hui disparu, ces plantes étaient acheminées vers le jardin des Plantes de Paris. Le jardin tel qu'il subsiste de nos jours fut ouvert au public en 1865. Il est le fruit d'une tradition horticole et de l'intérêt de nombreux édiles pour la botanique. Décidé dès 1807 par le préfet Decelles, le projet ne put se concrétiser que lorsque la ville prit possession du terrain. Le docteur Écorchard, nommé en 1836, commença par étudier les jardins en Angleterre avant de dessiner un jardin d'agrément comportant une succession de bassins reliés par des cascades. Les différentes écoles regroupant les genres et les espèces d'une même famille botanique sont distribuées dans une succession de paysages vallonnés et variés. Parmi

Le palmarium. Jardin des Plantes, Nantes.

les nombreux arbres exotiques, on remarquera le *Magnolia grandiflora*, le plus vieux d'Europe, planté en 1807 par le botaniste Hectot. Dans la première serre en bois, « chauffée par calorifère à eau chaude », le docteur Écorchard put cultiver caféiers, papayers, ananas. Les belles serres actuelles, construites en 1893 par Marmy, abritent une collection d'orchidées, de cactées et de plantes épiphytes. M.R.

Adresse : jardin des Plantes, rue Stanislas-Baudry, 44000 Nantes
Propriétaire : Ville de Nantes, tél. : 40.41.98.67 (jardin)
Ouverture : t.l.j. de 8 h au coucher du soleil (21 h en été), serres de 10 h à 12 h et de 14 h à 17 h (sauf mar.) ; visites guidées (de 1 h) dim. après-midi de 14 h à 17 h ; circuit de découverte en plusieurs langues
Accès : face à la gare SNCF

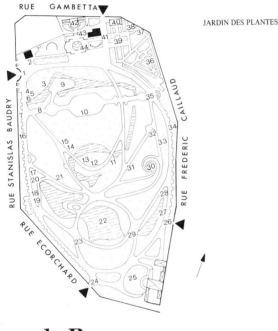

JARDIN DES PLANTES

Parc de Proce ★ ★

Nantes

Dominique Noisette a conçu le tracé de ce très beau parc réalisé entre 1864 et 1866. La ville enrichit et diversifie sans cesse ses collections de rhododendrons, d'azalées, de bruyères, de chênes, de magnolias et de plantes vivaces. Face au château fin XVIIIᵉ siècle, on remarquera un très beau tulipier. N.L.N.

Adresse : parc de Proce, rue des Dervallières, 44000 Nantes
Propriétaire : Ville de Nantes, tél. : 40.41.98.55 (S.E.V.)
Ouverture : t.l.j. de 8 h à 21 h (en été) et de 9 h à 18 h (en hiver)
Accès : au nord-ouest du centre ville, rue des Dervallières / boulevard des Anglais / place Poincaré

Jardin des plantes, Nantes.

Jardin des Sens

Nantes

Créé récemment pour les non-voyants avec leur participation, ce « jardin des Sens » (0,57 ha) présente, sous forme ludique : une fontaine musicale, un cadran solaire, un piège à odeurs et une pergola, dans un foisonnement de fleurs et de végétaux. T.D.

Adresse : jardin des Sens, rue Gaëtan-Rondeau, 44000 Nantes
Propriétaire : Ville de Nantes, tél. : 40.41.98.55
Ouverture : permanente, visites libres
Accès : centre ville, sur l'île Beaulieu, près du conservatoire de musique

Château de la Noë Bel Air ★

Vallet

Dans une ambiance imprégnée d'Italie, ce parc agricole et paysager associe points de vue sur les vignes et fabriques dans une même composition réalisée entre 1830 et 1840. N.L.N.

Adresse : château de la Noë Bel Air, 44330 Vallet
Propriétaire : M. de Malestroit, tél. : 40.33.92.72
Ouverture : sur demande, visite extérieure uniquement
Accès : à 25 km à l'ouest de Nantes et à 3 km de Vallet

Arboretum Allard ★★

Angers

Situé au nord de la ville, cette superbe collection développe maintenant ses frondaisons en milieu urbain. On y pénètre par une majestueuse allée de platanes et de marronniers centenaires.

La demeure est aujourd'hui le siège de la Société d'horticulture. A partir de 1863 et pendant 50 ans, Gaston Allard a tenté d'acclimater quelque 10 000 espèces en provenance de toutes les parties du monde. A sa mort, en 1918, les collections furent laissées à l'abandon. Après acquisition par la Ville en 1959, on tenta de sauver ce qui pouvait encore l'être et on commença la remise en état de cet arboretum planté suivant un classement méthodique. A droite de l'entrée principale, se trouvent les collections de quelque 60 espèces de chênes, accompagnées d'un ensemble remarquable de houx et de buis. Puis l'on découvre de nombreuses espèces de conifères. La dernière partie est un fruticetum.

Tout aussi riche est la collection d'essences arbustives. Lentement et prudemment, les sujets plantés sont identifiés et étiquetés et le Service des Espaces verts poursuit l'œuvre de G. Allard en complétant les collections. Bien que le nombre actuel d'arbres et d'arbustes ait diminué, l'arboretum reste encore aujourd'hui de tout premier ordre.   N.L.N.

 Adresse : arboretum Allard, chemin d'Orgemont, 49000 Angers
Propriétaire : Ville d'Angers, tél. : 41.86.10.10 (S.E.V.)
Ouverture : une partie du parc est publique, t.l.j. de 7 h 30 ou 8 h au coucher du soleil (20 h 30 en été) ; pour visiter l'autre partie, s'adresser au Service des Espaces verts
Accès : sortie au sud d'Angers

Jardin des Plantes ★★

Angers

Le jardin des Plantes actuel fut d'abord et longtemps un jardin purement botanique. Fondé en 1776, son installation sur l'emplacement actuel remonte à 1790. En 1798, les collections du jardin étaient considérées comme les plus riches après Paris. Sous l'impulsion de la mairie, le jardin botanique se transforme en jardin public à la faveur du transfert des plantes à l'école de médecine. C'est au célèbre paysagiste Édouard André (1840-1911) que fut confiée en 1898 la tâche de dresser de nouveaux plans. Il a su tirer parti des beaux arbres des plantations anciennes.   N.L.N.

Angers, le jardin des Plantes.

 Adresse : jardin des Plantes, 16, boulevard Daviers, 49000 Angers
Propriétaire : Ville d'Angers, tél. : 41.86.10.10
Ouverture : t.l.j de 7 h 30 ou 8 h au coucher du soleil (20 h 30 en été)
Accès : centre ville, près du palais des Congrès, à 200 m au nord de l'hôtel de ville

Château du roi René ★★

Angers

L'ancien château des Foulques, reconstruit par Saint Louis, est imposant par son architecture féodale en ardoises sur lits de pierre blanche. Ses 17 tours rondes, hautes de 40 à 50 m, cernent un périmètre de plus de 1 km de longueur. Les anciens fossés, asséchés, ont été transformés en un superbe jardin de style Louis XIII. Traité en mosaïcultures avec dentelles de buis et de fusains sur fond de sable coloré, il se découvre au mieux de sa splendeur à partir de l'esplanade qui le surplombe et mène à l'entrée du château.

Sur les remparts, la promenade du Bout du Monde vous offre ses jardins suspendus garnis de vignes et de fleurs qui se veulent « d'époque ». Consacré aussi aux plantes de senteurs, ce jardin abrite lis, romarins, lavandes... et domine la cour du château avec son carré à la française, ses conifères dressés en arceaux, ses arbustes palissés. Le jardin de la maison du Gouverneur constitue un lieu bien à part, avec un tracé rectiligne, des murets d'ardoise et des floraisons aux douces tonalités.   J.C.L.

Adresse : château du roi René, place du Château, 49000 Angers
Propriétaire : l'État (les jardins dans les douves sont propriété de la ville), tél. : 41.87.43.47

Château du roi René. Angers.

Ouverture : du 1er octobre aux Rameaux, t.l.j. de
9 h 30 à 12 h et de 14 h à 17 h 30 ; des Rameaux
au 30 juin (et septembre), t.l.j., de 9 h à 12 h et
de 14 h à 18 h 30 ; juillet et août, t.l.j. de 9 h
à 19 h ; fermé les 1er novembre, 11 novembre,
25 décembre, 1er janvier, 1er mai
Festival d'Anjou (théâtre) en juillet
Accès : centre ville, au bord du Maine

Château du Pin

Champtocé-sur-Loire

Un coup de foudre décide Gérard Christmas Gignoux
à devenir, en 1920, propriétaire du château du
Pin, à Champtocé. Cet homme d'affaires américain,
diplômé d'agriculture et d'horticulture, transforme
alors les abords immédiats du château, constitués
d'un parc agricole et d'un bois. Les jardins qui vont
naître reflètent la sensibilité de leur auteur et les
conceptions anglaises de ce début de siècle, prônées
par Gertrude Jeckyll et Edwin Lutyens. Sous la
conduite de M. Gignoux, trois niveaux parallèles de
jardins voient alors le jour, reliés par des perspectives
strictes. Une géométrie forte préside à leur conception.
Le premier de ces jardins est constitué d'un ensemble
de 48 ifs monumentaux, taillés, reliant le château
au boisement qui domine la petite vallée inondable
de la Romme. Le deuxième comprend trois petits
ensembles intimes traités selon trois thèmes et possé-
dant chacun un bassin. L'utilisation de dalles de
schistes est le trait d'union entre le jardin de roses
jaunes, le jardin d'arbustes et d'odeurs et le jardin
« persan ». Le troisième niveau n'est plus qu'un
souvenir. Amateur éclairé, G.C. Gignoux sélectionnait
strictement les plantes pour leurs qualités esthétiques,
leur odeur, leur rareté. Il appréciait peu les mélanges
de fleurs et souhaitait se promener dans des espaces
apaisants. Ses descendants ont décidé d'entreprendre
la restauration de ces jardins au charme puissant.
Très vite, ils devraient redevenir une brillante
illustration de l'art des jardins. N.L.N.

Le Pin.

Adresse : château du Pin,
49170 Champtocé-sur-Loire
Propriétaire : famille Gignoux. Responsable :
Jane de la Celle, tél. : 41.39.91.85
 Ouverture : du 1er mars à la Toussaint : les jeu.,
sam., dim. de 14 h à 18 h ou hors saison sur
rendez-vous
Accès : sur la RN 23, à 15 mn d'Angers en direction
de Nantes ; à Champtocé, prendre la route au pied
des ruines

Jardin de plantes médicinales ★★

Chemillé

Situé dans le parc vallonné de l'hôtel de ville, le jardin présente près de 300 espèces de plantes médicinales et aromatiques regroupées en fonction de leur milieu naturel. Créé en 1976 par les producteurs de plantes médicinales de la région de Chemillé, il est une expression de l'activité économique locale. La mélisse, l'absinthe ou chardon de Marie dont la légende veut que la Vierge, lors de sa fuite en Égypte, laissa tomber une goutte de son lait sur un chardon qui s'en souvint... L'Albarel, centre de documentation et de dégustation, accueille les visiteurs toute l'année. N.L.N.

Adresse : hôtel de ville, 49120 Chemillé
Propriétaire : Commune de Chemillé,
tél. : 41.30.35.17
Ouverture : permanente, visites libres ; visites guidées sur demande (à voir entre mai et septembre et le soir pour les parfums)
Accès : à 20 km au nord-est de Cholet par N160

Jardin des Roses ★

Doué-la-Fontaine

Ce jardin est situé en partie sur l'emplacement de l'ancien château des Minières dont il ne reste que des ruines et les écuries du XVIIIe siècle. 260 espèces de roses sont présentées au fil d'une agréable promenade. Chaque rose a une histoire, un nom. Ce jardin a été créé il y a une quinzaine d'années par les rosiéristes puisque la production de rosiers est l'une des activités traditionnelles de Doué-la-Fontaine. N.L.N.

 Adresse : jardin des Roses, 49700 Doué-la-Fontaine
Propriétaire : Commune de Doué-la-Fontaine,
tél. : 41.59.11.04
Ouverture : permanente, visites libres

 Exposition florale aux arènes (centre ville) vers le 15 juillet
Accès : à 17 km au sud-ouest de Saumur, sortie Derlé, direction Cholet, quartier Soulanger

Abbaye de Fontevraud ★

Fontevraud-l'Abbaye

L'abbaye, fondée au XIe siècle, est entourée de jardins classiques dont la reconstitution fidèle est en cours, sur la base des plans de 1750.

Adresse : abbaye de Fontevrauld,
49590 Fontevraud-l'Abbaye
Propriétaire : l'État, tél. : 41.51.71.41
Ouverture : du 16 septembre au 31 octobre, t.l.j. de 9 h 30 à 12 h 30 et de 14 h à 18 h ; du 2 novembre aux Rameaux, t.l.j. de 9 h 30 à 12 h 30 et de 14 h à 17 h 30 ; des Rameaux au 31 mai, t.l.j. de 9 h 30 à 12 h 30 et de 14 h à 18 h 30 ; du 31 mai au 15 septembre, t.l.j. de 9 h à 19 h ; fermé les 1er et 11 novembre, 25 décembre, 1er janvier, 1er mai
Accès : à 16 km au sud-est de Saumur par D947

Parc oriental de Maulévrier ★★★

Maulévrier

Un rêve orientaliste. Maulévrier, c'est tout à la fois le dernier témoin d'une époque marquée par l'orientalisme et l'histoire d'une restauration exemplaire. Dans le parc de l'imposant château dont l'origine remonte à Foulque Nera et qui appartint un temps au frère du ministre de Louis XIV (d'où son nom château Colbert), une succession d'éléments inattendus surgissent au fil de la promenade : temple khmer, bouddha, têtes de naja, lanternes japonaises. Les premiers ont été réalisés à partir de moules exécutés en Inde qui avaient servi pour l'Exposition universelle de 1900. La plupart des lanternes proviennent du Japon. Cachées dans un paysage presque irréel, ces fabriques jouent avec la végétation pour animer le tour de l'étang, bordé de versants boisés abrupts dont les tonalités très sombres accentuent le caractère fragile des rives. Ces dernières sont plantées de nombreuses essences exotiques, toutes rares en 1900 dont les trois quarts proviennent d'Extrême-Orient.
Le concepteur de ces lieux, Alexandre Marcel, architecte réputé en son temps, était un homme fasciné par l'Orient comme en témoigne son œuvre et sa vie. Grand voyageur, il avait rapporté de Chine et du Japon, outre des fabriques et des végétaux,

Temple khmer. Parc de Maulévrier.

Ouverture : t.l.j. sauf le lun., de 14 h à 18 h ;
visites commentées (en juillet et août également le
matin, du mar. au ven. de 9 h à 12 h) ; fermé du
25 décembre au 3 janvier
Promenades en barque, fêtes, animations, brochure,
stage d'initiation au bonsaï et à l'ikebana (art floral
japonais)
Accès : à 13 km au sud-est de Cholet par D20 en
direction de Mauléon

Bouillé-Thévalle.

une vision des jardins qu'il essaiera de reproduire à Maulévrier. La conception de l'étang et de ses abords se révèle être très proche de celle des grands parcs du Japon du XVIIᵉ siècle appelés « parc de transformation ». C'est peut-être le seul exemple de ce type en France. Les lanternes, mais aussi l'abondance des pierres sélectionnées, expression de « l'indestructible », l'allée unique menant d'une scène à l'autre, le jardin de style « torrent de montagne », les îles « grues et tortues », les couleurs, violentes en automne, données uniquement par les floraisons d'arbres ou les coloris des feuillages, sont autant d'éléments authentiques constitutifs des jardins japonais du XVIIᵉ siècle. Tout cela a failli disparaître à jamais. Quarante ans d'abandon ont permis à la nature sauvage d'envahir les lieux mais non de les anéantir. Depuis 1983, la commune, propriétaire, a engagé une restauration nécessairement lente. Les travaux font progressivement ressurgir le décor planté par A. Marcel, somptueuse harmonie de formes et de couleurs mettant en scène les fabriques peu à peu restaurées.   N.L.N.

Adresse : parc oriental, chemin des Grands-Ponts,
49360 Maulévrier
Propriétaire : Commune de Maulévrier. Gestion :
Association du parc oriental de Maulévrier. Contact :
M. Chavassieux, tél. : 41.55.50.14

Château de Bouillé-Thévalle

Montguillon

Situé dans le bocage segréen, le château des XVᵉ et XVIIᵉ siècles a été restauré par son actuelle propriétaire qui a entrepris de créer des jardins. Le projet est inspiré des jardins du Moyen Age avec un préau, espace engazonné et fleuri, où l'on se réunissait pour écouter des récits, de la musique, jouer aux échecs. Un projet à suivre.   N.L.N.

Adresse : château de Bouillé-Thévalle,
49500 Montguillon
Propriétaire : propriété privée, tél. : 41.61.09.05
Ouverture : de Pâques au 30 septembre t.l.j. (sauf
mer.) de 14 h 30 à 19 h ; en octobre, de 14 h 30
à 17 h 30 ; en juillet et août, t.l.j. de 10 h à 19 h
Musée du costume
Accès : à 35 km au nord-ouest d'Angers, à 10 km
au nord-est de Segré par D20 et D189

Château de la Thibaudière ★

Montreuil-Juigné

Le parc du château de la Thibaudière (fin XVIIe siècle) doit sa forme actuelle à M. de Choulot, paysagiste en vogue au XIXe, qui transforma en 1846 le parc à la française en parc paysager. Traversé par une longue allée, il est orné d'une orangerie de style classique et d'un temple à l'antique, seul édifice subsistant d'une construction de la Renaissance. La prairie, plantée de chênes centenaires, l'étang et l'île renforcent la composition romantique du paysage.

T.D.

Adresse : château de la Thibaudière, 49460 Montreuil-Juigné
Propriétaire : M. de Montlaur, tél. : 41.42.35.14 ou 04
Ouverture : du 15 juillet au 15 octobre, t.l.j. sauf ven. de 15 h à 18 h ; visites guidées en français, anglais et portugais
Accès : à 10 km au nord-ouest d'Angers par N162 et D103

MAYENNE 53

Château de Craon ★

Craon

Actuellement, le parc (40 ha) peut être considéré comme un parc « mixte » comprenant des jardins à la française (1930), élégants et sobres, axés sur une forte perspective prolongée très loin à l'extérieur des limites du parc, et un vaste parc à l'anglaise (1830) évoluant en parc « agricole » sur sa périphérie, faisant ainsi belle transition avec le paysage environnant, une colline dominant la vallée de l'Oudon.

F.T.

Adresse : château de Craon, 53400 Craon
Propriétaire : M. de Guébriant, tél. : 43.06.11.02
Ouverture : du 1er avril à la Toussaint, t.l.j. sauf mar. de 14 h à 18 h 30
Spectacles en été, courses de poneys
Accès : à 30 km au sud-ouest de Laval par N171

Craon.

Jardin de la Perrine ★

Laval

Situé sur l'éperon qui domine la vallée de la Mayenne, le jardin de la Perrine est agrémenté de parterres et de massifs fleuris. On y remarque, outre la roseraie (avec sa collection de polianthas et de floribundas), une belle collection d'hortensias, de rhododendrons, d'azalées du Japon et d'arbres haute-tige. Le pavillon, loti au XVIIIᵉ siècle par le curé d'Ahuillé, est, quant à lui, devenu école d'art floral et de dessin. **A.R.**

Adresse : jardin de la Perrine, rue du Douanier-Rousseau, 53000 Laval
Propriétaire : Ville de Laval, tél. : 43.49.43.12
Ouverture : t.l.j. de 8 h à 17 h 30 (19 h 30 en été et 22 h le week-end)
Accès : au sud du centre ville, près de la place de Hercé

Château de la Roche-Pichemer ★

Saint-Ouen-des-Vallons

Dans un environnement d'arbres centenaires, trente buis taillés en cône ornent une terrasse engazonnée. Au sud du château d'époque Renaissance, une belle charmille de tilleuls et une autre terrasse plantée de genévriers, de buis et de thuyas taillés, dominent un vallon boisé. **A.R.**

Adresse : château de la Roche-Pichemer, 53150 Saint-Ouen-des-Vallons
Propriétaire : M. d'Ozouville, tél. : 43.90.00.41
Ouverture : du 1ᵉʳ juillet au 15 août, t.l.j. de 14 h à 18 h
Accès : à 20 km au nord-est de Laval et à 3 km au nord de Montsûrs par D129

SARTHE 72

Donjon de Ballon ★ ★ ★

Ballon

A l'intérieur des courtines du vieux donjon de Ballon, le propriétaire et le paysagiste Alain Richert ont créé un jardin, évocation du Moyen Age et du début de la Renaissance. L'espace est divisé de façon géométrique. Certains compartiments contiennent des plantes aromatiques et médicinales, d'autres, des plantes vivaces et des bulbes (notamment la première tulipe botanique introduite en Europe). Comme au Moyen Age, sur trois banquettes faites d'osier tressé, poussent des plantes naines ou tapissantes, pour la plupart figurant dans le capitulaire de l'empereur Charlemagne (812 apr. J.-C.). La courtine nord est agrémentée de rosiers anciens séparés de touffes d'acanthe. Dans la partie centrale, des rosiers tiges sont guidés par des supports terminés par des cercles. La tendance Renaissance est représentée par la présence des buis utilisés en bordure ou en formes taillées. A Ballon, des faisans et un couple de grues à la démarche élégante se promènent librement, rappelant qu'à l'époque évoquée les animaux faisaient partie intégrante du jardin. A l'extérieur des courtines, se déploie une collection de prunus, de rosacées et de roses anciennes. **N.L.N.**

Ballon.

Adresse : château de Ballon, 72290 Ballon
Propriétaires : M. et Mme Jean Guéroult,
tél : 43.27.38.29
Ouverture : du 15 juillet au 5 septembre, t.l.j. de
14 h 30 à 18 h 30 et hors saison sur demande
pour les groupes
Accès : à 20 km au nord du Mans par D300 ou
N38 puis D38

Ouverture : du 1ᵉʳ juillet au 15 septembre, les
mar. et ven. de 10 h à 12 h, les jeu et sam. de
14 h à 17 h et certains jours fériés ; groupes t.l.j.
sur demande de Pâques au 30 octobre
Accès : à 38 km au nord-est d'Angers, à 7 km
à l'ouest de La Flèche par N23

Château de Courtanvaux ★

Bessé-sur-Braye

Un parc paysager et, dans la cour d'honneur, un
petit jardin à l'italienne : parterres de broderies,
buis taillés, bustes antiques, fontaine... composent
l'environnement végétal du château de Courtanvaux,
l'un des ensembles gothiques les plus importants de
France.   A.R.

Adresse : château de Courtanvaux,
72310 Bessé-sur-Braye
Propriétaire : Ville de Bessé-sur-Braye,
tél. : 43.35.30.29
Ouverture : t.l.j. sauf mar. de 8 h au coucher du
soleil ; location pour réception, séminaires,
tél. : 43.35.34.43
Accès : à 30 km à l'ouest de Vendôme par D917
et D303, à 10 km au sud de Saint-Calais par D303

Bazouges, un jardin « à l'italienne ».

Château de Bazouges ★

Bazouges-sur-le-Loir

Bordé d'immenses platanes et complété d'un moulin
et d'une chapelle du XVᵉ siècle, le château de
Bazouges s'ouvre sur un jardin à l'italienne avec ses
grandes allées d'ifs et ses cyprès. Des ponts en bois
enjambent les douves et les rivières. Les pelouses,
ornées de chênes verts et de magnolias, sont encadrées
par des charmilles. L'eau vive, qui partout coule et
se perd dans la verdure, donne à ce lieu beaucoup
de charme.   T.D.

Adresse : château de Bazouges, 39, rue du Château,
72200 Bazouges-sur-le-Loir
Propriétaire : M. et Mme Serrand,
tél. : 43.45.32.62

Château du Lude ★

Le Lude

Un jardin en terrasses : l'une accompagne sur 200 m
le cours du Loir, l'autre est un ancien potager
(XVIIIᵉ siècle) transformé en jardin pittoresque au
XIXᵉ siècle par Édouard André, à qui l'on doit aussi
le parc boisé.   A.R.

Adresse : château du Lude, 72800 Le Lude
Propriétaire : M. de Nicolay, tél. : 43.94.60.09
Ouverture : d'avril à fin septembre t.l.j. de 9 h à
12 h et de 14 h à 18 h
Spectacle son et lumière en été
Accès : à 44 km au sud du Mans, à 18 km à l'est
de La Flèche par D306

Jardin des Plantes ★

Le Mans

C'est Alphand, le créateur du bois de Boulogne, qui
dessina vers 1865 le jardin des Plantes du Mans. Le
jardin de style paysager avec ses cascatelles, son lac
et ses grands arbres, évoque la diversité des paysages

Poncé.

sarthois, tandis que le jardin français, consacré aux parterres d'agrément, comporte une collection botanique intéressante ainsi qu'une belle roseraie.

A.R.

Adresse : jardin des Plantes, 4, rue de Sinault, 72000 Le Mans
Propriétaire : Ville du Mans. Gestion : Société d'horticulture de la Sarthe, tél. : 43.81.14.17
Ouverture : t.l.j. de 7 h 30 au coucher du soleil (21 h 30 en été)
Accès : au nord-est de la vieille ville

Château de Poncé ★

Poncé-sur-le-Loir

Reconstitution d'un plan de 1775, le jardin est composé de deux terrasses, dominant le « labyrinthe » de charmille qui entoure un très vieux platane (planté sous Henri IV), et de parterres de gazon encadrés de buis. Il est bordé par une très ancienne charmille et orné d'un colombier du XVIIIᵉ siècle de 1 800 cases. Construit en 1540, le château possédait au XVIIIᵉ siècle d'autres jardins qui rejoignaient le Loir.

N.L.N.

Adresse : château de Poncé, 72340 Poncé-sur-le-Loir
Propriétaire : M. André, SCF du château de Poncé, tél. : 43.44.45.39
Ouverture : du 1ᵉʳ avril au 30 septembre, t.l.j. de 10 h à 12 h et de 14 h à 18 h, dim. et jours fériés de 14 h 30 à 18 h 30
Musée ethnographique sarthois
Accès : à 17 km à l'ouest de Montoire par D305, à 8 km de La Chartre-sur-le-Loir

Jardin de la Massonière ★ ★ ★

Saint-Christophe-en-Champagne

Autour d'un vieux manoir niché dans la campagne sarthoise, l'actuelle propriétaire et son fils ont créé, au début des années 50, un remarquable jardin. L'idée première a été de gagner de l'espace hors les murs de la propriété en prenant sur les prairies voisines tout en gardant une unité dans un ensemble composé de multiples centres d'intérêt et une succession de surprises, d'axes de vue qui se découvrent au fil de la promenade. Ainsi naîtront un potager de 2 500 m² où se marient fleurs, fruits et légumes, une double mixed-border centrée sur un cadran solaire, deux jardins de buis avec sujets topiaires, un large espace intra-muros à l'inspiration plus classique qui conduit à la terrasse ombragée du manoir. De sa jeunesse anglaise, la maîtresse de maison a conservé un savoir averti et des goûts raffinés pour des palettes de couleurs tendres et harmonieuses. Et une passion pour l'art topiaire qui se traduit par plus de 50 sujets en buis, une dizaine formés en ifs qui animent pelouses, recoins, bordures, perspectives. Un décor unique qui, en trente ans, a su donner au jardin son charme, une âme et l'apparence d'un lieu établi depuis des siècles.
Parfaitement entretenu par deux véritables jardiniers aussi connaisseurs en végétaux qu'en techniques, la Massonière, qui s'est vue décerner le premier prix remis à un jardin par l'Association des Vieilles Maisons françaises, est un enchantement au fil des saisons.

J.C.L.

Adresse : la Massonière, 72540 Saint-Christophe-en-Champagne
Propriétaire : Mme Weinberg
Ouverture : aux véritables amateurs, sur demande écrite

VENDÉE 85

Jardin Dumaine ★

Luçon

Entretenu avec goût par la municipalité, ce jardin créé par Hyacinthe Dumaine vous offrira un moment agréable dans l'allée d'ifs taillés en pyramide, le théâtre de verdure ou parmi les sculptures végétales illustrant les fables de La Fontaine.

Adresse : jardin Dumaine, rue de l'Hôtel-de-Ville, 85400 Luçon
Propriétaire : Ville de Luçon, tél. : 51.56.05.00
Ouverture : de 7 h 30 à 19 h (21 h en été)
Accès : à 32 km au sud-est de La Roche-sur-Yon par D746

Parc des Rochettes ★★

Montaigu

La conception paysagère du parc des Rochettes date du début du XIXᵉ siècle et porte l'empreinte du style anglais. On y retrouve l'influence des voyages maritimes de l'époque, à travers la plantation d'essences méditerranéennes : chênes-lièges, arbousiers, cèdres du Liban, pins parasols et laricio... et d'outre-Atlantique : cyprès chauve, chênes rouges d'Amérique, tulipiers de Virginie... En 1985, près de 6 000 plantations nouvelles ont été faites et l'ex-ferme de la « Petite Salade » rénovée. Exotisme et variété des ambiances sont au rendez-vous dans ce parc de 11 ha qui a, depuis peu, retrouvé un nouveau visage. A.R.

Ci-contre : des lotus par milliers. La Court-d'Aron.

Ci-dessous : parc des Rochettes.

Adresse : parc des Rochettes, avenue Mareuil, 85600 Montaigu
Propriétaire : Conseil général de la Vendée.
Gestion : mairie de Montaigu, tél. : 51.94.02.71 (contact : M. G. Allain)
Ouverture : t.l.j. de 8 h à 20 h (en été), de 9 h à 18 h (en hiver)
Sentier de découverte des arbres (dépliant à l'entrée du parc)
Accès : à 37 km au nord de La Roche-sur-Yon par D937 et D763, à 24 km au sud-est de Nantes par N137

Parc floral de la Court-d'Aron ★

Saint-Cyr-en-Talmondais

Ce parc floral, créé il y a trente ans par un Hollandais, Johannes Matthysse, est une oasis de verdure avec ses vieux chênes et les rives toujours fleuries de ses pièces d'eau. Sensations exotiques au rendez-vous pendant les mois d'été où fleurissent des lotus par milliers. Autour des étangs ombragés poussent bambous, bananiers, hibiscus, lilas du Japon *(Lagerstroemia)*, et des centaines de plantes aquatiques : jacynthes d'eau bleues, nénuphars... Une roseraie et un théâtre d'iris viennent compléter ce festival de fleurs. A.R.

Adresse : parc floral de la Court-d'Aron, 85540 Saint-Cyr-en-Talmondais
Propriétaire : Société tourisme et horticulture, tél. : 51.30.86.74
Ouverture : de début mai à fin septembre, t.l.j. de 10 h à 19 h
Restaurant, bar, aires de pique-nique, jeux d'enfants
Accès : à 33 km à l'est des Sables-d'Olonne par D949 vers Luçon

PICARDIE

La Picardie a son parler et ses noms de lieux. Elle a son paysage, celui des vastes horizons, des grands champs de blé à découvert, des « bas-champs », terres protégées de la mer par des digues, des plaines creusées de vallées et de « molières », marécages aux tons pastel comme ceux, si beaux, de la baie de Somme où s'enlacent les bancs de sable et les nappes de lilas de mer.

Dans les vallées, ces marécages ont été, très tôt dans l'histoire, transformés en « hardines », en « hortillonnages », maraîchages en milieu semi-aquatique. Remontée péniblement du fond des « rieux », petits canaux qui la sillonnent, la terre y est noire et fertile. Ombragés de peupliers et de saules où nichent d'innombrables oiseaux, les carrés de culture étaient de véritables paradis dont il reste quelques exemples à Amiens. Trois fois par semaine, les hortillons conduisaient leurs longues barques chargées de légumes et de fleurs jusqu'au marché sur l'eau.

La densité des « beaux » jardins augmente en se rapprochant de la Région parisienne. Associant les ressources de l'eau et celles de la forêt, Le Nôtre, à Chantilly, et le marquis de Girardin, à Ermenonville, nous laissent deux œuvres majeures de l'histoire des jardins, en cours de réhabilitation.

Le chapelet de jardins d'abbayes (Chaalis, Mont-Lévêque, Vauclair) se termine en beauté par une création contemporaine pleine de promesses à Valloire.

Depuis toujours, les grands espaces de Picardie jouent un rôle de pays de transition — pays paisible, pour les oiseaux du parc ornithologique de Marquenterre. Mais le calme des vastes horizons peut être trompeur. Aux croisements des routes qui traversent la Picardie, les armées de tous les pays ont livré bataille, laissant derrière elles des jardins étranges et graves, les mémoriaux élevés en souvenir des combattants. Parfaitement entretenus, ils ont chacun un décor floral particulier et chacun leurs morts, les Australiens, à Villers-Bretonneux, les Français, à Bouchavesles, les Allemands, à Bourdon, les Américains, à Bois-Belleau. Et si l'on aime les cimetières, il faut voir celui de la Madeleine, à Amiens, une belle illustration de la création dans ce domaine au XIXᵉ siècle.   M.R.

Tombeau de Jules Verne. Cimetière de La Madeleine.

PICARDIE

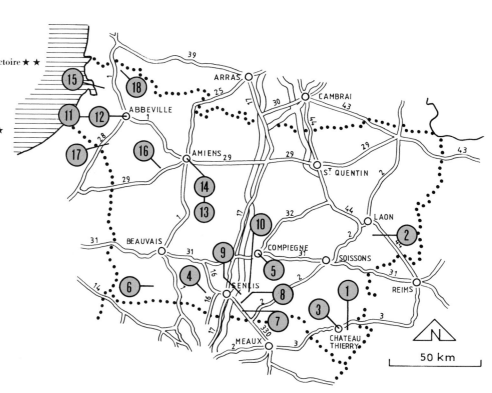

AISNE 02

Pépinières Prat ★

Blesmes

En bordure d'un ruisseau qui fut un lieu de promenade pour Jean de La Fontaine, et non loin de la ferme paternelle, cette pépinière, créée en 1970, regroupe plus de 200 espèces et cultivars d'arbres et d'arbustes.

Adresse : pépinières Prat, Pont de Mocquesouris, 02400 Blesmes
Propriétaire : M. Prat, tél. : 23.83.21.85
Ouverture : du 15 septembre au 30 avril t.l.j., sauf dim., de 8 h à 12 h et de 14 h à 18 h ; mêmes horaires en été, sauf sam. et dim.
Accès : à 35 km au sud de Soisson par D1, à 2 km à l'est de Château-Thierry par N3

Jardin de l'abbaye de Vauclair ★

Bouconville-Vauclair

Jardin de plantes médicinales implanté, à la place de l'ancienne apothicairerie, autour des vestiges d'une abbaye cistercienne (XIIᵉ siècle), détruite lors de la guerre en 1917.

Adresse : abbaye de Vauclair, 02860 Bouconville-Vauclair
Propriétaire : Conseil général de l'Aisne.
Renseignements, tél. : 23.20.45.54
Ouverture : t.l.j. de 8 h à 20 h ; visites guidées sur demande
Expositions
Accès : à 20 km au sud-est de Laon par D967 et D19, à 30 km au nord-ouest de Reims par N44 et D62

Promenade du Château ★

Château-Thierry

Sur les traces de Jean de La Fontaine montant lire ses vers à la duchesse de Bouillon, on pourra se promener autour des ruines du château (chemin de ronde et esplanade), d'où la vue est agréable sur les jardins privés en contrebas. Avant de redescendre vers la maison du poète, le détour par les bords de Marne (jardin des Petits Prés) vous donnera le temps de vous remémorer quelques-unes de ses fables. M.R.

 Adresse : promenade du Château, place de l'Hôtel-de-Ville, 02400 Château-Thierry
Propriétaire : Ville de Château-Thierry. Renseignements, tél. : 23.83.10.14 (syndicat d'initiative)
Accès : à 33 km au sud de Soissons par D1, et à Château-Thierry, à l'est du centre ville (vieux château)

OISE 60

Château de Chantilly ★ ★ ★ L

Chantilly

Parterres d'eau. « C'est le plus beau mariage qu'ait jamais fait l'art et la nature » disait Sébastien Mercier dans son « Tableau de Paris » au XVIIIᵉ siècle en évoquant Chantilly. Pourtant le domaine n'offrait que le spectacle d'un terrain marécageux coupé de quelques ruisseaux quand les Condé l'acquièrent en 1643. Le Grand Condé fit appel à Le Nôtre en 1663. Assisté de Claude Desgots et de La Quintinie, celui-ci créa un parc dont bassins et canaux, parterres et bosquets provoquèrent l'émerveillement des contemporains. Trop irrégulier pour donner l'axe des jardins, le château ne domine pas la composition mais devient un de ses éléments. Le Nôtre choisit la terrasse du Connétable pour organiser son dessin. C'est le point de départ d'un grandiose spectacle d'architecture et d'eau qui commence par le monumental escalier de l'architecte Gitard, orné de statues dédiées à l'eau, se poursuit par le bassin de la Grande Gerbe et, au-delà, par la « Manche », vaste miroir d'eau qui s'avance au centre du parterre dessiné par Le Nôtre en 1666, et aboutit au Grand Canal.
Cependant le premier travail de Le Nôtre fut l'aménagement des parterres de broderies devant l'Orangerie construite par Mansart en 1666. Au nord de ce parterre on accède au parc à l'anglaise où, sur un canal secondaire, se dressent les îles d'Amour et du Bois-Vert. Après avoir longé l'allée des Soupirs et la Grande Cascade aux merveilleux jeux d'eau, on découvrira plus loin un autre jardin, original et charmant, devant la « Maison de Sylvie » où se réfugia le poète Théophile de Viau. Puis, ce sont les chapelles Saint-Jean, Saint-Paul, souvenir du connétable de Montmorency, ou le Hameau du XVIIIᵉ siècle, rustiques constructions aux toits de chaume associés à un rocher pittoresque et un port des pirogues préfigurant, dès 1772, le hameau du Petit Trianon. Plus loin encore, des statues, des parterres, des bassins et des fabriques restent à découvrir dans ce lieu grandiose qui, parmi toutes ses créations, fut la préférée de Le Nôtre. P.d.C.

 Adresse : château de Chantilly, musée Condé, 60500 Chantilly
Propriétaire : Institut de France, tél. : 44.57.03.62 (audiphone) ou 44.57.08.00 (service des réservations du musée)
Ouverture : du 1ᵉʳ avril au 30 octobre, t.l.j. (sauf mar.) de 10 h à 18 h (hors saison de 10 h 30 à 17 h)
Musée Condé, musée du cheval, bibliothèque, restaurant
Accès : à 40 km au nord de Paris par N16 ou A1 sortie nº 8 (Senlis), à 10 km à l'ouest de Senlis par D924

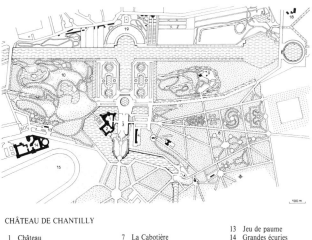

CHÂTEAU DE CHANTILLY

1 Château	7 La Cabotière	13 Jeu de paume
2 Châtelet	8 Parc de Sylvie	14 Grandes écuries
3 Connétable	9 Hameau	15 Champ de courses
4 Château d'Enghien	10 Jardin anglais	16 Canal de Morfondus
5 Château de Sylvie	11 Île d'amour	17 Canal des Druides
6 Chapelle	12 Cascades de Beauvais	18 Château de Nonette
		19 Vertugadin

Château de Compiègne ★ ★ ★

Compiègne

Vestige de l'ancien domaine royal et impérial qui englobait jusqu'en 1871 toute la forêt, le Domaine national de Compiègne se limite aujourd'hui au palais proprement dit, à la partie nord des anciens remparts de la ville, et à son petit parc, soit une superficie de 32 ha. Actuellement en cours de complète réhabilitation, le petit parc conserve pratiquement intact le tracé que lui en a donné en 1812 L.-M. Berthault, architecte de l'empereur Napoléon Ier, et considéré en son temps comme le « Le Nôtre du XIXe siècle ». En s'appuyant sur des données historiques précises, l'entreprise en cours vise à restituer le caractère paysager du jardin dans l'esprit d'une transition progressive entre le château et la forêt qui s'étale majestueusement sur 20 000 ha.

De l'ancien jardin à la française, créé par J.-A. Gabriel en 1755, et laissé inachevé à la Révolution, il ne reste plus que le mur d'enceinte, les quinconces nord et sud et la terrasse de la Reine. En revanche, il subsiste d'émouvants témoignages du premier Empire, tels que Napoléon Ier les fit réaliser en 1810 à l'intention de sa future épouse, Marie-Louise, archiduchesse d'Autriche : un berceau en fer de 1 400 m de long, pour aller à couvert, du palais à la forêt, deux pavillons de repos (décors peints par Dubois et Redouté, encore visibles au pavillon du quinconce sud), l'allée des Beaux-Monts, longue de 4 600 m, d'où convergèrent en mars 1813 les attaques prussiennes sur la ville, lors de la débâcle napoléonienne.   J.D.D.

Une percée dans la forêt. Corbeil-Cerf.

une succession de quatre petits jardins dessinés par René Pechère furent ajoutés en 1960 : une roseraie, un jardin de broderies de buis, un jardin anglais et un « jardin vert » dont les buis forment quatre tables et une baie. Au nord, de grandes perspectives bordées de charmilles sous futaie et décorées de statues, de bassins et de vases, évoquent les promenades du XVIIIe siècle. Mme de Lubersac veille à la tenue du lieu. C'est un jardin aimé.   M.R.

Adresse : château de Corbeil-Cerf, 60110 Corbeil-Cerf
Propriétaire : Mme de Lubersac, tél. : 44.52.02.43
Ouverture : sur demande écrite pour groupes de Pâques à la Toussaint
Accès : à 6 km au nord de Méru, à 20 km au sud de Beauvais

Adresse : château de Compiègne, 60200 Compiègne
Propriétaire : l'État, ministère de la Culture, tél. : 44.40.04.37
Ouverture : du 1er avril au 31 octobre, t.l.j., de 7 h 30 au coucher du soleil ; hors saison de 8 h au coucher du soleil
Musées de la voiture, du tourisme, du second Empire
Accès : à 70 km au nord-est de Paris par A1 sortie n° 10 (Arsy)

Château de Corbeil-Cerf ★ ★ ★

Corbeil-Cerf

On entre par une longue allée de grands arbres taillés en arche. Tout autour du petit château s'ouvre une série de très belles percées à travers la forêt. Pour donner une unité au château dont les toitures et les façades sont très différentes — moitié Renaissance-moitié Henri IV —, le marquis de Lubersac avait dessiné au XIXe siècle un mail original. Au devant d'un parterre « d'accueil », des guirlandes de lierre relient les tilleuls palissés à l'italienne. Au nord-est,

Parc Jean-Jacques Rousseau ★ ★

Ermenonville

Si jamais un parc a reflété l'esprit de son propriétaire, c'est bien Ermenonville où l'on ressent encore la poétique présence du marquis René-Louis de Girardin qui, en 1778, fut l'hôte de Jean-Jacques Rousseau dont le tombeau se dresse toujours dans l'île des Peupliers. Ce « mécène curieux » poursuivit pendant dix ans un rêve qu'il incarna idéalement dans un paysage très varié de forêts, de coteaux et d'étangs. Le domaine s'étend de part et d'autre d'une petite rivière : la Launette, que suit l'axe central de la composition de ce grand parc à l'anglaise, perpendiculairement à la façade du château, belle demeure de pierres blanches du XVIIIe siècle. Même si l'architecte-paysagiste Jean-Marie Morel ou le peintre Hubert Robert ont apporté leur contribution, la conception générale correspond bien à celle de Girardin. Originellement, le parc se divisait en quatre parties : la Ferme, sur le plateau à l'est du village, le Grand Parc, autour du lac au sud du château, le

Petit Parc, dans une zone marécageuse au nord du château, et le Désert, colline sauvage, contiguë à la « mer de sable ». Il reste peu de choses du Petit Parc, paysage bucolique traité à la hollandaise avec ses canaux, ses moulins et la tour Gabrielle, de style gothique. La promenade actuelle, qui correspond au Grand Parc, suit un « itinéraire » médité par Girardin où se mêlent les souvenirs d'une antiquité « arcadienne » et des citations rousseauistes. On passa ainsi de la grotte des Naïades sous la cascade au temple de la Philosophie, volontairement laissé inachevé. On découvre l'autel de la Rêverie, le banc des Mères... Il faut enfin admirer le panorama du lac depuis le Désert, colline de pins, de bruyères et de genévriers où une cabane, la maison du Philosophe, rappelle les excursions botaniques de Jean-Jacques Rousseau dans les environs.

M.M.

Adresse : parc Jean-Jacques Rousseau, 60440 Ermenonville
Propriétaire : Conseil général de l'Oise, tél. : 44.54.00.08 (camping)
Ouverture : par le camping, t.l.j., de 9 h à 12 h et de 14 h au coucher du soleil ; par le village : de Pâques au 30 mai, le week-end de 13 h 30 à 19 h ; de juin à septembre tous les après-midi (sauf mar.)
Accès : à 45 km au nord-est de Paris par A1 sortie Saint-Witz et D922 ; à 12 km au sud-est de Senlis par N330

L'île des Peupliers. Ermenonville.

PARC JEAN-JACQUES ROUSSEAU

1	Entrée	7	Grotte des Naïades et cascade
2	Château	8	Banc de la Reine
3	Camping	9	Prairie arcadienne
4	Ancien jeu d'arc	10	Banc et table des Mères
5	Étang	11	Table de la Philosophie
6	Ile des peupliers	12	Autel de la Rêverie

Château de Chaalis ★

Fontaine-Chaalis

Une roseraie accompagne le parc, les ruines romantiques de l'abbaye et le château qui abrite le musée Jacquemart-André.

Adresse : château de Chaalis, 60305 Fontaine-Chaalis
Propriétaire : Institut de France, tél. : 44.54.00.01
Ouverture : t.l.j. (sauf le mar.) de 8 h à 18 h (fermé de novembre à mars)
Musée Jacquemart-André
Accès : à 10 km au sud-est de Senlis par D330

Parcs de Mont-Lévêque et de la Victoire ★★

Mont-Lévêque

C'est un parc à l'anglaise créé par un paysagiste irlandais entre 1840 et 1844 qui enveloppe cet ancien relais de chasse royal devenu résidence d'été des évêques de Senlis (1214) puis remanié vers 1835 dans le style troubadour. Situé dans la vallée de la Nonette, le parc entoure également les ruines d'un château et les bâtiments abbatiaux de l'abbaye de la Victoire, fondée en 1214 par Philippe Auguste pour commémorer la victoire de la bataille de Bouvines et détruite volontairement avant la Révolution. Les bâtiments furent rachetés par la famille de l'actuelle propriétaire en 1819. Les principales scènes paysagères ont été maintenues grâce à un remplacement, aux mêmes endroits, d'essences identiques. Le domaine constitue une réserve de chasse et les visites ne peuvent donc avoir lieu que dans un périmètre donné. M.R.

Adresse : parcs de Mont-Lévêque et de la Victoire, 60300 Mont-Lévêque
Propriétaires : M. et Mme de Pontalba, tél. : 44.53.00.72
Ouverture : libre, autour des bâtiments de l'abbaye ; sur demande pour les parcs
Accès : à 12 km à l'est de Chantilly, à 3 km à l'est de Senlis par D330

Domaine d'Ognon ★★

Ognon

Décentré par rapport aux bâtiments, le parc boisé est découpé par un très grand mail et des allées latérales. Bordé de murettes de pierre, le mail se termine par deux charmants pavillons. A l'écart, longé de belles statues, la pièce maîtresse de cette composition est un long miroir d'eau, « l'un des plus beaux de France », disait Ernest de Ganay.

Adresse : domaine d'Ognon, 60810 Ognon
Propriétaire : M. Seillère
Ouverture : sur demande écrite
Accès : à 7 km au nord-est de Senlis

SOMME 80

Château de Bagatelle ★★

Abbeville

Transformé au milieu du XVIIIᵉ siècle en un joli pavillon de plaisance, ou « folie », le château de Bagatelle a gardé son parterre à la française bordé de buis, orné de sculptures et entouré de tilleuls palissés. Le parc qui le complète possède de très beaux arbres mais il n'est plus pénétrable sans être équipé de bottes. M.R.

Adresse : château de Bagatelle, 133, route de Paris, 80100 Abbeville
Propriétaire : M. de Wailly, tél. : 22.24.02.69 ou (1) 42.56.19.84
Ouverture : en juillet et août, de 14 h à 18 h, sauf le mar. et, pour les groupes, toute l'année sur rendez-vous
Musée d'histoire de « France 1940 »
Accès : à 1 km au sud-est d'Abbeville par D901

Parc d'Émonville

Abbeville

Le jardin de l'hôtel d'Émonville offre une composition de style paysager ornée de sculptures, d'un bassin, et planté de quelques arbres bicentenaires : liriadendron, séquoia géant, tilleuls et marronniers.

Adresse : hôtel d'Émonville, place Clemenceau, 80100 Abbeville
Propriétaire : Ville d'Abbeville, tél. : 22.24.08.01
Ouverture : t.l.j. de 8 h à 19 h
Accès : au nord du centre ville

Les Hortillonnages ★★

Amiens

Jardins flottants. En bord de Somme, non loin de la cathédrale d'Amiens, s'étendait une vaste tourbière. Creusant des canaux et relevant le sol avec les limons, les jardiniers ou « hortillons » ont créé, dès le Moyen Age, un immense potager. Un dédale de canaux (les rieux) dessert des kilomètres de parcelles si fertiles qu'elles permettent trois récoltes par an. Après avoir participé à la vie économique et au paysage d'Amiens pendant des siècles, les hortillonnages se sont vus menacés par la concurrence de sites plus ensoleillés, les constructions sauvages, une rocade, la pollution, l'envasement... Une association tente de maintenir ce qui a pu être sauvé, organise des promenades en barque, un marché sur l'eau au mois de juin. M.R.

Adresse : maison des Hortillonnages, 54, boulevard Beauvillé, 80000 Amiens
Propriétaire : Association pour la protection et la sauvegarde du site et de l'environnement des Hortillonnages, tél. : 22.92.12.18
Ouverture : visites du 1ᵉʳ avril au 31 octobre,

t.l. après-midi à 15 h précises, les week-ends et jours fériés à partir de 14 h ; hors saison, en semaine sur demande

Accès : au nord-ouest de la ville, à 5 mn de la gare

Cimetière de la Madeleine ★ ★

Amiens

Un cimetière paysager. « La méditation dans ces saintes retraites, Offre et toujours offrit des voluptés secrètes », écrivait un amoureux du cimetière de la Madeleine. Projeté dès 1785 mais réalisé à partir de 1817, le cimetière de la Madeleine (18 ha) constitue un émouvant tableau d'une ville au XIXᵉ siècle. Bien sûr, il a ses hommes célèbres avec

le saisissant tombeau de Jules Vernes par Albert Roze, mais il a aussi ses hommes « plus ou moins célèbres » (ceux qui ont les tombeaux les plus imposants) et puis les autres, ceux que le visiteur découvrira au gré de sa marche, dans les sentiers ou sous les tunnels de verdure.   M.R.

Adresse : cimetière de la Madeleine, rue Saint-Maurice, 80000 Amiens
Propriétaire : Ville d'Amiens, tél. : 22.97.40.40
Ouverture : t.l.j. de 8 h à 19 h (en été) et de 8 h 30 à 17 h 30 (en hiver)
Accès : au nord-ouest de la ville, quartier Saint-Maurice

Un jardin flottant. Les Hortillonnages. Amiens.

Jardin de l'abbaye de Valloires

★ ★

Argoules

Le jardin (9 ha) est neuf, simple et régulier. Pour présenter de manière artistique et pédagogique la collection botanique d'arbustes du pépiniériste Jean-Louis Cousin, et pour créer un jardin destiné aux visiteurs, le paysagiste Gilles Clément s'est inspiré des formes significatives de l'histoire de l'abbaye et d'un plan de 1785. Devant l'abbaye, une roseraie de variétés anciennes et botaniques occupe le grand carré de l'ancien potager. Au bout d'une allée traversant un vaste parterre gazonné, l'axe central se termine par un cloître végétal, un jardin clos-ouvert, interprétation contemporaine du cloître de l'abbaye. Espace de respiration, la pelouse centrale est encadrée de deux jardins : dans la partie basse, par un jardin d'eau, avec un canal, un chemin des bois et de nombreux petits chemins où l'on se perdra bientôt dans un marais planté de saules, et, sur un talus fractionné par des haies d'osmareas, par un jardin blanc. Couronnant le talus, une allée de cerisiers à fleurs à port horizontal sépare le jardin régulier de la belle collection d'arbustes présentée en « îles » étirées dans la prairie, l'île des ronces douces, l'île aux papillons, l'île d'hiver, et l'île d'or, dont vous comprendrez mieux les noms en observant, sur place, leur composition et leurs couleurs.   M.R.

Adresse : abbaye de Valloires, 80120 Argoules
Propriétaire : Pouvoirs publics de Picardie.
Gestionnaire : S.A.R.L. les Jardins de Valloires, M. J.-L. Cousin, tél. : 22.23.53.55
Ouverture : de Pâques à fin octobre, t.l.j. de 10 h à 18 h 30 (20 h en juin, juillet et août) ; visites guidées sur demande
Accès : à 30 km au nord d'Abbeville par N1 en direction de Calais, puis à Vron, à droite par D175

Château de Courcelles

★ ★

Courcelles-sur-Moyencourt

Une grille monumentale en arc de cercle entre quatre piliers ornés de vases de fleurs sculptés donne accès au parterre en avant du château. Édifié au XVIIIe siècle, ce château fut acquis, après la Révolution, en 1826, par Maxime de Gomer qui aménagea l'arboretum orné de fabriques et de statues et créa une remarquable collection de rhododendrons.   M.R.

Valloires.

Adresse : château de Courcelles, 80290 Courcelles-sur-Moyencourt
Propriétaire : comte Antoine de Ruffi de Pontevès, tél. : 22.90.82.51
Ouverture : du 1er au 25 juillet et du 3 au 30 septembre, t.l.j. de 14 h à 17 h, ou pour groupes sur rendez-vous
Accès : à 22 km au sud-ouest d'Amiens par N29, à 5 km au nord-est de Poix-de-Picardie

Château de Rambures

★

Oisemont

Unique exemplaire de l'architecture militaire du début du XVe siècle, le château de Rambures est accompagné d'un parc à l'anglaise créé en pleine période romantique (fin XVIIIe-début XIXe siècle). Pelouse, prairies et allées sont plantées d'arbres aux essences variées : hêtres, charmes, chênes... mais aussi pin laricio, cyprès de Lawson, murier blanc et séquoias géants dont l'un fut rapporté des États-Unis en 1787. Véritable arboretum au milieu du « Vimeu vert », le parc est orné d'un pavillon Henri IV et d'une chapelle.

Adresse : château de Rambures, 80140 Oisemont
Propriétaire : comtesse de Blanchard, tél. : 22.25.10.93
Ouverture : du 1er mars au 1er novembre, t.l.j. (sauf mer.) de 10 h à 12 h et de 14 h à 18 h ; hors saison, dim. et j. fériés de 14 h à 17 h ou sur rendez-vous
Accès : à 24 km au sud d'Abbeville par N28 et D29 à Saint-Maxent

Château de Régnière-Écluse

★

Régnière-Écluse

Autour du château néogothique (remanié entre 1840 et 1860), un vaste parc à l'anglaise a été redessiné. Planté de bosquets, de hêtres et de récents massifs de rhododendrons, il présente le charme des parcs romantiques du XIXe siècle.

Adresse : château de Régnière-Écluse, 80120 Régnière-Écluse
Propriétaires : M. et Mme de Nicolay, tél. : 22.29.92.64
Ouverture : sur demande écrite, de Pâques à la Toussaint
Accès : à 20 km au nord d'Abbeville

POITOU-CHARENTES

Forêt de hêtres de Chizé, forêt sillonnée de ruisseaux de l'Hermitage, forêt d'Aulnay et de Mervent-Vouvant entourent le Marais poitevin avec ses dizaines de milliers d'hectares mi-eau, mi-terres fertiles, créées par l'intervention de moines dès le XIᵉ siècle. Drainée, creusée d'un labyrinthe de canaux, de fossés (contrebots), de conches et de rigoles, la « Venise verte » est un grand jardin qui se visite en barque, sous les feuillages de peupliers blancs du Poitou, de frênes et de saules.

Près de la mer, des polders protégés par des digues ont été réalisés du XVIᵉ au XIXᵉ siècle, et d'autres marais ont été transformés en bassins d'ostréiculture.

Le jardin des Retours, en cours de création à Rochefort, s'inscrit dans le paysage de transition entre terres et haute-mer, passant du marais de la Charente à la mer du Pertuis, mer intérieure qui donne enfin accès à l'Océan.

La région Poitou-Charentes est riche en jardins de châteaux, en particulier de jardins perchés sur une « roche », la Roche-Courbon, la Roche-Faton, le Deffend, assurant un lien très fort entre la pierre, le jardin et un paysage panoramique. M.R.

Parc Capi-Plante. Nieul-sur-Mer.

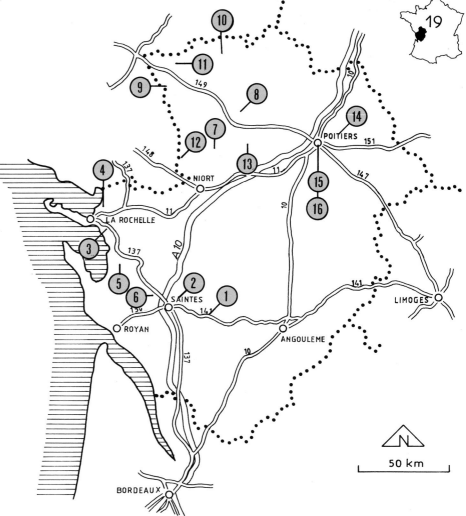

CHARENTE 16

Jardin de l'Hôtel-de-Ville

★

Cognac

Ouverture : t.l.j. de 7 h à 22 h (été), de 7 h à 20 h (hiver)
Accès : centre ville

Jardin à l'anglaise s'étendant sur 10 ha, conçu pour la promenade avec plans d'eau, grottes, fabrique néogothique édifiée dans la première moitié du XIXᵉ siècle, kiosque à musique, bosquets et massifs fleuris, cet espace public en plein centre est animé d'animaux en cage. Il est composé de la réunion de deux jardins d'hôtels particuliers, celui de la famille Boutard de la Villeon, acquis en 1892 pour y installer la mairie, et celui de la famille Dupuy d'Angeac pour y installer le musée municipal. M.R.

 Adresse : hôtel de ville, boulevard Denfert-Rochereau, 16100 Cognac
Propriétaire : Ville de Cognac, tél. : 45.82.67.33

Pont de rocaille. Jardin de l'hôtel de ville, à Cognac.

Château du Douhet ★

Le Douhet

On descend de cette ancienne résidence des évêques de Saintes par un double escalier à balustres. Les deux pièces d'eau sont alimentées par un aqueduc gallo-romain, et l'on peut également découvrir, près de ce beau château du XVIIe siècle, un bois de buis centenaires. M.N.

Adresse : château du Douhet, 17100 Le Douhet, **Propriétaire :** S.C.I. Damilleville-château du Douhet, tél : 46.97.78.14 ou 46.02.30.00
Ouverture : du 1er avril au 31 octobre, t.l.j. de 10 h à 12 h et de 14 h à 19 h ; du 1er novembre au 31 mars, dim., jours fériés, vacances scolaires
Accès : à 14 km au nord de Saintes par N150 et D231

Buzay.

Château de Buzay ★

La Jarne

Des parterres dont les motifs sont colorés par de petits morceaux de brique et d'ardoise, quelques statues du XIXe siècle, composent le jardin du château de Buzay. A l'est de la demeure, devant la façade ornée de pilastres d'ordre ionique, on découvre un parc à l'anglaise où coule une rivière. De très beaux chênes verts, des platanes, des marronniers conservés depuis trois siècles agrémentent la promenade. T.D.

Adresse : château de Buzay, 17220 La Jarne
Propriétaire : famille de Montbron, tél. : 46.56.63.21

Ouverture : t.l.j., du 1er juillet au 31 août, de 14 h 30 à 17 h 30, et sur rendez-vous pour groupes
Accès : A 7 km au sud-est de La Rochelle par D939 en direction de Surgères

Parc Capi-Plante ★★

Nieul-sur-Mer

Cette demeure historique, construite en 1806, fut vendue en 1888 à M. Léonce Vieljeux, maire de La Rochelle. Amoureux des fleurs et des arbres, il fit aménager un grand parc à l'anglaise qui fut sévèrement endommagé, en 1944, au cours de la Seconde Guerre mondiale.

Redessiné par l'architecte Jacques de Wailly en 1950, le jardin à la française du Manoir est rythmé par des ifs et buis taillés, des statues du XVIIIe siècle nichées au fond d'étroites allées : variations autour des trois formes élémentaires : cercle, carré et croix.

En 1986, le parc a été racheté puis entièrement restauré par Capi-Plante, laboratoire de recherche et de fabrication de produits dermo-cosmétiques.

Ce parc de 5 ha comprend plus de 1 000 essences, notamment quelques belles espèces d'érables japonais.

Adresse : logis de la Coudraie, 21, rue de Vieljeux, 17140 Nieul-sur-Mer
Propriétaire : laboratoire Capi-Plante, tél. : 46.37.40.02
Ouverture : toute l'année, les week-ends et jours fériés de 14 h à 19 h
Accès : à 5 km au nord de La Rochelle par Lagord ou D104

Jardin des Retours ★★

Rochefort

Aujourd'hui Centre international de la mer, « cette longue bâtisse basse et comme mouvante qu'est la Corderie de la flotte royale » fut dessinée par François Blondel. Pour ses abords, Bernard Lassus et son équipe ont conçu un beau projet visant à redonner vie aux bords de la Charente, à garder la mémoire du lieu, à mieux relier le site à la ville, à intégrer l'actuel jardin de la Marine, à dégager de nouvelles perspectives. La toponymie, le traitement de l'espace et des végétaux seront autant d'occasion de rappeler les retours des navigateurs débarquant des graines, des boutures, des plants venus d'Amérique. Parmi eux, Michel Bégon, intendant de Rochefort à partir de 1668, qui donna son nom au bégonia, et son

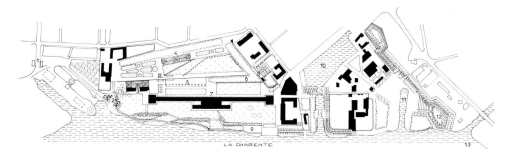

petit-fils, le marquis de la Galissonière, botaniste parti de Rochefort pour être gouverneur au Canada et qui introduisit de nombreuses essences américaines : tulipier de Virginie, magnolia à grandes fleurs, cyprès chauve, seront particulièrement à l'honneur. Commencé par un nouveau lien entre la Corderie royale et la ville (une rampe plantée de tulipiers), et un alignement de palmiers le long du jardin de la Galissonière, les aménagements devraient se poursuivre avec une collection de bégonias, un jardin des batailles navales, un débarcadère, une aire de gréements et un parc arboré où voisineront les essences locales et celles d'Amérique.   M.R.

Adresse : jardin des Retours, Corderie royale, 17300 Rochefort
Propriétaire : Ville de Rochefort, tél. : 46.84.30.30. Contact : M. Gallice
Ouverture : permanente, visites libres Bibliothèque municipale, centre international de la mer, tél. : 46.87.01.90
Accès : à l'est du centre ville

Une référence aux voyages d'outre-mer : le jardin des Retours, à Rochefort.

Château de la Roche-Courbon

★ ★ ★

Saint-Porchaire

Le « château de la Belle au bois dormant ».
Remanié au XVIIe siècle, cette forteresse du XVe est construite sur un éperon rocheux et surplombe une forêt de 140 ha où dominent les chênes verts, avec, au centre, un marais. En 1908, Pierre Loti attira

l'attention du public sur ce lieu méconnu où il avait vécu sa première aventure avec une gitane qui lui avait révélé « le grand secret de la vie et de l'amour ». En 1920, il incita son nouveau propriétaire, Paul Chenereau, à restaurer le « château de la Belle au bois dormant ». Les travaux furent confiés à l'architecte Legube, la réhabilitation des jardins au paysagiste Ferdinand Duprat.

Pour cette recréation, Duprat s'est inspiré d'une représentation du château et de ses jardins vers 1660, par le peintre Hackaert. Sur la longue marche calcaire qui s'étend au pied du château, il installa, au nord, un verger et un potager, au sud, un petit jardin bouquetier. A la droite du logis, s'étire une longue perspective à la française avec parterre de gazon organisé autour d'une fontaine. Sa grande pièce d'eau en forme de T, dont la barre est-ouest s'inscrit entre deux pelouses, aboutit à un escalier d'eau flanqué de larges degrés. Puis, le regard pénètre une longue allée taillée dans la forêt jusqu'à une colonne de marbre rose. Vases, statues, haies et arbustes taillés scandent et animent ce grand paysage. Au nord, des canaux ouvrent des percées visuelles secondaires, perspectives miroitantes pénétrant au cœur du bois. Au sud, des affleurements rocheux, où s'agrippent des yuccas, introduisent une note de liberté. Mais cette grande construction fut, en partie, posée sur le marais. Balustrades, échauguettes, allées, arbustes s'y enfonçaient. Le gendre de P. Chenereau,

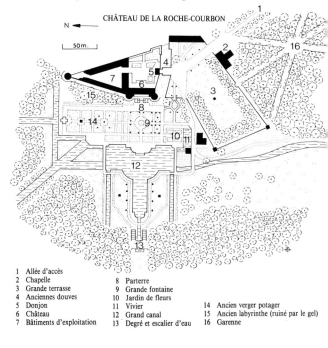

CHÂTEAU DE LA ROCHE-COURBON

M. Jacques Badois, a trouvé le bon sol à une dizaine de mètres sous le marais. Depuis 10 ans, il réalise, avec ses trois jardiniers, toute une infrastructure de pieux et de planchers de chênes (tirés de la forêt) pour mettre sur pilotis et sauver l'un des jardins réguliers les plus accomplis.   J.P.B.

La Roche-Courbon.

Adresse : château de la Roche-Courbon, 17250 Saint-Porchaire
Propriétaire : Société du domaine de la Roche-Courbon, M. et Mme Jacques Badois, tél. : 46.95.60.10.
Ouverture : parc, jardin, grottes, t.l.j. de 9 h à 12 h et de 14 h à 18 h 30 (17 h 30 en hiver)
Musée de la préhistoire ; château t.l.j. du 15 mars au 15 février ; t.l.j. (sauf jeu.) du 15 septembre au 15 juin
Musique diffusée dans les jardins ; location du théâtre pour réceptions
Accès : à 18 km au nord-ouest de Saintes par N137

DEUX-SÈVRES 79

Château de la Guyonnière ★

Beaulieu-sous-Parthenay

Reconstitution, en cours, d'un jardin médiéval s'intégrant harmonieusement, sur une « île » entourée de douves, à l'architecture du château des IXe et XIVe siècles.   G.L.F.

Adresse : château de la Guyonnière, 79420 Beaulieu-sous-Parthenay
Propriétaire : M. et Mme Dugois, tél. : 49.70.60.09 ou 49.64.22.99
Ouverture : en juin et en septembre, t.l.j. de 14 h 30 à 17 h 30
Expositions au château, spectacles (se renseigner auprès de l'office du tourisme de Parthenay, tél. : 49.64.24.24)
Accès : à 8 km au sud de Parthenay par D142

Château de la Roche-Faton ★

Lhoumois

Il existe ici un lien fort entre le bâti, le parc à l'anglaise et le paysage panoramique : le château médiéval et Renaissance, d'une exceptionnelle qualité, est mis en valeur par l'échelle grandiose de l'environnement.   G.L.F.

Adresse : château de la Roche-Faton, 79390 Lhoumois
Propriétaire : Mme du Dresnay
Ouverture : les week-ends de 9 h à 12 h et de 14 h à 18 h en avril, mai, juin, et du 22 août au 30 septembre. Renseignements, tél. : 49.63.10.00 (mairie)
Accès : à 17 km au nord-est de Parthenay par N149 et D165 ou par D134

Château du Deffend ★

Montravers

Dans un site vallonné bénéficiant d'une vue panoramique exceptionnelle sur la vallée de la Sèvre Nantaise et la chaîne des collines de Vendée, le parc paysager est rythmé par des bosquets d'arbres centenaires et des boisements forestiers récemment renouvelés.   G.L.F.

Adresse : château du Deffend, 79140 Montravers
Propriétaire : M. Y. de Beauregard, tél. : 49.80.53.63
Ouverture : du 20 août au 30 septembre, t.l.j. de 14 h 30 à 18 h ; groupes sur rendez-vous du 15 mai au 30 septembre
Accès : à 18 km à l'ouest de Bressuire, à 8 km à l'ouest de Cerisay par la D149

Jardin de Grenouillon ★★

Moutiers-sous-Argenton

Depuis quelques années, ce jardin renaît grâce à une série de gros travaux entrepris pour remplacer des arbres centenaires qu'il fallait abattre, des arbustes à renouveler, la plantation de fleurs, rosiers, et l'entretien régulier des buis qui composent les bordures.

Longtemps délaissé, ce petit jardin (1 ha) est peu à peu remodelé par les propriétaires qui souhaitent lui redonner son éclat passé. Ifs et buis taillés sont les pièces maîtresses d'un ensemble « à la française » divisé en larges carrés cernés de bordures de buis. Il est la parure d'une très belle maison des champs du XVIIe siècle venue remplacer un château fort du XIe siècle, dont il ne reste que les douves enserrant la cour sur trois côtés.   J.C.L.

Adresse : logis de Grenouillon, 79150 Moutiers-sous-Argenton
Propriétaires : M. et Mme de Werbier d'Antigneul, tél. : 49.65.71.13
Ouverture : groupes sur demande de mai à juillet
Accès : à 16 km au nord-est de Bressuire

Grenouillon.

Château de Tournelay ★★

Nueil-sur-Argent

Dominant la campagne environnante, le parc s'impose d'abord par son ampleur (30 ha), ses vues et ses promenades. Conçu en 1859 par M. Chauvin de Lénardière, il fut réalisé à partir de 1860 par son neveu, Victor Merland de la Maufreyère qui planta plus de 20 000 arbres, principalement des feuillus

traditionnels, et clôtura l'ensemble d'un mur de 5 km de long. Massifs de buis et de lilas, résineux, coulées de peupliers et de chênes rouges vinrent compléter ces plantations. Des parterres à la française (1950), un étang (1975) et des sentiers botaniques ont été réalisés plus récemment pour animer le parc.   M.R.

Adresse : château de Tournelay, 79250 Nueil-sur-Argent
Propriétaire : Mme de Lassus, tél. : 49.65.61.13.
Ouverture : du 1er juillet au 15 août, t.l.j. de 14 h à 18 h ; potager, château : visites guidées ; parc : visite libre
Accès : à 30 km au sud-est de Cholet, à 14 km au nord-ouest de Bressuire par D35

Château de la Roussière ★

Saint-Maixent-de-Beugné

Bel exemple d'un parc à la française, régulier et forestier, créé au début du XXe siècle. Il est intéressant par sa composition rigoureuse mettant en valeur le château médiéval reconstruit au XVIIIe siècle. Un labyrinthe en charmes ainsi que des éléments hydrauliques (pièce d'eau, fontaines, abreuvoir...) viennent compléter l'ensemble.   G.L.F.

Adresse : château de la Roussière, 79160 Saint-Maixent-de-Beugné
Propriétaires : M. et Mme de Chabot, tél. : 49.06.12.11
Ouverture : du 1er juin au 31 août, t.l.j. de 9 h 30 à 12 h et de 14 h 30 à 19 h ; sur rendez-vous pour groupes toute l'année
Accès : à 24 km au nord-ouest de Niort par D744 et à 3 km au nord de Coulonges

---

Château de la Sayette ★★

Vasles

C'est un ensemble harmonieux formé d'un jardin régulier et caractérisé par trois clos : le parterre axé sur le château, le potager (qui comporte un pédiluve) et la charmille. Chaque clos est distribué par des portails XVIIe en fer forgé de belle facture. Restauration en cours.

Adresse : château de la Sayette, 79340 Vasles
Propriétaire : M. et Mme Emmanuel de la Sayette, tél. : 49.69.94.93
Ouverture : du 29 juillet au 6 septembre, t.l.j. de 14 h à 18 h 30 ; sur rendez-vous pour groupes ; visites guidées (français et anglais)
Accès : à 30 km à l'ouest de Poitiers, à 28 km au sud-est de Parthenay par D59

VIENNE 86

Château de Touffou ★ ★ ★

Bonnes

A l'écart des donjons et des tours qui surplombent la Vienne, ce jardin est l'œuvre récente (1976) de David Ogilvy, l'un des rois de la publicité de notre époque. On ne s'étonnera pas des origines écossaises du maître des lieux devant l'association de deux inventions de nos jardiniers et jardinières d'outre-Manche : la division en pièces et les mixed-borders. Les cloisonnements de haies de thuyas et les grandes surfaces de gazon donnent les grands volumes et l'espace tandis que les bordures offrent la diversité et une succession d'odeurs et de micropaysages à découvrir par la déambulation : la première pièce est notamment bordée de seringa, choisya et de grandes roses ; la deuxième, d'une petite jungle de cistes, d'euphorbes, de coquelicots blancs, de santolines et de bien d'autres plantes ; la troisième est pleine de fleurs à couper ; la quatrième est une piscine entourée de rhododendrons, de lys royaux et de roses anciennes ; la dernière, enfin, une pelouse pour le croquet. M.R.

Adresse : château de Touffou, 86300 Bonnes
Propriétaire : M. David Ogilvy
Ouverture : aux groupes d'amateurs, sur demande écrite
Accès : à 24 km à l'est de Poitiers par D6

Parc de Blossac ★

Poitiers

Créé au XVIIIᵉ siècle par le comte de Blossac, intendant du Poitou — célèbre pour les travaux qu'il engagea dans la région —, le parc de Blossac, dessiné à la française, est complété d'un jardin anglais (grotte, bassins, kiosques...) et d'un petit jardin de rocailles aménagé sur les contreforts rocheux des remparts de la ville. Deux groupes en marbre blanc (1860), dus au sculpteur Antoine Étex, représentant « la Joie » et « la Douleur maternelle », sont placés près de l'entrée du parc, orné d'une belle grille. A.R.

Adresse : parc de Blossac, 1 *bis,* rue Léopold-Thézard, 86000 Poitiers
Propriétaire : Ville de Poitiers, tél. : 49.41.60.89
Ouverture : t.l.j. parc : de 7 h à 21 h 30 (hiver), de 7 h à 22 h 30 (été) ; jardin anglais : de 8 h au coucher du soleil (hiver) et de 7 h à 20 h (été)
Accès : au sud-est du centre ville près de la cathédrale Saint-Hilaire

Jardin des Plantes ★ ★

Poitiers

Descendant de la vieille ville vers la jolie vallée du Clain, le jardin des Plantes qui s'étend sur 1,5 ha a été créé en 1890. Il associe un jardin botanique, qui ne manque pas de charme tout en assurant son rôle didactique, avec un jardin paysager regroupant de nombreuses espèces d'arbres, d'arbustes et de vivaces. Le jardin botanique présente une serre de collection et quelques essences remarquables : cèdre de l'Atlas *(atlantica)* et de l'Himalaya *(deodara),* arbre aux 40 écus (ginkgo biloba), février pleureur *(Gleditsia triancanthos « brijoti »)...* L'ensemble offre un moment très agréable comme on aimerait en avoir plus souvent dans les jardins de ville. M.R.

Massif de plantes « succulentes ». Jardin des plantes de Poitiers.

Adresse : jardin des Plantes, boulevard Chassaigne, 86000 Poitiers
Propriétaire : Ville de Poitiers, tél. : 49.41.60.89 (S.E.V.)
Ouverture : t.l.j. de 7 h à 20 h (été) et de 8 h à 17 h 30 hors saison.
Accès : au nord-est de la vieille ville

PROVENCE-ALPES-CÔTE D'AZUR

La Provence et la Côte d'Azur sont deux régions de jardins qui méritent d'être distinguées. Soumise à l'autorité du mistral qui souffle en moyenne un jour sur deux dans la vallée du Rhône, la Provence bénéficie d'une lumière et d'un soleil qui surprendront toujours le voyageur venu du Nord. Mais cet atout est aussi une lourde contrainte. Pour s'abriter du vent, agriculteurs et jardiniers ont d'abord créé des terrasses bien exposées sur les pentes, puis quadrillé les plaines de haies. Trouver de l'eau, une richesse ici mal répartie, est l'autre exigence essentielle du créateur de jardin dans le midi.

Au Moyen Age, une auréole de jardins potagers dont certaines parties pouvaient être consacrées à la plaisance entourait les villes. C'est donc au verger et au potager que l'on venait alors cueillir quelques roses, pêcher dans le vivier ou simplement se promener loin des pestilences de la ville. A partir du XVIIᵉ siècle, le jardin d'agrément dit « jardin de propreté » prend ses distances et devient un espace rigoureusement distinct des jardins maraîchers.

De la Renaissance au début du XXᵉ siècle, le jardin en Provence est un jardin de bastide. Équivalent provençal de la villa italienne, la bastide concilie les avantages de la ferme et ceux de la maison de plaisance. Portails posés en pleine campagne, avenues ombragées conduisant à la maison avec terrasses, bois, parterres, fontaines et sculptures sont autant d'éléments qui structurent encore le paysage de bastides du pays d'Aix-en-Provence, l'un des ensembles les plus riches de France en jardins du XVIIIᵉ siècle. La tèse, allée de buissons à baies spécialement conçue pour la chasse aux petits oiseaux, est sans doute l'élément le plus amusant et le plus représentatif d'un mode de vie à la campagne joignant l'utile à l'agréable. Autour de Marseille, quelques-uns des innombrables jardins pittoresques de bastides du XIXᵉ siècle ont été sauvés.

Aujourd'hui, de nouveaux jardins, souvent secrets, sont en création dans le Lubéron et, à nouveau, autour d'Aix-en-Provence.

Avant de s'appeler « Côte d'Azur », le littoral entre Cannes et Menton était connu comme un vaste jardin, « le pays des orangers ». Dès la fin du XVIIIᵉ siècle, le pays est apprécié pour son climat susceptible de guérir les tuberculeux et par les amateurs de paysages pittoresques, en particulier les Anglais qui font figure d'inventeurs d'un nouveau mode de villégiature. Avec le train qui la rend facilement accessible, la riviera devient le rendez-vous d'hiver de la haute société européenne. Chaque petite ville s'ouvre au tourisme, avec ses places, ses fêtes, ses jardins d'hiver. Amateurs passionnés et botanistes créent de nombreux jardins paysagers où sont acclimatées les plantes tropicales. Ainsi naît le paysage de la riviera, un paysage encore aujourd'hui symbolisé par le palmier, en particulier le *Phœnix canariensis*. On cherchera à Cannes, Nice, Monte-Carlo ou Menton les vestiges de l'époque des palaces.

A partir de 1900 se fait jour une réaction de plus en plus forte contre les architectures blanches et l'excès d'exotisme. Après une période de redécouverte de l'art des jardins dans le monde entier et la création de jardins-catalogues comme celui de la Fondation Ephrussi de Rothschild, après les nouvelles leçons venues d'Angleterre pour apprendre à voir le paysage local, une nouvelle génération de paysagistes vient ici redécouvrir et interpréter à sa manière la Méditerranée. Dans les années 20, plantes locales et références culturelles du pourtour méditerranéen se retrouvent aussi bien dans les créations sensibles et nostalgiques de Ferdinand Bac (les Colombières, à Menton) que dans le jardin très moderne de la villa Noailles, à Hyères. Après la guerre, les créateurs de jardins de la Côte d'Azur sont à la fois de grands amateurs de plantes, des voyageurs cultivés, tous se connaissent et s'échangent des plantes et des conseils. La villa Noailles, de Grasse, et la Chèvre d'Or sont sans doute les meilleurs témoignages de cette période.   M.R.

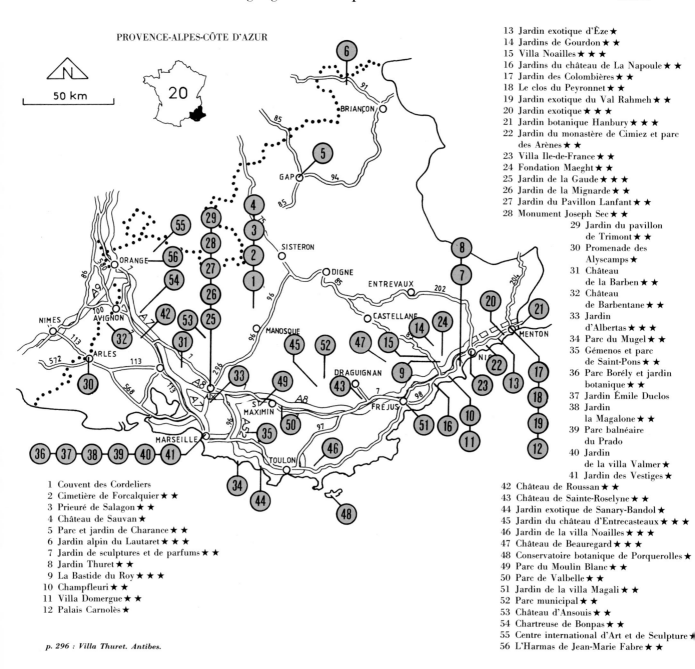

PROVENCE-ALPES-CÔTE D'AZUR

50 km

13 Jardin exotique d'Èze ★
14 Jardins de Gourdon ★ ★
15 Villa Noailles ★ ★ ★
16 Jardins du château de La Napoule ★ ★
17 Jardin des Colombières ★ ★
18 Le clos du Peyronnet ★ ★
19 Jardin exotique du Val Rahmeh ★ ★
20 Jardin exotique ★ ★ ★
21 Jardin botanique Hanbury ★ ★ ★
22 Jardin du monastère de Cimiez et parc des Arènes ★ ★
23 Villa Ile-de-France ★ ★
24 Fondation Maeght ★ ★
25 Jardin de la Gaude ★ ★ ★
26 Jardin de la Mignarde ★ ★
27 Jardin du Pavillon Lanfant ★ ★
28 Monument Joseph Sec ★ ★
29 Jardin du pavillon de Trimont ★ ★
30 Promenade des Alyscamps ★
31 Château de la Barben ★ ★
32 Château de Barbentane ★ ★
33 Jardin d'Albertas ★ ★ ★
34 Parc du Mugel ★ ★
35 Gémenos et parc de Saint-Pons ★ ★
36 Parc Borély et jardin botanique ★ ★
37 Jardin Émile Duclos
38 Jardin la Magalone ★ ★
39 Parc balnéaire du Prado
40 Jardin de la villa Valmer ★
41 Jardin des Vestiges ★
42 Château de Roussan ★ ★
43 Château de Sainte-Roselyne ★ ★
44 Jardin exotique de Sanary-Bandol ★
45 Jardin du château d'Entrecasteaux ★ ★ ★
46 Jardin de la villa Noailles ★ ★ ★
47 Château de Beauregard ★ ★ ★
48 Conservatoire botanique de Porquerolles ★
49 Parc du Moulin Blanc ★ ★
50 Parc de Valbelle ★ ★
51 Jardin de la villa Magali ★ ★
52 Parc municipal ★ ★
53 Château d'Ansouis ★ ★
54 Chartreuse de Bonpas ★ ★
55 Centre international d'Art et de Sculpture ★
56 L'Harmas de Jean-Marie Fabre ★ ★

1 Couvent des Cordeliers
2 Cimetière de Forcalquier ★ ★
3 Prieuré de Salagon ★ ★
4 Château de Sauvan ★
5 Parc et jardin de Charance ★ ★
6 Jardin alpin du Lautaret ★ ★ ★
7 Jardin de sculptures et de parfums ★ ★
8 Jardin Thuret ★ ★
9 La Bastide du Roy ★ ★ ★
10 Champfleuri ★ ★
11 Villa Domergue ★ ★
12 Palais Carnolès ★

p. 296 : Villa Thuret. Antibes.

Couvent des Cordeliers

Forcalquier

Mlle Paulette Constant, qui avait hérité en 1963 de ce couvent en ruine, a su restaurer bâtiments et jardins avec soin. Elle a reconstitué avec goût et simplicité un jardin avec du houx et du laurier dans le cloître ainsi qu'une simple allée de thuyas taillés bordés de pelouses, de jarres et de saules pleureurs dans le jardin des frères.   M.R.

Adresse : couvent des Cordeliers, boulevard des Martyrs, 04300 Forcalquier
Propriétaire : Ville de Forcalquier, tél. : 92.75.00.14
Ouverture : du 1er avril au 31 octobre, t.l.j. de 14 h 30 à 17 h (et les matins de 10 h 30 à 12 h de juillet à septembre).
Accès : près de l'ancienne poste

Ci-dessus : un cimetière architecturé. Forcalquier.

Cimetière de Forcalquier ★★

Forcalquier

Dominant un paysage de collines et d'ifs structuré par de hauts murs, ce cimetière est une belle démonstration d'architecture végétale et de ce qu'il est possible de réaliser avec des moyens très simples, en dépit de conditions climatiques difficiles. L'axe principal descend par un escalier à un monument collectif qui occupe le centre du cimetière. Percés d'ouvertures rectangulaires, les murs d'ifs de 4 m de hauteur forment les allées latérales le long desquelles s'alignent les tombes. On appréciera de se promener à l'ombre de ces portiques de verdure un jour d'été.   M.R.

Adresse : cimetière de Forcalquier, 04300 Forcalquier
Propriétaire : Ville de Forcalquier, tél. : 92.75.00.14
Ouverture : t.l.j. de 8 h à 18 h
Accès : au nord du centre ville (500 m) par D16

Prieuré de Salagon ★★

Mane

Dans le cadre simple et harmonieux du prieuré de Salagon (XIIe et XVIe siècles) qui abrite l'Association Alpes de Lumière, le musée-conservatoire ethnologique réalise depuis 1986, et avec l'Association Études populaires, des jardins ethnobotaniques. L'ethnobotanique, c'est tout ce qui concerne les relations entre flore et société. Dans un premier temps, ces relations sont modestement illustrées par un petit « jardin des simples » : dans un regroupement par milieux, des abords du village à la lande et au bois, sont présentées les principales plantes d'emploi traditionnel dans la région. En 1987, un « jardin médiéval » a été conçu en fonction d'une réflexion d'ordre paysager, historique, ethnobotanique. On ne prétend pas ici

Ci-contre : prieuré de Salagon.

reconstituer mais suggérer ce que pouvait être un jardin à la fin du Moyen Age. On découvre les plantes alimentaires qui constituaient l'ordinaire du temps, les ornementales anciennes et les médicinales majeures des vieilles pharmacopées. Aucun des nombreux végétaux du Nouveau-Monde n'a été utilisé. Chaque parterre dispose d'un panneau explicatif.

En 1989, les jardins s'étendent encore. Dans le cadre d'un « circuit culturel de la lavande », le Conservatoire met en place un grand jardin de plantes aromatiques qui sont ou ont été cultivées en Haute-Provence. Progressivement, si les contingences matérielles l'autorisent, Salagon souhaite devenir le miroir des relations passées et présentes de la société haute-provençale avec la flore sauvage et cultivée.

P.L.

Adresse : prieuré de Salagon, 04300 Mane
Propriétaire : Conseil général des Alpes-de-Haute-Provence
Gestion : Association Alpes de Lumière, tél. : 92.75.19.93
Ouverture : du 1er avril au 15 septembre, t.l.j. de 14 h à 18 h, du 16 septembre au 11 novembre, week-end et congés scolaires de 14 h à 18 h, groupes toute l'année sur rendez-vous Conservatoire du patrimoine ethnologique de Haute-Provence
Accès : à 6 km au sud de Forcalquier par RN100

Château de Sauvan ★

Mane

Des jardins ordonnancés qui s'étageaient sur trois terrasses au pied du château édifié à partir de 1719 subsiste une vaste pièce d'eau. Une réhabilitation est en cours.

Adresse : château de Sauvan, 04300 Mane
Propriétaires : MM. Allibert, tél. : 92.75.05.64
Ouverture : t.l.j. sauf le sam., de 15 h à 18 h, dim. pour les groupes de 10 personnes (de septembre à mars, fermé les mar. et sam.)
Accès : à la sortie de Mane sur N100

HAUTES-ALPES 05

Parc et jardin de Charance ★★

Gap

Occupant 220 ha s'étageant de 950 à 1 650 m au-dessus de Gap, le domaine de Charance est à la fois une vaste zone de forêt, de pelouses, de landes, de rochers, un jardin en terrasses et un jardin romantique autour du château du XVIIIe siècle, enfin un conservatoire botanique qui se met en place grâce au parc national des Écrins. Ce dernier aide également la Ville de Gap à réhabiliter les jardins. Datant de la période où le domaine était la possession de l'évêque de Gap (à partir de 1700), le château et les quatre terrasses du jardin classique font l'objet d'une remise en valeur progressive. Une collection de roses antérieures à 1914 y est en cours de plantation en même temps que se termine la restauration des murs de soutènement, des bassins et des fontaines. Au nord du château, la promenade au bord du lac du jardin romantique et les cascades aménagées sur 2 km réservent d'agréables surprises paysagères. Avec plus de 700 espèces sauvages, de la lavande à l'edelweiss, avec 90 espèces d'arbres et d'arbustes, du frêne orné au genévrier thurifère, avec un arboretum enrichi depuis le XVIIIe siècle par des essences exotiques, les amateurs de plantes ne seront pas déçus. Un verger de poiriers, pommiers, cognassiers et aubépines est en outre ouvert à des visites accompagnées pour spécialistes.

M.R.

Adresse : Conservatoire botanique de Gap-Charance, 05000 Gap
Propriétaire : Ville de Gap, tél. : 92.52.11.43 (M. Faure)
Ouverture : du lun. au ven. de 8 h à 12 h et de 14 h à 18 h
Accès : au nord de Gap, à 1 km à droite sur la route de Veynes

Jardin alpin du Lautaret ★★★

Le Monêtier-les-Bains

Le plus haut jardin d'Europe. Au point de passage entre Alpes du Nord et Alpes du Sud, face aux neiges éternelles du massif de la Meije, à 2 100 m, limite extrême pour un jardin d'altitude, ce jardin plus que tout autre est une gageure, un

Un jardin alpin. Col du Lautaret.

paradis très provisoire, soumis aux soins que lui prodiguent les jardiniers dès qu'ils peuvent accéder au col, c'est-à-dire trois mois par an seulement. Comme en témoigne un petit monument dans le jardin, l'hiver est assez rude pour que le capitaine Scott soit venu s'entraîner ici avant de partir explorer le pôle Sud. Depuis sa création en 1895, le jardin n'a cessé de passer par des hauts et des bas. Quelques années d'abandon avaient ainsi réduit de 4 000 à 200 le nombre de plantes après la dernière guerre. Le botaniste R. Ruffier-Lanche sut reprendre en main le jardin et lui donner une renommée mondiale. Après un nouvel abandon, le jardin a été relevé à nouveau et réorganisé grâce à l'énergie de Gérard Cadel. Les grandes régions montagneuses du monde, en particulier les montagnes à climat sec, sont représentées dans différentes rocailles, les Alpes occidentales, les Alpes orientales, les Pyrénées, la sierra Nevada, l'Atlas, les Balkans, l'Amérique du Nord, le Caucase, la Sibérie, le Moyen-Orient. Une meilleure connaissance des microsites permet maintenant d'installer des plantes de régions humides comme le Japon, l'Himalaya-Est et l'hémisphère australe.

M.R.

Adresse : jardin alpin du Lautaret, 05220 Le Monêtier-les-Bains
Propriétaire : Université I de Grenoble, tél. : 76.51.49.40
Ouverture : du 25 juin au 4 septembre de 9 h 30 à 18 h 30, visites guidées sur demande du 12 juillet au 20 août. Contacts sur place : M. Lestani ou M. Pellet, tél. : 92.24.41.62
Vente de plantes alpines
Hôtel-restaurant des Glaciers (à proximité), de début juin à fin septembre, tél. : 92.24.42.21
Accès : col du Lautaret, 28 km au nord-ouest de Briançon sur N91 en direction de Grenoble

ALPES-MARITIMES 06

Jardin de sculptures et de parfums ★★

Antibes

Ici le toucher et l'odorat sont sollicités autant que la vue et si, évitant le datura toxique, on goûte telle ou telle feuille en prêtant l'oreille au son de la mer toute proche, les cinq sens participent au plaisir du jardin.

On accède d'abord au patio qui abrite un « hommage à Picasso », sculpture d'Arman. Sur la terrasse, où des carrés de plantes aromatiques ont été ménagés dans le pavage pour former l'allée de Provence et le jardin blanc, on découvre des œuvres de Germaine Richier, Miró, Anne et Patrick Poirier, Bernard Pagès, Ernest Pignon.
Des indications concernant les sculptures et les plantes sont rédigées en braille à l'intention des non-voyants.

E.B.M.

Jardin de sculptures et de parfums. Antibes.

Adresse : château Grimaldi et musée Picasso, place Mariéjol, 06600 Antibes
Propriétaire : Ville d'Antibes
Ouverture : t.l.j. de 10 h à 12 h et de 14 h à 18 h en hiver (du 1ᵉʳ octobre au 30 juin) ; en été, de 10 h à 12 h et de 15 h à 19 h, sauf le mar. et jours fériés ; fermeture annuelle du 1ᵉʳ novembre au 10 décembre, tél. : 93.34.91.91
Accès : à l'est de la vieille ville, près de la cathédrale

Adresse : Station de Botanique et de Pathologie végétale, chemin G.-Raymond / boulevard du Cap, 06600 Antibes
Propriétaire : Institut national de recherche agronomique, centre de recherche d'Antibes
Ouverture : visites tolérées t.l.j. sauf sam., dim. et jours fériés, de 8 h 30 à 12 h 30 et de 13 h 30 à 17 h 30 ; sur demande pour groupes, tél. : 93.67.88.00
Accès : au cap d'Antibes, à 3 km au sud de la ville

Jardin Thuret ★★

Antibes

Ce jardin a été créé en 1866 par le botaniste Gustave Thuret dans le style des parcs paysagers du second Empire afin d'acclimater sur place le plus grand nombre d'espèces végétales exotiques. Les essais d'introduction n'ont pas cessé depuis.
De nombreuses familles de plantes sont représentées : acacias (dont certaines variétés sont appelées communément « mimosas »), conifères, eucalyptus, myrtes, palmiers, etc. Un renouvellement des plantations secteur par secteur juxtapose de nouveaux sujets aux arbres centenaires.   E.B.M.

La Bastide du Roy ★★★

Biot

Jardins de musicienne. Les vrais ornements de cette sévère architecture du XVIIIᵉ siècle qui domine le golf de Biot sont ses jardins. Ceux-ci l'entourent d'espaces pleins de charme délimités soit par des haies taillées, soit par des différences de niveaux. Ainsi s'affirme le parti de composition : au vide de la cour d'honneur et du théâtre s'oppose le plein du grand parterre, du jardin jaune et blanc et du jardin de santoline où les plantations basses d'espèces à fleurs annuelles ou vivaces sont d'une grande densité.

Certains lieux sont parfaitement clos comme le jardin jaune et blanc ou le théâtre de cyprès, tandis qu'échappées et ouverture font partie des composantes de la cour des tilleuls et de la terrasse du bassin des obélisques. La couleur est aussi radicalement distribuée en trois points ; il s'agit du camaïeu du grand parterre évoquant les jardins de la Renaissance où les bleus s'accordent aux rouges en passant par des tons intermédiaires ; il s'agit de l'enclos qui ne tolère aucune autre teinte que le jaune et le blanc sur fond de verdure sombre, et enfin des tons pastel des massifs de santoline bleuâtre traversé par d'étroites allées de briques roses.

Le comte et la comtesse Jean de Polignac confièrent en 1927 la composition de leurs jardins au paysagiste J.C.N. Forestier (1861-1930), surtout connu pour la création de grands jardins en Espagne, lors de l'Exposition internationale de 1929 et pour la restauration du parc de Bagatelle où il dessina le jardin d'iris.

Marie-Blanche de Polignac réunissait autour d'elle musiciens, poètes et romanciers d'avant-garde. Les créateurs du Groupe des Six, Colette, Jean Cocteau et bien d'autres, se retrouvaient à la Bastide du Roy, faisant entendre leurs dernières œuvres, improvisant au piano, jouant des pièces entre amis dans le théâtre de cyprès.

E.B.M.

Une œuvre de J.C.N. Forestier. La Bastide du Roy.

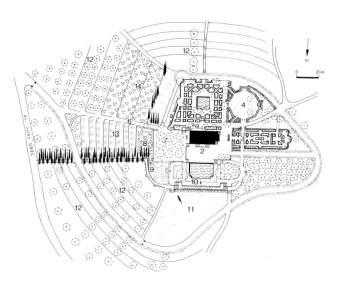

LA BASTIDE DU ROY

Adresse : la Bastide du Roy, avenue Pelissier, 06410 Biot
Propriétaire : Société Lucrèce, 112, boulevard Haussmann, 75008 Paris
Ouverture : du 1er au 30 avril, par groupes sur demande écrite à la Société Lucrèce
Accès : à 4 km au nord d'Antibes, 1 km au sud de Biot

Champfleuri ★★
Cannes

Le tour du monde des jardins. Comme les jardins Kahn à Boulogne-Billancourt et la villa Ile-de-France à Saint-Jean-Cap-Ferrat, Champfleuri est formé d'une collection de jardins de caractères différents ; ceux-ci ont été composés de 1912 à 1936 dans un parc paysager du XIXe siècle.

Des haies de cyprès taillés délimitent la plupart de ces petites compositions dont l'indépendance est marquée par les portails qui en commandent l'accès. L'immeuble de la copropriété Champfleuri a été construit en 1962 à l'emplacement d'une villa 1880 d'influence italienne ; aussi l'enclos qui fait face à l'habitation collective est-il le jardin florentin, salle verte sobrement traitée où des allées géométriques entourent une fontaine moussue. A l'est, quelques marches descendent vers les fontaines ménagées en creux dans le sol de terre cuite du jardin espagnol à galerie décorée de majoliques. Les jardins suivants se succèdent sur une pente en terrasses que traversent deux escaliers pavés de fines mosaïques de galets. Le jardin provençal témoigne de l'apparition du néorégionalisme dans l'art des jardins au cours des années 20 ; il surplombe le jardin hollandais repérable à ses compartiments pour les plantes à bulbes bordés d'une ligne de céramique verte. Au sommet de l'escalier-pergola, le petit canal qui jouxte l'immeuble était autrefois animé par des jets d'eau en arceaux évoquant le Generalife ou certains jardins italiens de la Renaissance. Tout en bas des marches, on découvre le jardin mauresque et ses vasques en forme de roses axées sur un portique orné de stucs islamiques. A l'ouest du jardin florentin, le jardin japonais est niché sous de grands arbres dans un vallon où jaillit la source qui alimente son étang.

E.B.M.

Adresse : Champfleuri, 44, avenue du Roi-Albert, 06400 Cannes
Propriétaire : Copropriété Champfleuri. Syndic : Jean-Claude Lehmann, 7, boulevard de la République, 06400 Cannes. tél. : 93.99.15.75
Ouverture : sur demande avec accord de la copropriété
Accès : à l'est du centre ville, quartier la Californie

Jardin de la Villa Domergue. Cannes.

Villa Domergue ★★

Cannes

Pour la fête. La villa fut construite vers 1930 sur une pente boisée de la colline de la Californie par le peintre Jean-Gabriel Domergue et sa femme Odette Maugendre-Villers, sculpteur. Chacun d'eux y avait son atelier.

J.-G. Domergue est connu pour ses portraits se référant à un même type de beauté féminine et pour la représentation de séquences de la vie parisienne « chic » entre 1920 et 1960 ; il a organisé et décoré des expositions, des galas, des bals. Son jardin de Cannes traduit bien ce sens de la mise en scène et de la fête.

Mettant à profit la forte déclivité du terrain, il eut l'idée de faire ruisseler à travers les terrasses au sud de la maison un flot d'eau vive qu'escorte, de vasque

en vasque, un ensemble imposant de sculptures, de colonnes et de cyprès. Cette cascade à l'italienne n'est pas la seule composition à caractère théâtral du jardin. Au détour d'une allée sinuant sous les chênes et les pins, on découvre une perspective plongeante à partir d'un monument d'allure antique. L'édifice abrite une sculpture de O. Maugendre-Villers ; à demi-allongés sur un cénotaphe, les deux artistes ont adopté la pose des couples étrusques invités à un banquet pour l'éternité.

E.B.M.

Adresse : villa Domergue, avenue Fiesole, 06400 Cannes
Propriétaire : Ville de Cannes
Ouverture : sur demande à M. Ozon, tél. : 93.38.59.08
Accès : au nord-est du centre ville

Palais Carnolès ★

Carnolès

Lorsque les fruits prennent couleur au soleil d'hiver, c'est le moment d'aller au jardin du palais Carnolès identifier les différentes variétés de *citrus*, des plus courantes aux plus rares : limes, pomelos, cedrats et ces fameuses bergamotes dont l'écorce aromatique était employée au XVIIIe siècle pour revêtir l'intérieur des tabatières. Ce jardin n'était qu'un « pré avec un vieux plan de gros arbres d'orangers en étoile » appartenant aux princes de Monaco, lorsqu'en 1722 Antoine Ier Grimaldi décida d'y construire un *casin*, petit palais d'été attribué à l'architecte Gabriel. Gardant ses orangers alignés, le long des allées rayonnantes, le pré fut transformé en « potager magnifique » orné de deux bassins assymétriques à jet d'eau. Puis, selon le goût des propriétaires qui s'y succèdent à partir de 1863, il fut modifié et planté de cyprès et arbres de haute futaie d'abord, d'essences exotiques ensuite. En 1896 c'était ce qu'on appelait un « jardin anglais ».

Quant au casino, plusieurs fois remanié mais illustrant bien l'évolution étymologique du terme, il fut exploité comme casino sous le second Empire. En 1969, il devint le musée de peinture de Menton tandis qu'une importante collection d'agrumes prenait place dans le jardin aux allées désormais rectilignes.

E.B.M.

Adresse : palais Carnolès, 3, avenue de la Madone, 06190 Carnolès
Propriétaire : Ville de Menton, tél. : 93.35.49.71 ou 93.57.87.87
Ouverture : t.l.j. (sauf mar. et jours fériés) de 10 h à 12 h et de 15 h à 19 h ; hors saison de 10 h à 12 h et de 14 h à 18 h
Accès : à l'ouest du centre de Menton par avenue de la Madonne, lieu-dit Carnolès

Jardin exotique d'Èze ★

Èze

Accroché au socle rocheux du château féodal qui surplombe le littoral de plus de 400 m, ce jardin de grandes plantes succulentes a toutes les chances de plaire aux amateurs de pittoresque. En hiver, les sujets les plus fragiles sont encapuchonnés de sacs transparents. La collection, mise en place en 1950 par A. Gastaud, chef jardinier lors des premières plantations du jardin exotique de Monaco, est depuis 40 ans régulièrement enrichie de nouvelles variétés exotiques : cactées, aloès, agaves...

Adresse : jardin exotique, 06360 Èze
Propriétaire : Ville d'Èze, tél. : 93.41.03.03
Ouverture : du 1er juin au 30 septembre, t.l.j. de 8 h à 20 h ; en octobre, t.l.j. de 9 h à 17 h ; du 1er novembre au 30 mai, t.l.j. de 9 h à 12 h et de 14 h à 17 h (ouvert de 12 h à 14 h pendant les vacances scolaires sauf fin d'année)
Accès : à 10 km au nord-est de Nice par N7 (Moyenne Corniche) ou N98 et à Èze au sommet du village

Jardins de Gourdon ★★

Gourdon

Jardins suspendus. La réalisation de ces jardins suspendus remonte au milieu du XVIIe siècle, époque où le château médiéval fut agrandi. La terrasse d'honneur est ornée de cordons de buis formant un curieux motif en quarts de cercle opposés. En contrebas, le jardin italien a été établi sur d'énormes voûtes qui dominent une vertigineuse dénivellation, puisqu'il domine de plus de 500 m la vallée du Loup.
Contre la façade ouest du château, le petit jardin du cadran solaire a été créé en 1972 par le paysagiste Tobie Loup de Viane ainsi que le jardin de garrigue qui s'étend au pied de la muraille.   E.B.M.

Adresse : château de Gourdon, 06620 Gourdon
Propriétaire : Association du château de Gourdon, tél. : 93.42.50.13
Ouverture : t.l.j. du 1er juin au 30 septembre de 11 h à 13 h et de 14 h à 19 h ; du 1er octobre au 31 mai, t.l.j. (sauf mar.) de 14 h à 18 h, sur demande pour groupes
Accès : à 14 km au nord-est de Grasse par la D2085 et la D3, direction gorges du Loup

La terrasse de Gourdon.

Villa Noailles

Grasse

Essences et réminiscences. Dessiné avec subtilité dans une oliveraie où jaillit une source, ce jardin qui recèle beaucoup de plantes rares s'accorde parfaitement avec le paysage virgilien des coteaux à l'ouest de Grasse. Le vicomte Charles de Noailles, grand connaisseur de jardins et créateur du parc Saint-Bernard à Hyères où il avait construit sa première villa, l'élabora de 1947 à 1981. Pendant des dizaines d'années, le portail de cette petite bastide ancienne resta ouvert aux Grassois qui venaient goûter le charme raffiné de ses terrasses.

Villa Noailles. Grasse.

Dès l'entrée, on est accueilli par la musique des eaux du nymphée qui se continue de fontaine en fontaine jusqu'au torrent qui borde la propriété. Des perspectives sollicitent le regard vers des accents du paysage ou des éléments faisant partie du jardin : telle ferme au loin, tel arbre proche sont ainsi désignés à l'attention ; une trouée dans les buis permet de voir en contrebas un étonnant parterre de pivoines arborescentes. Pour continuer la promenade, on a le choix entre l'allée couverte d'arbres de Judée qui mène vers un cabinet de feuillage, un jardin de simples et différents pavillons, ou bien la rapide descente à travers l'oliveraie en terrasses où sont naturalisées une multitude de plantes à bulbes. Les deux trajets se rejoignent à la prairie où sont groupées une vingtaine de variétés de magnolias à feuilles caduques. Les collections de viornes et celle, plus exceptionnelle, de camélias, sont réparties sans esprit de système là où elles entrent le mieux dans la composition générale.

Certaines scènes font référence à d'autres jardins qu'aimait le vicomte de Noailles : l'obélisque est inspiré des colonnes torses de la cascade de la villa Aldobrandini à Frascati, la suite de petites fontaines évoque l'allée des jets d'eau de la villa d'Este, les pavillons jumeaux, les buis et les ifs taillés, la pelouse bordée de plantes fleurissant à tous les niveaux de végétation sont des clins d'œil à de célèbres jardins italianisants d'Angleterre comme Hidcote Manor ou Sissinghurst.

Des camélias aux glycines, les principales floraisons de la villa Noailles s'échelonnent entre février et mai.

E.B.M.

Adresse : villa Noailles, boulevard Guy-de-Maupassant, 06130 Grasse
Propriétaire : M. Ch. de la Haye-Jousselin, 27100 Saint-Aubin-d'Écrosville
Ouverture : sur demande écrite à M. de la Haye-Jousselin
Accès : à l'ouest de la ville

Jardins du château ★★
de La Napoule

Mandelieu-La Napoule

Henry Clews, sculpteur, et sa femme Marie, deux Américains passionnés d'architecture médiévale, entreprirent en 1919 la reconstruction du château qui remonte au XIVe siècle et a été plusieurs fois modifié.

Les jardins furent plantés d'essences toujours vertes, ce qui produit une puissante opposition de tons avec le porphyre roux des édifices. Le grand enclos qui précède la cour du château est traversé par l'allée d'honneur de chaque côté de laquelle se succèdent des salles de feuillage. Des vases, des sarcophages, des colonnes et des fontaines montrant des figures étranges sculptées par H. Clews y sont placées avec à-propos. Le jardin romain aux allées pavées entourant un bassin rectangulaire est le plus caractéristique de ces espaces. Contre le flanc est du château, le jardin du puits vénitien, lieu plein d'intimité entièrement clos de murailles, fait un vif contraste avec les terrasses de la façade sud qui donnent sur le large.

E.B.M.

Adresse : Fondation d'Art du château de la Napoule, avenue Henry-Clews, 06210 Mandelieu-La Napoule
Propriétaire : Fondation Henry Clews, directeur : A. Janet, tél. : 93.49.95.05
Ouverture : t.l.j. (sauf le mar. et en décembre) de 15 h à 17 h (à 18 h en été)
Accès : La Napoule-Plage, à 5 km au sud-ouest de Cannes par la N98

Jardin des Colombières ★★

Menton

La Méditerranée de Ferdinand Bac. C'est le haut lieu des jardins néoméditerranéens, genre de composition mise au point par le dessinateur Ferdinand Bac (1859-1952) qui prescrivit le retour dans la région à un style « latin ». D'abord caricaturiste, F. Bac délaisse assez vite les revues parisiennes pour voyager à travers l'Europe, peignant et prenant des notes une quinzaine d'années avant de se fixer en 1912. Il se met alors à y créer pour des amis des jardins, sans plantes exotiques, ornés de fabriques d'une grande simplicité de ligne et placées la plupart du temps de manière à encadrer les parties les plus intéressantes du paysage environnant.

JARDIN DES COLOMBIÈRES

1 Grande entrée
2 Petite entrée et fontaine des colombes
3 Allée de la fontaine de Nausicaa
4 Jardin du trompe-l'œil
5 Rotonde et obélisque
6 Casino du Palladio
7 L'Esclave au collier
8 L'Enfant au papillon
9 La Bella Vista
10 Escalier du philosophe
11 Pont du caroubier
12 Allée des jarres
13 Pont de la carrière
14 Nymphée de Jean Goujon
15 Allée de la carrière
16 Bassin espagnol
17 Pont rouge
18 Rochers d'Orphée
19 Maison du jardinier
20 Banc romain
21 Jardin d'Homère
22 Autel à Niké
23 Mausolée

Le jardin des Colombières domine la baie de Menton, le tracé des allées permet de le visiter en suivant un itinéraire jalonné de petites constructions inspirées des architectures grecque, romaine, turque, espagnole et italienne. Près de la maison s'étend le parterre géométrique du jardin en trompe l'œil auquel succèdent la salle de bal circulaire, entourée d'arcades de cyprès, puis deux pavillons, l'un dédié à l'architecte Palladio, l'autre, la Bella Vista, qui met en évidence la vue sur la vieille ville de Menton se découpant devant la mer. Deux ponts jetés par-dessus une petite route qui traverse la propriété amènent à passer par l'allée des Jarres et le Banc romain. Vers l'est, le sentier longe ensuite le Rocher d'Orphée sur lequel se dresse le Mausolée. A partir du Nymphée de Jean Goujon, une allée de cyprès axée sur le Bassin espagnol vous ramène à la maison. On peut visiter les salles du rez-de-chaussée ornées de peintures murales de F. Bac ainsi que le jardin d'Homère, patio à arcades sur lequel s'ouvre le salon de musique.   E.B.M.

 Adresse : jardin des Colombières, boulevard Garavan, route des Colombières, 06500 Menton
Propriétaire : famille Ladan-Bockairy
Ouverture : t.l.j. de 9 h à 12 h et de 15 h au

coucher du soleil, tél. : 93.41.62.48
Hôtel (fermé en novembre), bar et salon de thé
Accès : au nord du port de Menton-Garavan

Le trompe-l'œil. Les Colombières.

Le clos du Peyronnet ★★

Menton

Un foisonnement végétal. Élaboré par trois générations de membres de la famille Waterfield, ce jardin témoigne à la fois de l'émerveillement des Anglais pour les possibilités d'acclimatation botanique sur la Côte d'Azur et leur intérêt pour les essences méditerranéennes. Plus de 600 espèces ou variétés de plantes d'origine subtropicale ou méditerranéenne constituent au clos du Peyronnet l'illustration de ce qui peut croître en pleine terre et sans techniques particulières dans cette partie du littoral méditerranéen.

A des espaces structurés par des terrasses et des pergolas situées près de la maison s'oppose la partie sauvage du jardin où beaucoup de plantes bulbeuses ou à rhizome se sont naturalisées, fleurissant à leur guise sous les très vieux oliviers et les arbres rares. Parmi ceux-ci on remarque : *Mahonia siamensis, Exochorda grandiflora, Podocarpus salignus, Catha edulis, Oreopanax nymphiafolium, Nolina recurvata...*

Dans le foisonnement végétal, une succession de petites vasques forme un escalier d'eau axé sur la Méditerranée qui apparaît au loin entre les arbres du rivage. Humphrey Waterfield, connu en Grande-Bretagne comme paysagiste, a joué si savamment avec l'espace que ce clos d'un demi-hectare paraît bien plus étendu. Son neveu, William Waterfield, grand amateur de plantes, ne cesse d'enrichir le jardin sur le plan botanique tout en lui laissant la plus grande liberté de végétation. On remarquera particulièrement les admirables collections de sauges exotiques, de cistes et de plantes bulbeuses.   E.B.M.

Adresse : clos du Peyronnet,
avenue Aristide-Briand, 06500 Menton
Propriétaire : M. W. Waterfield
Ouverture : visites sur demande, réservées aux véritables connaisseurs en botanique,
tél. : 93.35.72.15
Accès : près du poste frontière du littoral

Les plans d'eau de M. Waterfield. Le clos du Peyronnet.

Jardin exotique du Val Rahmeh   ★ ★

Menton

Entre la *ramée*, brassée de feuillage, et le ramage des oiseaux, voici Val Rahmeh niché dans un vallon de Menton. A l'extrémité d'une superbe rangée de *Phœnix canariensis* posée sur un lit de bergenia, différents daturas solanacées, passiflores et bignonias entourent la maison de pur « style provençal » des années 20. Les terrasses de cette ancienne propriété d'hivernant, transformée en jardin botanique (1 ha)

Le Val Rahmeh.

par miss Campbell en 1950, révèlent progressivement leurs richesses en espèces acclimatées issues des milieux méditerranéens et subtropicaux : collections d'agrumes, d'acacias, de sauges et de bambous dont une variété géante qu'avec un peu de patience l'on devrait voir pousser à l'œil nu..., les plantes aquatiques subtropicales de la pièce d'eau, le petit bois d'oliviers qui pousse librement et ombrage quelques arbustes rares, le talus envahi d'agaves, d'aloès, de yuccas et de palmiers menant à la mystérieuse fontaine du jardin sauvage, sont d'autres composantes de ce centre d'acclimatation qui, depuis 1966, appartient au Muséum national d'histoire naturelle.   E.B.M.

Adresse : jardin botanique de Menton,
villa Val Rahmeh, avenue Saint-Jacques,
06500 Menton
Propriétaire : Muséum national d'histoire naturelle,
tél. : 93.35.86.72
Ouverture : t.l.j. (sauf mar.) du 1er février au 30 avril, de 10 h à 12 h et de 14 h à 17 h ; du 1er mai au 30 septembre, de 10 h à 12 h et de 15 h à 18 h ; du 1er octobre au 30 janvier, de 10 h à 12 h et de 14 h à 16 h ; sur demande pour groupe
Accès : près du port de Menton-Garavan

Jardin exotique ★ ★ ★

Monaco

Au royaume des cactées. La visite de la principauté passe forcément par ce célèbre jardin botanique de plantes grasses dites « succulentes ». De nombreuses variétés de végétaux à suc, de dimensions parfois gigantesques, ont été acclimatées depuis 1933 dans un amoncellement quasiment vertical de rochers que l'on parcourt de haut en bas. Le dépaysement est total dans ce jardin où l'on trouve « la féerie des tropiques sous le parallèle de Vladivostok ». Sur le rocher, prospèrent des spécimens de la flore de Madagascar, du Chili, de l'Afrique qui ont atteint une taille comparable à celle qui peut être la leur dans leur pays d'origine. E.B.M.

Adresse : jardin exotique de Monaco, boulevard du Jardin-Exotique, Monaco
Propriétaire : Principauté de Monaco, tél. : 93.30.33.65
Ouverture : t.l.j. (sauf le 1er mai et le 19 novembre) de 9 h à 19 h (en été), de 9 h à 17 h (en hiver)
Accès : à l'ouest du centre ville

Le jardin exotique. Monaco.

Jardin botanique Hanbury ★ ★ ★

La Mortola

Botanique et paysage. Un immense parc botanique s'étend du village de La Mortola jusqu'à la mer. Ce domaine, comprenant un palazzo qui remonte au XVIᵉ siècle — la villa Orengo —, a été choisi en 1867 par Thomas Hanbury, administrateur à la Compagnie des Indes, et par son frère Daniel, botaniste et pharmacologue, pour les qualités exceptionnelles de son site formant une enclave chaude considérée comme la limite septentrionale de végétation de certaines plantes africaines. Ils y créèrent un jardin expérimental de plantes exotiques, dont beaucoup étaient médicinales, en portant une attention particulière au contexte historique et géographique du lieu. Nombre de plantes importées à La Mortola furent diffusées, après cette étape nécessaire à leur acclimatation, dans beaucoup de jardins des rivieras française et italienne. L'axe principal de la composition du parc, une voie rectiligne entrecoupée d'escaliers et de fontaines, débute un peu plus bas que l'entrée, à partir du temple des Quatre Saisons. Ce petit édifice néoclassique est entouré d'un ensemble impressionnant de plantes succulentes. Certaines variétés de La Mortola ont été créées sur place comme

Aloe mortolensis, *Aloe dorotheae* (du prénom d'une Hanbury de la deuxième génération), agave Hanburyi, etc.

Du côté ouest, à travers de nombreuses espèces et variétés de conifères et feuillus subtropicaux, de palmiers et cycas, une large allée sinueuse se dirige de l'entrée vers le palazzo et ses jardins secrets situés à des niveaux différents. Une pergola courbe portant diverses bignoniacées relie la villa à l'axe principal qui traverse ensuite un boisement de grands végétaux indigènes et exotiques au terme duquel se trouve la forêt australienne d'eucalyptus, melaleucas, firmanias, brachychitons, callistemons et acacias.

Jardin Hanbury.

Plus bas, le parc est divisé transversalement par une portion de la via Aurelia qu'enjambe un petit pont médiéval permettant d'accéder à la seconde partie du jardin Hanbury. Celle-ci a gardé un caractère agricole archaïque marqué par la présence de très vieux oliviers. On y trouve des allées couvertes de sarmenteuses, des plantes à bulbes près de l'hémicycle du puits vénitien, des collections de roses et surtout d'agrumes qui brodent l'allée menant au temple du Pressoir tout proche du rivage. La cafétéria du parc, une surprise trop rare en France, est installée au pied du belvédère.

Où se trouve donc le mausolée mauresque des créateurs du jardin ? C'est en montant l'allée pavée entre le pont de la voie romaine et le palazzo que l'on découvre cette curiosité.   E.B.M.

JARDIN BOTANIQUE HANBURY

A Services
B Petit temple des Quatre Saisons
C Fontaine de la Sirène
D Villa Hanbury
E Fontaine du dragon
F Belvédère
G Allée des cyprès
H Mausolée de sir Thomas Hanbury et de lady Catherine Hanbury Peace
J Voie romaine antique « via Julia Augusta »
K Services
L Puits vénitien
M Petit temple du pressoir avec meule provenant d'un moulin antique
N Bar

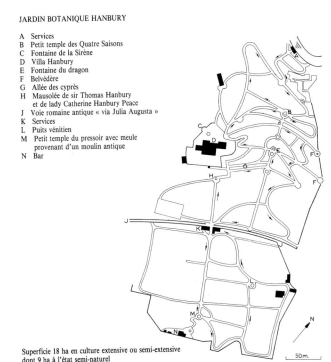

Superficie 18 ha en culture extensive ou semi-extensive dont 9 ha à l'état semi-naturel
217 m de dénivelée   50 m.

Adresse : Giardino botanico Hanbury, La Mortola, 18030 Latte, Italia
Propriétaire : Université de Gênes
Ouverture : du 1er juin au 30 septembre, de 9 h à 18 h ; du 1er octobre au 30 mai, t.l.j. (sauf mer.) de 10 h à 16 h
Accès : entre Menton et Vintimille, à environ 3 km de la frontière franco-italienne

Jardin du monastère de Cimiez et parc des Arènes   ★★

Nice

Depuis le site élevé du monastère la vue s'étend sur Nice et vers les Alpes. Le tracé des carrés du jardin des moines remonte à l'installation des religieux au XVIe siècle. Le jardin de fleurs très géométrique, placé en contrebas, a été réalisé vers 1930. Le monastère renferme deux cloîtres. Dans le plus grand des deux ont lieu des concerts en été. La butte boisée de forme ovale à soubassement de grosses pierres est l'emplacement d'un camp retranché ligure.

Le parc voisin des Arènes est formé de deux parties : un beau plant d'oliviers où s'élève une villa du XVIIe siècle, et les ruines d'une cité romaine, Cemenelum, comprenant des thermes et des arènes. L'oliveraie et les arènes sont utilisées à la belle saison pour des spectacles (fêtes des Mais, festival international du jazz). Un musée archéologique vient d'être construit en bordure des fouilles, à côté de la villa classique où est installé le musée Matisse.   E.B.M.

Le jardin du monastère de Cimiez.

Villa Ile-de-France ★★

Saint-Jean-Cap-Ferrat

Une collection de jardins. Dans un extraordinaire site surélevé d'où la vue plonge deux fois dans la mer, du côté d'Èze et du côté de Villefranche, la baronne Béatrice Ephrussi de Rothschild a édifié vers 1910 une villa musée d'inspiration vénitienne pour ses collections d'œuvres d'art et de mobilier précieux.

Un grand parterre « à la française » centré sur un canal s'étend devant la façade sud de la villa. La visite des jardins (7 ha), indépendante de celle du musée, débute à l'ouest par le jardin espagnol, encaissé comme un patio, avec grotte architecturée, fontaine et pergola. La terrasse florentine qui suit se caractérise par une allée de cyprès passant en contrebas du jardin lapidaire. Celui-ci n'est pas assez grand pour contenir les pièces sculptées récoltées par Béatrice Ephrussi de Rothschild : on en rencontre dans tous les jardins de la villa Ile-de-France. Les pins et les bambous masquent les vestiges du jardin japonais et sa minuscule cascade. Une grande rocaille forme le décor du jardin exotique qui précède l'ancienne roseraie et ses vases en céramique bleue.

En revenant vers la villa par la crête de la colline, on retrouve le grand parterre dont on peut contempler les miroirs d'eau depuis la butte où s'élève un temple rond inspiré de celui du Trianon.   E.B.M.

 Adresse : musée Ephrussi de Rothschild, villa Ile-de-France, avenue E.-de-Rothschild, 06290 Saint-Jean-Cap-Ferrat
Propriétaire : Institut de France, Académie des Beaux-Arts, tél. : 93.01.33.09
Ouverture : t.l.j. (sauf dim. matin et lun.) de 9 h à 12 h et de 14 h à 18 h ; en juillet et août, de 9 h à 12 h et de 15 h à 19 h ; fermé en novembre
Accès : cap Ferrat vers la Basse Corniche entre Villefranche-sur-Mer et Beaulieu, direction Saint-Jean-Cap-Ferrat après le carrefour du pont Saint-Jean (chemin de fer)

Adresses : monastère de Cimiez, place du Monastère ; parc des Arènes, 164, avenue des Arènes, 06000 Nice
Propriétaire : Ville de Nice, tél. : 93.13.20.00
Ouverture : t.l.j., du 1er avril au 31 mai, de 8 h à 19 h ; du 1er juin au 31 août, de 8 h à 20 h ; du 1er septembre au 31 octobre, de 8 h à 19 h ; du 1er octobre au 31 mars, de 8 h à 18 h ; la visite des fouilles suit l'horaire d'ouverture avec interruption entre 12 h et 14 h ; parc des Arènes, mêmes horaires avec ouverture à 9 h
Accès : au nord de la ville, accès par autobus n°s 15, 17, 20, 22

Pages suivantes : le parterre d'eau, Villa Ile-de-France.

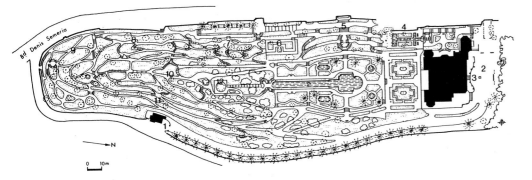

VILLA ILE-DE-FRANCE

1 Portail et maison du gardien
2 Cour d'honneur avec grotte-fontaine
3 Entrée du musée
4 Jardin espagnol
5 Jardin florentin
6 Jardin lapidaire
7 Jardin japonais
8 Jardin exotique
9 Ancienne roseraie
10 Ancien jardin anglais
11 Ancien jardin provençal
12 Temple
13 Jardin à la française

Fondation Maeght ★ ★

Saint-Paul-de-Vence

Le jardin de la Fondation Maeght fait partie intégrante de la remarquable architecture du Catalan José-Luis Sert (1964). La pelouse, de forme irrégulière sous les grands pins dont les troncs évoquent des colonnes soutenant une voûte, constitue de manière si évidente la première salle d'exposition de la Fondation que nul n'est surpris d'y trouver un *stabile* de Calder et d'autres sculptures.

Dans une osmose poussée entre l'édifice et la forêt, les terrasses entourant le musée et les cours intérieures à travers lesquelles un courant d'eau passe du labyrinthe de Miró au bassin de Braque servent également de cadre à des œuvres contemporaines.

E.B.M.

Adresse : Fondation Marguerite et Aimé Maeght, 06570 Saint-Paul-de-Vence
Propriétaire : Fondation Maeght, tél. : 93.32.81.63
Ouverture : t.l.j. du 1er octobre au 30 juin, de 10 h à 12 h 30 et de 14 h 30 à 18 h ; du 1er juillet au 30 septembre, de 10 h à 19 h
Accès : à 10 km au nord de Cagnes-sur-Mer par D6, puis D7

BOUCHES-DU-RHÔNE 13

Jardin de la Gaude ★ ★ ★

Aix-en-Provence

La perfection retrouvée. Parmi les nombreux jardins du pays d'Aix-en-Provence, la Gaude est un modèle du genre.

Adossée à son domaine viticole et dominant le vallon des Pinchinats, la maison de maître s'impose de loin, du haut de ses terrasses à l'italienne.

On y accède après avoir franchi le portail et monté l'allée d'entrée bordée de buis et de marronniers.

Derrière la grille basse en fer forgé, le tapis de gravier soigneusement râtissé de la première terrasse souligne le socle de la bastide et annonce un jardin particulièrement soigné.

Vous ne serez pas déçu par la découverte du premier parterre et par la succession de terrasses qui le prolongent. Chacune est un nouveau tremplin pour le regard et conduit ainsi vers un des rares paysages aixois réellement protégés, un paysage plein de fraîcheur, clairsemé de quelques bastides, avec en arrière-plan latéral la fascinante montagne Sainte-Victoire.

Encadré de deux bosquets et d'un canal qui en fait le tour, le premier parterre est une île sur laquelle les buis dessinent un motif géométrique à base de cercles concentriques inspiré des labyrinthes du XVIe siècle.

La perfection de ce jardin tient à la fois à sa façon de prendre possession du site, à la simplicité de son tracé et aux efforts incessants de la baronne et du baron de Vitrolles pour restaurer et entretenir ce domaine acquis en 1955 et qui avait sans doute connu peu de transformations depuis sa dernière rénovation par Charles Albert Pisani, en 1750.

La découverte spectaculaire de l'axe principal du jardin ne doit pas faire oublier ses espaces plus secrets. Il ne faut pas quitter la Gaude sans avoir vu l'une des dernières thèses existant en Provence, sa promenade parfumée sur un tapis d'aiguilles de pins parasols, son rond de danse, un charmant petit jardin créé pour mettre en valeur la chapelle. On peut aussi goûter le vin du domaine.

M.R.

Adresse : jardin de la Gaude, route des Pinchinats, 13100 Aix-en-Provence
Propriétaires : baron et baronne de Vitrolles
Ouverture : t.l.j., de 9 h à 12 h et de 15 h à 18 h ; sur demande pour groupes ; tél. : 42.23.11.44
Vente de vin
Demeure historique
Accès : au nord-est d'Aix-en-Provence par RN96, puis D63

Un parfait jardin de bastide. La Gaude.

Jardin du Pavillon Lanfant ★ ★

Aix-en-Provence

Un salon de plein air. Aux portes de la ville, le jardin et son pavillon, commandés en 1685 par Simon Lanfant, faisaient office d'espace de réception. L'intérêt de ce jardin réside notamment dans l'équilibre entre les espaces au soleil — terrasse et parterre — et l'espace de fraîcheur composé d'allées complantées de marronniers et de tilleuls.

L'absence de décor à l'intérieur des vastes compartiments de buis n'empêche pas d'imaginer les broderies qui venaient en écho extérieur des somptueux décors baroques de l'intérieur du pavillon.

Il faut voir de près les amours qui ornent le grand bassin devant le pavillon, l'escalier en fer à cheval qui relie le parterre à la terrasse, la fontaine centrale, les admirables pots à feu dont les flammes résument à elles seules beaucoup de l'esprit baroque.   M.R.

Adresse : Pavillon Lanfant, 346, route des Alpes, 13100 Aix-en-Provence
Propriétaire : Université de droit, d'économie et des sciences. Responsable : M. Besson
Ouverture : visites sur rendez-vous, tél. : 42.23.48.80
Accès : à 2 km au nord-est de la ville par la route des Alpes

---

JARDIN DU PAVILLON LANFANT

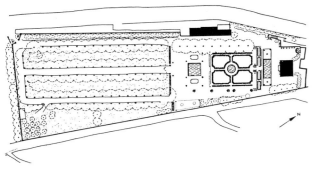

Jardin de la Mignarde ★ ★

Aix-en-Provence

Des statues en conversation avec le site. A quoi tient le charme de la Mignarde ? A son paysage, aux nombreuses statues qui le peuplent, au souvenir de l'été 1807 et des amours tapageuses de Pauline Bonaparte avec son amant provençal, Auguste de Forbin ? Sans doute aussi à la simple architecture du jardin dont les grandes lignes, un axe central, une succession de terrasses, des allées latérales, sont toujours visibles malgré les transformations en parc paysager au milieu du XIXᵉ siècle.

C'est à partir de 1768 que Sauveur Mignard, fils d'un grand pâtissier aixois, transforma la maison familiale en une maison de plaisance dans le goût de l'époque. Les deux douzaines de statues disséminées dans le jardin représentent l'ensemble le plus représentatif de la sculpture de jardin provençale à la fin du XVIIIᵉ siècle. Thèmes mythologiques comme Hercule terrassant le lion de Némée ou thèmes traditionnels de la sculpture de jardin comme les Quatre Saisons sont ici des prétextes à célébrer la redécouverte de la nature. Offerts avec retenue, en dialogue permanent avec le paysage, les corps se dévoilent avec pudeur et grâce. On remarquera que le sculpteur Chardigny a su donner à chacune de ses créations un regard d'une rare intensité.   M.R.

La Mignarde. Aix-en-Provence.

Adresse : jardin de la Mignarde, les Pinchinats, 13100 Aix-en-Provence
Propriétaire : M. E. Sechiari
Ouverture : t.l.j. pour groupes, s'adresser à l'office du tourisme d'Aix, tél. : 42.26.02.93, et à Mme Sechidri pour cas particuliers, tél. : 42.96.41.86
Accès : à 6 km au nord-est d'Aix-en-Provence par N96, puis D63 direction les Pinchinats

---

Monument Joseph Sec ★ ★

Aix-en-Provence

Un jardin pour initiés. Rare témoin de la période révolutionnaire, le monument Sec, terminé en 1792, nous livre le message d'un homme : Joseph Sec, maître menuisier issu d'un milieu paysan et qui réussit une ascension sociale remarquable. Bourgeois d'Aix, mais n'appartenant pas à l'aristocratie qu'il voulait cependant imiter, il créa ce monument qui devait être son tombeau, et dont la richesse iconographique nous révèle sa pensée, sa vision d'un monde en pleine transformation. En effet, ce monument, dans lequel il s'est représenté et à travers lequel il s'adresse au public, est avant tout un discours à la gloire de la Révolution française. Composé d'un jardin clos dont l'accès ne se faisait à l'origine que par son pavillon au nord du jardin, il offre, côté rue, une belle composition pyramidale comportant plusieurs registres. Au premier niveau, des inscriptions nous éclairent sur la signification des statues sculptées au-dessus. Joseph Sec fait ici l'apologie de la Loi. Ainsi Moïse, qui a reçu de Dieu les tables de la Loi, les présente à l'Europe, d'un côté, symbole de la liberté, et à l'Afrique, de l'autre, symbole de l'esclavage. Couronnant l'ensemble la Loi, porteuse de liberté, a été représentée casquée et

armée, telle qu'on la concevait vers 1792. Mais ce n'est pas là le seul aspect de ce monument. Entrons dans le jardin clos. Ici, des statues splendides ornent les niches du mur sud du jardin. Contrairement aux autres, celles-ci n'ont pas été créées pour ce monument. Elles ont été sculptées au XVIIe siècle pour le couvent des pères jésuites par Pierre Pavillon, et ont été rapportées ici par la suite. Elles représentent des héros bibliques : Aaron, Déborah la prophétesse, le roi Saül, David vainqueur de Goliath, Marie sœur d'Aaron, Noé et Jahel tuant Sisarah. A l'ouest, saint Jean Baptiste vient se substituer à Moïse, et des bas-reliefs, illustration de la chute d'Adam et Ève à l'ascension du prophète Élie, ont été sculptés sur les faces latérales. Par cette nouvelle iconographie, nous abordons un autre aspect du message de Joseph Sec, non plus réservé au grand public comme le premier, sur la façade sur rue du monument, mais un message réservé aux seuls initiés, aux francs-maçons, à ceux qui connaissent les différentes étapes de l'initiation qui sont l'épreuve de la terre (représentée ici sous la forme d'épis), de l'air (ici des oiseaux), de l'eau (grenouilles), seule la dernière, celle du feu, n'a pas été sculptée.

Le monument Sec est-il une œuvre maçonnique ? Certains historiens se posent la question. C'est en tout cas l'œuvre d'un initié, mais aussi celle d'un bourgeois conquérant et cultivé, témoin d'une époque dont il nous livre la pensée à travers un monument-jardin unique qui paraît aujourd'hui un peu étrange à nos yeux.

M.N.

Adresse : monument Joseph Sec, avenue Pasteur, 13100 Aix-en-Provence
Propriétaire : Ville d'Aix-en-Provence
Ouverture : t.l.j. ouvrables, de 8 h à 12 h et de 14 h à 16 h 30
Accès : au nord du centre ville, près de la cathédrale (200 m)

Le jardin de Joseph Sec. Aix-en-Provence.

Jardin du pavillon de Trimont ★ ★

Aix-en-Provence

Le XVIIIe siècle à votre mesure. La perfection à échelle humaine. Telle est l'impression que l'on éprouve en découvrant ce jardin. On ne trouve pas ici de grandes perspectives et de vastes parterres, mais la justesse des proportions, l'harmonie entre le petit pavillon du XVIIIe siècle et son jardin séduisent immédiatement le visiteur. Et si l'accès se fait directement, aujourd'hui, dans le jardin régulier composé de parterres de gazon et d'un bassin central circulaire, il faut imaginer une mise en scène plus théâtrale à l'origine, qui faisait découvrir le pavillon et son jardin tout d'abord par une pergola longeant l'ancien potager, pour déboucher ensuite, par un petit escalier, sur la terrasse bordée d'une balustrade où se dessine le parterre à la française. Peupliers, bassins, fontaines agrémentent cet ensemble et de petits escargots de pierre à l'extrémité des canalisations d'arrosage viennent ajouter une note d'humour. Le pavillon, avec son perron en fer à cheval, fut construit vers 1700 pour Louis Thomassin de Mazaugues, célèbre bibliophile et conseiller au Parlement de Provence. Par la qualité de son dessin, il constitue un magnifique exemple d'architecture classique aixoise. Au nord, on découvre un autre jardin, dans lequel plus de liberté a été accordée à la nature. C'est un endroit plus frais, planté de marronniers, de tilleuls. Il est agrémenté d'un bassin surélevé bordé d'une balustrade et d'une fontaine ornée de dauphins et corbeille de fleurs. Le jardin du pavillon de Trimont, bien qu'intégré au périmètre urbain (tout à côté, s'élèvent les « 200 logements » de Fernand Pouillon), est un lieu paisible où l'on se sent à la mesure du décor.   M.N.

Adresse : pavillon Trimont, route de Vauvenargues, 13100 Aix-en-Provence
Propriétaire : M. R. David
Ouverture : visites guidées par l'office du tourisme, en juillet, au moment du festival, tél. : 42.26.02.93
Accès : à l'est de la ville

Promenade des Alyscamps ★

Arles

Pour quelle raison cette promenade a-t-elle tant inspiré les artistes ? De Saint-John Perse pleurant de joie à la vue des orangers des osages qui bordaient la promenade, à Chateaubriand, en passant par Gauguin et Van Gogh qui y ont planté leur chevalet, bien des créateurs ont été profondément émus par ce lieu. Son esprit tient beaucoup à son histoire. Ici s'étendait une vaste nécropole antique et paléochrétienne dont la réputation de sainteté s'étendait très loin. Au Moyen Age la nécropole s'étendait sur une superficie supérieure à celle de la ville et une douzaine de chapelles ou d'églises accueillaient les cérémonies funèbres ou commémoratives. Implantée sur une partie de ce grand cimetière, l'allée des Alyscamps fut aménagée au milieu du XVIIIᵉ siècle pour embellir l'arrivée à l'abbaye romane de Saint-Honnorat, confiée aux minimes (des religieux). Parmi eux le père Dumont, qui vécut à Rome, avait un grand sens de la mise en valeur des antiquités. Sous son impulsion, la communauté décida de rassembler les sarcophages épars à travers les jardins et de les disposer le long de la voie conduisant au couvent, suivant le modèle des cimetières romains. Plantée d'essences variées — pins parasols, arbres de Judée, acacias, *Maclaura lorenciaca* notamment —, l'allée devint rapidement un lieu de promenade romantique.   M.R.

Adresse : promenade des Alyscamps, place de la Croisière, 13200 Arles
Propriétaire : Ville d'Arles, tél. : 90.49.36.36
Ouverture : t.l.j. du 1ᵉʳ mars au 1ᵉʳ avril et en octobre, de 9 h à 12 h 30 et de 14 h à 18 h (19 h en mai) ; du 1ᵉʳ juin au 30 septembre, de 8 h 30 à 19 h ; du 1ᵉʳ novembre au 28 février, de 9 h à 12 h et de 14 h à 16 h 30 ; fermé les 1ᵉʳ janvier, 1ᵉʳ mai, 1ᵉʳ novembre et 25 décembre
Accès : au sud-est du centre ville

La Barben.

Château de la Barben ★★

La Barben

Comment imaginer un jardin au fond d'une vallée si resserrée et noyée d'arbres d'où émerge le château de La Barben ? Tranchée étroite dans la forêt-galerie, ce jardin est une longue terrasse au dessin à la française, comme un tapis jeté sur le côté des visiteurs gravissant la rampe d'accès à ce château de conte de fée, comme un tapis lumineux traitant du thème de la rivière en contrebas sous une forme géométrique. Au nymphée adossé au mur oriental succède un boulingrin, un parterre à bassin central et compartiments de buis encadrant des broderies, un pin Cembro et un séquoia plantés au siècle dernier. A l'ouest, un mur ouvert en son centre sur une chute entre deux bassins ferme astucieusement le jardin tout en l'ouvrant au regard. Ici vous voyez de l'autre côté du miroir, sans toutefois pouvoir y accéder.   M.R.

Adresse : château de La Barben, 13330 La Barben
Propriétaire : M. Pons
Ouverture : jardin non accessible mais visible en montant au château ; château : ouvert de 10 h à 12 h et de 14 h à 18 h, fermé le mar. sauf en été
Parc zoologique de La Barben, à côté du château, tél. : 90.55.19.12
Accès : à 25 km au nord-ouest d'Aix-en-Provence, à 9 km à l'est de Salon-de-Provence par D572

Château de Barbentane ★ ★

Barbentane

Barbentane est l'un des rares châteaux construits en Provence au XVIIᵉ siècle, selon un modèle très parisien. Le jardin fut plusieurs fois modifié. Le nord du jardin fut transformé en parc pittoresque au début du XIXᵉ siècle. C'est la partie la plus spectaculaire aujourd'hui, vue de la terrasse où les énormes branches de platanes plantés en contrebas viennent s'enrouler à hauteur des yeux autour des sphinges et des corbeilles de fruits ornant la balustrade. Aux alentours de 1880, le grand parterre ordonnancé situé à l'est fut réaménagé pour recevoir une orangerie et un bassin. Le parterre d'entrée sera peut-être redessiné pour mieux mettre en valeur le château. Il ne faut pas manquer le plaisir d'un coup d'œil au charmant pigeonnier avec ses bancs aux formes courbes où il ferait bon s'asseoir si cette partie était restaurée.   M.R.

Adresse : château de Barbentane,
13570 Barbentane
Propriétaire : M. Henri Puget de Barbentane, tél. : 90.95.51.07
Ouverture : visites du jardin réservées aux visiteurs du château ; de Pâques à la Toussaint, t.l.j., sauf mer., de 10 h à 12 h et de 14 h à 18 h ; hiver, mêmes heures mais dim. uniquement
Accès : à 10 km au sud d'Avignon par N570 puis D35

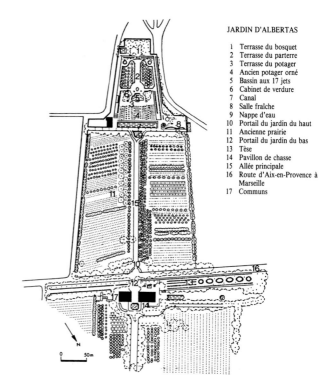

JARDIN D'ALBERTAS

1 Terrasse du bosquet
2 Terrasse du parterre
3 Terrasse du potager
4 Ancien potager orné
5 Bassin aux 17 jets
6 Cabinet de verdure
7 Canal
8 Salle fraîche
9 Nappe d'eau
10 Portail du jardin du haut
11 Ancienne prairie
12 Portail du jardin du bas
13 Tèse
14 Pavillon de chasse
15 Allée principale
16 Route d'Aix-en-Provence à Marseille
17 Communs

Jardin d'Albertas ★ ★ ★

Bouc-Bel-Air

Le jardin sans bastide. Albertas se signale de loin par ses platanes gigantesques dont la voûte forme à côté des deux collines de Bouc une véritable troisième colline.

Le bassin aux dix-sept jets. Albertas.

Ce jardin est l'exemple le plus abouti et le plus complet des jardins de Provence du milieu du XVIIIᵉ siècle. Le tracé reste intact, les terrasses, les bassins et fontaines, les alignements d'arbres, les compartiments de buis sont en place, grâce au respect de la famille d'Albertas pour un patrimoine qui lui appartient depuis 1673. Leur ancêtre Jean-Baptiste créa le jardin en 1751. Le château prévu au sommet de cette composition ne fut jamais construit. Il était alors courant de réaliser le jardin avant l'édifice et Jean-Baptiste d'Albertas se contenta d'utiliser le grand pavillon de chasse situé de l'autre côté de la route. Un jardin dit « jardin d'en bas » agrémente les abords du pavillon. Il est composé principalement d'une belle perspective de marronniers et de platanes encadrant un tapis vert et un miroir d'eau orné de grands vases de pierre.

Il faut donc traverser la route pour aller voir le jardin principal, signalé par son majestueux portail décoré des armes de la famille. Centré sur le château absent, le « jardin d'en haut » est organisé comme un théâtre avec des promenoirs latéraux encadrant une succession de terrasses : la terrasse des bosquets, celle du parterre de broderies, celle enfin du potager. On accède à cette partie, la plus richement travaillée du jardin, en suivant les allées de marronniers qui conduisent au grand canal, à la grotte puis au bassin des dix-sept jets, l'un des chefs-d'œuvre de l'art des fontaines en France (malgré l'absence actuelle des jets). Au centre de la fontaine, d'imposants atlantes soutiennent la terrasse supérieure tandis que, sur chacun des côtés, des tritons soufflent dans leurs conques. La terrasse qui surplombe a été traitée en galerie de sculptures à l'antique où se côtoient Samson avec son poing en avant, David prêt à lancer sa fronde, le gladiateur d'Éphèse et Hercule au repos caressant les pommes du jardin des Hespérides. M.R.

Adresse : domaine d'Albertas, 13320 Bouc-Bel-Air
Propriétaire : famille d'Albertas, tél. : 42.22.29.77
Ouverture : du 1ᵉʳ juin au 31 août : t.l.j. de 10 h à 12 h et de 14 h à 18 h (sam. : de 10 h à 15 h) ; en mai, septembre et octobre : week-end et jours fériés mêmes horaires ; hors saison pour groupes sur demande
Accès : à 11 km au sud d'Aix-en-Provence, sur la RN8

Adresse : parc municipal du Mugel, 13600 La Ciotat
Propriétaire : Ville de La Ciotat, tél. : 42.08.07.61
Ouverture : t.l.j., de 10 h à 12 h et de 14 h à 18 h
Atelier Bleu du Cap de l'Aigle : initiation des enfants à l'écologie, la mer, la plongée
Accès : par le quartier de l'Escalet, l'avenue des Calanques, parking

Parc du Mugel ★★

La Ciotat

Rouge et bleu. Implanté sur un monument naturel exceptionnel aménagé en jardin au XIXᵉ siècle, aujourd'hui parc botanique et marin, le site du Mugel surplombe la petite ville de La Ciotat et son monument des temps modernes, les chantiers navals, leurs grues et leur portique géant. Les pains de poudingues ocre baignant dans l'eau turquoise de la Méditerranée font du cap de l'Aigle l'un des sites géologiques les plus beaux et les plus célèbres de France. L'ouverture au public du jardin d'une propriété située au pied des rochers permet maintenant de voir ce site de près et de découvrir la très grande richesse botanique et paysagère du parc et des fonds sous-marins.

Dans cet îlot siliceux, caroubiers, chênes-lièges, châtaigniers, bruyères arborescentes seront une première surprise pour le visiteur habitué à la végétation de la Provence calcaire des environs. En cours de restauration, le système de récupération des eaux pluviales est le vestige le plus étonnant de l'ancien parc d'agrément. Il témoigne de l'énergie et de l'imagination qu'il faut parfois déployer en Provence pour avoir de l'eau. Des rigoles bâties sur les rochers et tout un réseau de merveilleux chemins de galets permettent de remplir les bassins situés en contrebas. Il faut prendre son temps pour se hisser de 70 m depuis le niveau de départ et gravir le chemin principal puis les escaliers donnant accès au belvédère du Large. Vous ne regretterez pas votre peine au fond du sombre vallon d'accès. En arrivant au sommet, tenez-vous à la rampe ! Le spectacle de la falaise plongeant dans la mer ne se raconte pas.

M.R.

Gémenos et parc de Saint-Pons ★★

Gémenos

Une promenade à la source. « Gémenos, c'est tout dire. C'est ce qui m'a le plus surpris et enchanté à la fois depuis que mon amour pour les jardins me fait courir tous ceux de l'Europe », écrivait le prince de Ligne en 1781... Mais que reste-t-il aujourd'hui de cette merveille ? D'un côté, un grand parc dont la fraîcheur garantit toujours le dépaysement ; de l'autre, quelques beaux vestiges disséminés dans le village, malheureusement ignorés et malmenés jusque sur la place de la mairie (l'ancien château) où fut assassiné en 1790 leur créateur, le marquis d'Albertas, auteur de la célèbre place d'Albertas à Aix et du beau jardin de Bouc. On se consolera de ce mépris en allant visiter le parc de Saint-Pons. Aujourd'hui détachée du village et parc départemental, la vallée de Saint-Pons était au XVIIIᵉ siècle le prolongement « naturel » du jardin du château. Il faut remonter le sentier qui suit le torrent du Fauge jusqu'à sa source, entre cascades, éboulis et platanes monstrueux, pour comprendre comment l'eau peut transformer le paysage en Provence. A côté des collines voisines maintes fois brûlées, le contraste est total. Le spectacle de l'eau en abondance, le bourdonnement des cascades, le gazouillement des ruisseaux, le chant du rossignol, l'irrésistible poussée des arbres vers la lumière offrent

PARC DE SAINT-PONS

1 Entrée du parc
2 Prairie des Tompines
3 Le Paradou
4 Chapelle Saint-Martin   8 Grande prairie de la Saint-Éloi
5 Grande prairie   9 Moulin et cascade
6 La Blancherie   10 Prairie des Cabrelles
7 Le Folon   11 Abbaye cistercienne
                               12 Prairie de l'abbaye

GEMENOS

N

100 m

encore d'innombrables émotions. Tout au long du cours d'eau, de nombreuses ruines ajoutent à la promenade du mystère et du pittoresque : plusieurs moulins, une ancienne fabrique de bonnets turcs et les restes d'une abbaye fermée au XVᵉ siècle en raison des mœurs dissolues des nonnes et des abbés. Il est vrai que ces lieux éveillent l'imagination.　　M.R.

L'eau en Provence. Géménos.

⚠ **Adresse :** parc de Saint-Pons, 13420 Gémenos
Propriétaire : l'État. Gestion : Office national des Forêts. Renseignements : mairie de Gémenos, tél. : 42.82.24.16
Ouverture : permanente, visites libres
Théâtre de plein air et foires dans la vallée
Accès : parc de Saint-Pons, à 2 km à l'est de Gémenos par D2

Parc Borély ★ ★
et jardin botanique

Marseille

Autour du château qui abrite le nouveau musée des arts décoratifs de Marseille, le parc Borély accueille aujourd'hui de nombreux promeneurs et sportifs et, un peu à l'écart, les amateurs de plantes dans la roseraie et le jardin botanique.

Pour mettre en valeur la bastide construite en 1767 pour Louis Borély sur les plans de J.-L. Clérisseau, l'architecte Embry avait dessiné en 1775 de beaux parterres à la française. Amputé du côté mer par l'hippodrome, remodelé du côté est en parc public romantique par les frères Bühler, le parc résiste mal à l'excès de fréquentation et à son ouverture aux forains. Les bosquets du parc paysager conservent quelques beaux spécimens et l'on remarquera aussi les cyprès chauves au bord du petit lac. Maintenant réorganisé, le jardin botanique renferme notamment une collection d'iris (200 variétés), un jardin de plantes grimpantes, un jardin des plantes aromati-

ques, un jardin des simples. Depuis 1982, une gracieuse petite serre à structure de fonte abrite des expositions tournantes consacrées aux végétaux tropicaux.　　M.R.

⚠ **Adresse :** parc Borély, allées Borély, 13008 Marseille
Propriétaire : Ville de Marseille, tél. : 91.55.14.68 (S.E.V.)
Ouverture : t.l.j. de 7 h à 22 h ; jardin botanique : du lun. au ven. de 9 h à 18 h et sam. de 13 h à 18 h
Location de vélos pour les enfants. Restaurant-salon de thé au bord du lac
Accès : au sud du centre ville

Le jardin botanique et la serre. Parc Borély.

Jardin Émile Duclos

Marseille

C'est en raison de sa position en belvédère à l'entrée du port que ce jardin vaut la peine d'être visité. Les vues sur la ville et surtout sur l'ensemble des ports de Marseille en font un lieu de promenade agréable en fin d'après-midi pour ceux qui aiment voir partir les paquebots.　　M.R.

⚠ **Adresse :** jardin Émile Duclos, boulevard Charles-Livon, 13007 Marseille
Propriétaire : Ville de Marseille, tél. : 91.55.14.68 (S.E.V.)
Ouverture : t.l.j. de 8 h au coucher du soleil
Accès : à l'ouest du Vieux-Port

Jardin la Magalone ★ ★

Marseille

Malgré les transformations apportées au XIXᵉ siècle et diverses réductions, ce jardin est le dernier témoin des nombreux jardins de bastides du XVIIIᵉ siècle à Marseille.

Partant de la maison, trois terrasses prolongent d'abord le merveilleux salon. Les deux fontaines des fleuves, situées de part et d'autre de la troisième terrasse soulignée par une balustrade, sont les points forts de cette première partie à dominante minérale. La perspective du parterre à la française encadré de deux allées de platanes aux dimensions exceptionnelles et des statues des Quatre Saisons est aujourd'hui fermée par les arbres du boulevard et barrée par le monument des années 50 qu'est l'Unité d'habitation Le Corbusier. Au nord, un deuxième parterre et une roseraie seront peut-être réhabilités, de même que l'ensemble du jardin.

M.R.

L'hommage à Rimbaud par Amado. Parc balnéaire du Prado, Marseille.

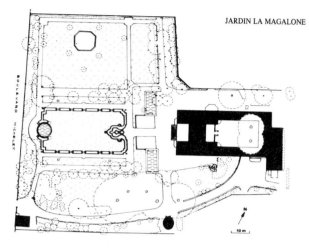

JARDIN LA MAGALONE

Adresse : jardin la Magalone, 245, boulevard Michelet, 13008 Marseille
Propriétaire : Ville de Marseille, tél. : 91.55.14.68
Ouverture : visites sur demande écrite à la direction des Espaces verts
Accès : au sud de Marseille, face à l'Unité d'habitation Le Corbusier

Parc balnéaire du Prado
Marseille

Ce vaste parc est aussi la plus grande plage de Marseille. Gagné sur la mer grâce aux déblais de la construction du métro, le site exposé aux embruns a fait l'objet d'études savantes de protection du vent. Ses collines restent vertes grâce à des soins incessants, offrant un paysage à la fois agréable et insolite sur un rivage brûlé par le soleil et le sel. Au point le plus haut, le rocher rouge sculpté par Amado, en hommage à Rimbaud, semble le fruit d'une connivence entre l'artiste et le vent du large.

M.R.

Adresse : parc balnéaire du Prado, promenade Mendès-France / plage Gaston-Defferre, 13008 Marseille
Propriétaire : Ville de Marseille, tél. : 91.55.14.68 (S.E.V.)
Ouverture : permanente, visites libres ; plage surveillée, jeux pour enfants
Accès : au sud de la ville, par la corniche

Jardin de la villa Valmer ★
Marseille

En plus du panorama sur la mer et les îles, ce petit jardin donne une bonne idée de ce qu'étaient les jardins des villas de la bourgeoisie locale au XIXe siècle, et de la violence des contrastes climatiques, de lumières et de couleurs qui règnent sur les rochers blancs du bord de mer à Marseille. Protégée du vent par une barrière calcaire sur laquelle se dresse la villa, la colline a été traitée dans le style des jardins de rocaille avec ses jardinières fleuries d'où émergent quelques palmiers. Un peu plus bas, un vallon ombragé avec sa végétation caractéristique de chêne vert et de laurier sauce.

M.R.

La Magalone.

Adresse : villa Valmer, corniche Kennedy,
13007 Marseille
Propriétaire : Ville de Marseille,
tél. : 91.55.14.68 (S.E.V.)
Ouverture : t.l.j. de 8 h au coucher du soleil
Accès : au sud de la ville, à hauteur du Marégraphe

Jardin des Vestiges ★

Marseille

La découverte en 1967 de nombreux vestiges antiques
a permis d'aménager ce lieu en jardin archéologique.
Les quais du port construits par les Romains au
Iᵉʳ siècle, un remarquable bassin pour ravitailler les
bateaux en eau douce, la chaussée antique et des
fortifications du IIᵉ siècle avant J.-C. s'associent à
un choix judicieux de plantes méditerranéennes.
Certaines, comme les simples roseaux, se sentent sans
doute particulièrement à leur aise si près de cet
ancien marécage couvert de cannes de Provence qui
sont à l'origine du nom de la rue la plus célèbre de
Marseille, la Canebière.   M.R.

Adresse : jardin des Vestiges, rue Henri-Barbusse,
13002 Marseille
Propriétaire : Ville de Marseille,
tél. : 91.55.14.68 (S.E.V.)
Ouverture : t.l.j. de 8 h au coucher du soleil
Accès : centre ville, derrière le centre Bourse

Château de Roussan ★ ★

Saint-Rémy-de-Provence

Comment passer devant l'exceptionnelle allée de
platanes de Roussan sans être saisi de l'impérieux
désir d'aller voir le bout de cette grandiose perspective
et comment découvrir ce jardin et cette belle demeure
du XVIIIᵉ siècle sans rêver d'y loger quelques jours à
la période estivale ? Par bonheur, ce beau château
est aussi un hôtel... Le jardin s'ouvre au sud sur des
vestiges de ce qui fut sans doute un jardin très
important. Un bassin, alimenté par une source glacée,
orné aux quatre coins par des baigneurs et des
baigneuses de pierre et de longs canaux sillonnés
par les cygnes témoignent de la période de création
du château. L'eau qui coule ici en abondance gorge
la prairie, au profit de grandes gerbes de bambous
qui se multiplient rapidement.
Au beau milieu du pré voisin, et comme en reflet
des jeux de lumière sur l'eau cristalline du bassin,
se dresse toujours, et presque intacte, une merveilleuse
serre du siècle dernier.   M.R.

Adresse : château de Roussan, route de Tarascon,
13210 Saint-Rémy-de-Provence
Propriétaire : hôtel. Responsable : Mlle Mac Hugo
Ouverture : de 10 h à 18 h, t.l.j. pendant les
périodes d'ouverture de l'hôtel, de Pâques
au 15 novembre et du 10 décembre au 5 janvier,
tél. : 90.92.11.63
Accès : N99, 2 km à gauche après Saint-Rémy-de-
Provence, direction Tarascon

Roussan.

Château de Sainte-Roselyne ★★

Les Arcs

L'eau abondante de la source de Sainte-Roselyne et l'ombre procurée par les grands arbres font de ce coin du Var un lieu délicieux dès qu'il fait un peu chaud. On ne s'étonnera pas qu'il ait d'abord été une abbaye ni que l'évêque de Fréjus l'ait transformé au XVIIIᵉ siècle en maison de campagne. Plantée à la Révolution, l'allée de platanes gigantesques n'est sans doute pas la moindre des surprises du site. Elle

Sainte-Roselyne.

conduit le visiteur à un parterre de compartiments aux bordures de buis et de fleurs entourant un rond d'eau et son jet. Devant le château, deux platanes conversent depuis des siècles avec les vieux murs. Il ne faut pas les interrompre ! Il est préférable de poursuivre vers l'allée bordée d'érables sycomores jusqu'aux quatre énormes séquoias qui montent la garde autour de la pièce d'eau, puis jusqu'au bosquet de pins parasols, de cèdres et de cyprès.
Dans le cloître orné de rosiers et d'un bignonia, la vocation viticole du domaine est évoquée par une belle treille sur laquelle grimpe une vigne (mourvèdre). M.R.

Adresse : château de Sainte-Roselyne, 83460 Les Arcs
Propriétaire : baron de Rasque de Laval
Ouverture : sur demande écrite
Vente de vin
Accès : à 12 km au sud de Draguignan

Jardin exotique de Sanary-Bandol ★

Bandol

Créé en 1948 pour le seul plaisir de ses propriétaires, M. et Mme Clément, le premier jardin était essentiellement composé de plantes, de rocailles et d'une serre. Il devint rapidement célèbre pour la beauté de son site et de ses collections. C'est alors qu'il s'ouvrit au public et s'enrichit d'un jardin zoologique. On découvrira avec amusement les *Pleiospilos lithops*, ou « plantes cailloux », et le mimosa pudica dont les feuilles se replient dès qu'on les frôle. Les collections de plantes méditerranéennes et tropicales, présentées dans des serres et un jardin de rocaille, ont donc été associées à divers oiseaux exotiques, perroquets, cacatoès, mais aussi à des paons, des singes et des mammifères tels que des mouflons, des lamas, des daims, etc. M.N.

Adresse : jardin exotique et zoologique de Sanary-Bandol, 83110 Bandol
Propriétaires : M. et Mme Clément, tél. : 94.29.40.38
Ouverture : t.l.j. de 8 h à 12 h et de 14 h à 18 h (19 h en été) ; dim. et jours fériés, fermé le matin
Vente de plantes
Accès : à 18 km à l'ouest de Toulon, à 4 km de Bandol par D559, chemin à droite après 1 km

Jardin du château d'Entrecasteaux ★★★

Entrecasteaux

Posé sur un rocher, le château d'Entrecasteaux est une superbe demeure à la longue façade régulière surplombant le village. Il fut bâti vers 1670 par le comte de Grignan, sur les ruines d'un château du XVIᵉ siècle. Il domine un jardin classique aux parterres de buis qui s'organisent autour d'un vaste bassin circulaire. Son dessin a été attribué à Le Nôtre qui l'aurait donné à M. de Grignan, époux de la fille de la marquise de Sévigné. En soi, nous sommes en présence d'un beau jardin à la française, qui prend toute son ampleur depuis la terrasse sud du château ou des murs promenades qui le bordent. Aucun accès ne permet le passage direct du château au jardin. Un escalier en fer à cheval le relie au village, dont il est devenu la propriété. Complément végétal de l'architecture classique du château, il est aussi un agréable lieu de repos à l'ombre des micocouliers, des magnolias et des arbres de Judée.

A l'initiative des propriétaires du château, M. et Mme Mac Garvie Munn, un jardin du Moyen Age est en cours de création au nord, au pied de la terrasse. Il devrait être terminé en 1993 et comprendra notamment une cour d'amour, un labyrinthe, un jardin d'herbe et un verger.　　　　M.N.

△ **Adresse :** château d'Entrecasteaux, 83570 Entrecasteaux
Propriétaire : mairie d'Entrecasteaux. Contacts : M. et Mme Mac Garvie Munn, tél. : 94.04.43.95
Ouverture : permanente, visites libres ; visite du château toute l'année
Boutique, expositions, location pour réceptions, concerts en été
Accès : à 25 km au nord-ouest de Brignoles, à 25 km à l'ouest de Draguignan par D562 et D31

Le jardin vu du château. Entrecasteaux.

Jardin de la villa Noailles ★★★

Hyères

Un jardin cubiste. Témoin unique du jardin moderne des années 20 et du goût pour l'avant-garde de Marie-Laure et Charles de Noailles, ce jardin est enfin restauré avec la célèbre villa dessinée par Rob Mallet-Stevens dont il est le prolongement. Si le petit jardin « cubiste » conçu par Gabriel Guévrékian en 1926 en est l'élément le plus spectaculaire, l'ensemble des terrasses de ce site féodal dominant la ville fut aménagé par Charles de Noailles. Autour de la maison, elle-même pourvue de terrasses et d'aménagements tels que le lit suspendu de Pierre Chareau pour dormir à la belle étoile, de nombreuses sculptures modernes agrémentaient les terrasses fortement architecturées du jardin du haut, en particulier celles conçues par Mallet-Stevens, véritables salons à ciel ouvert avec leurs baies destinées à cadrer la vue. Les terrasses du bas étaient consacrées aux oliviers et aux fleurs, avec la terrasse des pivoines, celle des œillets, celle des magnolias et des camélias, l'allée des rosiers. Si l'on peut dire « cubiste », le jardin

triangulaire de Guévrékian c'est, non seulement, en raison de son dessin géométrique, mais aussi de la place faite au mouvement, dans le zigzag des jardinières latérales, dans le damier incliné montant vers la sculpture de Lipchitz animée par un moteur... L'ensemble donne immanquablement l'illusion de la proue d'un navire fleuri qui flotterait sur la brume de chaleur.　　　　M.R.

△ **Adresse :** villa Noailles, montée de Noailles, 83400 Hyères
Propriétaire : Ville d'Hyères, tél. : 94.35.90.00
❀ **Ouverture :** t.l.j. de mars à octobre, de 7 h 30 à 19 h (20 h en juin, juillet, août) ; hors saison, de 7 h 30 à 18 h
Accès : au nord de la vieille ville, par avenue Paul-Long

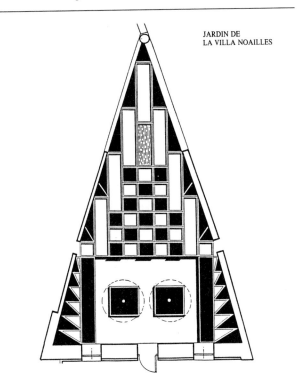

JARDIN DE LA VILLA NOAILLES

Château de Beauregard ★★★

Mons

Précieux belvédère adossé aux premières montagnes, Beauregard domine la forêt du Var dont les vagues successives conduisent la vue au loin, jusqu'aux massifs bleutés de l'Estérel et des Maures. Au pied du château à tourelles, à l'abri d'un grand mur de soutènement et des communs, s'étend un parterre de buis plantés au XVIIIe siècle. Taillé en topiaire avec beaucoup de soin (deux fois l'an), il est une belle démonstration de la transformation « contrôlée » d'un parterre régulier. Les tracés géométriques se sont assouplis en fonction de la vitalité plus ou moins grande des plants. Le comte de Clarens poursuit ainsi, en dialogue avec le végétal et ses ancêtres qui l'ont planté, une œuvre en évolution depuis trois siècles.　　　　M.R.

Beauregard.

△ **Adresse :** château de Beauregard, 83440 Mons
Propriétaire : Jean de Clarens
Ouverture : sur demande écrite uniquement
Accès : à 50 km au nord-est de Draguignan

Conservatoire botanique de Porquerolles ★★ L

Porquerolles

Entre le ciel et l'eau. Porquerolles est avant tout une île splendide, à peu de distance d'Hyères, partagée entre un tourisme de masse et un souci de protection de l'environnement. Propriété de l'État, cette île de 1 250 ha fait partie du parc national de Port-Cros, créé en 1971. 1 000 ha sont protégés, une bonne partie est boisée, l'autre est cultivée par le Conservatoire botanique de Porquerolles dont le but essentiel est de protéger et développer certaines espèces de plantes, d'arbres et d'arbustes en voie de disparition. De vastes vergers présentent différents fruitiers, pêchers, abricotiers, amandiers contenant des gènes de tolérance à certaines maladies et qui

permettent ainsi de créer des variétés ne nécessitant que peu de traitement. Plus loin, des pépinières ont été installées car la protection de certaines espèces dans la nature s'avérait insuffisante. Des serres renferment notamment des collections de palmiers-dattiers issues d'une culture *in vitro* pratiquée dans les laboratoires du conservatoire, ainsi que de nombreuses plantes rares ou en voie de disparition. On trouve en outre des plantes de jojoba dont on tire une huile très recherchée utilisée en cosmétologie. Ici sont également cultivés des cistes, des collections de mimosas, de lauriers-roses... des plantes tinctoriales, mais aussi des variétés rares d'oliviers, des plantes de bord de mer appelées barbes de Jupiter et que l'on utilise parfois pour restructurer des bords de plages dont la végétation disparaît. On découvre également des essences d'arbres de reboisement car, outre la conservation de variétés et d'essences rares, le conservatoire a également pour fonction de fournir certaines essences telles des pins pignons ou des chênes verts servant à repeupler les forêts. Inauguré en 1979, le Conservatoire botanique de Porquerolles s'ouvre peu à peu au public dans un but de sensibilisation au patrimoine végétal de notre région.

M.N.

❀ **Adresse :** conservatoire botanique, 83400 Porquerolles
Propriétaire : l'État
Ouverture : visite sur demande pour groupe, tél. : 94.65.32.98 ; visite libre pour les vergers
Accès : à 30 mn du continent, par une vedette au départ de la Tour Fondue à Hyères (renseignements pour horaires, tél. : 94.58.21.81)

Parc du Moulin Blanc ★★

Saint-Zacharie

Le nord au sud. Au milieu de l'été sec et brûlant de Provence, la visite de ce bastion avancé de la végétation du nord de l'Europe provoque un choc. Au pied de la forêt de la Sainte-Baume, considérée à juste titre comme un miracle botanique, le parc bénéficie d'un microclimat humide et de l'eau abondante de deux torrents où l'on pêche encore la truite. L'un d'eux n'est autre que l'Huveaune qui se jette dans la mer à Marseille, à une trentaine de kilomètres seulement. On imagine le ravissement que devait provoquer le parc à la fin du XIXe siècle, quand le nec plus ultra de la maison de campagne était, à Marseille, de ressembler quelque peu à un coin d'Angleterre ou des Alpes.

Tout imprégné des idées à la mode vers 1850, Adolphe de Saporta demanda au paysagiste parisien de Drée de lui créer un jardin pittoresque et à l'architecte Revoil de lui dessiner son château. Une grande fenêtre fut taillée dans la forêt, sur le côté du château, pour dégager la vue sur la prairie située en contrebas, sur un étang qui y fut creusé et sur de beaux arbres appréciant de plonger leurs racines dans une terre gorgée d'eau. Les hêtres se sont développés le long de la rivière et de nombreuses plantes furent apportées par le fils, Gaston de Saporta, l'un des fondateurs de la science paléobotanique. La collection d'arbres compte notamment de nombreuses variétés de conifères — *Cedrus atlantica, Abies pinsapo, Sequoia sempervirens*, de 35 m de haut —, plusieurs variétés d'érables — *Acer opulifolium, Acer platanoïdes, Acer campestre*. Un ensemble végétal qui vous fera voyager.   M.R.

Adresse : le Moulin Blanc, avenue Gaston-de-Saporta, 83640 Saint-Zacharie
Propriétaire : famille de Saporta, tél. : 42.72.90.37
Ouverture : sur demande, du 1er mai au 31 octobre
Accès : à 22 km au nord-est d'Aubagne, à 17 km au sud-ouest de Saint-Maximin

Parc de Valbelle ★★

Tourves

Archéologie d'un parc. Le parc de Valbelle est l'un des rares parcs à fabriques à avoir été réalisés dans le sud de la France. Il est l'œuvre du comte de Valbelle, un amateur éclairé qui avait transformé le château, entre 1767 et 1777, en lieu de fête et de spectacles et l'ensemble du paysage environnant en un vaste théâtre où chacune des fabriques était destinée à surprendre, amuser, et faire réfléchir. Particulièrement subtils et fragiles, les décors, les constructions, les inscriptions, les statues ont été souvent détruits ou dispersés. De beaux vestiges demeurent sur le site, d'autres ont été récupérés par les habitants et, si vous voulez transformer votre visite en jeu de piste, vous pourrez en découvrir sur les façades des maisons, la place de la mairie (bancs et fontaine) et même dans l'église (fonts baptismaux). De la mairie, qui possède d'intéressants tableaux du parc au XVIII e siècle, vous pourrez vous rendre à l'église puis monter vers l'esplanade du parc où l'obélisque et la colonnade sont encore en place. L'étrange laiterie, conçue comme une énigme architecturale, est visible du bord de la route, à l'extrémité ouest du plateau. L'importance historique du parc mérite que l'on s'y intéresse mais la découverte du site, qui ne manque pas de mystère, nécessite un peu d'imagination.   M.R.

Adresse : parc de Valbelle, 83170 Tourves
Propriétaire : mairie de Tourves, pour l'esplanade du château, tél. : 94.78.70.03
Ouverture : les ruines du château qui sont visibles de la route ne sont pas stabilisées. Ne pas s'en approcher. La municipalité décline toute responsabilité en cas d'accident
Accès : à 7 km de Saint-Maximin par RN7

Jardin de la villa Magali ★★

Valescure

Témoignage du goût que l'on avait autour de 1880 sur la Côte d'Azur pour les jardins où se juxtaposaient ruines et plantes exotiques, ce jardin est la création de Caroline Miolan Carvalho, interprète favorite de Gounod. Amie de Charles Garnier, à qui fut confiée la démolition des Tuileries, elle se fit donner de nombreux fragments du palais. Beaucoup furent disposés dans le jardin, d'autres furent offerts à des amis et à la Ville de Saint-Raphaël. Fréquenté par de nombreux artistes, ce jardin était très apprécié et figurait dans les guides touristiques.   M.R.

Adresse : villa Magali, avenue des Mimosas, 83700 Valescure
Propriétaire : A.N.R.C.F.
Ouverture : sur demande
Accès : à 4 km à l'est de Fréjus par N98

Parc municipal ★★

Villecroze

Ce parc est une véritable oasis de fraîcheur. Créé dans les années 20 par un navigateur au long cours, il est adossé à une falaise de tuf d'où se jette une abondante cascade toujours alimentée, même au plus fort de la canicule estivale. Il offre un attrait supplémentaire grâce aux grottes, anciens habitats

Dépaysant. Le parc de Villecroze.

troglodytiques, autrefois occupés par les moines de l'abbaye Saint-Victor de Marseille. Par de petites terrasses entourées de santoline, on accède aux grottes en ayant une vue d'ensemble de ce parc de 2 ha.
Le ruisseau de la cascade se jette dans un grand bassin entouré de rosiers avant de traverser le jardin dans toute sa longueur. Son site abrite une végétation méditerranéenne : palmiers, oliviers, jujubiers, plaqueminiers, cyprès... mais aussi des arbres d'ornement de climats plus rudes : cèdres, sapins...　M.N.

Adresse : parc municipal, 83690 Villecroze
Propriétaire : Mairie de Villecroze, tél. : 94.70.63.06
Ouverture : t.l.j. de 9 h à 12 h et de 14 h à 19 h ; grottes, t.l.j. en juillet et août ; les après-midi pendant les vacances de Pâques, juin, septembre et sur demande pour groupe le reste de l'année
Accès : au nord-est de Brignoles, par Entrecasteaux, à 5 km de Salernes

VAUCLUSE 84

Château d'Ansouis ★★

Ansouis

Arrivant par la plaine du pays d'Aigues et montant au château, les jardins d'Ansouis restent insoupçonnables dans ce qui ne semble qu'une succession de terrasses et de hauts murs de pierre. Arrivé au château, ils restent invisibles. Il faudrait pouvoir se pencher au-dessus de chacune des terrasses pour les découvrir et la visite ne permet d'en voir qu'une, celle du jardin du Paradis. C'est un jardin sec, jardin à simples compartiments de buis imposant sa belle rigueur au-dessus du dessin plus souple des champs en contrebas. Il ne vous reste plus qu'à rêver de voir un jour le merveilleux jardin de Peiresc et le jardin d'eau dont l'éloignement ne permet pas aujourd'hui la visite.　M.R.

Adresse : château d'Ansouis, 84240 Ansouis
Propriétaire : duc de Sabran-Pontevès
Ouverture : toute l'année de 14 h à 18 h 30 (fermé le mar. et le 1er janvier), tél. : 90.09.82.70
Accès : à 30 km au nord d'Aix-en-Provence, à 8 km au nord-ouest de Pertuis par D56

Chartreuse de Bonpas ★★

Caumont-sur-Durance

La vue sur la Durance, le Lubéron et Avignon, et le charme de certains coins secrets méritent une visite aux terrasses de ce jardin aménagé sur les ruines d'une ancienne chartreuse. En ce lieu qui fut un refuge pour les voyageurs menacés par les brigands, Bonpas est toujours *bonus passus*, un bon lieu de passage. Après une première terrasse à la française ponctuée de buis taillés en pyramide et de grands pins d'Alep, on sera agréablement surpris, sur la terrasse supérieure, par une charmante et mystérieuse fontaine adossée au rocher. L'eau s'écoule lentement dans une succession de bassins rectangulaires dont l'effet de miroirs lumineux descendant vers la Durance est renforcé par les murs sombres d'un couloir végétal.　M.R.

Adresse : chartreuse de Bonpas, 84510 Caumont-sur-Durance
Propriétaire : M. Casalis, tél. : 90.23.09.59
Ouverture : t.l.j. de 9 h à 18 h 30 ; groupes sur rendez-vous
Vente de vin (côte-du-rhône)
Accès : échangeur autoroutier sortie Avignon-Sud, puis 2 km sur N100 en direction d'Apt

Centre international d'Art et de Sculpture ★★

Le Crestet

Avant d'accéder à ce parc de sculpture caché dans la forêt, la perfection des formes du village perché du Crestet est une bonne leçon de savoir-faire avec le paysage. Fignolé comme une maquette posée au-dessus de la vallée heureuse de l'Ouvèze, l'éperon habité du Crestet prolonge les célèbres dentelles de Montmirail. On comprend que le site ait fasciné François Stahly, un sculpteur très préoccupé du rapport de ses œuvres avec l'environnement. Sur le chemin d'accès, sa fontaine se couvre déjà de mousse, avant même que l'eau ne coule. Dessinés par Bruno Stahly, fils du sculpteur, la maison à patios et terrasses et les ateliers sont des exemples très réussis de l'architecture géométrique des années 60. Disséminées dans le parc, les sculptures de François Stahly, Parvine Curie, Dominique Arel, Walter Klinger, Henri Vidal et, depuis peu, le nid géant à la lavande de Nils Udo, sont autant de surprises sur les chemins.

Après quelques années d'oubli, les bâtiments vont retrouver leur vocation en devenant un centre international de création et de réflexion sur la sculpture. Le petit théâtre de plein air sera sauvé de la forêt qui a tendance à reprendre ses droits. Le Centre participe des réflexions et des expérimentations menées en Europe dans différents parcs de sculpture sur « l'art dans la nature ». De nouvelles œuvres seront réalisées dans le site et pour le site. Il s'agit donc d'un parc en pleine création.　　　M.R.

Adresse : centre international d'Art et de Sculpture, Fondation Stahly, 84110 Le Crestet
Propriétaire : centre national d'Arts plastiques, centre international d'Art et de Sculpture, tél. : 90.36.35.00. Contact : Gilles Curie, tél. : 90.62.58.17
Ouverture : t.l.j. (sauf lun.) de 10 h à 12 h et de 14 h à 18 h (sous réserve de certaines variations selon les saisons)
Maison et atelier (architecture 1968)
Accès : à 3,5 km au sud de Vaison-la-Romaine par D938, puis à droite vers Le Crestet

---

L'Harmas de Jean-Henri Fabre ★★

Sérignan-du-Comtat

Le domaine d'un savant. Une nature sauvage à peine domestiquée pour créer un jardin botanique, c'est cela le jardin de l'Harmas. 500 espèces et variétés, d'arbustes et de plantes méditerranéennes y sont regroupées sans imposer de contrainte à la nature. Parmi ces espèces on trouve des tinctoriales, garance, genêt, ceratula, digitale, mais aussi térébinthe, lentisque, érables, chèvrefeuille, des plantes aromatiques, médicinales telles que valériane, mélisse, menthe, sauge, guimauve... ou des arbres tels chênes verts, cèdre, marronnier, pins d'Alep et un chêne du Liban, essence assez rare dans la région, arbre dont les feuilles ressemblent, en plus petit, à celles du marronnier. Ces découvertes se font en suivant de petites allées sinueuses. Mais ce séduisant jardin botanique n'est pas né là par hasard. En effet, ce lieu est avant tout le domaine d'un grand savant, Jean-Henri Fabre, hélas moins connu des Français que des Japonais, qui vouent à cet homme, disparu en 1915, une véritable vénération. Jean-Henri Fabre acquit l'Harmas en 1879. « C'est là tout ce que je désirais... un coin de terre abandonné, stérile, brûlé par le soleil, favorable aux chardons et aux hyménoptères. » Il décida de créer, sur cette terre en friche, un jardin où s'épanouiraient lys et glaïeuls, anémones et renoncules, primevères de Chine... mais le dur climat du comtat Venaissin, où le mistral souffle avec force et où le soleil et la sécheresse sont implacables, décima ces belles plantations et le savant dut renoncer à conserver des espèces aussi fragiles. Il se rabattit donc sur des variétés plus adaptées à la région qui sont à peu près celles, enrichies, que nous retrouvons aujourd'hui. Il fit aussi de la maison son atelier de travail, car M. Fabre était tout à la fois entomologiste, auteur d'ouvrages et de manuels scolaires sur les mathématiques, l'arithmétique, la géographie, la mécanique, la chimie, la physique et même l'hygiène et l'économie domestique, mais aussi numismate, aquarelliste (on découvrira dans son musée 300 des 700 aquarelles représentant les champignons de la région) et poète vers la fin de sa vie. L'Harmas a conservé le cabinet de travail de cet homme hors du commun dans lequel érudits et profanes apprécieront les magnifiques collections d'insectes, de coquillages, de fossiles... qu'il a rassemblées. Ses ouvrages sur ses souvenirs entomologiques furent traduits en 14 langues, et s'il est vrai que les Japonais ont même songé un temps à transporter l'Harmas au Japon, ce domaine plein de charme, où la science règne en maître, reste encore un monde à découvrir.　　　M.N.

L'Harmas de J.H. Fabre : l'héritage d'un grand naturaliste.

Adresse : l'Harmas de Jean-Henri Fabre, 84830 Sérignan-du-Comtat
Propriétaire : Muséum national d'histoire naturelle. Responsable sur place : M. Teocchi, tél. : 90.70.00.44
Ouverture : t.l.j., sauf le mar., de 9 h à 11 h 30 et de 14 h à 18 h (16 h du 1er octobre au 31 mars)
Accès : à 8 km au nord-est d'Orange par N7 et D22

Ansouis.

RHÔNE-ALPES

Parcs et jardins rhônalpins doivent leur diversité à celle des climats, des paysages et des formations végétales de la région. Du climat montagnard au climat méditerranéen, *Sentiana kochiana*, *Larix decidua*, *Picea abies*, *Fagus sylvatica*, *Castanea sativa*, *Quercus pubescens*, *Sarathamus repens*, *Cistus albidus*, *Prunus persicae* et *Vitis vinifera* vont influencer le créateur de jardins.

Au carrefour reliant les pays méditerranéens à l'Europe du Nord et du centre, se retrouvent ainsi le *Zelkova carpinifolia* et le *Phœnix canariensis*.

Reflets de multiples mouvements d'idée, les jardins empruntent tantôt à l'art italien, avec une très forte influence piémontaise au XVI⁰ et au XVII⁰ siècle en pays de Savoie, tantôt au classicisme français d'André Le Nôtre et de ses émules, à Jacques-Germain Soufflot dans le Rhône, ou au paysagisme avec Paul de Choulot, les frères Bühler, Édouard André, Jules Vacherot, et François Duvilliers.

De l'Ardèche où ils pourront retrouver le site du célèbre jardin d'Olivier de Serre au Pradel, aux contreforts des Alpes où seigneurs et nobles agrémentaient leurs demeures, en passant par le vignoble du Beaujolais où les viticulteurs associent souvent un jardin à leur chai, ou encore par les villes de Lyon, Aix-les-Bains, Chambéry, Valence ou Montélimar qui sont devenues les gestionnaires de beaux jardins, les amateurs découvriront de nouveaux rapports entre jardin et paysage. Ils seront particulièrement récompensés dans leur quête par la découverte des châteaux de Chaise, de Pizay ou du Touvet dont les sites exceptionnels ont été remarquablement exploités. Quant à ceux qui font la part plus belle à l'imagination et cherchent la route des inspirés, ils ne seront pas déçus par le palais idéal du facteur Cheval à Hauterives, l'étrange jardin Rosa Mir à Lyon, le Lac enchanté ou la Fée des Eaux ou la merveilleuse salle de fraîcheur de la Bastie d'Urfé, l'un des plus remarquables témoignages de l'art des jardins de la Renaissance en France.   P.P.

La Bastie d'Urfé.

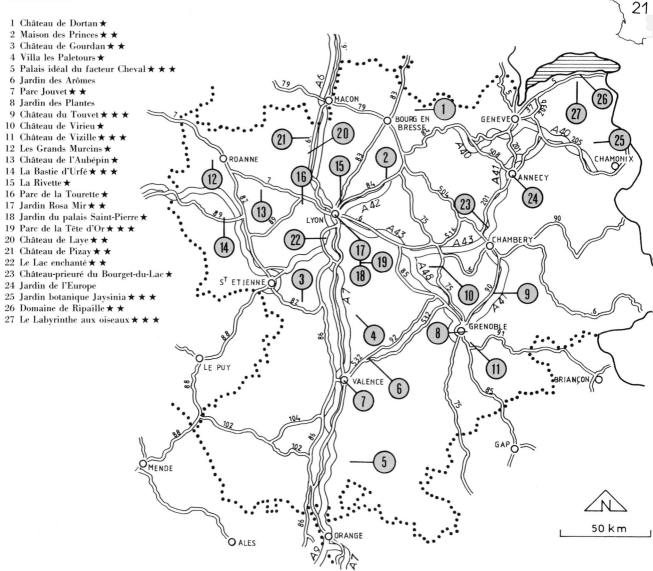

AIN 01

Château de Dortan

Dortan

★

Le château de Dortan (XIVᵉ-XVIIIᵉ siècles) se trouve au cœur d'un vaste parc de 40 ha, clos de murs, un « parc d'eaux » où coulent abondamment cascades, rivières, source bleue... Au pied du château, un jardin de buis au tracé sobre (XVIIᵉ siècle) a été conservé.

T.D.

Adresse : château de Dortan, 01590 Dortan
Propriétaire : M. Rollet, tél. : 74.77.70.01
Ouverture : pour les groupes (au moins 15 personnes), du 15 juin au 15 septembre, les jeu. et sam. ; visite accompagnée toute l'année pour les groupes d'au moins 40 personnes
Spectacles, expositions temporaires
Chapelle, salle de peinture
Accès : à 8 km au nord d'Oyonnax par D31 et à 25 km au sud-ouest de Saint-Claude

Maison des Princes ★★

Pérouges

Enserré dans de hauts murs, l'hortulus mérite d'être vu du haut de la tour de la maison des Princes. On pourra alterner entre cette vue plongeante et le très beau paysage des Dombes et de la vallée de l'Ain. Dessinés récemment sur des tracés du Moyen Age d'après les documents de M. Robert Joffet, conservateur des Jardins de Paris, les trois parterres bordés de buis sont consacrés successivement aux plantes d'amour, aux plantes médicinales et aux plantes potagères.   M.R.

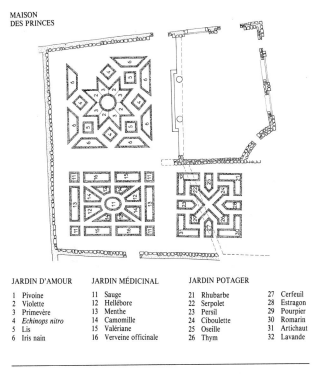

MAISON
DES PRINCES

JARDIN D'AMOUR	JARDIN MÉDICINAL	JARDIN POTAGER	
1 Pivoine	11 Sauge	21 Rhubarbe	27 Cerfeuil
2 Violette	12 Hellébore	22 Serpolet	28 Estragon
3 Primevère	13 Menthe	23 Persil	29 Pourpier
4 *Echinops nitro*	14 Camomille	24 Ciboulette	30 Romarin
5 Lis	15 Valériane	25 Oseille	31 Artichaut
6 Iris nain	16 Verveine officinale	26 Thym	32 Lavande

Adresse : maison des Princes, 01800 Pérouges
Propriétaire : Comité de défense du Vieux Pérouges
Ouverture : de mars à fin octobre, t.l.j. de 10 h à 12 h et de 14 h à 18 h ; hors saison, t.l.j. (sauf mer.), mêmes horaires, tél. : 74.61.00.08
Accès : à 35 km au nord-est de Lyon par autoroute A42, sortie Méximieux

Parterre vu de la Tour. Pérouges.

ARDÈCHE 07

Château de Gourdan ★★

Saint-Clair

Devant les premiers contreforts ardéchois, ce château est l'un des rares exemples en cette région de résidence d'agrément bâtie à la fin du XVIIIe siècle. Avec ses broderies de buis, ses rosiers et ses orangers à la belle saison, le jardin ressemble à ses cousins de Provence. Le parterre à la française est construit sur une terrasse artificielle recouvrant d'énormes réservoirs. Afin de pouvoir arroser durant la saison sèche, l'eau provenant des toitures et de sources des montagnes était stockée dans ces citernes et d'autres réservoirs construits un peu plus haut. Les dimensions de l'orangerie située en contrebas du jardin donne une idée du nombre d'orangers et de camélias qui ornaient le jardin. Une serre chaude, des glacières ainsi que les mélèzes, le cèdre du Liban et les rhododendrons témoignent d'une tradition paysagère qui s'est poursuivie au siècle dernier en ce lieu progressivement remis en valeur.   M.R.

Adresse : château de Gourdan, 07100 Saint-Clair
Propriétaire : M. Patrice Caillet, tél. : 75.32.38.93
Ouverture : t.l.j. de 8 h à 19 h (été), de 8 h à 17 h (hiver)
Accès : autoroute A7 sortie Chanas, à 13 km par N82 vers Annonay puis à droite suivre N82

DRÔME 26

Villa les Paletours ★

Bourg-de-Péage

Jardin réalisé par les propriétaires successifs, qui ont intelligemment tiré parti d'une suite de terrasses descendant vers l'Isère en site urbain. D'une composition régulière, ces différentes terrasses sont tout en sensibilité et en surprises. Jardin intime qui mérite d'être lentement médité et savouré. P.P.

Adresse : villa les Paletours, 26500 Bourg-de-Péage
Propriétaire : Dr Jacques Mazade
Ouverture : sur demande écrite, de mai à septembre
Accès : à 20 km au nord-est de Valence

Palais idéal du facteur Cheval ★★★

Hauterives

« **Où le songe devient réalité.** » Au lieu de cultiver son jardin potager comme ses voisins, Joseph-Ferdinand Cheval y a accumulé des tonnes de galets aux formes étranges dont sont remplis les paysages alentour. Cet ancien ouvrier boulanger qui savait travailler la pâte se mit au travail d'un matériau nouveau produit non loin de là : le ciment. Commençant par un bassin, poursuivant par une cascade, puis par une grotte et une seconde cascade, le facteur Cheval a d'abord édifié un fond de scène pittoresque en bordure de son terrain. Puis son projet a mûri, a

pris de l'ampleur. « Enchanté par son travail » malgré les critiques des gens du pays, le facteur d'Hauterives conçut et réalisa le palais idéal que nous connaissons. Après acquisition de la parcelle voisine, le petit canal d'arrosage qui longeait le jardin devint l'axe de sa composition, un immense assemblage de « grotte, tours, jardins, châteaux, musées et sculptures » qu'il destinait à la visite. Commencé en 1879, terminé en 1912, le facteur Cheval est parvenu, seul, avec détermination et maîtrise, à concrétiser les rêves qu'il accumulait lors de ses longues tournées à pied à travers la campagne. De même qu'il a relié les pierres travaillées par les eaux et les fossiles avec du ciment, le facteur Cheval a combiné une foule d'images, d'évocations, grouillant d'animaux, de plantes, de figures parsemés de 62 inscriptions. Autour du palais, le facteur avait construit un belvédère et planté des petits massifs à la végétation composite qui seront bientôt reconstitués. M.R.

Adresse : palais idéal du facteur Cheval, 26390 Hauterives
Propriétaires : Mme Savel et Commune d'Hauterives, tél. : 75.68.81.19
Ouverture : t.l.j. de Pâques au 30 septembre, de 8 h 30 à 19 h 30 ; en octobre, de 9 h à 12 h et de 14 h à 18 h ; du 1er novembre à Pâques, de 9 h à 12 h et de 14 h au coucher du soleil ; fermé le 25 décembre et janvier
Accès : à 25 km au nord de Romans par D538

Le palais idéal. Hauterives.

Jardin des Arômes

Nyons

« Tous les arômes sont dans la Drôme » et c'est pour mieux nous en convaincre qu'en 1982 fut créé le jardin des Arômes de Nyons.
Comme son nom l'indique, il rassemble une collection de plantes aromatiques (environ 300 espèces) réparties en différentes zones : plantes aromatiques médicinales, oléagineuses, plantes locales. Un jardin pour se mettre au parfum ! T.D.

Adresse : jardin des Arômes, promenade de la Digue, 26110 Nyons
Propriétaires : Ville de Nyons, Société archéologique, chambre d'agriculture. Contact : M. Jacques Lamy, tél. : 75.26.04.30
Ouverture : permanente, visites libres
Accès : à l'est du centre ville, sur les bords de l'Eygue

Parc Jouvet ★★

Valence

Cédé à la Ville en 1908 par Th. Jouvet, le parc fut dessiné par Jules Vacherot. Ce don fut l'occasion d'une belle opération d'urbanisme reliant le parc à la ville par une fontaine monumentale. Rampes et escaliers conduisent au jardin paysager d'inspiration XIXe siècle avec animalerie, lac artificiel, ruisseau, salles d'ombrages et de repos. La diversité des espèces végétales font de ce lieu une promenade botanique.

A la porte de la Provence et d'un entretien parfait, il mérite d'être une escale pour tous les amateurs de jardins qui descendent la vallée du Rhône. P.P.

Adresse : parc Jouvet, avenue Gambetta, 26000 Valence
Propriétaire : Ville de Valence, tél. : 75.43.93.00
Ouverture : t.l.j. de 7 h 30 au coucher du soleil (été, de 7 h à 21 h 30)
Accès : sur la rive gauche du Rhône, à l'extrémité du pont Frédéric-Mistral

ISÈRE 38

Jardin des Plantes

Grenoble

Composé d'une rocaille, d'un jardin d'hiver et d'une serre qui abritent cactées, orchidées, plantes « carnivores »..., le jardin des Plantes (2,6 ha) est en cours de rénovation. Il sera bientôt relié au parc Paul-Mistral.

Adresse : jardin des Plantes, rue Dolomieu, 38000 Grenoble
Propriétaire : Ville de Grenoble
Ouverture : t.l.j., de 7 h 30 à 18 h (20 h en été) ; serres, de 7 h 30 à 11 h 30 et de 13 h à 16 h ; tél. : 76.44.67.68
Muséum (t.l.j. sauf mar.) et salle des « eaux vives », animation pour scolaires
Accès : centre ville, face à la mairie

Château du Touvet ★★★

Le Touvet

Le torrent sublimé. Autour du château rénové au XVIIIe siècle pour le comte de Marcieu, les créateurs de jardins se devaient d'être à la mesure du décor naturel environnant : les premiers escarpements du massif de la Chartreuse sur lesquels ils s'adossaient, la grandiose vallée du Grésivaudan et la chaîne de Belledone qui leur faisaient face. Avec une grande intelligence du lieu, le maître Letellier, le sieur Potin et le maître maçon Venture ont réalisé entre 1758 et 1771 un chef-d'œuvre de l'architecture de jardin, l'un des plus remarquables escaliers d'eau existants en France.

Ils ont capté les eaux vives de la montagne, les mettant en réserve dans un vaste bassin, puis les libérant dans une fontaine centrale, les conduisant dans une succession de plans d'eau par des escaliers droits, des escaliers ovales, eux-mêmes encadrés par les escaliers menant le visiteur au bassin du haut.

Le Touvet.

Les eaux ruisselantes et cascadantes sur chaque marche sont mises en valeur à la montée tandis que la descente offre une perspective liquide de miroirs d'eau aux formes variées. La composition se poursuit par les douves, la cour d'entrée, le château et la tour du pavillon d'entrée qui encadrent la vue sur la vallée. Reprenant en le simplifiant le très beau plan original que l'on peut voir dans le château, le paysagiste Jacques Segard a réalisé pour l'actuel propriétaire, M. de Quinsonas, des parterres de bégonias bordés de buis et ponctués de rosiers-tiges dont l'odeur vient s'ajouter au plaisir d'entendre toutes les musiques de l'eau. Plus secret, clos par une façade du château et par des murs, le petit jardin « de la comtesse », où embaument deux magnolias, ne s'ouvre que pour capter les plus belles vues, l'une sur la vallée, l'autre en diagonale sur les pâturages.

M.R.

Adresse : château du Touvet, 38660 Le Touvet
Propriétaire : M. de Quinsonas. Contact : Mme Rohar, tél. : 76.08.40.40
Ouverture : de Pâques à fin juin, dim. et jours fériés de 14 h à 18 h ; du 1er juillet à la Toussaint, sam., dim., de 14 h à 18 h
Accès : à 30 km au nord-est de Grenoble par A41, sortie Le Touvet ou N90

Château de Virieu ★

Virieu

Au pied du château de forme irrégulière (commencé au XIe siècle) et de sa cour d'arrivée, s'étendent au sud des jardins « remis à la française » ; d'abord le potager, avec bassin central et jet d'eau puis un jardin régulier. A l'ouest, plusieurs étages de terrasses forment un second jardin à la française au dessin très simplifié conduisant le regard vers une belle échappée. Bordées d'un verger et d'un théâtre de verdure, une allée centrale et deux allées cavalières ont été plantées de tilleuls au couchant.

M.R.

Vizille.

Adresse : château de Virieu, 38730 Virieu
Propriétaire : M. F.H. de Virieu, tél. : 74.88.20.10 ou 74.88.27.32
Ouverture : visites des jardins les dim. de juin et d'octobre de 14 h à 18 h ou visibles lors de la visite du château, du 1er juillet au 30 septembre, t.l.j. (sauf lun.) de 14 h à 18 h
Accès : à 12 km au sud de La Tour-du-Pin par D17

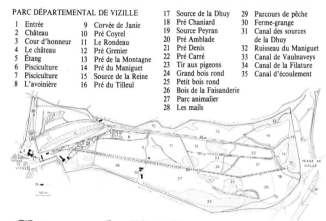

PARC DÉPARTEMENTAL DE VIZILLE
1 Entrée
2 Château
3 Cour d'honneur
4 Le château
5 Étang
6 Pisciculture
7 Pisciculture
8 L'avoinière
9 Corvée de Janie
10 Pré Coyrel
11 Le Rondeau
12 Pré Grenier
13 Pré de la Montagne
14 Pré du Maniguet
15 Source de la Reine
16 Pré du Tilleul
17 Source de la Dhuy
18 Pré Chaniard
19 Source Peyran
20 Pré Amblade
21 Pré Denis
22 Pré Carré
23 Tir aux pigeons
24 Grand bois rond
25 Petit bois rond
26 Bois de la Faisanderie
27 Parc animalier
28 Les mails
29 Parcours de pêche
30 Ferme-grange
31 Canal des sources de la Dhuy
32 Ruisseau du Maniguet
33 Canal de Vaulnaveys
34 Canal de la Filature
35 Canal d'écoulement

Château de Vizille ★★★

Vizille

Lieu de condensation de l'histoire régionale et nationale, le parc a subi de nombreuses transformations, dues en partie aux différents courants de pensée en matière d'art des jardins, depuis sa création, en 1620, par le connétable de Lesdiguières. D'abord jardins de style Renaissance avec pour axe et perspective principale une importante pièce d'eau régulière et centrale, ce parc se dégrade au cours du XVIIIe siècle. Il est alors occupé par des manufactures de toiles imprimées. Au XIXe siècle, les jardins réguliers sont remaniés dans l'esprit des jardins romantiques de l'époque avec notamment le remodelage des rives de la pièce d'eau.

Acquis au XXe siècle par l'État, ce domaine de 100 ha devient résidence d'été du président de la République. Une roseraie y est alors aménagée. Le Département en hérite en 1973, et installe l'actuel parc animalier, ainsi que le parcours de pêche.

On retrouve aujourd'hui les traces de chacune de ces époques, la pièce d'eau, un joli parterre latéral, des pelouses et des bois traversés de chemins et de canaux, un peuplement végétal très important.

F.I.C.

Adresse : château de Vizille, 38220 Vizille
Propriétaire : Conseil général de l'Isère, tél. : 76.68.27.25
Ouverture : t.l.j. (sauf mar.), du 1er avril au 30 septembre, de 9 h à 19 h et du 1er octobre au 30 mars de 10 h à 17 h
Musée de la Révolution française
Accès : à 17 km au sud-est de Grenoble par N85

LOIRE 42

Les Grands Murcins ★

Arcon

L'arboretum expérimental, créé en 1936 sur les monts de la Madeleine à 780 m d'altitude, offre 150 espèces de feuillus et de résineux et une très belle vue. Sapins de Low, de Vancouver et tsugas particulièrement remarquables.
M.R.

Adresse : les Grands Murcins, 42370 Arcon
Propriétaire : Caisse d'Épargne de Roanne, maison forestière, tél. : 77.65.80.38
Ouverture : permanente, visites libres ; visites guidées pour groupes sur demande
Accès : à 12 km à l'ouest de Roanne par D51

Château de l'Aubépin ★

Fourneaux

Créé en 1680 pour Claude Delle de Saint-Colombe de l'Aubépin, ce jardin à la française serait l'œuvre d'un élève de Le Nôtre : on a retrouvé dans une allée un jeton du Conseil des Jardins du Roi. Il a été reconstitué selon les plans d'origine, avec parterres ponctués d'ifs en cônes, quatre charmilles et l'esplanade offre une belle vue, depuis, sur le Forez.
M.R.

Adresse : château de l'Aubépin, 42470 Fourneaux
Propriétaire : Mme de Choiseul Praslin, tél. : 77.62.44.09
Ouverture : du 15 avril au 1er octobre, les ven., sam., dim., lun., de 11 h à 17 h, et le sam. hors saison
Accès : à 23 km au sud-est de Roanne par N7

La Bastie d'Urfé ★★★

Saint-Étienne-le-Molard

Une merveille de l'art rustique. C'est un grand bonheur de pouvoir découvrir au pied des monts du Forez une salle de fraîcheur du XVIe siècle, miraculeusement conservée, malgré la fragilité de ses rocailles. Si les amateurs de jardins connaissent la grotte de Castello à Florence, réalisée en 1640 par Amanati et Tribolo, s'ils savent qu'il ne reste rien de celles des Tuileries ou de Saint-Germain, s'ils se lamentent de la disparition des décors intérieurs de la grotte des Pins à Fontainebleau (1643) et encore plus de leur récente réinvention, peu d'entre eux

Dans la salle de fraîcheur. La Bastie d'Urfé.

savent que la France possède encore un témoignage exceptionnel de cette période des grottes rustiques. Contrairement à la grotte artificielle faussement naturelle des XVIIIe et XIXe siècles, la salle de fraîcheur où la grotte est un espace très sophistiqué, constituant le lieu le plus merveilleux des jardins de la Renaissance. Comme dans un rêve, on découvrait dans la pénombre et les jets d'eau des personnages de légende, des animaux et des matériaux extraordinaires.
Commandées par Claude d'Urfé en 1548, les deux salles de la Bastie sont couvertes de coquillages, de concrétions et de pierres colorées assemblés en panneaux décoratifs et en personnages. Dépourvues de sexes, les cariatides n'en sont pas moins dotées de petits tuyaux de plomb destinés jadis à faire pisser l'eau sur les visiteurs. On a dit les décors inspirés du Songe de Poliphile, de la mythologie, mais il semble prudent d'attendre un travail sérieux sur le sujet pour avancer des interprétations de cette œuvre fascinante. Devant le château, un jardin à compartiments rectangulaires a été reconstitué vers 1960 d'après un plan de 1804. Il met en valeur un joli petit temple d'amour.
M.R.

Adresse : la Bastie d'Urfé, 42130 Saint-Étienne-le-Molard
Propriétaire : Association La Diana, tél. : 77.97.54.68
Ouverture : t.l.j. (sauf mar.) de 9 h à 11 h 30 et de 14 h 30 à 17 h 30
Spectacles, expositions
Accès : à 50 km au nord-ouest de Saint-Étienne par A72 sortie Fleurs-Boen, à 21 km au nord de Montbrison par D8 et N89

RHÔNE 69

La Rivette ★

Caluire-et-Cuire

Une forte inspiration toscane caractérise ce jardin au système hydraulique complexe avec grotte et nymphée. Il fut réalisé par J.-G. Soufflot entre 1738 et 1740 pour J.-B. Pitra. Une maison de plaisance à l'italienne et un jardin en terrasses descendant vers la Saône forment une croix de Malte avec en son centre un bassin circulaire à eaux jaillissantes. En assez mauvais état, il mérite cependant une petite visite pour tous ceux qui sont intéressés par l'art de Soufflot qui a, parmi d'autres, dessiné cinq jardins en région lyonnaise.   P.P.

Adresse : la Rivette, 17, montée des Forts, 69300 Caluire-et-Cuire
Propriétaire : propriété privée
Ouverture : sur demande écrite à la copropriété La Rivette
Accès : périphérie nord de Lyon

Parc de la Tourette ★

Éveux

S'étendant autour du couvent dû à Le Corbusier, ce parc mérite d'être visité. Mis en valeur par la famille Claret à partir du XVIIIᵉ siècle et plus particulièrement par Marc Antoine Claret de la Tourette, botaniste averti, le parc est planté de nombreuses espèces végétales et ceci sur les traces de B. de Jussieu, de l'abbé Rozier ou de Gilibert.   P.P.

Adresse : couvent Le Corbusier, 69210 Éveux
Propriétaire : Association les Amis de la Tourette. Renseignements, tél. : 74.01.01.03
Ouverture : permanente, visites libres ; couvent, t.l.j.
Accès : à 20 km au nord-ouest de Lyon par N7, à 3 km au sud-est de L'Arbresle par D19

Jardin Rosa Mir ★★

Lyon

Très intéressant et insolite ce jardin, conçu de 1957 à 1983 par Jules Sénis Mir, est avant tout la concrétisation d'un vœu fait après la guérison d'une longue maladie. Sous une structure régulière, il présente tantôt des colonnes ou des piliers, tantôt des colonnettes ou des jardinières tout incrustées de

coquillages, de pierres jaunes, d'huîtres, de roses des sables, de coquilles Saint-Jacques ou de galets. La végétation se limite à des cactus et autres plantes exotiques. Un jardin à voir mais aussi un jardin qui interpelle la pensée et l'imaginaire.   P.P.

Adresse : jardin Rosa Mir, 83, grande-rue de la Croix-Rousse, 69004 Lyon
Propriétaire : Ville de Lyon
Animation : Association du jardin Rosa Mir. Renseignements (mairie du 4ᵉ), tél. : 78.28.02.36
Ouverture : de mai à octobre les 2ᵉ et 4ᵉ sam. du mois de 15 h à 18 h
Accès : nord du centre ville, quartier de la Croix-Rousse

Jardin du palais Saint-Pierre ★

Lyon

En plein cœur de Lyon, jouxtant l'hôtel de ville : un jardin. De l'eau, de la fraîcheur, des arbres, des statues, des bancs, c'est simple mais suffisant pour en faire un espace accueillant, peu connu et peu fréquenté. Un lieu où il fait bon se retirer un instant le temps d'une pause, avant de se replonger, le portail passé, dans la foule pressée de la place des Terreaux. Un contraste à saisir, une ambiance à apprécier, cet ancien jardin conventuel des sœurs bénédictines est, paradoxe de l'histoire, le jardin d'un instant.   P.P.

Adresse : palais Saint-Pierre, 20, place des Terreaux, 69001 Lyon
Propriétaire : Ville de Lyon, tél. : 78.89.53.52 (S.E.V.)
Ouverture : t.l.j. de 8 h à 18 h (19 h 30 en été), 9 h le dim. ; fermé les jours fériés
Musée des Beaux-Arts et l'Art contemporain
Accès : derrière l'hôtel de ville

Parc de la Tête d'Or ★★★

Lyon

Les Lyonnais du début du XIXᵉ siècle manquaient de grandes promenades publiques. Pour « donner la campagne à ceux qui n'en ont pas », le préfet Vaïsse décida en 1856 de confier l'aménagement d'un vaste parc à son ingénieur, G. Bonnet. Il s'agissait de réaliser un parc « dans le genre paysager avec de grands effets de prairies et de groupes d'arbres en

La Tête d'Or. Lyon.

ménageant les plus jolis points de vue des environs ». Le dessin fut confié aux frères Eugène et Denis Bühler, paysagistes suisses. Ils creusèrent un lac de 16 ha alimenté par le Rhône tout proche et un réseau d'allées sinueuses reliant les bosquets. Ouvert dès 1857 alors qu'il n'était pas achevé, le parc reçut progressivement le jardin botanique et son orangerie. Les grandes serres et le « grand dôme » furent réalisés en 1877-1880 par l'ingénieur Domenget, suivis des serres de collection, de serres de reproduction, de serres pour les plantes aquatiques tropicales et bien d'autres encore. Chaque génération aura laissé son empreinte sur ce très vaste parc de 111 ha. On remarquera en particulier les grilles de l'entrée principale dessinée par Ch. Meyssonn en 1900, la roseraie plus récente composée de 70 000 rosiers, la roseraie historique comportant environ 400 variétés, la collection d'hybrides (environ 50 variétés), l'arboretum et l'école de botanique.   M.R.

Adresse : parc de la Tête d'Or, place Leclerc, 69006 Lyon
Propriétaire : Ville de Lyon, tél. : 78.89.53.52 (S.E.V.)
Ouverture : t.l.j. de 6 h à 23 h du 1er avril au 30 septembre et de 6 h à 21 h du 1er octobre au 31 mars ; jardin botanique : en hiver, de 8 h à 11 h 30 et de 13 h à 17 h ; en été, de 7 h 30 à 11 h 30 et de 13 h à 18 h ; serres : de 9 h à 11 h 30 et de 13 h 30 à 17 h ; jardin alpin : le matin du 1er mars au 1er novembre
Accès : au nord du centre ville

Château de Laye ★★

Saint-Georges-de-Reneins

Le parc, créé en 1850 par P. de Choulot, est de style paysager, romantique. Son intégration parfaite à la nature en fait un exemple à étudier. Il est l'un des parcs privés de cette époque le mieux entretenu et dont l'état et le dessin d'origine sont les plus fidèles au projet du concepteur. Les propriétaires, fortement sensibilisés, essaient de diversifier la palette végétale pour lui donner une composante botanique.   P.P.

Adresse : château de Laye, 69830 Saint-Georges-de-Reneins
Propriétaire : M. Ch. de Fleurieu, tél. : 74.67.62.76
Ouverture : sur demande pour des groupes
Accès : à 10 km au nord de Villefranche-sur-Saône

Château de Pizay ★★

Saint-Jean-d'Ardières

Jardin régulier réalisé en 1639 au cœur du vignoble du Beaujolais. Dans un état d'entretien impeccable, le dessin qui nous est parvenu présente une série d'ifs taillés disposés en une vaste marelle étoilée avec en son centre un bassin. Il subsiste également une magnifique galerie de charmes et quelques cabinets de verdure.   P.P.

Adresse : château de Pizay,
69220 Saint-Jean-d'Ardières
Propriétaire : S.C.I. du château de Pizay,
tél. : 74.66.26.10. Responsable : M. Dufaitre
Ouverture : visites libres, t.l.j.
Hôtel (tél. : 74.66.51.41) et restaurant, dégustation
de vins (morgon)
Accès : à 18 km au nord de Villefranche-sur-Saône
par A6, sortie Belleville et D18

Dans le Beaujolais. Pizay.

Le Lac enchanté ★ ★

Vernaison

Commencé en 1835 par Henri Broche, l'aménagement des deux propriétés a été poursuivi et achevé en 1913 par son petit-fils, Philippe Broche, un marchand d'armes cultivé, épicurien, inspiré et grand voyageur. Celui-ci décrit ses jardins dans un guide : le premier, « grand, large et ouvert, produit une impression de mouvement et de gaieté tandis que l'autre forme un nid de verdure retiré donnant une impression de calme ». L'eau joue un rôle essentiel dans la composition avec, au centre, le « Lac enchanté », un vaste bassin suspendu au-dessus du « salon de l'Esprit des Eaux », puis des systèmes hydrauliques complexes distribuant l'élément qui donne vie aux différentes fabriques. Kiosques ou pavillons aux noms évocateurs, « kiosque des Libellules », « kiosque de la Vache », « kiosque du Tigre », « kiosque de la Baigneuse », « la villa Galatée », « le pavillon de l'Esprit des Eaux »..., jalonnent les cheminements de leurs évocations extrême-orientales ou mythologiques. Poursuivant la tradition des visites telles qu'elles se faisaient au temps d'Henri Broche qui avait installé un « Salon du livre d'or », les visiteurs sont invités à laisser quelques lignes dans le registre — une manière de répondre aux sentences qui les auront accompagnés durant leur promenade. L'une d'entre elles sera suivie à la lettre par le créateur qui se suicida avec une grande mise en scène à l'âge de 86 ans après avoir achevé son œuvre : « un rêve qui se réalise est un rêve qui se meurt » avait-il écrit.

M.R.

Adresse : le Lac enchanté, 770, chemin des Gaupières, 69390 Vernaison
Propriétaires : M. et Mme Lejard-Ruffet
Ouverture : journée Parcs et Jardins, début juin ; journée nationale des monuments historiques (dates variables : s'adresser au délégué régional au tourisme)
Accès : à partir de Vernaison, CD36

SAVOIE 73

Château-prieuré ★
du Bourget-du-Lac

Le Bourget-du-Lac

L'espace de l'ancien potager a été transformé au début du siècle en jardin à la française lorsque le château-prieuré fut acquis par une Américaine, Mrs Hamilton Pane. Autour d'un joli bassin avec jet d'eau, les ifs sont taillés en pièces de jeu d'échecs.

M.R.

Adresse : château-prieuré,
73370 Le Bourget-du-Lac
Propriétaire : Commune du Bourget-du-Lac,
tél. : 79.25.00.43
Animation : Association les Amis du Prieuré
Ouverture : permanente, visites libres ; château : tous les après-midi de fin juin à début septembre (tél. : 79.25.21.57)
Accès : à 10 km au nord de Chambéry par N504

Jardin de l'Europe

Annecy

Dessiné en 1859 par le paysagiste Poreaux, le parc assure à la fois le lien entre la ville et le lac et entre les rives du lac coupées par le canal du Vassé et le Thiou. Très apprécié pour sa fraîcheur et sa vue sur le lac et les Alpes, ce parc, dont quelques beaux arbres sont étiquetés, mériterait d'être régénéré.

M.R.

Adresse : jardin de l'Europe, 74000 Annecy
Propriétaire : Ville d'Annecy, tél. : 50.33.65.55
Ouverture : permanente, visites libres
Accès : derrière l'hôtel de ville

Jardin botanique la Jaysinia

★ ★ ★

Samoëns

Apprendre et se délecter. Créé de toutes pièces à l'initiative de Marie-Louise Cognac-Jay qui souhaitait offrir à sa commune natale un atout touristique, ce jardin de 3,5 ha s'ouvre au cœur du village par une allée grimpant en lacet parmi les rochers, un petit torrent, de nombreuses cascades, des coins d'ombre, des vallons ensoleillés et la flore alpine de toutes les parties du monde. Sur un site escarpé où, selon la légende, la propriétaire et fondatrice de la Samaritaine avait gardé les chèvres, l'architecte-« jardiniste » Jules Allemand créa un paysage de rocaille parfaite-

JARDIN BOTANIQUE DE LA JAYSINIA

A Villa la Jaysinia
B Station d'écologie végétale
C Chapelle du château

Espèces repérées

1 Pin sylvestre (Pinus sylvestris)
2 Seringa à couronnes (Piladelphius coronarius)
3 Thuya géant (Thuya plicata)
4 Séquoia géant

20 Berce du Caucase (Heracleum mantegazzianum)
21 Sorbier de Scandinavie (Sorbus intermedia)
22 Buis commun (Buxus sempervirens)
23 Pin mugho (Pinus mugo)

24 Nerprun purgatif (Rhamnus cathartica)
25 Perruquier (Cotinus coggygria)
26 Cytise des Alpes (Laburnum alpinum)
27 Cotoneaster horizontal (Cotoneaster horizontalis)
28 Érable plane (Acer platanoïdes)
29 Igname du Caucase (Dioscorea caucasica)
30 Sapinette d'Orient (Picea orientalis)
31 Sapin de Nordmann (Abies nordmanniana)
32 Saule pourpre (Salix purpurea)
33 Saule faux daphné (Salix daphnoïdes)
34 Pin de Salzmann (Pinus nigra ssp. salzmannii)
35 Acanthe (Acanthus mollis)

36 Sapin d'Espagne (Abies pinsapo)
37 Cotoneaster thym (Cotoneaster thymifolia)
38 Cerisier à grappes (Prunus padus)
39 Orangers des Osages (Toxylon pomiferum)
40 Camerisier des Pyrénées (Lonicera pyrenaica)
41 Rhapontique des Pyrénées (Leuzea rhapontica)
42 Cytise de Provence (Cytisus sessilifolius)
43 Millepertuis inodore (Hypericum inodorum)
44 Angélique à grappes (Aralia racemosa)
45 Cotoneaster brun-noirâtre (Cotoneaster obscura)
46 Peuplier de l'Ontario (Populus candicans)
47 Saxifrage aquatique (Saxifraga aquatica)
48 Marsault (Salix caprea)
49 Épicea (Picea abies)
50 Sorbier néflier lisse
51 Chêne rouvre (Quercus robur)
52 Cornouiller mâle (Cornus mas)
53 Sumac toxique (Rhus toxicodendron)
54 Pin noir d'Autriche (Pinus nigra ssp. nigra)
55 Sorbier hybride faux aria (Sorbus xarioides)
56 Sureau noir à feuilles laciniées (Sambucus nigra var. laciniata)
57 Caragan de bois (Caragana boisii)
58 Sapin blanc (Abies alba)
59 Bruyère de Darley (Erica × darleyensis)
60 Cotoneaster de Franchet (Cotoneaster franchetii)
61 Houx commun inerme (Ilex aquifolium fa. inermus)
62 Pivoine du R.P. Delavay (Paeonia delavayi)

72 Chêne rouge d'Amérique (Quercus rubra)
73 Tilleuls à longs pédoncules (Tilia petiolaris)
74 Thuya occidental (Thuya occidentalis)
75 Cyprès de Nootkat (Chamaecyparis nootkatensis)
76 Cyprès de Lawson (Chamaecyparis lawsoniana)
77 Cèdre blanc (Libocedrus decurrens)
78 Frêne d'Amérique (Fraxinus americana)
79 Pruche du Canada (Tsuga canadensis)
80 Angélique épineuse (Aralia spinosa)
81 Marronnier jaune (Aesculus octandra)
82 Ronce hérissée (Rubus hirtus)
83 Févier à trois épines (Gleditschia triacanthos)
84 Houx commun (Ilex aquifolium)
85 Groseiller des Alpes (Ribes alpinum)
86 If commun (Taxus baccata)
87 Sureau noir (Sambucus nigra)
88 Parrotia de Jacquemont (Parrotiopsis jacquemontiana)
89 Camerisier des haies (Lonicera xylosyeum)
90 Cerisier à grappes de Maack (Prunus maackii)
91 Camerisier des Alpes (Lonicera alpigena)
92 Cornouiller stolonifère (Cornus stolonifera)
93 Cembrot arole (Pinus cembra)
94 Pin de Sabine (Pinus sabiniana)
95 Desmolie du Canada (Desmodium canadense)
96 Virgilier (Cladastris lutea)
97 Mélèze d'Europe (Larix decidua)
98 Caragan à grandes fleurs (Caragana grandiflora)
99 Rhododendron cilié (Rhododendron hirsutum)
100 Uvette de Gérard (Ephedra gerardiana)
101 Daphné du pont (Daphné pontica)
102 Saxifrage de Catalogne
103 Cotylédon (Saxifraga cotyledon)
104 Châtaignier (Castanea savita)
105 Sabine (Juniperus sabina)
106 Tilleul à feuilles cordées (Tilia cordata)
107 Charme (Carpinus belutus)
108 Hybride de Neubert (× Mahoberbéris neubertii)
109 Bouleau blanc (Betula pendula)
110 Épine-vinette de Wilson (Berbéris wilsonae var-subcaulialata)
111 Orme nain (Ulmus fumilia var arborea)
112 Coudrier (Corylus avellana)

ALTITUDE 780m.

5 Deutzie scabre (Deutzia scabra)
6 Marronnier d'Inde (Aesculus hippocastanum)
7 Tilleul à grandes feuilles (Tilia platyphyllos)
8 Noisetier des sorcières (Hamamelis mollis)
9 Catalpa commun (Catalpa signonodides)
10 Hêtre pourpre (Fagus sylvatica cv. ateopunicea)
11 Érable des Cappadoces (Acer cappadocicum fa. rubrum)
12 Noyer commun (Juglans regia)
13 Amandier nain (Prunus tenella)
14 Érable champêtre (Acer campestre)
15 Pin pumilio (Pinus mugo var. pumilio)
16 Pin de l'Himalaya (Pinus wallichiana)
17 Sapin de Céphalonie (Abies cephalonica)
18 Marronnier rouge (Aesculus × carnea hayne)
19 Cèdre du Liban (Cedrus libani)

ALTITUDE 700m.

63 Viorne du R.P. David (Viburnum davidii)
64 Genévrier de Pfitzer (Juniperus chinensis fa. pfitzerriana)
65 Saxifrage peltée (Peltiphylium peltatum)
66 Cotoneaster à feuilles de saule (Cotoneaster salicifolia)
67 Potentille frutescente (Potentilla fruticosa)
68 Épine-vinette candide (Berbéris candidula)
69 Mahonia à feuilles de houx (Mahonia aquifolium)
70 Églantier de Roxburgh (Rosa roxburghi)
71 Bambou varié (Pleioblastus variegatus)

Adresse : jardin botanique alpin et station d'écologie végétale la Jaysinia, 74340 Samoëns
Propriétaire : Commune de Samoëns, tél. : 50.34.40.38. Gestionnaire : Muséum d'histoire naturelle, tél. : 50.34.49.86 (laboratoire), responsable local : M. Farille
Ouverture : t.l.j. de 8 h à 12 h et de 13 h 30 à 20 h (17 h 30 en hiver) ; spectacles, concerts, expositions, visites commentées sur rendez-vous
Le jardin Corbet, situé à 1 800 m, prolonge le jardin pour les floraisons de juillet
Accès : à 21 km au nord-est de Cluses par D909 et D907 à Taninges

ment intégré au site naturel et parcouru de sentiers et d'escaliers s'étageant sur 80 m de dénivellation. Il fallut ouvrir l'allée à la dynamite, apporter d'énormes blocs de rochers, les relier par des tiges d'acier, cimenter, monter et descendre de la terre, conduire l'eau, planter des milliers d'espèces végétales. Puis il fallut entretenir. Inauguré en 1906, le jardin fut complété en 1936 par un laboratoire afin de maintenir et développer la collection dans le respect de la vocation initiale du lieu : celle d'un jardin de délectation et de découverte. Parmi les 4 000 espèces dont 500 d'arbres et d'arbustes réparties en secteurs, évoquons les saxifrages, joubarbes, sedums, genévriers et chardons bleus des Alpes pour vous inciter à voir ce jardin en toutes saisons. Si le mois de juin offre le plus de floraisons, le jardin est aussi somptueux sous la neige.   M.R.

Domaine de Ripaille ★ ★
T h o n o n - l e s - B a i n s

Prolongeant la cour d'honneur et séparant le château du prieuré, un jardin régulier de 0,7 ha avec massifs rectangulaires bordés de plates-bandes de roses relevées de traits de buis, se termine par une terrasse en hémicycle. Les nombreux bancs de pierre et la terrasse suspendue plantée de gazon incitent à la contemplation du lac Léman, du Jura et des Alpes, vues lointaines relevées par les masses de cyprès,

En haut : la Jaysinia.

Ci-dessous : au bord du lac Léman. Ripaille.

pins parasols, catalpa, citronniers de Chine qui viennent en premier plan. Entre la façade sud et les fossés s'étendent les jardins des cellules, un parterre à la française et l'ossature d'une charmille. L'arboretum (19 ha), planté de 1930 à 1934 par André Engel, permet de découvrir 58 essences différentes, en particulier des résineux adaptés à la région, sapins Douglas, de Vancouver, *Thuya gigantea* et, un succès inattendu, le pin excelsa.

Sur l'ancien territoire de chasse des comtes de Savoie, la vieille forêt, qui s'étend sur 50 ha et peuplée de chevreuils, est traversée d'allées en étoiles. On peut y admirer une futaie de chênes rouvres de deux siècles et le tronc majestueux du chêne d'Amédée, un arbre vénérable né au XVᵉ siècle.   M.R.

Adresse : domaine de Ripaille,
74200 Thonon-les-Bains
Propriétaires : château et jardins : Fondation Ripaille, tél. : 50.26.64.44 ; arboretum : famille Necker, Ville de Thonon
Ouverture : jardins avec visite guidée du château et de la chartreuse, du 1ᵉʳ avril au 15 juin, t.l.j. de 14 h à 18 h ; du 16 juin au 15 septembre, t.l.j., de 10 h à 19 h ; du 16 septembre à fin septembre, de 14 h à 18 h ; arboretum : t.l.j., sauf lun., du 16 septembre au 1ᵉʳ mai, de 10 h à 16 h 30 ; du 1ᵉʳ mai au 15 septembre, de 10 h à 19 h.
Renseignements sur l'arboretum, mairie de Thonon, tél. : 50.71.71.00
Accès : à 2 km au nord-est de Thonon-les-Bains

Le Labyrinthe aux oiseaux ★★★

Yvoire

Les oiseaux se rient du labyrinthe. C'est un jardin pour la poésie, un labyrinthe pour rire, un prétexte à partager les plaisirs des cinq sens. Créé par Alain Richert en pleine complicité avec une équipe de passionnés et les propriétaires, Yves et Anne-Monique d'Yvoire, ce jardin de 0,25 ha est conçu pour que la promenade soit une succession de petits détours épicuriens. Séparé par une ruelle du château d'Yvoire dont la belle toiture domine les rives du lac Léman, l'ancien verger clos de murs est ouvert depuis 1988, après une série de travaux considérables. La partie haute est d'abord composée d'un carré alpin planté de violettes, serpolet, fétuques, gentianes, crocus-phlox, *Tunica saxifraga*, puis d'un petit sous-bois offrant un joli point de vue sur le château grâce à un parterre original en premier plan : un « tissage » d'avoine bleue rustique et de roses anciennes (Blanc double de Courbet) dont la trame reste ouverte, comme une pièce d'étoffe découpée. Derrière une charmille en arcade, le petit cloître de verdure est un jardin de simples très classique avec quatre carrés bordés de buis autour d'une

vasque d'eau. En contrebas, le labyrinthe a repris le plan en croix de l'ancien potager. Le bassin central a été coiffé d'une volière où roucoulent des tourterelles. Autour de ce volume qui évoque le château en miniature, chacun des quatre jardins entourés de charmilles et de fruitiers est consacré aux sens : le premier au goût avec fraisiers, framboisiers, cassis, myrtilliers, céleri, hémérocalles, rhubarbe ; le deuxième à l'odorat avec chèvrefeuilles, roses, viornes, daphnés, mahonias ; le troisième aux textures avec euphorbes, hellébores, *Cephalaria gigantea*, *Inula magnifica*, iris et absinthe dont les feuillages sont particuliers au toucher ; enfin le dernier à la vue et aux couleurs avec un camaïeu de bleu et violet : géranium bleu, gentiane, véronique, iris, campanule, sauges, lychis... Il faut voir ce jardin neuf, et le revoir bientôt : tout pousse très vite sur les bords du Léman.   M.R.

Un jardin neuf. Yvoire.

Adresse : le Labyrinthe aux oiseaux, 74140 Yvoire
Propriétaires : Yves et Anne-Monique d'Yvoire, tél. : 50.26.62.16
Ouverture : du 1ᵉʳ mai au 30 septembre, t.l.j. de 10 h à 19 h ; en octobre, de 11 h à 17 h ; groupes sur rendez-vous
Le château ne se visite pas. Boutique, expositions
Accès : à 25 km au nord-est de Genève par N37 puis à gauche à Douvaine ou à 16 km à l'ouest de Thonon-les-Bains par N5 et D25

Les Jardins en France et les hommes

Créateurs, amateurs, conseillers, théoriciens, ingénieurs,
botanistes et horticulteurs
ayant réalisé des jardins remarquables en France
ou apporté une contribution marquante à l'histoire des jardins
(voir le chapitre « Créateur » en introduction)

Cette liste ne prétend pas à l'exhaustivité et reste donc ouverte. Elle a été établie à partir de celle, publiée en 1949 par Ernest de Ganay dans *les Jardins en France*, Éd. Larousse (88 noms). Elle a été complétée par Catherine Royer (37 noms supplémentaires de paysagistes du XIXᵉ siècle à nos jours) et par nous-même (120 noms). Il nous a paru utile de livrer l'état actuel de nos informations, afin de faciliter les recherches ultérieures. On ne s'étonnera donc pas de voir figurer ici certains noms très incomplètement documentés, en particulier les paysagistes régionaux et locaux. La documentation concernant les créateurs de jardins devrait trouver un regain d'intérêt dans les années qui viennent... Nous saluons, par avance, ceux qui permettront d'améliorer nos connaissances dans ce domaine. M.R.

ALBERTAS Jean-Baptiste d' (1716-1790). Créateur de jardins à Bouc-Bel-Air, Géménos et de la place d'Albertas à Aix-en-Provence.

ALBON (comte d'). Dessine vers 1780 ses curieux jardins pittoresques de Franconville, avec de nombreuses fabriques.

ALEXANDRE Marcel. Architecte orientaliste, jardin de la Pagode à Paris, Maulévrier (c. 1900).

ALPHAND Jean-Charles-Adolphe (1817-1891). Ingénieur, chargé sous le second Empire de transformer en parcs paysagers les bois de Boulogne et de Vincennes ; d'aménager les Buttes-Chaumont ; de modifier le parc Monceau, les Champs-Élysées ; de créer des squares — travaux exécutés sous sa direction par Barillet-Deschamps. Auteur des *Promenades de Paris* (1867-1873) et de *l'Art des jardins*, en collaboration avec le baron Ernouf (1868).

ANDANSON Aglaée. Créatrice du parc de Balaine (1804).

ANDANSON Michel (1727-1806). Né à Aix-en-Provence, botaniste du Roi, auteur d'un travail considérable de classification des plantes.

ANDRÉ Édouard (1840-1911). Travailla aux Buttes-Chaumont sous Alphand et Barillet-Deschamps : le Bois-Cornille (avec Bühler), Laversine, Baudry, Valençay, Courcelles, Bois-Renault, la Chaumette, Montereau, Caradeuc, L'Haÿ-les-Roses, parc Saint-Roch (Le Pin), jardin des Plantes d'Angers, château du Lude, parc de Monte-Carlo ; auteur de *Parcs et Jardins* (1879). Son fils René-Édouard suivit la même carrière.

ARNOLD DE VILLE (1653-1722). Liégeois, ingénieur de la Machine de Marly.

AUMONT Georges. Successeur de Barillet-Deschamps. Parc de Barbieux (1867) à Roubaix.

AUZELLE Robert (1913-1983). Architecte-urbaniste, créateur de cimetières, auteur d'ouvrages sur les cimetières. Fondation Coubertin (c. 1980).

BAC Ferdinand (1859-1952). Dessinateur, écrivain devenu paysagiste et promoteur d'un style « méditerranéen ». Villa Croisset à Grasse, villa Fiorentina à Saint-Jean-Cap-Ferrat, villa Sylvia, les Colombières à Menton.

BARILLET-DESCHAMPS Pierre (1824-1873). Bois de Boulogne (en partie) ; Monceau, Buttes-Chaumont, Vincennes, Champs-Élysées. Jardin Vauban à Lille.

BEAUCANTIN. Dynastie de jardiniers depuis cinq générations en Normandie, dont le dernier fut Raoul Beaucantin, fils d'Émile (1866-1926).

BEAUHARNAIS Joséphine de (1763-1814). Née à la Martinique, l'impératrice créa le jardin de Malmaison et regroupa les chercheurs de plantes ; sa pépinière eut une activité intense.

BÉLANGER François-Joseph (1744-1818). Architecte et décorateur. Hôtel Dervieux à Paris ; Bagatelle, Sainte-James ; Saint-Germain et Maisons (projets) ; La Butte à Bellevue ; Méréville ; jardin Beaumarchais à Paris, etc.

BELLEVAL Pierre Richer de (1564-1632). Botaniste, créateur du jardin des Simples et de « la Montagne » au jardin des Plantes de Montpellier.

BERTHAULT Louis-Martin (1767 (?)-1823 ; naquit, selon certains auteurs, en 1771). Malmaison, Saint-Leu, Compiègne, Pontchartrain, Le Raincy, Armainvilliers, Jouy, Béville, Prulay ; les Coudreaux, château Margaux, etc.

BLAIKIE Thomas (1758-1838). Jardinier écossais ayant travaillé en France et contribué à y introduire le jardin anglo-chinois. Bagatelle, parc Monceau, parc de l'actuelle Fondation Cartier.

BLONDEL Jacques-François (1667-1754). Fils de l'architecte François Blondel. Professeur d'architecture. S'est efforcé de lutter contre la mode des jardins anglais pour maintenir le style de Le Nôtre. Auteur de *Architecture française ou recueil de plans...* (1752).

BONPLAND Aimé (1773-1858). Botaniste découvreur de 6 000 plantes nouvelles en Amérique du Sud.

BOUCHER François (1703-1770). Peintre et décorateur, ami de Watelet.

BOUTICOURT. Dessinateur de jardins.

BOYCEAU DE LA BARAUDERIE Jacques († vers 1630-1635). Auteur du *Traité du Jardinage* (1638, posthume), publié par Jacques de Menours, son neveu. Luxembourg. Versailles.

BRISSAC Gilles de. Créateur contemporain. Jardins d'Apremont, de La Celle-les-Bordes.

BROSSE Gui de (?-1641). Médecin de Louis XIII, fondateur du Jardin royal d'herbes médicinales dans le faubourg Saint-Victor.

BROSSE Salomon de († 1626). Luxembourg, Nymphée (?) ; aqueduc d'Arcueil. Monceaux, Coulommiers, etc.

BUFFON Georges Louis Leclerc, comte de (1717-1788). Botaniste né à Montbard ; auteur de l'*Histoire naturelle* en 44 volumes, agrandissement du jardin des Plantes à Paris, jardin de Montbard.

BUHLER Denis, l'aîné (1811-1890). — **BUHLER** Eugène, le cadet (1822-1907). Parc de la Tête d'Or à Lyon, les Touches en Touraine, Esclimont, Bonnétable, le Thabor à Rennes, Épernay (propr. Moët), Le Bois-Cornillé (avec Édouard André), Pibrac, etc. Parc Chambrun à Nice, Parc bordelais, Combourg, Oberthur, Kerguehennec, sud du parc de Richelieu, les Prébendes d'Oe, parc de l'hôtel de ville à Épernay, Courson, plateau des Poètes à Béziers, château de la Villeneuve à Bellebrune, jardin botanique de Bayeux.

BUREN. Sculpteur contemporain, cour du Palais-Royal.

BUSSIÈRE Paul de. Schoppenwhir (milieu du XIXᵉ siècle).

CARAMAN Victor-Maurice de Riquet, comte de (1727-1807). Dessina les jardins de Roissy ; fit un plan pour les jardins de Marie-Antoinette à Trianon.

CARMONTELLE Louis Carrogis de (1717-1806). Auteur dramatique, illustrateur, dessinateur de jardins. Composa les jardins de Monceau, dont il donna les vues dans un recueil en 1779 ; dessina de nombreux portraits (musée Condé, Chantilly).

CARTAUD Jean-Sylvain (1675-1759). Châteaux de Montmorency, de Neuilly (d'Argenson), etc.

CARVALLO Joachim (1869-1936). Médecin d'origine espagnole, créateur des jardins de Villandry et fondateur de l'association la Demeure historique.

CAUS Salomon de (1576-1626). Ingénieur hydraulicien et architecte. Il travailla surtout en Angleterre et en Allemagne. Il dessina en 1615 un album de fontaines et de grottes. Auteur de *les Raisons des forces mouvantes*.

CHALGRIN Jean-François (1739-1811). Architecte. Élève de Servandoni. Montreuil (comtesse de Provence), Balbi (comtesse de Balbi), Brunoy, Luxembourg.

CHATELAIN. Architecte, dessina la Perrine et Courtaloin dans le Dunois.

CHEMETOFF Alexandre. Paysagiste contemporain. Jardin des usines Schlumberger à Montrouge, jardin de Bambous (parc de la Villette, Paris).

CHEVAL Joseph-Ferdinand (1879-1912). Dit le Facteur Cheval, créateur inspiré du Palais Idéal et de son tombeau à Hauterives.

CHEVOTET Jean-Michel (1698-1772). Hôtel Richelieu à Paris, Petit-Bourg, Arnouville, Thoiry, Champlâtreux, etc.

CHOULOT P. de. Auteur de l'*Art des jardins* (...) (1885). Château de la Thibaudière (c. 1840), château de Laye (1850).

CLÉMENT Gilles. Ingénieur horticole, paysagiste contemporain. Parc des Cévennes (Paris), jardin de l'abbaye de Valloires (Abbeville).

COLINOT (ou Colineau) Jean. Premier jardinier à Versailles, sous les ordres de Le Nôtre ; seul chargé de l'entretien du Petit Parc de Versailles depuis 1672.

COLLIN Daniel. Paysagiste contemporain, ingénieur en chef des parcs et jardins de la ville de Paris. Jardin Shakespeare (bois de Boulogne, Paris), parc floral de Vincennes (Paris), jardin des anciens abattoirs de Vaugirard (Paris).

COLLIN Lucienne. Paysagiste contemporain. Jardins du Point du Jour à Boulogne, parc Daniel Casanova (Saint-Denis), parc de Noisy-le-Grand.

COLLUEL. Créateur du Jard à Chalon-sur-Marne (XVIIIᵉ siècle).

COMMERSON Joseph-Philibert (1727-1773). Botaniste, grand voyageur et découvreur de nombreuses plantes (Amérique du Sud, océan Pacifique, île Maurice).

CONTANT D'IVRY Pierre (1698-1777). Saint-Cloud, Bizy, Brimborion-Bellevue. Arnouville (avec Chevotet), etc.

CORAJOUD Michel. Paysagiste contemporain. Parc Villeneuve de Grenoble, parc des Coudrays à Élancourt-Maurepas, parc du Sausset à Villepinte (Seine-Saint-Denis).

CROUX Gustave et Gabriel. Parc Croux (c. 1890). Pépinières Croux. Pépinières fondées en 1679.

DAVID. Architecte au Mans. Château de la Roche Bagnoles (1850).

DAVID Jean-Pierre Armand (1826-1900). Botaniste, découvreur de nombreuses plantes en Chine, en Mongolie, au Tibet.

DAVILLER. Architecte. Place du Peyrou (conçue à la fin du XVIIᵉ siècle, réalisée jusqu'en 1774).

DECORGES Louis (1872-1940). Travaux nombreux en Touraine : l'Orfraisière, Valesnes, Gerfault, la Bourdaisière, hôtel de Joyeuse à Amboise (restitution), etc. — Son fils, René Decorges, suit la même carrière.

DELACROIX. Architecte. Promenade Micaud (1843) à Besançon.

DELASELLE Georges. Amateur inspiré, créateur du jardin colonial de l'île de Batz (c. 1900), aujourd'hui jardin Georges Delaselle.

DELAVAY Jean-Marie (1834-1895). Botaniste originaire de Haute-Savoie, chasseur de plantes de montagne en Chine, découvreur de 1 800 espèces nouvelles.

DELBARD. Créé par Georges Delbard, auteur en 1947 de *les Plus beaux fruits de France*, ce puissant groupe horticole poursuit développement et innovations sous la direction de ses trois fils, François, Henri et Guy.

DELILLE abbé Jacques (1738-1813). Auteur du poème célèbre *les Jardins* (1782), aux multiples éditions. Souvent consulté pour le dessin des jardins.

DENIS Claude. « Fontainier » de Versailles (au XVIIᵉ siècle), ainsi que sa descendance.

DESCHAMPS Joseph (vers 1743-1788). Décore le temple de l'Amour à Trianon, sous les ordres de Mique, ainsi que le Belvédère.

DESGOTS Claude († 1732). Neveu de Le Nôtre. Palais-Royal, Bagnolet, Saint-Maur, Chantilly, Champs, Bizy, etc., contrôleur des bâtiments du Roi.

DESTAILLEURS Walter-André (né en 1867). Architecte, petit-fils de François Destailleurs. Trévarez (1894-1906).

DEZALLIER D'ARGENVILLE Antoine-Joseph (1680-1765). Naturaliste et historien de la peinture. Auteur de *Théorie et pratique du jardinage* (1709, 1ʳᵉ édition).

DOMBAY Joseph (1742-1794). Botaniste, voyageur et découvreur de plantes (Pérou, Chili...).

DU CERCEAU Androuet. Famille d'architectes, dessinateurs et graveurs. **Jacques Iᵉʳ** (vers 1515-vers 1584), auteur des *Plus Excellents Bastiments de France* (1576-1579) ; dessinateur et graveur ; construisit Verneuil, Montargis, Charleval. — **Jean-Baptiste** (vers 1544-1547-1590), fils du précédent, travailla à Verneuil, Charleval, Monceaux. — **Jacques II** (1556-1614), frère du précédent. Travailla à Verneuil avec son frère et termina Verneuil. — **Jean Iᵉʳ** (1590-1617), fils de Jean-Baptiste. (D'après Geymüller, *les Du Cerceau*.)

DUCHÊNE Achille-Jean-Henri (1866-1947). Formé à l'école de son père, Henri Duchêne (1841-1902), architecte paysagiste. Ses travaux sont innombrables, tant en France qu'à l'étranger ; nous ne pouvons citer ici que les principales restaurations ou créations, avec son père, puis seul : Champs, Vaux, le Marais, Breteuil, Maintenon, Courances, Baillon, Royaumont, la Boissière, Saint-Georges-Motel, Mortefontaine, Condé, Langeais, Lou Sueil (Côte d'Azur), Blenheim en Angleterre, Voisins, Schoppenwhir, Jeurre, jardin Calouste Gulbenkian.

DUCHESNE Antoine-Nicolas (1747-1827). Botaniste, écrivain, auteur de *Sur la formation des jardins* (1755).

DUFOUR. Architecte-paysagiste normand. Jardin des Plantes de Caen (c. 1830).

DUFRESNY Charles-Rivière (1648-1724). Homme de lettres, défenseur du style paysager. Présente à Louis XIV un projet de transformation des jardins de Versailles en style paysager. Les jardins de la « folie » de l'abbé Pajot.

DUPERAC Étienne (1520-1604). Architecte, peintre, graveur. Il a travaillé à Anet, Saint-Germain-en-Laye, Fontainebleau et les Tuileries.

DUPRAT Ferdinand (1887-1976). Architecte-paysagiste, président de la Société française des Architectes de jardins, professeur d'architecture des Jardins et d'Urbanisme à l'école nationale supérieure d'Horticulture de Versailles. Créateur de plus de 300 jardins. La Roche-Courbon (Saintonge), Vayres (Gironde), Beychevelle (Médoc), Margaux (Médoc).

DUVILLIERS-CHASSELOUP François. Architecte-paysagiste. Plans de ses réalisations publiés par l'auteur (1867-1870).

EMBRY. Auteur du dessin des parterres du jardin Borély (1775).

FAGON Gui (1638-1718). Neveu de Gui de Brosse, surintendant du Jardin du roi (jardin des Plantes) où il fait construire les premières grandes serres.

FONTAINE Pierre-François-Léonard (1762-1853). Neveu du précédent, associé de Charles Percier sous l'Empire. Malmaison, Saint-Cloud, Neuilly, Chaillot (projet), etc.

FORESTIER Jean-Claude-Nicolas (1861-1930). Polytechnicien, ancien élève de l'école forestière de Nancy, conservateur des Promenades de Paris, inspecteur général des Parcs et Jardins de l'Exposition internationale des Arts décoratifs de 1925 (Paris). Roseraie et jardin des Iris (parc de Bagatelle, Paris), jardin Joseph Guy (Béziers), la Bastide du Roy (Biot). Nombreuses réalisations à l'étranger (Espagne, Maroc, La Havane, Argentine). Auteur de *Jardins, Carnet de plans et de dessins* (1920).

FISH Henri. Paysagiste et pépiniériste contemporain ayant réalisé divers jardins méditerranéens. Fondation Maeght à Saint-Paul-de-Vence.

FRANCINI (dit Franchine ou Francine). Famille originaire de la Toscane ; dynastie, en France, d'ingénieurs fontainiers, furent intendants généraux des Eaux et Fontaines royales durant 160 ans. — **Thomas** (1571-1651). — **Alexandre,** frère du précédent, « chargé de l'entretien des eaux et fontaines du château de Fontainebleau » († 1648). — **François** (1617-1688), créateur des Eaux de Versailles ; le membre le plus illustre de la famille (fils de Thomas). — **Pierre,** frère du précédent (1621-1686), travailla à Versailles et Fontainebleau. — **Pierre-François** (1654-1720), fils de François. — **François-Henri** (1684-1731), fils du précédent. — **Thomas-François** (1724-1780), fils du précédent. — **Pierre-Thomas** (1773-1784), fils du précédent. (D'après A. Mousset, *les Francine.*)

FROIDEVAUX Y.M. (1907-1983). Architecte en chef à l'Inspection générale, restauration du cloître du Mont-Saint-Michel (1966), cathédrale de Sarlat, château de Puiguilhem.

GABRIEL Jacques-Ange (1698-1782). Trianon, Choisy, Saint-Hubert, Compiègne, Fontainebleau (hôtel Pompadour), Menars, Bordeaux, Champs-sur-Marne.

GALLÉ Émile (1846-1904). Artiste dans de nombreux domaines et botaniste averti ayant contribué à faire de Nancy une ville connue pour son activité dans le domaine horticole.

GANAY Ernest de (1880-1963). Poète, bibliographe des jardins et amateur éclairé.

GARNIER D'ISLE Jean-Charles (1697-1755). Gendre de Claude Desgots, lui-même neveu de Le Nôtre. Architecte, contrôleur des bâtiments du Roi. Bellevue, Crécy, Bizy, Trianon.

GÉRARD Alexandre-Sébastien. Conseilla Joséphine pour l'aménagement extérieur de Malmaison. Arboretum de La Fosse (XIXe siècle).

GÉRARDIN Henri. Arboretum de La Jonchère (1885).

GERVAIS Louis-Ferdinand de Nesle dit (?-1756). Directeur des jardins des ducs de Lorraine. Élève de Claude Desgots. Il a travaillé à La Malgrange, Commercy, Lunéville, Fléville, Schönbrunn.

GIRAL Jean-Antoine (1713-1787). Château d'O à Montpellier.

GIRARDIN Louis-René, marquis de (1735-1808). Composa ses jardins d'Ermenonville de 1766 à 1776. Auteur de *De la composition des paysages...* (1777).

GITARD Daniel (1625-1686). Grand degré de Chantilly.

GRAEF Jean. Auteur du jardin du casino de Bagnoles-de-l'Orne (1927).

GRAVEREAUX Jules (né en 1905). Initiateur du parc de L'Haÿ-les-Roses (c. 1892).

GREBER Jacques (1882-1962). Architecte-urbaniste, professeur à l'Institut d'Urbanisme de l'Université de Paris, architecte en chef de l'Exposition de 1937. Trocadéro (Paris), Malbosc (Grasse), L'Altana (Antibes). Auteur de nombreuses réalisations à l'étranger.

GUEVREKIAN Gabriel (1900-1970). Architecte. Jardin de la villa Heim à Neuilly-sur-Seine, jardin du vicomte de Noailles à Hyères, jardin d'eau et de lumière à l'Exposition des Arts décoratifs de 1925.

GUILLOIS P. Dessin de Champromain (1761).

HANBURY Thomas (1832-1907). Voyageur et mécène, créateur du jardin Hanbury à La Mortola, Italie (à côté de Menton).

HARCOURT François-Henri, duc d' (1726-1802). Dessina « la Colline » dans les jardins d'Harcourt en Normandie ; conseilla à Batz (princesse de Monaco) et à la Butte (Bellevue, à Mme de Coislin). Composa le *Traité de la décoration des dehors, des jardins et des parcs* (vers 1775, publié seulement en 1919, éd. Ganay).

HARDOUIN-MANSART Jules (1646-1708). Petit-neveu de François Mansart. Auteur des bosquets des Dômes et de la colonnade à Versailles, de bosquets à Marly, du buffet du Trianon, du bassin inférieur des Cascades de Saint-Cloud.

HERBERT-STEVENS François. Architecte. La Ballue (1973).

HOURS Yves de (?-1746). Directeur des jardins et parterres des ducs de Lorraine. Lunéville, La Malgrange.

HURTAULT Maximilien-Joseph (1765-1824). Élève de Mique. Fontainebleau, Saint-Cloud.

HUVÉ Jean-Jacques (1742-1808). Élève de Blondel. Montreuil (Mme Élisabeth) à Versailles.

HUVÉ Jean-Jacques-Marie (1783-1852). Saint-Ouen (Mme Du Cayla, 1819).

ISABELLE Charles Édouard. Parc de l'Allier à Vichy (1861).

ISABEY Jean-Baptiste (1767-1825). Peintre, miniaturiste, conseiller de jardins : Malmaison, Épernay, Rocquencourt, Rosny, etc.

ISIDORE Raymond. Autodidacte inspiré. Maison Picassiette (c. 1928) à Chartres.

IVRY Constant d'. Auteur du jardin de Bizy (1738-1739).

JEKYLL Gertrude (1843-1932). Artiste ayant fortement influencé l'art des jardins par ses ouvrages, ses compositions à la fois très structurées et leur fleurissement impressionniste et savant. A collaboré avec William Robinson et, plus tard, avec E. Luytens. Les Moutiers.

JOHNSTON Lawrence (1851-1934). Américain élevé en France et devenu britannique. Inventeur, dans son jardin d'Hidcote en Angleterre, d'un style nouveau qu'il adapta dans son deuxième jardin, Serre de la Madone à Menton.

JUSSIEU de. Famille de grands botanistes. — **Antoine** (1686-1758), médecin et professeur de botanique à Paris. — **Bernard** (1699-1777), frère cadet d'Antoine, botaniste dont les travaux permirent d'accomplir de grands progrès dans la classification des végétaux. Créateur du jardin botanique de Trianon. — **Joseph** (1794-1779), botaniste, médecin, mathématicien et ingénieur, découvreur de nombreuses plantes en Amérique du Sud. — **Antoine-Laurent** (1748-1836), neveu d'Antoine, auteur d'une histoire de la botanique *Genera plantarum secudum* et administrateur du jardin du Roi à partir de 1777. — **Adrien** (1797-1853), fils d'Antoine-Laurent, médecin succédant à son père à la chaire de botanique du Muséum, auteur de monographies et d'articles.

KARCHER. Architecte. Jardin de l'abbaye de Vierzon (1924).

KOBERLÉ Elsa. Créatrice des jardins de l'abbaye de Saint-André (début du XXe siècle).

LABORDE Jean-Joseph de. Banquier de la cour de France, mort sur l'échafaud révolutionnaire en 1794, créateur des jardins de Méréville dans son domaine. Son fils, **Alexandre de Laborde,** auteur des *Nouveaux Jardins de la France* (1808).

LALOS J. Architecte et théoricien de jardins, auteur de *De la composition des parcs et jardins pittoresques* (1817). Travailla à de nombreux jardins sous l'Empire et la Restauration : Chamblac (M. de La Varende), les Routis (Orne, M. de Moucheron), la Motte (Savoie, marquis de Costa), Villette (près de Meulan, marquis de Bouthilliers), Beaurepaire (baronne de Curnieux), etc.

LAMARCK Jean-Baptiste de Monet, chevalier de (1744-1829). Avec de Candolle, il met au point une flore à clefs dichotomiques permettant l'identification de toutes les plantes de France.

LANCRET François-Nicolas. Lamotte-Tilly (1754).

LAPRADE Albert (1883-1978). Architecte, auteur de carnets de croquis sur toutes les régions de France et de nombreux pays du Bassin méditerranéen contenant de nombreux relevés et détails de jardins. Manoir de Coatcouraval, Gerbeviller (1920).

LA QUINTINIE Jean de (1626-1688). Agronome, directeur général des jardins fruitiers et potagers de toutes les demeures royales. Potagers de Chantilly, Vaux-le-Vicomte, Sceaux, Rambouillet, Versailles. Auteur posthume de *Instructions pour les jardins fruitiers et potagers* (1690).

LASSUS Bernard. Paysagiste contemporain. Parc de la Corderie royale de Rochefort. Auteur de *Paysages quotidiens - l'Ambiance au démesurable* (1975), *Jardins imaginaires* (1977).

LE BLOND Joseph-Baptiste (1686-1719). Auteur des planches de *Théorie et pratique du jardinage* de Dézallier d'Argenville. Hôtel de Vendôme, hôtel de Clermont, architecte de Pierre le Grand à Saint-Pétersbourg.

LE BOUTEUX Michel. Neveu de Le Nôtre, architecte et graveur, à Trianon dès 1670.

LE BRUN Charles (1619-1690). Peintre et sculpteur issu de l'atelier de Simon Vouet où il travailla avec A. Le Nôtre. Responsable des programmes de sculpture de Vaux, Versailles, Sceaux...

LECARPENTIER Antoine (1709-1773). Travailla à Courteilles, etc.

LÉCLUSE Charles de (1526-1609). Considéré comme l'un des fondateurs de la botanique, voyageur et importateur de nombreuses plantes.

LECOQ Louis-Marie. Élève de Thouin, auteur de *le Paysagiste, nouveau traité d'architectures de parcs et jardins* (1860). Jardin Lecoq à Clermont-Ferrand.

LEDOUX Claude-Nicolas (1736-1806). Hôtel Thélusson à Paris ; Louveciennes, Eaubonne, Bénouville.

LEGRAND Jacques-Guillaume (1743-1808). Associé de Molinos : Saint-Cloud (Lanterne), etc.

LEGRAND Pierre-Germain. Architecte du duc d'Orléans à Saint-Cloud, 1752 à 1785.

LEMOT Frédéric (1772-1827). Sculpteur, créateur du parc de la Garenne Lemot à Clisson.

LE MUET Pierre. Tanlay (1643-1648).

LE NÔTRE ou LE NOSTRE. Famille de jardiniers. — **Pierre** (1570-1610), maître jardinier aux Tuileries pour Catherine de Médicis. — **Jean** (?-1655), responsable du grand jardin aux Tuileries, père d'André. — **André** (1613-1700). Le plus illustre de tous les dessinateurs de jardins. Vaux, Versailles, Clagny, Marly (en partie), Saint-Cloud, Meudon, Saint-Germain, Sceaux, Chantilly, Dampierre, Maintenon, Fontainebleau, Pontchartrain, Choisy, la Mésangère, Guermantes, Montjeu, Castres (évêché), Bourges (*id.*), Castries, Meaux, etc.

LE ROUGE Georges-Louis (?-† à la fin du XVIIIᵉ siècle). Ingénieur, géographe de Louis XV, auteur entre 1776 et 1787 de *Détails de nouveaux jardins à la mode*.

LESAGE Charles. Architecte de jardins. Bellevue (Mesdames de France), jardin Beauharnais à Paris.

LE VAU Louis (1612-1670). Architecte à l'origine, avec Le Nôtre, du développement d'une composition classique globale intégrant maison et jardin. Le Raincy, Vaux, Versailles (salle de bal, ménagerie).

LIGNE Charles-Joseph, prince de (1735-1814). Dessina une partie de ses jardins de Belœil, à l'anglaise. Auteur du *Coup d'œil sur Belœil* (1781).

LOTTE Pierre. Architecte en chef des Monuments historiques. Restauration de la Bastie d'Urfé (c. 1960).

LOU DE VIANE Tobie (1934-1986). Paysagiste et journaliste, créateur de nombreux jardins privés en France. Château de Gourdon (1972), Val Joannis. Jardins de la cour de Jordanie.

LUTYENS sir Edwin (1869-1944). Architecte et urbaniste anglais. New Delhi, nombreuses maisons de campagne conçues en liaison avec Gertrude Gekyll, responsable des jardins. Les Moutiers, à Varangeville, est l'une de ses premières commandes (1898).

MAERLE Antoine de. Parc de la Colombière à Dijon (1771).

MAGNOL Pierre (1638-1715). Botaniste né à Montpellier, description de 2 000 plantes ; il eut l'intuition des liens de parenté entre les végétaux.

MALLET-STEVENS Robert (1886-1945). Architecte protagoniste du style international. Jardin à l'Exposition des Arts décoratifs de 1925, première terrasse de la villa Noailles à Hyères, jardins d'hôtels particuliers.

MANSART François (1598-1666). Jardins de Blois, de Maisons, Balleroy.

MANSE de. Ingénieur, auteur de la machine élévatoire des eaux à Chantilly (pavillon de Manse).

MARGUERITA Paul. Architecte-paysagiste. Les Prés Fichaux à Bourges (1922).

MAROT Daniel (1661-1752). Architecte huguenot émigré aux Pays-Bas où il adapta le jardin classique au jardin hollandais. Œuvres aux Pays-Bas, en Angleterre, en Allemagne.

MASSEY Placide (1777-1853). Directeur, en 1819, des jardins de Versailles, Sèvres, Saint-Cloud. Créateur du jardin Massey à Tarbes.

MAUMENE Albert. Architecte-paysagiste, président du Comité de l'Art des jardins de la Société nationale d'Horticulture de France, directeur-fondateur de la revue *la Vie à la campagne*, grand théoricien de l'Art des Jardins.

MAUNOURY Louis. Paysagiste contemporain. Jardin d'Éole à Brest (1989).

MAYMONT Paul. Architecte contemporain. La Ballue (1973).

MAZEL Eugène. Botaniste. Créateur de la bambouseraie d'Anduze (c. 1855).

MEILLAND. Famille de rosiéristes depuis 1850 dont le développement fut impulsé à Lyon par Antoine, puis par Francis (1912-1958).

MENOURS Jacques de. Neveu de Boyceau de La Barauderie. Versailles.

MICHAUX André (1746-1802). Botaniste, élève de Jussieu, découvreur avec son fils, François-André (1770-1855), de nombreuses plantes, en particulier de bois précieux, en Europe, Perse, Amérique du Nord.

MICHOT Nicolas (1707-1790). Anet, Courteilles, Valençay.

MIQUE Richard (1728-1794). Mort sur l'échafaud révolutionnaire. Trianon, Saint-Cloud (Félicité), Bellevue.

MOISY Dominique (1731-1816). Auteur des jardins de l'hôtel Biron, rue de Varenne, à Paris.

MOLINOS Jacques (1743-1801). Associé de Legrand (voir ce nom).

MOLLET. Dynastie d'architectes, du XVIᵉ au XVIIIᵉ siècle. — **Jacques Iᵉʳ** († 1595), architecte des jardins royaux, jardinier du duc d'Aumale à Anet. — **Claude**, fils du précédent (vers 1563-vers 1650), succéda à son père dans sa charge en 1595 ; reçut à Anet les leçons de Du Pérat, travailla aux Tuileries (1630), à Versailles (1639, comptes), où il fait du parterres ; à Fontainebleau, Saint-Germain, Monceaux (1595) ; architecte du roi aux Tuileries dès 1599, auteur du *Théâtre des plans et jardinages* (1652, posthume). — **André**, fils du précédent, maître des jardins de la reine de Suède, auteur du *Jardin de plaisir* (1651). — **Charles**, frère du précédent, maître des jardins du Louvre en 1692. — **Armand-Claude**, fils du précédent, obtint sa charge en survivance.

MOREL Jean-Marie (1728-1810). Architecte de jardins, auteur de la *Théorie des jardins*. Cassan, Guiscard, Launay, Ermenonville, Malmaison, Saint-Leu, Limours, etc.

MOREUX Jean-Charles. Architecte. Square Legall (c. 1930).

NEUFFORGE Jean-François de (1714-1791). Architecte, auteur de *Recueil élémentaire d'architecture*, contenant des planches gravées sur l'Art des Jardins.

NOAILLES Charles de (1891-1981). Mécène et « amateur » devenu un grand connaisseur. Après des essais dans sa villa d'Hyères, il réalisa un jardin très personnel dans sa villa de Grasse.

NOGUCHI Isamu. Sculpteur américain. Jardin japonais du palais de l'Unesco à Paris (c. 1950-1960).

NOISETTE Dominique. Parc Proce (1864-1866).

PACELLO DI MERCOGLIANO. Jardinier ramené d'Italie par Charles VIII, à la suite de son expédition de 1494-1495. Travailla à Amboise, au Château-Gaillard, à Blois.

PAGE Russel (1906-1985). Architecte-paysagiste anglais résidant en France de 1945 à 1962 et exerçant dans le monde entier. Jardin Vilmorin, Floralies de Paris de 1957, La Léopolda, chalet Thorenc, et nombreux autres jardins privés.

PALISSY Bernard (1510-1590). Grottes rustiques construites aux Tuileries pour Marie de Médicis, décrite dans *Recepte véritable* (1563) ; une autre pour le connétable de Montmorency, château d'Écouen.

PARIS Pierre-Adrien (1747-1817). Architecte et décorateur de Louis XVI à Louis XVIII.

PAXTON sir Joseph (1803-1865). Chef jardinier et constructeur anglais de la période victorienne. Auteur du Cristal Palace, du palmarium de Kew et, en France, du jardin de Ferrières.

PÉAN Armand. Architecte-paysagiste et théoricien, a été de l'école de Barillet-Deschamps. — **Prosper** (1878-1937). Architecte-paysagiste. Fils du précédent. Vice-président du comité de l'Art des Jardins de la Société nationale d'Horticulture de France. Propriété de M. D. à Mazamet (Tarn) et de M. le comte de Bertier de Sauvigny à Morsang-sur-Orge. Auteur de *le Nouveau Jardiniste moderne* (1929).

PECHERE René. Architecte de jardin et urbaniste contemporain. Créateur de quelque 900 jardins privés et publics, Corbeil-Cerf, Breteuil... Fondateur du Comité international des jardins et des sites.

PEIRESC Nicolas Claude de Fabri de (1580-1637). Érudit. Créateur d'un jardin à l'italienne à Belgentier (Var).

PERAT Du († 1601). Travailla à Anet pour le duc d'Aumale en 1582, à son retour d'Italie, puis Saint-Germain, à Fontainebleau ; aux Tuileries en 1599 comme « architecte du roy ». Fut le maître de Claude Mollet.

PERCIER Charles (1764-1838). Associé de P. F. L. Fontaine (voir ce nom).

PETO Harold (1854-1933). Architecte anglais ayant travaillé sur la Côte d'Azur au début du XIXᵉ siècle. Villas Maryland, Rosemary, Bella Vista, Isola Bella.

PÉTRARQUE Francesco (1304-1374). Fils d'un exilé florentin, poète et grand voyageur ayant vécu jusqu'en 1354 à Avignon et Fontaine-de-Vaucluse où il créa un jardin.

PITTON DE TOURNEFORT Joseph (1656-1708). Botaniste, élève de P. Magnol. Voyages au Levant, micocoulier, jujubier, acanthe.

PLUMIER Charles (1646-1704). Botaniste né à Marseille. Grand voyageur (Antilles) ; bégonia, magnolia, fuchsia, lobélie...

POIVRE Pierre (1719-1786). Botaniste d'origine lyonnaise, grand voyageur (Chine, Antilles, île Maurice où il crée le jardin des Pamplemousses). S'efforça de briser le monopole hollandais sur les épices.

PROVOST Alain. Paysagiste contemporain, ingénieur horticole. Parc floral de Vincennes (participation), parc Béarn à Saint-Cloud, parc de La Courneuve, parc des Cévennes (Paris).

PRUNET Pierre. Architecte en chef des Monuments historiques. Restauration du jardin du château du Montal.

RAFFENEAU-DELILE Alire (1778-1850). Botaniste, voyageur (Égypte, Amérique du Nord) puis directeur du jardin des Plantes de Montpellier.

RAINETTE. Château de Flers (1751).

REDONT Édouard. Architecte-paysagiste, élève de Barillet-Deschamps. Auteur de nombreux espaces publics à Reims (c. 1880), Épernay, Sedan, Nancy, Valence, Aix-les-Bains et à l'étranger.

REDOUTE Pierre-Joseph (1759-1841). Illustrateur de nombreux ouvrages et de 6 000 aquarelles sur les végétaux.

RENARD Jean-Augustin (1744-1807). Architecte de M. de Talleyrand, à Paris et à Valençay.

RENNEQUIN, René Sualem, dit (1645-1708). Liégeois, ingénieur de la machine de Marly, mais surtout « maître charpentier ».

RICHARD Claude († 1784). Jardinier du Petit Trianon, botaniste célèbre, dont la lignée était connue dès le XIIᵉ siècle (en Angleterre). — **Antoine** († 1807), fils du précédent, jardinier du Petit Trianon, conservateur et directeur des Jardins de Versailles sous la Révolution. — **Louis,** frère du précédent, jardinier d'Auteuil. Il eut un de ses fils, **Louis-Claude** (1754-1811), qui fut un botaniste réputé, professeur au Muséum, membre de l'Académie des sciences, auquel succéda, au Muséum et à l'Académie, son fils **Achille** (d'après L.-M. Michon).

RICHERT Alain. Paysagiste contemporain. Le Labyrinthe aux oiseaux, le château d'O (Normandie), Donjon de Ballon, La Guyonnière.

RIOUSSE André (1895-1952). Architecte, paysagiste, urbaniste, professeur à l'école nationale d'Horticulture de 1946 à 1951. Élève de Jules Vacherot. Trémont (Saône-et-Loire), Sèvres. Auteur de *Petits Jardins d'aujourd'hui* (vers 1937).

ROBERT Hubert (1733-1808). Peintre, paysagiste et décorateur. Conseiller de maints jardins et dessinateur de fabriques, rochers, etc., à Versailles, Trianon, Rambouillet, Betz, Méréville. Jardins particuliers à Saint-Germain, la Butte à Bellevue, la Grange-Bléneau.

SAMEL Gilbert. Paysagiste contemporain. Parc de La Courneuve (Seine-Saint-Denis), en collaboration avec Alain Provost, jardin de sculpture du musée d'Art contemporain de Dunkerque. Auteur de *Un jardin de sculpture : Dunkerque* (1982).

SAUVANET. Architecte. Jardin public de Guéret (1907).

SERLIO Sebastiano (1475-1555). Architecte italien de la Renaissance. Ancy-le-Franc, Fontainebleau.

SERRES Olivier de (1539-1619). Ministre d'Henri IV. Son *Théâtre d'agriculture* donne une vue complète de l'art des jardins à son époque.

SGARD Jacques. Urbaniste, paysagiste contemporain. Parc floral de Vincennes, parc André Malraux à Nanterre, parc des Loges à Évry.

SIFFAIT Alexandre. Créateur inspiré des Folies Siffait (c. 1826).

SIMON Jacques. Paysagiste contemporain, directeur de la collection *Aménagement des Espaces libres.* Parc Saint-John-Perse à Reims.

SOUFFLOT Germain (1713-1780). Ménars, Chatou.

TERRY Emilio (1890-1964). Architecte cubain, dessinateur de fabriques. Tente de Groussay, grotte-escalier de la villa de Noailles à Grasse.

THÉBAUD Henri (1900-1982). Ingénieur horticole, paysagiste contemporain, professeur à l'École Nationale d'Horticulture de Versailles. Golf de Saint-Nom-la-Bretèche, en tant que conseiller, nombreux jardins privés autour du golf.

THIBAULT Jean-Thomas (1757-1826). Élève de Boullée. Saint-Leu (fabriques), associé de Vignon (voir ce nom).

THOUIN André (1747-1824). Jardinier du Jardin du roi (des Plantes) sous Buffon, puis administrateur du Muséum. — **Gabriel** (1747-1829), frère du précédent. Architecte de jardins ; auteur des *Plans raisonnés de toutes les espèces de jardins* (1819-1820).

TOURET Eugène (1855-1926). Architecte-paysagiste. Auteur de la roseraie de Malmaison, reconstitution de la roseraie de l'impératrice Joséphine.

THURET Gustave (1817-1875). Botaniste « amateur » devenu spécialiste. Créateur des jardins Thuret à Antibes.

TRUFFAUT. Dynastie de pépiniéristes fondée en 1924 par Charles, développée par Georges, son arrière-petit-fils.

VACHEROT Jules (1862-1925). Architecte en chef de l'Exposition de 1900. Jardins du Trocadéro, jardin Potin à Neuilly, Bijou (Pyrénées-Atlantiques). Nombreuses expositions, France et étranger. Résidence du roi Léopold II de Belgique à Saint-Jean-Cap-Ferrat, parc Jouvet à Valence. Auteur de *Parcs et jardins* (deux éditions, 1908 et 1925).

VARE Louis-Sulpice (1802-1883). Commença la transformation du bois de Boulogne que termina Barillet-Deschamps sous la direction d'Alphand. Dessina la nouvelle partie de Bagatelle, au nord (côté de Neuilly), avec l'étang et la grotte. Parcs de Ferrières, Ognon, Nointel, Dampierre (partie nord-est), Saint-Seine, Thoiry...

VAUGHAN Timothy. Pépiniériste et paysagiste-conseil contemporain. Courson.

VERA André (1881-1971). Théoricien de l'Art des jardins. Auteur de nombreux écrits dont *le Nouveau Jardin* (1911), *les Jardins* (1919). — **Paul** (1882-1957), frère du précédent. Peintre, décorateur, graveur sur bois et concepteur de jardin. Jardin de l'hôtel du vicomte de Noailles à Paris, jardin Gernez à Honfleur, jardin public d'Honfleur (Calvados).

VERGNAUD. Architecte. Dessina la Perrine, Beauregard, etc. Auteur de *l'Art de créer les jardins* (1835).

VERNIQUET Edme (1727-1804). Dessina et planta les allées du Jardin du roi (des Plantes) sous Buffon ; auteur du kiosque du Labyrinthe ; dessinateur et géomètre, auteur du célèbre plan de Paris, 1791.

VEXLARD Gilles. Paysagiste contemporain. Parc du Nandinet à Marne-la-Vallée, jardin de la Treille (parc de La Villette, Paris)...

VIGNON Barthélemy (1762-1846). Associé de Thibault (fabriques de Saint-Leu).

VILMORIN de. Dynastie de pépiniéristes en activité depuis le XVIIIe siècle. — **Philippe** (1746-1804), introducteur de nombreuses plantes américaines ; arboretum de Pezanin. — **Pierre-Philippe-André** (1776-1862), créateur de l'arboretum des Barres. — **Henry** (1843-1899), botaniste, ami de William Robinson.

WAILLY Jacques de. Paysagiste. Logis de Nieul (parc Capi-Plante) vers 1947.

WATELET Claude-Henri (1718-1786). Peintre et écrivain. Auteur de ses jardins de Moulin-Joli. Publia, en 1774, son *Essai sur les jardins*.

WATERFIELD Humphrey. Peintre et paysagiste anglais ; le clos du Peyronnet à Menton ; Abbots Ripton (c. 1950) et Hill Pasture en Angleterre.

WHARTON Édith (1862-1937). Écrivain américain. Auteur d'un jardin à Hyères, parc Saint-Clair.

WOLKONSKI Peter. Créateur des jardins de Kerdalo (c. 1965).

INDEX

Crédit photographique

De gauche à droite et de haut en bas :
24 : D. Lentin. 27 : D. Lentin. 29 : D. Lentin. 30 : D. Lentin. 32 : Université L. Pasteur. 33 : D. Lentin. 34 : M. Guillard. 37 : D. Repérant (Rapho). 38 : D. Lentin. 40 : A. Racine. 41 : T. David. 42 : T. David. 43 : T. David. 46 : A. Descat (Bamboo). 47 : M. Racine. 49 : M. Racine. 50 : M. Racine. 52 : M.S.M. Lestrade. 53 : M. Racine. 54 : M. Racine. 57 : M. Racine. 58 : M. Racine. 59 : M. Racine. 60 : D.R. 61 : J.-L. Petit. 62 : D.R. 63 : M. Racine ; D.R. 64 : M. Racine. 65 : M. Racine. 68 : D.R. 70 : M. Racine. 71 : A. Descat (Bamboo). 72 : A. Bonhet ; M. Racine. 73 : M. Racine. 74 : M. Racine. 75 : M. Racine. 77 : École Nationale Supérieure du Paysage. 78 : M. Racine. 80 : M. Racine. 81 : D.R. 82 : E. Revault. 85 : M. Racine. 86 : G. Lévêque ; R. Tixador (TOP). 87 : M. Racine ; D. Lentin. 89 : D. Lentin. 90 : J. Weill. 92 : J. Weill. 93 : J. Weill. 94 : J.-B. Leroux. 95 : F. Morisot ; H. Boulé. 96 : H. Boulé. 97 : J. Weill. 99 : M. Racine. 100 : J. Weill. 101 : A. Descat (Bamboo). 102 : A. Bizet. 103 : Durand. 104-105 : J.-B. Leroux. 107 : E. Revault. 108 : D. Lentin. 111 : D.R. ; E. Revault. 112 : Ph. Gonzalès ; D. Lentin. 113 : D. Lentin. 114 : D. Lentin. 115 : D. Lentin. 116 : Lamontagne. 118 : Ph. Gonzalès. 120 : D.R. 123 : D.R. 124 : G. Desnoyers. 126 : D.R. 127 : G. Desnoyers. 128 : Lamontagne. 131 : T. David ; Malicot. 132 : M. Racine. 134 : A. Racine. 135 : Lamontagne. 136 : D. Lentin. 137 : D.R. 138 : A. Racine. 139 : H. Colson. 140 : D. Lentin ; E. Revault. 141 : D. Lentin. 142 : D. Lentin. 143 : J. Weill. 144 : M. Racine. 145 : M. Racine ; T. David. 147 : T. David. 148-149 : J. Rochaix. 150 : M. Racine ; A. Racine. 152 : D. Lentin. 154 : M. Racine. 155 : M. Racine. 156 : D. Lentin. 157 : D. Lentin. 158 : M. Racine. 159 : M. Racine. 160 : E. Revault. 163 : Maliarevsky (Explorer). 165 : D.R. 166 : T. David. 167 : D. Lentin. 168 : T. David. 169 : T. David ; D. Lentin. 170 : D. Lentin. 171 : D. Lentin. 172 : T. David. 173 : A. Racine. 174 : T. David. 175 : D. Lentin. 176 : D. Lentin ; D. Lentin. 177 : D. Lentin ; M. Racine. 178 : A. Racine. 181 : A. Cros ; A. Racine. 182 : M. Racine. 183 : D. Lentin. 185 : H. Boulé. 186 : A. Cros. 187 : M. Racine. 188 : M. Racine. 189 : M. Racine. 190 : M. Racine. 192 : Comité collectif agricole pour le Développement de l'Environnement (Roquebrun). 194 : M.-F. Morel ; P. Charles-Lavauzelle. 198 : M.-F. Morel ; M.-F. Morel. 199 : M.-F. Morel. 200 : A. Racine. 201 : P. Charles-Lavauzelle ; M.-F. Morel. 202 : D. Lentin. 205 : E. Revault. 206 : D. Lentin ; M. Racine. 208 : D. Lentin. 209 : P. Valck. 210 : T. David. 215 : V. Labarthe. 216 : V. Labarthe. 217 : J.-L. Nespoulos ; A. Racine. 218 : A. Racine. 219 : T. David ; V. Labarthe. 220 : M. Racine. 222 : H. Lefort. 223 : H. Lefort. 224 : H. Lefort. 225 : H. Lefort. 226 : H. Lefort. 227 : H. Lefort. 228 : H. Lefort. 229 : H. Lefort. 232 : M. Racine. 234 : M. Racine ; D. Lentin. 235 : D. Lentin. 236 : D.R. ; M. Racine. 237 : D.R. 239 : M. Racine. 240 : M. Racine. 241 : A. Descat (Bamboo). 242 : D.R. 244 : D. Lentin. 245 : François-Cherbourg. 246 : D.R. 247 : D. Lentin ; M. Racine. 248 : T. David. 250 : R. César (TOP). 254 : M. Racine. 255 : M. Racine. 256 : M. Racine. 257 : A. Titeca. 258 : M. Racine. 259 : A. Descat (Bamboo). 260 : T. David. 261 : A. Racine. 262 : Lamontagne. 265 : J.-B. Leroux. 267 : D.R. 268 : N. Le Nevez. 269 : N. Le Nevez. 270 : H. Boulé ; J.-B. Leroux. 272 : D. Lentin N. Le Nevez. 273 : N. Le Nevez. 274 : Ph. Girardeau. 275 : D.R. 276 : N. Le Nevez. 277 : D.R. 278 : M.-F. Morel. 282 : A. Racine. 283 : J. Weill. 285 : M.-F. Morel. 286 : D.R. 288 : D.R. 290 : A. Racine. 291 : T. David. 292 : M. Racine. 293 : Ph. Sebert. 294 : Lamontagne. 295 : D. Lentin. 296 : D. Lentin. 299 : M. Racine ; D.R. 301 : M. Racine. 302 : E. Bousier-Mougenot. 303 : E. Bousier-Mougenot. 304 : E. Revault. 305 : E. Bousier-Mougenot. 306 : A. Descat (Bamboo) 307 : M. Racine. 308 : D.R. ; A. Racine. 309 : A. Descat (Bamboo). 310 : T. David et A. Racine. 311 : E. Bousier-Mougenot. 312-313 : Lamontagne. 314 : M. Racine. 315 : M. Racine. 316 M. Racine. 317 : M. Racine. 318 : M. Racine. 320 : M. Racine. 321 : M. Racine. 322 : M. Racine. 323 : M. Mattio. 324 : M. Racine. 325 : M. Racine. 326 : M. Mattio. 328 : M. Racine. 329 : D. Lentin. 330 : M. Racine. 333 : M. Racine. 334 : M. Palomo. 335 : M. Racine. 336 : M. Racine. 337 : M. Racine. 339 : M. Racine. 340 : P. Pienon. 342 : D.R. ; M. Racine. 343 : M. Racine.

Couverture : Villandry, photo Jean-Baptiste **Leroux**

Imprimé en France par Maury-Imprimeur S.A. – 45330 Malesherbes
Dépôt légal 5172-04-1990 – Collection 11
Édition 01 – N° d'imprimeur : D90/30006 G
ISBN 2-01-015384-7 24/1452/2